GONE

NE

MICHAEL GRANT

Traduit de l'anglais (États-Unis)
par Julie Lafon

POCKET JEUNESSE
PKJ·

Directeur de collection:
Xavier d'Almeida

Titre original:
Gone

Publié pour la première fois en 2008 par Harper-Teen, un département de HarperCollins, New York.

L'AUTEUR

Michael Grant a passé une grande partie de sa vie sur la route. Élevé dans une famille de militaires, il a fréquenté dix écoles dans cinq États différents, ainsi que trois établissements en France. Adulte, il a gardé le goût des voyages et s'est d'ailleurs orienté vers l'écriture parce que c'était l'un des rares métiers qui ne l'obligeraient pas à s'enraciner. Son plus grand rêve est de faire le tour du monde en bateau et de visiter tous les continents. Il vit à Chapel Hill, en Caroline du Nord, avec sa femme, Katherine Applegate, leurs deux enfants, et beaucoup d'animaux de compagnie.

Loi n° 49 956 du 16 juillet 1949 sur les publications
destinées à la jeunesse: avril 2012

ISBN 978-2-266-22704-9

À Katherine, Jake et Julia

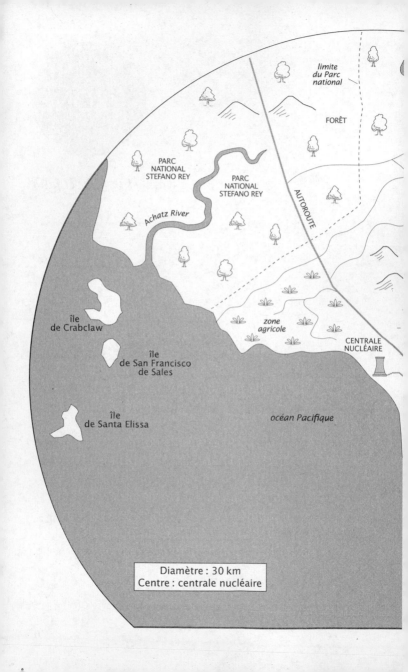

complexe résidentiel

ancienne conserverie

supérette

Brace Road

bretelle d'accès

F

K

E

Golding Street

I

Chesney Road

Pacific Boulevard

Sherman Avenue

Sheridan Avenue

J

D C

Alameda

H

San Pablo Avenue

First Avenue

B

A

marina

Grant Street

Pacific

parking

Sunset

Ocean

Légende

A - Quincaillerie et crèche
B - Immeuble incendié
C - Église
D - Hôtel de ville
E - Maison de Quinn
F - Maison d'Astrid
G - Maison de Sam
H - McDonald's
I - Allée des Gros Bras
J - Caserne
K - École

N
O E
S

Town Beach

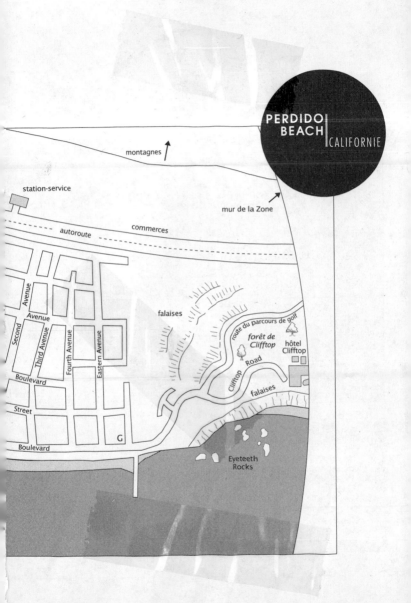

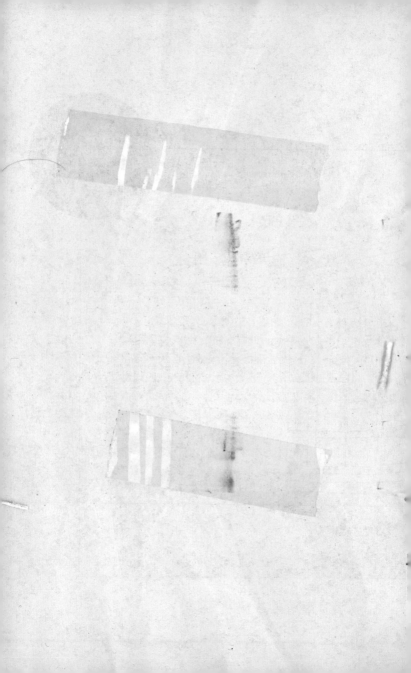

1

299 HEURES
54 MINUTES

L E PROF PARLAIT de la guerre de Sécession quand, tout à coup, il disparut.

Là, sous leurs yeux.

Plus personne.

Le temps d'un claquement de doigts.

Sam Temple était assis en cours d'histoire, les yeux fixés sur le tableau noir, mais dans sa tête il était loin, sur la plage, avec Quinn. La planche sous le bras, en train de se donner du courage avant le premier plongeon dans les eaux glacées du Pacifique.

Pendant un instant, il crut que son imagination lui jouait des tours. Il avait dû rêver les yeux ouverts.

Il se tourna vers Mary Terrafino, assise à sa gauche.

— T'as vu ça ?

Mary scrutait l'endroit où le professeur se tenait quelques secondes plus tôt.

— Euh, il est passé où, M. Trentlake ? demanda Quinn Gaither, le meilleur ami de Sam, son seul ami, peut-être.

Quinn était assis juste derrière. Tous deux préféraient s'asseoir à côté de la fenêtre parce que, certains jours, en choisissant le bon angle, on arrivait à distinguer un petit bout de mer scintillante entre le bâtiment de l'école et les maisons voisines.

— Il a dû s'en aller, suggéra Mary, sans conviction.

Edilio, le nouveau que Sam trouvait potentiellement intéressant, lança :

— Non, ma grande. Pouf.

Et, d'un geste, il illustra l'idée.

Les élèves échangeaient des regards interdits et se dévissaient le cou avec de petits rires nerveux. La situation était plutôt cocasse.

— M. Trentlake a fait pouf, dit Quinn en gloussant.

— Hé, lança quelqu'un, où est passé Josh ?

Des têtes se tournèrent.

— Il est venu, aujourd'hui ?

— Oui, il était assis juste à côté de moi.

Sam reconnut la voix de Betty. La grosse Betty !

— Il a… disparu, reprit-elle. Comme M. Trentlake.

La porte de la classe s'ouvrit et tous les yeux se braquèrent dessus. C'était sûrement M. Trentlake, accompagné de Josh, peut-être. Il s'amuserait du bon tour qu'il venait de leur jouer puis, de cette voix tendue, surexcitée qui le caractérisait, reprendrait son cours sur la guerre de Sécession, dont tout le monde se fichait éperdument.

Sauf que ce n'était pas M. Trentlake mais Astrid Ellison, alias «le Petit Génie». Astrid s'était inscrite dans toutes les options possibles et imaginables qu'offrait l'école. Dans certaines matières, elle suivait des cours par correspondance.

Astrid avait les cheveux blonds, longs jusqu'aux épaules, et elle aimait porter des chemisiers à manches courtes d'une blancheur impeccable, qui attiraient toujours l'œil de Sam. Il savait bien qu'il n'était pas à la hauteur de cette fille, mais rien n'interdisait de rêver.

— Où est votre prof? s'enquit Astrid.

Haussement d'épaules collectif.

— Il a fait pouf, répondit Quinn en espérant la faire rire.

— Quoi, il n'est pas dans le couloir? demanda Mary.

Astrid secoua la tête.

— Il se passe quelque chose de bizarre. Mon groupe de maths... On était trois, plus la prof. Ils ont tous disparu.

— Quoi? fit Sam.

Astrid le regarda droit dans les yeux. Contrairement aux autres fois, il ne détourna pas la tête; car, dans le regard d'Astrid, où brillait d'ordinaire une lueur de scepticisme ou de défi, il lut de la peur. Ses yeux bleus perçants, pétillants d'intelligence, s'écarquillaient d'étonnement.

— Ils sont partis. Ils ont… disparu.

— Et ta prof? demanda Edilio.

— Elle aussi.

— Pouf, répéta Quinn, avec moins d'entrain, cette fois.

Il commençait peut-être à se dire que ce n'était pas tellement drôle, en fin de compte.

Sam entendit un bruit au loin. Un bruit venu de la ville. Des alarmes de voiture. Il se leva, un peu mal à l'aise – après tout, ce n'était pas à lui de prendre les choses en main –, et se dirigea d'un pas raide vers la porte. Astrid s'écarta pour le laisser sortir. En passant près d'elle, il perçut l'odeur de son shampooing.

Il jeta un coup d'œil du côté de la salle 211, où se réunissait la bande de matheux d'Astrid. À cet instant, un gamin passa la tête par la porte de la salle 213, qui se trouvait juste à côté : il avait l'expression mi-effrayée, mi-ahurie de quelqu'un qui vient de faire un tour de montagnes russes.

De l'autre côté du couloir, de grands éclats de rire s'élevaient de la salle 207. Des primaires, sans doute. Sans crier gare, trois sixièmes surgirent de la salle 208 et s'arrêtèrent net en voyant Sam. Ils le dévisagèrent, perplexes, comme s'ils s'attendaient à se faire engueuler.

L'école de Perdido Beach était une petite institution qui rassemblait dans un seul bâtiment tous les élèves des environs, de la maternelle à la troisième, en passant par le primaire. Le lycée, lui, était à San Luis, à une heure de voiture.

Sam entra dans la classe d'Astrid, Quinn et Astrid sur les talons.

La salle était déserte. Personne derrière les pupitres et le bureau du professeur. Des manuels de maths et des cahiers ouverts traînaient sur les tables. Les ordinateurs, une rangée de six Macintosh d'un autre âge, affichaient le même écran vide.

Sur le tableau, on pouvait lire « polyn ».

— Elle était en train d'écrire le mot « polynôme », chuchota Astrid.

— Oui, je l'aurais deviné, répondit sèchement Sam.

— J'ai eu un polynôme, une fois, observa Quinn. Le docteur me l'a enlevé.

Astrid ignora son trait d'humour.

— Elle était en train d'écrire le « ô » quand elle a disparu. J'avais les yeux rivés sur elle.

Sam montra quelque chose du doigt. Un bout de craie abandonné par terre, pile à l'endroit où l'aurait fait tomber le professeur qui était en train d'écrire au tableau.

— C'est pas normal, tout ça, déclara Quinn.

Quinn était plus grand, plus costaud que Sam, et au moins aussi bon surfeur. Mais, avec son humour déjanté et son goût pour le déguisement – aujourd'hui, il portait un pantalon baggy, des rangers, un polo rose et un chapeau gris qu'il avait trouvé dans le grenier de son grand-père –, il avait une réputation d'excentrique, qui en éloignait certains et en effrayait d'autres. Quinn était un solitaire, et c'était peut-être pour ça que Sam et lui s'entendaient si bien.

En comparaison, Sam Temple adoptait un profil bas. Il choisissait des jeans et des tee-shirts discrets pour passer inaperçu. Il avait presque toujours vécu à Perdido Beach, il fréquentait les bancs de l'école, et tout le monde savait qui il était, mais rares étaient ceux qui le connaissaient vraiment. Il faisait du surf mais ne traînait pas avec les surfeurs. Il était malin sans être un génie, et mignon mais pas au point de faire sensation auprès des filles.

La seule chose qui n'avait pas échappé à la plupart des élèves de l'école, c'était son surnom, Sam du Bus, qu'il avait gagné en cinquième. Au cours d'un voyage d'étude, le conducteur du car scolaire avait eu une crise cardiaque. Ils roulaient sur l'autoroute, et Sam avait poussé le chauffeur de son siège, garé le bus sur le bas-côté et, sans s'affoler, appelé les urgences sur le téléphone portable du pauvre homme.

S'il avait hésité une seule seconde, le bus serait tombé de la falaise et aurait fini sa route dans l'océan.

Sa photo avait paru dans le journal.

— Les deux autres élèves et la prof ont disparu, dit-il. Tous excepté Astrid. Effectivement, c'est pas normal.

Sa langue avait fourché quand il avait prononcé le nom d'Astrid. Elle lui faisait beaucoup d'effet.

— Tu entends comme c'est calme ici? lança Quinn. C'est bon, je suis prêt à me réveiller, maintenant, ajouta-t-il.

Et pour une fois, il ne plaisantait pas.

Un cri s'éleva. Tous trois déboulèrent dans le couloir, qui était à présent envahi d'élèves. C'était une sixième qui avait crié, une dénommée Becka. Elle tenait son téléphone portable à la main.

— Ça ne répond pas, gémissait-elle. Ça ne répond pas.

Pendant quelques secondes, tout le monde se figea. Puis ce fut le branle-bas de combat, et bientôt des dizaines de doigts se mirent à pianoter fébrilement sur des dizaines de claviers téléphoniques.

— Ma mère est à la maison, elle aurait dû répondre. Ça ne sonne même pas.

— Internet ne marche pas non plus. J'ai un signal mais rien sur l'écran.

— Moi, j'ai trois barres.

— Moi aussi, pourtant ça ne passe pas.

On entendit un gémissement à donner la chair de poule. Puis tout le monde se mit à parler en même temps, et les murmures laissèrent bientôt place à des cris.

— Essaie les urgences, couina quelqu'un.

— Et qui je viens d'appeler, à ton avis, gros malin?

— Ça ne marche pas?

— Rien ne marche. J'ai essayé la moitié de mon répertoire, et je n'ai rien du tout.

Le couloir était bondé comme à l'intercours, mais au lieu de se hâter vers leur salle, de chahuter ou de se précipiter vers leur casier, les élèves restaient là, bras ballants, agglutinés en un troupeau affolé.

La cloche sonna avec la violence d'une explosion. Quelques-uns tressaillirent, comme s'ils l'entendaient pour la première fois. Des voix fusèrent:

— Qu'est-ce qu'on fait?

— Il doit y avoir quelqu'un dans les bureaux. La cloche a sonné.

— Il y a un minuteur, idiot.

La remarque venait d'Howard. Howard était un minus, mais il passait sa vie à lécher les bottes d'Orc, une montagne de graisse et de muscles qui flanquait même la trouille aux troisièmes. Personne ne mouftait devant Howard. Insulter Howard, c'était comme attaquer Orc.

— Ils ont une télé, dans la salle des profs, lança Astrid.

Sam et Astrid s'y précipitèrent, Quinn derrière eux. Ils dévalèrent les marches menant au rez-de-chaussée, où se trouvaient moins de classes, donc moins d'élèves. Une fois arrivés, tous trois se figèrent.

— On n'a pas le droit d'entrer ici, dit Astrid.

— On s'en fiche, rétorqua Quinn.

Sam poussa la porte. Les professeurs avaient droit à un réfrigérateur ; il était ouvert. Un pot de yaourt à la myrtille gisait par terre : son contenu poisseux s'était répandu sur la moquette élimée. La télévision était allumée sur un écran neigeux. Sam chercha la télécommande. Où était-elle passée ? Quinn finit par mettre la main dessus et fit défiler les chaînes : rien et toujours rien.

— Le câble ne fonctionne pas, dit Sam, conscient d'enfoncer une porte ouverte.

Astrid alla dévisser le câble coaxial derrière la télévision. L'écran vacilla, la qualité de l'image s'améliora un peu, mais quand Quinn recommença à passer les chaînes en revue, il n'eut pas davantage de succès.

— Normalement, on capte toujours la 9, même sans le câble, déclara-t-il.

Les sourcils froncés, Astrid essayait de se faire une idée de la situation.

— Les profs et certains élèves qui disparaissent, les téléphones portables et la télé qui ne marchent plus, et tout ça en même temps ?

Sam et Quinn attendirent, comme si elle allait parvenir à une explication, s'écrier : « Bien sûr, j'y suis ! » Après tout, c'était elle le Petit Génie. Mais elle se contenta d'observer :

— Je n'y comprends rien.

Sam souleva le combiné du téléphone mural.

— Pas de tonalité. Il y a une radio, dans le coin ?

L'école n'en avait pas. La porte s'ouvrit à toute volée et deux garçons d'une dizaine d'années, surexcités, firent irruption dans la salle.

— L'école est à nous ! beugla l'un d'eux, et l'autre répondit par un cri de joie.

— On va ouvrir le distributeur de sucreries, annonça le premier.

— Ce n'est peut-être pas une bonne idée, suggéra Sam.

— Tu n'as pas d'ordres à nous donner, rétorqua l'autre d'un ton belliqueux et pourtant hésitant.

— OK, mon petit gars. Mais on ferait mieux de se serrer les coudes le temps de comprendre ce qui se passe, non ? dit Sam.

— Occupe-toi de tes oignons, lança le gamin.

Son camarade poussa un nouveau cri de joie, et tous deux repartirent en courant.

— Je suppose que je ne peux pas leur demander de me rapporter un Twix, marmonna Sam.

— Quinze ans, dit Astrid.

— Tu plaisantes, ils avaient dans les dix ans, pas plus, objecta Quinn.

— Pas eux. Je parle des garçons de mon groupe, Jink et Michael. Ce sont tous les deux des cracks en maths, meilleurs que moi, mais avec des difficultés d'apprentissage, genre dyslexie, qui les ralentissent dans leur scolarité. Ils sont un peu plus âgés que moi. Je suis la seule à avoir quatorze ans.

— Josh, le garçon de notre classe, il a quinze ans, lui aussi, je crois, dit Sam.

— Et alors?

— Et alors, il a... disparu, Quinn. Un battement de cils, plus personne !

Quinn secoua la tête.

— Je marche pas. Tous les adultes et les grands de l'école qui disparaissent comme ça? Ça n'a aucun sens.

— Il n'y a pas que l'école, déclara Astrid.

— Quoi?

— Les téléphones, la télé?

— Non, non, non, non, non, répéta Quinn.

Il secouait la tête avec un petit sourire, comme s'il venait d'entendre une mauvaise blague.

— Ma mère, souffla Sam.

— Arrête, d'accord? protesta Quinn. C'est pas drôle.

Pour la première fois, Sam se sentit au bord de la panique. Son cœur battait comme s'il venait de courir un sprint.

Il avala sa salive avec difficulté, le souffle court. Il n'avait jamais vu Quinn aussi effrayé. Ce dernier s'était retranché derrière ses lunettes de soleil mais sa bouche tremblait. Astrid, elle, gardait son calme et s'efforçait de trouver une explication à toute cette histoire.

— Il va falloir aller vérifier, dit Sam.

Quinn laissa échapper un soupir qui ressemblait à un sanglot. Comme il se détournait pour s'éloigner, Sam le rattrapa par l'épaule.

— Lâche-moi, frangin, lança Quinn avec colère. Il faut que je rentre chez moi. Il faut que j'aille voir.

— Tout le monde va devoir en faire autant, répliqua Sam. Allons-y ensemble.

Quinn voulut se dégager mais Sam resserra son étreinte.

— Quinn! Allons-y ensemble. Allez, mon pote, comme quand tu te prends une gamelle, tu sais? Quand tu tombes de ta planche, qu'est-ce que tu fais?

— Je ne m'affole pas, marmonna Quinn.

— Exact. Tu essaies de sortir de la vague, hein? Tu nages vers la surface.

— Sans doute une métaphore de surfeurs? rétorqua Astrid.

Quinn cessa de résister et soupira.

— OK. Tu as raison. On y va ensemble. Mais on commence par chez moi. C'est n'importe quoi. C'est vraiment n'importe quoi.

— Astrid? demanda Sam.

Il doutait qu'elle veuille venir avec eux, se trouvait prétentieux de le lui proposer, mais sentait qu'il aurait eu tort de ne pas le faire.

Elle le fixa comme si elle espérait trouver une réponse sur son visage. Il prit soudain conscience qu'Astrid le Petit Génie ne savait pas plus que lui quelle décision prendre ni où aller. Cette idée lui paraissait insensée, pourtant.

Dans le couloir, ils entendirent des bruits de voix qui se rapprochaient. Une véritable cacophonie.

Ces voix n'avaient rien de rassurant. Leur seul écho donnait la chair de poule.

— Tu viens avec nous, Astrid, d'accord? décréta Sam. C'est plus sûr de rester ensemble.

Astrid hocha la tête.

L'école était devenue un endroit dangereux. La peur pousse à faire de drôles de choses, parfois, même chez les enfants. Sam le savait d'expérience. Et ce n'étaient plus que des enfants apeurés qui couraient en tous sens dans les couloirs.

La vie de Perdido Beach avait été bouleversée. Un événement terrible et sans précédent s'était produit.

Et Sam espérait qu'il n'en était pas la cause.

LES ENFANTS SORTAIENT de l'école, seuls ou en groupes. Des filles marchaient par trois en se serrant les unes contre les autres, le visage inondé de larmes. Des garçons avançaient, le dos voûté, comme s'ils craignaient que le ciel ne leur tombe sur la tête. La plupart d'entre eux aussi pleuraient.

Sam se souvint des images diffusées au journal télévisé suite à une fusillade dans une école ; c'était un peu la même scène qui se rejouait devant ses yeux : des gamins hébétés, terrorisés, hystériques ou qui cachaient leur hystérie derrière des rires et du chahut.

Chacun restait collé à son frère, à sa sœur, à un ami. Quelques bambins, qui devaient être en maternelle ou en CP, erraient, trop jeunes pour connaître le chemin de leur maison.

Quant aux enfants de Perdido Beach qui n'étaient pas encore scolarisés, ils fréquentaient, pour la plupart, la garderie du centre-ville, une bâtisse décorée de personnages de dessins animés aux couleurs passées, qui se trouvait juste à côté de la quincaillerie et en face du McDonald's, situé de l'autre côté de la place centrale.

Sam se demanda si les petits de la crèche allaient bien. Oui, sûrement… ce n'était pas son problème. Pourtant, il fallait bien se poser la question.

— Et les petits ? Si on les laisse traîner dans la rue, ils vont se faire écraser.

Quinn s'arrêta pour scruter le bas de la rue.

— Vous voyez des voitures, vous ?

Le feu passa au vert. Pas un seul véhicule ne démarra. Le bruit des alarmes de voiture s'intensifia ; on en discernait trois ou quatre à présent, peut-être plus.

— D'abord, on s'occupe de nos parents, décréta Astrid. Il doit bien y avoir des adultes quelque part.

Elle ne semblait pas très sûre de ce qu'elle avançait.

— Enfin, ce n'est pas possible qu'ils aient tous disparu ! reprit-elle.

— Oui, renchérit Sam. Il doit y avoir des adultes, hein ?

— Ma mère est sans doute à la maison ou à son cours de tennis. À moins qu'elle n'ait rendez-vous. Mon petit frère est sûrement avec elle. Mon père est au boulot. Il travaille à la centrale.

La centrale nucléaire de Perdido Beach se trouvait à quinze kilomètres à peine de l'école. En ville, plus personne n'y pensait vraiment, mais dans les années 1990, il y avait eu un accident là-bas. Un incident isolé, comme on disait. Une coïncidence inouïe. Pas de quoi s'inquiéter.

Le bruit courait que Perdido Beach était restée une petite ville pour cette raison, à l'inverse de Santa Barbara, située plus au sud sur la côte. Perdido Beach avait été rebaptisée Tchernobyl et, franchement, qui aurait voulu vivre dans un endroit pareil, même s'il avait été débarrassé de ses radiations ?

Tous trois descendirent Sheridan Avenue puis tournèrent à droite dans Alameda. Quinn, porté par ses longues jambes, marchait devant.

Au coin de Sheridan et d'Alameda Avenue se trouvait une voiture à l'arrêt, le moteur en marche ; elle avait percuté un 4 x 4 Toyota garé contre le trottoir. L'alarme de la Toyota hurlait, stoppait quelques instants puis repartait de plus belle. Les airbags s'étaient déclenchés : des ballons blancs dégonflés pendaient du volant et du tableau de bord. Il n'y avait personne dans le 4 x 4. De la fumée s'échappait du capot cabossé.

Sam observa une chose curieuse, mais avant qu'il parle, Astrid ouvrait déjà la bouche :

— Les portières sont encore verrouillées. Vous avez vu ? Si quelqu'un était sorti de la voiture…

— Le conducteur était au volant quand il a disparu, constata Quinn.

Son ton était devenu plus grave. La plaisanterie était bel et bien terminée.

Quinn habitait à deux pâtés de maisons de là, en bas d'Alameda Avenue. Il affectait la nonchalance, essayait de jouer les décontractés, comme à son habitude. Soudain, il se mit à courir. Sam et Astrid l'imitèrent, mais Quinn était plus rapide. Il perdit son chapeau en chemin, et Sam se baissa pour le ramasser.

Quand ils arrivèrent devant chez Quinn, il avait déjà ouvert la porte d'entrée et s'était engouffré à l'intérieur. Sam et Astrid firent halte dans la cuisine.

— Maman ! Papa ! Maman ! Hé !

Quinn se trouvait à l'étage. Sa voix devenait plus stridente à chaque appel, et dans sa gorge enflait un sanglot, que Sam et Astrid ne pouvaient ignorer.

Quinn redescendit l'escalier sans cesser d'appeler ses parents, et n'obtint que le silence en retour.

Il portait toujours ses lunettes de soleil qui lui cachaient les yeux, mais Sam vit des larmes rouler sur ses joues, et il perçut de la détresse dans sa voix rauque, qui reflétait son propre état.

Il se sentait complètement impuissant. Il posa le chapeau de Quinn sur la table de la cuisine.

Son ami s'avança, hors d'haleine.

— Elle n'est pas là. Tous les téléphones sont hors service. Elle a laissé un mot ? Tu as trouvé quelque chose ? Cherche !

Astrid pressa un interrupteur.

— Au moins, l'électricité fonctionne encore.

— Et s'ils sont morts ? gémit Quinn. Je dois rêver. Ce doit être un cauchemar. Ce… ce n'est pas possible.

Il s'empara du téléphone, appuya rageusement sur le bouton de la tonalité, écouta. Il recommença, porta de nouveau le combiné à son oreille et, de l'index, se mit à pianoter sur les touches sans cesser de parler tout seul. Enfin, il reposa le téléphone et le fixa d'un air hébété, comme s'il s'attendait à ce qu'il sonne d'une seconde à l'autre.

Sam était pressé de rentrer chez lui. Il voulait savoir ce qui s'était passé même s'il craignait le pire. Mais il ne pouvait pas bousculer Quinn. Lui demander de partir maintenant équivalait à lui dire que c'était terminé, que ses parents avaient disparu, eux aussi.

— Je me suis disputé avec mon père, hier soir, reprit Quinn.

— Ne commence pas, protesta Astrid. Une chose est sûre : tu n'y es pour rien. Personne n'y est pour rien, d'ailleurs.

Elle posa la main sur l'épaule de Quinn, et ce fut comme le signal qu'il attendait pour s'effondrer.

Il éclata en sanglots, ôta ses lunettes et les jeta sur le carrelage de la cuisine.

— Ça va aller, le rassura Astrid, d'un ton qui suggérait qu'elle essayait elle-même de se convaincre.

— Oui, mentit Sam. Bien sûr que ça va aller. C'est juste…

Il s'interrompit, incapable de trouver les mots justes.

— C'est peut-être un avertissement de Dieu, suggéra Quinn, soudain ragaillardi, en levant les yeux au ciel.

Ils étaient rouges et brillaient d'une lueur folle.

— Peut-être, répondit Sam.

— Sinon, quoi d'autre, hein ? B-b-bon…

Quinn se reprit en s'efforçant d'endiguer la panique qui le faisait bégayer.

— Bon, ça va aller.

La moindre explication, si faible soit-elle, semblait lui redonner courage.

— Pff, évidemment que ça va aller.

— On enchaîne avec la maison d'Astrid, déclara Sam. Elle est plus près.

— Tu sais où j'habite ? s'étonna-t-elle.

Ce n'était guère le moment de lui avouer qu'une fois il l'avait suivie jusque chez elle dans l'espoir de réussir à lui parler, voire de lui proposer un ciné, avant de perdre courage. Sam haussa les épaules.

— J'ai dû te voir à l'occasion.

Astrid habitait à dix minutes de là, dans un bâtiment récent d'un étage, avec une piscine derrière. La famille d'Astrid n'était pas riche mais sa maison était beaucoup plus jolie que celle de Sam. Elle lui rappelait celle où il vivait avant le départ de son beau-père. Ce dernier n'était pas riche, lui non plus, mais il avait un bon boulot.

Sam ne se sentait pas à sa place chez Astrid, où tout était décoré avec goût. Un ordre parfait y régnait. On n'y trouvait pas un seul objet fragile. Les coins des tables étaient recouverts de petites protections en plastique, les prises électriques munies de cache-prises. Dans la cuisine, les couteaux étaient rangés dans un placard avec une porte en verre protégée par un verrou. La poignée du four était elle aussi dotée d'une sécurité.

Astrid nota le regard de Sam.

— Ce n'est pas pour moi, dit-elle d'un ton sec. C'est pour le petit Pete.

— Je sais. Il est…

Sam se tut : il ne connaissait pas le mot exact.

— Il est autiste, lança Astrid avec désinvolture, comme s'il n'y avait pas de quoi en faire un plat. Bon, il n'y a personne ici, ajouta-t-elle.

Son ton suggérait qu'elle s'y attendait.

— Où est ton frère ? demanda Sam.

Sans crier gare, Astrid se mit à hurler, ce dont il ne l'aurait jamais crue capable :

— Je ne sais pas, OK ? Je ne sais pas où il est.

Elle se couvrit la bouche d'une main.

— Appelle-le, suggéra Quinn d'une voix étrange, très posée.

Sa crise de larmes l'embarrassait ; en même temps, il soupçonnait que les ennuis ne faisaient que commencer.

— Il ne répondra pas, objecta Astrid entre ses dents. Il souffre d'autisme sévère. Il ne… il ne communique pas.

— Tout va bien, Astrid. On va juste vérifier, dit Sam. S'il est ici, on finira par le trouver.

Astrid hocha la tête en refoulant ses larmes.

Ils passèrent la maison au peigne fin, allant même jusqu'à regarder sous les lits et à l'intérieur des placards. Puis ils allèrent frapper chez la dame d'en face, qui s'occupait du petit Pete de temps en temps. Il n'y avait personne là non plus. Ils fouillèrent chaque pièce ; Sam avait l'impression d'être un cambrioleur.

— Il doit être avec ma mère, ou mon père l'aura emmené à la centrale avec lui. C'est ce qu'on fait quand il n'y a personne pour le garder.

Sam perçut du désespoir dans la voix d'Astrid.

Environ une demi-heure s'était écoulée depuis les disparitions subites. Quinn était toujours dans un drôle d'état. Astrid semblait à deux doigts de s'effondrer. Ce n'était pas encore l'heure du déjeuner mais Sam s'inquiétait déjà. Qu'allait-il se passer à la tombée de la nuit? On était le 10 novembre; Thanksgiving approchait à grands pas. Les journées étaient courtes, et les nuits très longues.

— On y va, décréta-t-il. Ne t'inquiète pas pour le petit Pete. On finira par le retrouver.

— Tu essaies de me rassurer pour la forme ou tu me fais une promesse? demanda Astrid.

— Pardon?

— Est-ce que tu vas m'aider à retrouver Pete?

— Oui, bien sûr.

Sam aurait voulu ajouter qu'elle pouvait compter sur lui éternellement, quoi qu'il arrive, mais c'était la peur qui lui déliait la langue. Il prit la direction de chez lui, désormais sûr et certain de ce qu'il trouverait là-bas; il avait besoin de vérifier, pourtant. Il devait s'assurer qu'il n'était pas fou.

Vérifier si ce truc était encore là.

Cette histoire de disparitions relevait du délire. Mais, pour Sam, tout avait commencé bien avant.

Pour la énième fois, Lana se dévissa le cou pour jeter un coup d'œil à son chien derrière elle.

— Il va bien. Arrête de te tracasser, lui dit Grandpa Luke.

— J'ai peur qu'il s'échappe.

— Ce chien est idiot, pas de doute, mais ça m'étonnerait qu'il cherche à s'enfuir.

— N'importe quoi. C'est un chien très intelligent.

Lana Arwen Lazar était assise sur le siège avant du vieux pick-up de son grand-père, qui avait été rouge, jadis. Pat, son labrador jaune, était allongé à l'arrière, la langue pendante, les oreilles agitées par le vent.

Pat tenait son nom de Pat Star, le personnage pas très futé de *Bob l'Éponge*. Elle aurait préféré l'installer à l'avant avec elle, mais Grandpa Luke n'était pas d'accord.

Il alluma la radio : encore de la musique country.

Il était vieux, Grandpa Luke. Beaucoup d'enfants avaient des grands-parents relativement jeunes. D'ailleurs, les autres grands-parents de Lana, ceux de Las Vegas, étaient beaucoup moins âgés que lui. Grandpa Luke avait la peau tannée comme du cuir, et le visage et les mains bruns, en partie à cause du soleil, mais aussi parce qu'il était indien, de la tribu des Chumash. Il portait un chapeau de cow-boy en paille taché de sueur et des lunettes noires.

— Je suis censée faire quoi du reste de ma journée ? demanda Lana.

Grandpa Luke donna un coup de volant pour éviter un nid-de-poule.

— Ce qu'il te plaira.

— Mais tu n'as ni télé, ni lecteur de DVD, ni Internet.

Le pseudo-ranch de Grandpa Luke était si isolé, et le vieil homme si fauché, que le seul élément de modernité était une antique radio qui, apparemment, ne captait qu'une station religieuse.

— Tu as emporté des livres, non? Tu peux toujours nettoyer l'écurie. Ou monter tout en haut de la colline.

Du menton, il désigna le paysage au-dehors.

— Il y a une jolie vue de là-haut.

— J'ai aperçu un coyote, une fois.

— Les coyotes ne sont pas dangereux, dans la plupart des cas. Frère Coyote est bien trop malin pour frayer avec les humains.

— Ça fait une semaine que je suis coincée ici, maugréa Lana. Ce n'est pas suffisant? Combien de temps je vais devoir rester? Je veux rentrer chez moi.

Le vieil homme ne daigna même pas la regarder.

— Ton père t'a chopée en train de voler de la vodka pour ce petit voyou.

— Ce n'est pas un voyou.

Grandpa Luke éteignit la radio et dit d'un ton professoral:

— Un garçon qui se sert comme ça d'une fille et qui l'entraîne sur la mauvaise pente, c'est un voyou.

— Si je n'étais pas allée la chercher pour lui, il aurait essayé de s'en procurer une avec une fausse carte d'identité et, là, il aurait peut-être eu des ennuis.

— Peut-être ? Un gamin de quinze ans qui picole est sûr d'avoir des ennuis. J'ai commencé à boire quand j'avais quatorze ans, ton âge. J'ai gâché trente ans de ma vie à cause de la bouteille. Je suis sobre depuis trente et un ans, six mois et cinq jours, grâce à Dieu et à ta grand-mère, paix à son âme.

Il remit la radio en marche.

— C'est surtout que l'épicerie la plus proche est à quinze bornes d'ici…

Grandpa Luke éclata de rire.

— Oui, tu as raison, ça aide.

Au moins il avait le sens de l'humour.

La camionnette bringuebalait violemment sur la route qui longeait un ravin profond d'une trentaine de mètres. Au fond, dans le sable, poussaient de l'armoise, des pins rabougris, des cornouillers et des touffes d'herbe sèche. D'après Grandpa Luke, quelques fois dans l'année, il pleuvait, et l'eau se déversait dans le ravin, allant jusqu'à former un torrent.

Lana avait du mal à l'imaginer tandis qu'elle fixait le précipice d'un œil distrait.

Soudain, la camionnette sortit de la route.

Lana regarda, incrédule, le siège vide sur lequel était assis son grand-père une seconde plus tôt.

Il avait disparu.

La camionnette dévala la pente. Lana fut projetée en avant, le corps scié en deux par sa ceinture de sécurité.

Le véhicule prit de la vitesse, percuta de plein fouet un arbuste qui cassa net sous le choc, et continua sa route dans un nuage de poussière. Lana, secouée par les cahots, se cogna contre la portière du pick-up, ses épaules heurtèrent la vitre, ses dents s'entrechoquèrent et, au moment où elle essayait d'atteindre le volant, la camionnette fit un tonneau.

Puis un autre et encore un autre...

Lana, dont la ceinture s'était relâchée, rebondit sur les parois de l'habitacle comme du linge ballotté par le tambour d'une machine à laver. Elle sentit son épaule s'écraser contre le pare-brise, le levier de vitesse s'acharner sur son visage, le rétroviseur exploser contre sa nuque.

Puis, brusquement, la camionnette s'immobilisa.

Lana gisait face contre terre, le corps écartelé dans une position inimaginable. La poussière la faisait suffoquer. Elle avait la bouche pleine de sang et ne voyait plus d'un œil.

D'abord, elle ne comprit pas ce qu'elle distinguait de son œil valide. Elle finit par s'apercevoir qu'elle avait la tête en bas et regardait un bouquet de petits cactus qui semblaient pousser à l'envers.

Il fallait à tout prix qu'elle sorte de là. Elle se tourna tant bien que mal et tenta d'atteindre la portière, mais son bras droit était paralysé. Lana jeta un coup d'œil à sa blessure et poussa un hurlement. Son avant-bras formait désormais un V. Des bouts d'os cassés menaçaient de transpercer sa peau.

Affolée, Lana s'agita comme un diable. La souffrance était si intolérable qu'elle s'évanouit. Mais son répit ne fut que de courte durée. Quand elle revint à elle, la douleur dans son bras, dans sa jambe gauche, dans son dos et dans sa nuque lui souleva le cœur, et elle vomit sur ce qui restait du revêtement intérieur de la camionnette.

— À l'aide ! gémit-elle. Aidez-moi, quelqu'un !

Cependant, même du fin fond de son martyre, elle savait que personne ne viendrait. Ils étaient à des kilomètres de Perdido Beach, où elle avait vécu jusqu'à l'année précédente, avant que ses parents décident de déménager à Las Vegas. Cette route ne menait nulle part, excepté au ranch. Peut-être qu'une fois par semaine quelqu'un empruntait cette même route, un randonneur égaré, ou la vieille qui venait jouer aux dames avec Grandpa Luke.

— Je vais mourir !

Mais elle n'était pas encore morte, et la douleur n'était pas près de se dissiper. Elle devait au moins se traîner hors de la camionnette.

Pat. Qu'était-il arrivé à Pat ? Elle l'appela d'une voix tremblante : rien.

Le pare-brise était constellé de craquelures, pourtant elle n'avait pas la force de l'enfoncer de sa jambe valide. La seule issue, c'était la vitre du conducteur, qui se trouvait dans son dos. Elle savait que le seul fait de se retourner la mettrait au supplice.

Soudain, Pat sortit de nulle part et lui distribua des coups de museau en grognant d'inquiétude.

— Ça, c'est un bon chien, dit Lana, et Pat remua la queue.

Pat n'était pas de ces chiens de cinéma qui se transforment subitement en héros dotés d'une intelligence supérieure. Il ne traîna pas Lana hors de la carcasse fumante du pick-up. En revanche, il resta auprès d'elle pendant l'heure infernale qu'il lui fallut pour ramper sur le sable. Elle se reposa à l'ombre d'un buisson d'armoise tandis qu'il léchait le sang sur son visage.

De sa main valide, elle tâta ses blessures. Elle avait un œil collé par le sang qui coulait d'une entaille sur son front, et une jambe cassée, ou du moins inutilisable. Le bas de son dos, au niveau des reins, la faisait atrocement souffrir. Sa lèvre supérieure était comme paralysée. Elle cracha un bout de dent en même temps qu'un filet de salive sanguinolente.

Mais le pire, et de loin, c'était son bras droit. Elle ne pouvait même pas se résoudre à l'examiner. Elle renonça aussi à le soulever : la douleur était insoutenable.

De nouveau, elle tourna de l'œil et revint à elle longtemps après. Le soleil dardait ses rayons impitoyables. Pat était roulé en boule à son côté. Dans le ciel au-dessus d'elle, une demi-douzaine de vautours attendaient leur heure en décrivant de grands cercles, leurs ailes noires déployées.

— Regardez cette camionnette, là-bas, dit Sam, le doigt pointé. Un autre accident.

Un véhicule de la FedEx s'était engouffré dans une haie avant de percuter un orme dans un jardin. Le moteur ne tournait plus.

Ils tombèrent sur deux enfants, un gamin de primaire et sa petite sœur, qui jouaient à la balle sans enthousiasme devant leur maison.

— Notre mère n'est pas là, dit l'aîné. J'ai un cours de piano cet après-midi mais je ne sais pas comment y aller.

— Et moi, j'ai cours de claquettes. C'est aujourd'hui qu'on nous donne nos costumes pour le spectacle, renchérit la fillette. Je serai déguisée en coccinelle.

— Vous connaissez le chemin de la place centrale ? demanda Sam.

— Oui, je crois.

— Alors vous devriez y aller.

— Je n'ai pas le droit de sortir de la maison, répondit la petite.

— Notre grand-mère vit à Laguna Beach, expliqua son frère. Elle pourrait venir nous chercher. Mais on n'arrive pas à la joindre, le téléphone ne marche pas.

— Je sais. Vous devriez peut-être attendre sur la place, alors !

Devant la mine déconfite de l'enfant, Sam ajouta :

— Eh, t'en fais pas, OK ? Il y a des biscuits et de la glace, chez vous ?

— Oui, je crois.

— Eh bien, personne n'est là pour vous interdire d'en manger ? Vos parents ne vont pas tarder, à mon avis. En attendant, prenez un biscuit et marchez jusqu'à la place.

— C'est ça, ta solution ? Manger un biscuit ? demanda Astrid.

— Non, ma solution c'est de courir jusqu'à la plage et d'y rester jusqu'à ce que tout soit terminé. Mais un petit biscuit ne peut pas faire de mal.

Ils reprirent leur route. La maison de Sam se trouvait à l'est de la ville. Sa mère et lui partageaient un petit logement de plain-pied doté d'une minuscule arrière-cour grillagée et d'un bout de trottoir en guise de jardin. Connie Temple travaillait comme infirmière de nuit au pensionnat Coates et ne gagnait pas très bien sa vie. Le père de Sam ne s'était jamais manifesté ; cet homme restait un grand mystère. Quant à son beau-père, il les avait quittés l'année précédente, lui aussi.

— Nous y sommes, dit Sam. Comme tu vois, avoir une grande maison pour la frime, c'est pas notre genre.

— Au moins, vous habitez près de Town Beach, observa Astrid en indiquant d'un geste le seul aspect positif de la maison et de son voisinage.

— Oui, c'est à deux minutes à pied. Moins si je coupe par la cour du gang de motards.

— Un gang de motards ? répéta Astrid.

— Ils ne vivent pas tous là, seulement le serial killer et sa copine.

Astrid fronça les sourcils et Sam s'empressa d'ajouter :

— Désolé pour la blague pourrie. Les voisins ne sont pas très sympas.

Maintenant qu'il était arrivé, Sam n'avait plus envie d'entrer. Sa mère ne serait pas là pour l'accueillir. En outre, il y avait quelque chose chez lui que Quinn et en particulier Astrid ne devaient pas voir.

Précédant les deux autres, il gravit les marches en bois peint, décolorées par le soleil, qui craquaient sous les pieds des visiteurs. Le porche était minuscule et, quelques mois plus tôt, on avait volé le rocking-chair que sa mère gardait là pour se détendre le soir avant de partir pour le travail. Désormais, ils se contentaient d'apporter des chaises de la cuisine.

C'était toujours le meilleur moment de la journée. En rentrant de l'école, il la trouvait réveillée. Elle se préparait une tasse de thé, et Sam choisissait un soda ou un jus de fruits. Puis elle lui demandait comment s'étaient passés les cours et il lui faisait des réponses évasives, mais c'était un soulagement de savoir qu'il pouvait se confier à elle s'il le souhaitait.

Sam ouvrit la porte d'entrée. À l'intérieur, tout était silencieux, à l'exception du vieux frigo qui ronronnait comme à son habitude ; le compresseur faisait beaucoup de bruit. La dernière fois qu'ils avaient bavardé sur le porche, les pieds appuyés contre la balustrade, sa mère se demandait s'il fallait changer la pièce défectueuse ou si ça ne reviendrait pas moins cher d'acheter un frigo d'occasion.

La voix de Sam résonna dans le salon :

— Maman ?

Pas de réponse.

— Elle est peut-être allée sur la colline, suggéra Quinn.

La « colline », chez les gens de la ville, désignait le pensionnat Coates, une institution privée. En réalité, la colline en question ressemblait davantage à une montagne.

— Non, dit Sam. Elle a disparu comme les autres.

La cuisinière était allumée. Sam l'éteignit. Une poêle vide avait noirci sur la plaque.

— Ce genre de trucs va créer des problèmes dans toute la ville.

— Oui, renchérit Astrid, les cuisinières allumées, les moteurs de voiture qui tournent… Quelqu'un va devoir s'assurer que tout est éteint et que les petits ne sont pas livrés à eux-mêmes. Et puis il y a les médicaments, l'alcool, sans compter que certaines personnes en ville possèdent des armes.

— Dans le quartier, ils ont une véritable artillerie.

— Ce doit être la main de Dieu, songea Quinn tout haut. Qui d'autre, sinon ? Personne ne peut faire disparaître tous les adultes !

— Les plus de quinze ans, corrigea Astrid. Quinze ans, ce n'est pas adulte. Tu sais, j'en ai côtoyé en classe.

Elle traversa le salon, l'air de chercher quelque chose.

— Je peux utiliser la salle de bains, Sam ?

Sam hocha la tête à contrecœur. La présence d'Astrid chez lui le mortifiait. Ni lui ni sa mère n'étaient les rois du ménage. La maison était relativement propre, mais rien à voir avec celle des Ellison.

Astrid ferma la porte de la salle de bains. Sam entendit couler l'eau du robinet.

— Qu'est-ce qu'on a fait ? demanda Quinn. C'est ça que je ne comprends pas. Qu'est-ce qu'on a fait pour mettre Dieu en rogne ?

Sam ouvrit le réfrigérateur et jeta un coup d'œil sur son contenu. Du lait. Deux canettes de soda. Une demi-pastèque posée sur une assiette. Des œufs. Des pommes. Et des citrons pour le thé de sa mère. L'ordinaire.

— On a forcément fait quelque chose pour mériter Son châtiment, non ? reprit Quinn. Dieu ne fait pas des trucs comme ça sans raison.

— Je ne crois pas que ce soit Lui.

— Si, c'est forcément Lui.

— Quinn a peut-être raison, intervint Astrid, de retour dans le salon. Ce n'est pas… normal, ce qui se passe. Ça n'a aucun sens. Ce n'est pas possible et pourtant c'est arrivé.

— Parfois, l'impossible se produit, observa Sam.

— Non, protesta Astrid, l'univers est régi par des lois, toutes ces choses qu'on apprend en cours de sciences : les lois du mouvement, la vitesse de la lumière, la théorie de la gravité. L'impossible ne peut pas arriver. C'est bien ce que ce mot signifie, non ?

Astrid se mordit la lèvre.

— Désolée. Ce n'est pas le moment de vous faire une leçon de sciences.

Sam hésita. S'il leur montrait, s'il franchissait la ligne, il ne pourrait pas revenir en arrière. Ils ne le lâcheraient pas tant qu'il ne leur aurait pas tout dit. Ils le regarderaient d'un autre œil. Ils auraient peur, tout comme lui.

— Je vais me changer dans ma chambre. Je reviens tout de suite. Vous trouverez à boire dans le frigo, servez-vous.

Il referma la porte derrière lui. Il détestait sa chambre. Sa fenêtre donnait sur une ruelle et le verre de la vitre était légèrement opaque, si bien qu'on voyait mal à travers. La pièce gardait un aspect sinistre même par beau temps. La nuit, il y faisait noir comme dans un four.

Sam avait horreur du noir.

Sa mère lui demandait de s'enfermer quand elle partait au travail.

— C'est toi l'homme de la maison, maintenant, disait-elle, mais je serais rassurée si tu verrouillais la porte.

Il n'aimait pas quand elle l'appelait comme ça : « L'homme de la maison ». « Maintenant. » Peut-être ne faisait-elle allusion à rien de spécial. Et pourtant... Huit mois plus tôt, le beau-père de Sam était parti sans crier gare. Ça faisait six mois qu'ils avaient emménagé dans ce pavillon décrépit, dans ce quartier minable, et que sa mère avait dû accepter un travail mal payé avec des horaires épouvantables.

L'avant-veille, il y avait eu un orage dans la nuit, qui les avait privés d'électricité pendant quelques heures. Sam s'était retrouvé dans l'obscurité totale, avec pour seule lumière les éclairs qui donnaient un aspect inquiétant aux objets familiers de sa chambre.

Il était parvenu à s'assoupir un court moment, mais un énorme coup de tonnerre l'avait réveillé. Il avait émergé d'un début de cauchemar terrible dans les ténèbres d'une maison vide.

C'en était trop pour lui. Il avait crié en réclamant sa mère. Lui, un grand garçon costaud de quatorze ans, presque quinze, en train de hurler « maman » dans le noir ! Il avait tendu la main comme pour repousser les ténèbres.

Et soudain… la lumière.

Elle était apparue dans son placard ; il lui suffisait de le fermer pour ne plus la voir. Mais quand il avait fait mine de pousser la porte, la lumière était passée à travers le bois. Il avait suspendu des tee-shirts pour faire obstacle à l'étrange lueur, sachant pourtant que ce subterfuge minable ne serait pas suffisant. Sa mère finirait par tout découvrir… Dès son retour, elle saurait.

Il ouvrit la porte du placard en faisant tomber son maigre camouflage.

Elle était toujours là.

Petite mais perçante. Une boule de lumière immobile, suspendue en l'air.

C'était impossible. Ces choses-là n'existaient pas. Et pourtant, elle était bien là. Elle était apparue au moment où Sam en avait besoin, et elle refusait de s'en aller.

Il la toucha sans trop oser : ses doigts passèrent au travers et il éprouva une sensation de chaleur, un peu comme quand on s'immerge dans l'eau d'une baignoire.

— Oui, Sam, murmura-t-il, elle est encore là.

Astrid et Quinn croyaient que tout avait débuté le matin même, mais Sam en savait plus long qu'eux. La notion de normalité avait commencé à se désagréger huit mois plus tôt. Puis la vie avait repris son cours. Jusqu'à cette lumière.

Et aujourd'hui, cette même notion avait volé en éclats.

Astrid l'appela du salon :

— Sam ?

Il jeta un coup d'œil vers la porte, inquiet à l'idée qu'elle puisse entrer. Il se hâta de cacher la lumière du mieux qu'il put, et retourna auprès de ses compagnons.

— Ta mère était en train de taper sur son clavier d'ordinateur, dit Astrid.

— Elle devait consulter sa messagerie.

Mais en regardant l'écran, il constata qu'un document Word était ouvert.

C'était un journal. Sur la page ne figuraient que trois paragraphes.

C'est encore arrivé hier soir. J'aimerais en parler à G mais elle va me prendre pour une folle. Je vais perdre mon boulot. Elle croira que je me drogue. Si j'avais un moyen d'installer des caméras un peu partout ! Mais je n'ai aucune preuve, et la « mère » de C est une femme très riche, et généreuse envers le PC. On me mettra à la porte. Et quand bien même, si je dis la vérité, ils prétexteront que je suis à bout de nerfs.

Tôt ou tard, C ou un autre finiront par dépasser les bornes. Ils risquent de blesser quelqu'un. Comme S avec T.

Je devrais peut-être avoir une petite conversation avec C. Ça m'étonnerait qu'il avoue. Et s'il savait tout, est-ce que ça ferait une différence?

Sam garda les yeux fixés sur la page. Elle n'avait pas été sauvegardée. Après avoir passé en revue le bureau de l'ordinateur, il trouva le fichier intitulé «journal» et cliqua dessus. Il était protégé par un mot de passe. Si sa mère avait enregistré cette page, elle n'aurait pas pu s'ouvrir sans.

«PC», facile: pensionnat Coates. Et «G», c'était sans doute Grace, la directrice de l'école. «S», facile aussi: Sam. Mais qui était «C»?

Un passage du texte avait une résonance particulière: «Comme S avec T.»

Astrid lisait par-dessus son épaule. Elle essayait de se montrer discrète mais n'en jetait pas moins des coups d'œil furtifs. Il rabattit l'écran de l'ordinateur.

— On y va.

— Où? demanda Quinn.

— N'importe où mais ailleurs, répondit Sam.

— IL FAUT RETOURNER sur la place.

Sam verrouilla la porte d'entrée et glissa la clé dans la poche de son jean.

— Pourquoi? demanda Quinn.

— C'est sans doute là que sont les autres, répondit Astrid. Il n'y a pas d'autre endroit où aller. À moins qu'ils ne soient retournés à l'école. Si quelqu'un sait quelque chose, ou s'il reste des adultes, c'est là-bas qu'on les trouvera.

Perdido Beach était bâtie sur un promontoire au sud-ouest de l'autoroute côtière. Au nord, de hautes falaises brunes mouchetées de vert formaient une chaîne s'avançant dans la mer au nord-ouest et au sud-est de la ville qui, de fait, se retrouvait confinée.

En temps normal, Perdido Beach comptait un peu plus de trois mille habitants; désormais, il y en avait beaucoup moins. Le centre commercial le plus proche se trouvait à San Luis, à quelque trente kilomètres au sud. Au nord, les montagnes s'agglutinaient si près de la mer que la seule zone construite était une étroite bande de terre sur laquelle s'élevait la centrale nucléaire. Au-delà s'étendait le parc national, une forêt de vieux séquoias.

Perdido Beach avait toujours été une bourgade tranquille, caractérisée par des rues droites bordées d'arbres et de petits pavillons aux murs d'aggloméré, anciens le plus souvent et d'inspiration espagnole, avec des toits recouverts de tuiles orange. La plupart des habitants avaient un jardin à la pelouse bien entretenue ainsi qu'une arrière-cour grillagée. Dans le centre-ville minuscule, la place centrale était bordée de palmiers et de places de stationnement.

Outre un hôtel au sud, le pensionnat Coates dans les collines et la centrale nucléaire, Perdido Beach ne comptait que quelques commerces : la quincaillerie Ace, le McDonald's, un café, une sandwicherie, deux épiceries, une supérette et une station-service sur l'autoroute.

À mesure qu'ils se rapprochaient du centre-ville, ils rencontraient de plus en plus d'enfants cheminant vers la place comme si, d'instinct, tous les gamins des environs avaient compris la nécessité de se rassembler, à l'instar du proverbe : « L'union fait la force. » À moins que la solitude écrasante qu'ils éprouvaient chez eux ne les pousse à chercher refuge ailleurs.

À quelque distance devant lui, Sam vit des enfants courir et une odeur de brûlé lui chatouilla les narines.

La place était une espèce de petit square avec en son centre une fontaine qui ne marchait presque jamais, et des pelouses, des bancs, des trottoirs en brique, des poubelles. L'hôtel de ville, de dimensions modestes, jouxtait l'église à l'autre extrémité de la place. Des commerces, fermés définitivement pour certains, étaient bâtis tout autour. De la fumée s'échappait d'une fenêtre à l'étage d'un immeuble, juste au-dessus d'un fleuriste en faillite et d'une compagnie d'assurances miteuse. Au moment où Sam s'arrêtait, hors d'haleine, des flammes jaillirent d'une baie vitrée.

Plusieurs dizaines d'enfants observaient la scène, immobiles. Sam eut une impression bizarre en voyant la foule rassemblée, jusqu'à ce qu'il comprenne que c'était l'absence d'adultes parmi ces enfants qui le troublait.

— Il y a quelqu'un là-haut? cria Astrid.

Personne ne répondit.

— Le feu risque de se propager, observa Sam.

— On ne peut pas appeler les pompiers, crut bon d'ajouter quelqu'un.

— Si le feu s'étend, il pourrait ravager la moitié de la ville.

— Tu vois un pompier dans les parages, toi?

Sam fit un haussement d'épaules désespéré.

La garderie, qui comptait un mur mitoyen avec la quincaillerie, n'était séparée de l'immeuble en flammes que par une étroite ruelle. Sam estima qu'ils avaient le temps d'évacuer les petits en agissant vite, mais ils ne pouvaient pas se permettre de perdre la quincaillerie.

Il devait y avoir une quarantaine d'enfants à présent, qui regardaient l'incendie, bouche bée. Personne ne faisait mine de bouger.

— Super…, dit Sam.

Il tira par la manche deux gamins qu'il connaissait de vue.

— Vous deux, à la crèche ! Demandez-leur d'évacuer les petits.

Les deux enfants l'observèrent sans réagir.

— Allez ! Maintenant ! cria-t-il, et ils partirent en courant.

Sam désigna deux autres enfants du groupe.

— Toi et toi. Allez me chercher le plus long tuyau que vous trouverez dans la quincaillerie. Prenez aussi un arroseur. Je crois qu'il y a un robinet dans la ruelle. Commencez par arroser la façade et le toit de la quincaillerie.

Les deux enfants le dévisagèrent sans comprendre.

— Pas demain ! Tout de suite ! Allez-y ! Quinn ? Tu ferais mieux de les accompagner. Il faut arroser la quincaillerie : c'est là que le vent poussera le feu ensuite.

Quinn hésita. Les enfants attroupés ne semblaient pas saisir la gravité de la situation. Ne voyaient-ils pas qu'il fallait agir au lieu de rester là les bras ballants ? Sam fendit la foule en jouant des coudes et lança d'une voix forte :

— Hé, on n'est pas devant Disney Channel ! On ne peut pas rester là sans bouger. Il n'y a plus d'adultes. Plus de pompiers. C'est nous, les pompiers, maintenant.

Edilio s'avança.

— Il a raison. Qu'est-ce qu'il faut faire, Sam ? Je vais t'aider.

— D'accord. Quinn ? Les tuyaux d'arrosage dans la quincaillerie. Edilio ? Porte-les jusqu'à la caserne et raccorde-les à la bouche d'incendie.

— Ça risque de peser. Je vais avoir besoin de gros bras.

— Toi, toi et toi, dit Sam en prenant trois autres garçons par l'épaule. Allons-y.

Soudain une plainte s'éleva. Sam se figea.

— Il y a quelqu'un là-haut, gémit une fille.

— Chut, siffla Sam, et tout le monde se tut pour écouter le crépitement des flammes tandis que les alarmes de voiture résonnaient toujours au loin.

Un cri se fit entendre, puis un autre :

— Maman !

Quelqu'un répéta d'une voix haut perchée :

— Maman !

C'était Orc, qui semblait trouver la situation comique. Quelques enfants s'écartèrent.

— Quoi ? rugit-il.

Howard, qui n'était jamais très loin, railla :

— Vous inquiétez pas, Sam du Bus va tous nous sauver, pas vrai, Sam ?

— Edilio, vas-y, dit Sam calmement. Prends tout ce que tu peux porter.

— Impossible pour toi d'entrer là-dedans, répondit ce dernier. Il doit y avoir des masques à oxygène et d'autres trucs à la caserne. Attends, je vais te rapporter tout ça.

Il partit en courant, escorté de son équipe.

— Hé, là-haut, cria Sam. Petit ! Essaie de gagner la porte ou la fenêtre !

Il leva les yeux, se dévissa le cou pour mieux voir. Six fenêtres se découpaient sur la façade de l'immeuble, plus une qui donnait sur la ruelle. Le feu provenait de la dernière fenêtre à gauche mais, à présent, de la fumée s'échappait de celle à côté. L'incendie commençait à se propager.

— Maman ! cria la voix.

— Si tu dois entrer, mets au moins ça sur ton visage.

Astrid lui tendit un mouchoir mouillé.

— J'avais pas vraiment prévu d'entrer là-dedans, objecta Sam.

— Fais attention à toi, lui dit Astrid.

— Merci du conseil, lança-t-il sèchement avant de nouer le bout de tissu humide autour de sa tête pour protéger sa bouche et son nez.

Astrid le prit par le bras.

— Écoute, Sam, ce n'est pas le feu le plus dangereux, c'est la fumée. Si tu en inhales trop, tes poumons vont enfler et se remplir de liquide.

— Qu'est-ce que tu veux dire par « trop » ? demanda-t-il, la voix étouffée par son bâillon.

Astrid sourit.

— Je ne sais pas tout, Sam.

Sam aurait voulu lui prendre la main. Il était mort de peur. Il avait besoin qu'on lui insuffle un peu de courage. Mais le moment était mal choisi. Il esquissa un pâle sourire.

— C'est parti.

— Vas-y, Sam, cria quelqu'un pour l'encourager.

Des acclamations timides s'élevèrent de la foule.

La porte de l'immeuble n'était pas verrouillée. Dans le hall d'entrée s'alignaient des boîtes aux lettres et au fond se découpait une porte d'accès à la boutique du fleuriste. Un escalier étroit s'enfonçait dans l'obscurité. Sam était presque parvenu au sommet des marches quand il rencontra un mur opaque de fumée. Le mouchoir mouillé ne lui fut d'aucune aide. Un instant plus tard, il était à genoux, secoué de haut-le-cœur, près de s'étouffer. Ses yeux irrités se remplirent de larmes. Il se mit à plat ventre et trouva un peu d'air.

— Hé, tu m'entends ? cria-t-il d'une voix rauque. Crie, que moi je t'entende.

La voix lui répondit, plus faible, cette fois ; elle lui parvenait du bout du couloir, sur la gauche. Peut-être l'enfant réussirait-il à se jeter de la fenêtre dans les bras de quelqu'un, se dit-il. Ce serait stupide de risquer sa vie si le gamin parvenait à sauter.

La puanteur était intolérable et omniprésente avec des relents acides, comme si à l'odeur de la fumée s'ajoutait celle du lait caillé. Sam, toujours à terre, se mit à ramper dans le couloir. Il avait une impression bizarre. Des frissons lui parcouraient le dos. Le long tapis usé du couloir lui semblait si banal, avec ses franges et ses motifs orientaux ; Sam distingua quelques miettes et le cadavre d'un cafard. Une ampoule brillait au-dessus de sa tête, nimbant le brouillard gris d'une lumière pâle.

Les volutes de fumée descendaient peu à peu, le contraignant à se coller de plus en plus contre le sol pour trouver de l'air.

Il devait y avoir six ou sept appartements. Impossible de déterminer lequel était le bon car l'enfant s'était tu. L'appartement en feu était sans doute juste à sa droite. La fumée se déversait par les interstices de la porte, épaisse, avec la violence d'un torrent de montagne. Tout se jouerait en quelques secondes.

Il roula sur le dos et donna un coup de pied dans la porte, en vain : le verrou se trouvait bien plus haut, c'était tout juste si son coup de pied avait fait trembler le panneau. Pour l'enfoncer, il serait obligé de se lever et de s'immerger dans la fumée mortelle.

Il était terrifié. Et fou de rage. Où étaient passés les adultes qui s'occupaient de ces choses-là en temps normal ? Pourquoi était-ce à lui de s'en charger ? Il n'était qu'un gamin. Pourquoi avait-il été assez fou et assez bête pour se précipiter à l'intérieur d'un bâtiment en flammes ?

Sam était furieux contre le monde entier et, si Quinn avait raison et que Dieu était bien derrière tout ça, alors Lui aussi méritait sa colère. En revanche, si c'était lui-même le responsable, il ne pouvait s'en prendre qu'à lui seul.

Retenant sa respiration, il se leva et se jeta contre la porte.

Rien.

Il répéta son geste.

Toujours rien.

Il fallait bien qu'il respire à nouveau mais la fumée s'immisçait dans ses narines, dans ses yeux, l'aveuglant. Il chargea encore une fois : la porte céda enfin, et il tomba lourdement, face contre terre.

La fumée prisonnière de la pièce se répandit dans le couloir, tel un lion libéré de sa cage. Pendant quelques secondes, il y eut une couche d'air respirable au ras du sol, et Sam put reprendre son souffle. Il lutta pour s'empêcher de tousser car, s'il recrachait l'air, il était fichu, il le savait.

Un court instant, il réussit à avoir une vue dégagée de l'appartement, comme une trouée entre deux nuages laisse entrevoir un coin de ciel limpide avant de l'engloutir.

L'enfant, étendu sur le sol, toussait et s'étouffait. C'était une petite fille, âgée de cinq ans tout au plus.

— Je suis là, dit Sam d'une voix étranglée.

Il devait avoir l'air terrifiant, silhouette imposante enveloppée de fumée, le visage et les cheveux couverts de suie.

Il devait avoir l'air d'un monstre. C'était la seule explication. Car soudain la petite, terrorisée, leva les mains, paumes tendues, et de ses petites mains potelées jaillit une colonne de feu.

Du feu. Qui sortait de ses mains minuscules.

Du feu dirigé vers lui.

Le jet de flammes manqua de peu sa cible ; il passa au-dessus de la tête de Sam avec un sifflement avant de frapper le mur derrière lui. Ça ressemblait à du napalm, du feu liquide qui resta collé au mur tandis que ce dernier s'enflammait avec une violence inouïe.

Pendant un instant, Sam resta figé de stupeur.

Impossible.

La petite fille poussa un cri d'effroi et leva les mains de nouveau. Cette fois, elle ne manquerait pas sa cible.

Cette fois, elle le tuerait.

Sans prendre la peine de réfléchir, Sam leva le bras, paume tendue. Il y eut un éclair de lumière, aveuglant comme l'explosion d'une étoile.

La petite tomba à la renverse.

Sam rampa jusqu'à elle en tremblant, le ventre noué ; un cri mourut sur ses lèvres et il pensa : « Non, non, non, non. »

Il prit l'enfant dans ses bras, craignant à la fois qu'elle revienne à elle et qu'elle n'ouvre plus les yeux, puis se leva. Le mur à sa droite s'écroula avec un bruit de carton qui se déchire. Le plâtre tomba, découvrant les lattes en bois : le mur se consumait de l'intérieur.

Une explosion de chaleur fit chanceler Sam comme s'il venait d'ouvrir un four. Astrid lui avait expliqué que le feu était moins dangereux que la fumée. Eh bien, elle n'avait pas vu ce feu-là, et elle était à des lieues de s'imaginer qu'un petit enfant pouvait faire jaillir des flammes de ses mains.

Sam serra la fillette contre lui. Dans son dos et à sa droite, le feu lui grillait les cils, lui rôtissait la chair.

Une fenêtre se découpa dans le mur juste en face.

Il s'avança en titubant, laissa tomber l'enfant à ses pieds comme un sac de pommes de terre et ouvrit la fenêtre à deux mains. La fumée l'encercla, aspirée par cette nouvelle source d'oxygène.

Tâtonnant dans le brouillard, Sam trouva la petite fille. Il la souleva et, comme par miracle, deux mains émergèrent de la fumée pour la lui prendre. Sam s'affaissa contre le rebord de la fenêtre, sortit la tête au-dehors, et quelqu'un le prit par les bras pour le guider le long d'une échelle. Sa tête heurta un barreau, mais il ne s'en soucia pas car dehors il y avait de l'air, de la lumière et, plissant ses yeux rougis, il vit un coin de ciel bleu.

Edilio et un garçon nommé Joel le portèrent jusqu'au trottoir et là quelqu'un l'arrosa avec un tuyau. Croyaient-ils vraiment qu'il avait pris feu ? D'ailleurs, était-ce le cas ?

Il ouvrit la bouche, avala avidement une gorgée d'eau glacée, mais il avait toutes les peines du monde à rester conscient : il se sentit partir à la dérive et se laissa flotter sur le dos, bercé par la douceur du ressac.

Sa mère était là, assise sur l'eau juste à côté de lui, le menton posé sur les genoux, le regard ailleurs.

— Quoi ? fit-il.

— Ça sent le poulet frit, répondit-elle.

Puis elle se pencha vers lui et le gifla violemment. Il ouvrit les yeux.

— Désolée, dit Astrid. Mais il fallait bien que je te réveille.

Elle s'agenouilla près de lui et posa un masque à oxygène sur son visage. Il toussa, respira un grand coup, puis arracha le masque et vomit sur le trottoir, plié en deux tel un ivrogne. Astrid détourna discrètement les yeux. Il aurait bien le temps d'être gêné ; pour l'heure, il était simplement heureux d'être encore capable de vomir. De nouveau, il inspira profondément.

Quinn tenait un tuyau d'arrosage à la main. Edilio se précipita pour fixer un autre tuyau, plus large, à une bouche d'incendie. Un filet d'eau coula sur le trottoir tandis qu'Edilio s'escrimait sur le robinet, puis il parvint à l'ouvrir à fond et libéra un véritable geyser. Les gamins de l'autre côté du tuyau durent maîtriser ce dernier comme s'ils se battaient avec un python.

Sam se redressa, toujours incapable de parler. D'un signe de tête, il indiqua l'endroit où gisait la petite pyromane, entourée d'une demi-douzaine d'enfants. Elle était noire de suie. Ses cheveux avaient entièrement brûlé sur un côté de sa tête. De l'autre côté, on devinait une couette retenue par un élastique rose.

Sam comprit à la façon solennelle dont les enfants s'étaient agenouillés autour d'elle. Pourtant, il posa la question, la voix réduite à un croassement étouffé.

— Je suis désolée, Sam, répondit Astrid.

Sam hocha la tête.

— Le four devait être allumé quand ses parents ont disparu, reprit-elle. C'est sans doute ce qui est à l'origine du feu. Ou une cigarette, peut-être.

« Non, se dit Sam. Non, ce n'est pas ça, la cause. » La fillette détenait le même pouvoir que lui, ou du moins quelque chose d'approchant. Ce pouvoir qu'il avait utilisé dans un moment de panique pour créer une source de lumière extraordinaire. Celui-là même dont il s'était servi une fois contre un homme, au risque de le tuer. Celui-là encore qu'il avait invoqué à l'instant, condamnant de fait la personne qu'il essayait désespérément de sauver.

Il n'était pas le seul dégénéré dans le coin. Il y en avait au moins un autre. Et, bizarrement, ce constat n'avait rien de rassurant.

5

L A NUIT TOMBA sur Perdido Beach.
Les lampadaires s'allumèrent automatique-
ment, sans vraiment parvenir à chasser les ténèbres ;
en revanche, ils projetaient des ombres épaisses sur
les visages effrayés.

Près d'une centaine d'enfants s'étaient regroupés
sur la place. Apparemment, chacun d'eux s'était
procuré une barre chocolatée et un soda. La petite
épicerie qui vendait essentiellement de la bière et
des chips avait été dévalisée. Sam n'avait pu mettre
la main que sur une barre de céréales et un Coca.
Les Twix et les Snickers avaient déjà tous disparu.
Il avait laissé deux dollars sur le comptoir pour se
donner bonne conscience. L'argent s'était lui aussi
volatilisé quelques instants plus tard.

L'immeuble s'était à moitié consumé le temps que
le feu s'éteigne de lui-même. Le toit s'était effondré.
La moitié de l'étage avait été réduite en cendres.

Le rez-de-chaussée semblait avoir réchappé du désastre malgré ses vitrines noires de fumée. De minces volutes s'élevaient encore du bâtiment et une odeur infecte de brûlé imprégnait l'air.

En revanche, la quincaillerie et la crèche avaient été épargnées par les flammes.

Le corps de la petite fille gisait, immobile, sur le trottoir. Quelqu'un avait pris la peine de le recouvrir d'une couverture, et Sam lui en était reconnaissant.

Sam et Quinn étaient assis sur l'herbe, au centre de la place, près de la fontaine asséchée. Quinn se balançait d'avant en arrière, les bras noués autour des genoux.

La grosse Betty vint se poster devant Sam, l'air mal à l'aise. Elle était accompagnée de son petit frère.

— Sam, tu crois que je peux rentrer chez moi? Il faut que j'aille chercher un truc.

Sam haussa les épaules.

— Je n'en sais pas plus que toi, Betty.

Betty hocha la tête, parut hésiter et s'éloigna.

Tous les bancs du square avaient été réquisitionnés. Quelques fratries y avaient construit des tentes de fortune avec des draps. Beaucoup d'enfants étaient retournés dans leur maison vide, mais certains avaient besoin d'être entourés et trouvaient du réconfort dans le groupe. D'autres voulaient simplement comprendre.

Deux gamins d'une dizaine d'années, que Sam ne connaissait pas, vinrent le trouver pour lui demander :

— Qu'est-ce qu'on va devenir ?

Sam secoua la tête.

— J'en sais rien, les gars.

— Qu'est-ce qu'il faut faire, alors ?

— Attendre, j'imagine.

— Attendre ici ?

— Ou rentrer chez vous. Allez dormir dans votre lit. Faites ce qui vous semble le mieux.

— On n'a pas peur, nous !

— Ah bon ? demanda Sam d'un air dubitatif. Moi, j'ai peur. Je me suis fait pipi dessus.

Un des deux enfants sourit.

— Même pas vrai.

— Tu as raison, j'exagère. Mais c'est normal d'avoir peur. Tout le monde a peur, ici.

La même scène se reproduisit plusieurs fois : les enfants venaient voir Sam pour lui poser des questions dont il ne connaissait pas la réponse. Il aurait préféré qu'on le laisse tranquille.

Après être allés chercher des chaises longues dans la quincaillerie, Orc et sa bande s'étaient installés au milieu d'un carrefour, auparavant le plus encombré de Perdido Beach. Ils lézardaient juste sous le feu de signalisation qui continuait à alterner dans le vide l'orange, le rouge et le vert. Howard invectivait un de ses sous-fifres qui avait décidé de faire un feu d'artifice avec un allume-feu. Le reste du groupe avait rapporté des manches de pioche et des battes de base-ball de la quincaillerie, qu'ils s'efforçaient de faire brûler. Parmi les objets réquisitionnés se trouvaient aussi des battes en métal et des marteaux. Ceux-là, ils les gardaient précieusement.

Sam n'était pas allé chercher la fillette, dont le corps gisait toujours sur le trottoir. Il n'avait aucune envie de s'en charger lui-même. Il aurait fallu creuser une tombe et enterrer le petit cadavre, puis dire une prière ou prononcer quelques mots. Il ne connaissait même pas son nom. Apparemment, les autres non plus.

Astrid réapparut au bout d'une heure ; elle était partie à la recherche de son petit frère.

— Je ne le trouve pas. Il n'est pas ici. Personne ne l'a vu.

Sam lui tendit un soda.

— Tiens. Je l'ai payé. Enfin, j'ai essayé.

— Je ne bois pas ces trucs-là, d'habitude.

— Tu vois quelque chose d'habituel dans la situation ? maugréa Quinn sans même la regarder.

Il promenait son regard d'une personne ou d'un objet à l'autre, sans jamais s'arrêter, comme un oiseau apeuré. Il paraissait étrangement nu sans son chapeau et ses lunettes de soleil. Sam se faisait du souci à son sujet. Des deux, c'était d'ordinaire lui, Sam, le plus sérieux.

Astrid ignora la mauvaise humeur de Quinn et remercia Sam. Elle but la moitié de la canette sans prendre le temps de s'asseoir.

— Les enfants pensent que c'est une opération militaire qui a mal tourné. Ou une attaque terroriste. Sans compter les extraterrestres. Ou Dieu. Les théories vont bon train. Mais personne n'a de réponse.

— Est-ce que tu crois en Dieu, au moins? demanda Quinn d'un ton péremptoire.

Il cherchait la dispute.

— Oui, répondit Astrid. Mais je ne crois pas à un dieu qui ferait disparaître les gens sans raison.

Un petit garçon âgé de cinq ans à peine, qui serrait contre lui un ours en peluche un peu miteux, s'avança vers eux.

— Vous savez où est ma maman?

— Non, mon petit bonhomme, répondit Sam. Désolé.

— Vous pouvez l'appeler au téléphone? demanda l'enfant d'une voix tremblante.

— Le téléphone ne marche pas.

— Rien ne marche! lança Quinn avec colère. Rien ne marche et on est seuls ici.

— Tu sais quoi? dit Sam au petit garçon. Je parie qu'il y a des biscuits à la garderie. C'est de l'autre côté de la rue. Tu vois?

— Je n'ai pas le droit de traverser tout seul.

— Tu ne risques rien. Je te surveille pendant que tu traverses, d'accord ?

Le petit garçon réprima un sanglot puis se dirigea vers la crèche en serrant son ours.

— Les enfants viennent te voir, Sam, dit Astrid. Ils veulent que tu agisses.

— Qu'est-ce que je peux faire à part leur suggérer d'aller se chercher un biscuit ?

— Sauve-les, Sam, ironisa Quinn. Sauve-les tous.

— Ils ont tous peur, déclara Astrid. Il n'y a personne pour prendre les choses en main. Ils ont senti que tu avais l'âme d'un leader, Sam. Ils se tournent vers toi.

— Je n'ai rien d'un leader. J'ai peur, moi aussi. Je suis autant perdu qu'eux.

— Tu as eu la bonne réaction devant l'immeuble en flammes.

Sam se leva d'un bond. Il ne tenait plus en place parce qu'il était nerveux, mais son geste attira l'attention des autres enfants alentour. Tous le regardèrent comme s'il s'apprêtait à prendre une grande décision. Il sentit son ventre se nouer. Même Quinn l'observait avec une lueur d'espoir dans les yeux.

Sam jura entre ses dents. Puis, d'une voix assez forte pour être entendu, il lança :

— Écoutez, il faut qu'on se serre les coudes. Quelqu'un finira par découvrir ce qui s'est passé et viendra nous chercher. En attendant, on se détend, on s'entraide, on ne fait pas de bêtises et on essaie de garder courage.

À sa grande surprise, Sam entendit un murmure de voix répéter ses paroles pour les transmettre au voisin comme s'il venait d'énoncer une idée géniale.

— La seule chose que nous ayons à craindre, c'est la peur elle-même, chuchota Astrid.

— Hein?

— C'est ce qu'a déclaré le président Roosevelt pour calmer les esprits pendant la Grande Dépression.

— Et moi qui me croyais enfin débarrassé du prof d'histoire, ironisa Quinn. Voilà qu'il me poursuit.

Sam sourit, soulagé de constater que Quinn n'avait pas encore perdu son sens de l'humour.

— Il faut que je retrouve mon frère, annonça Astrid.

— Tu as une idée de l'endroit où il a pu aller? demanda Sam.

Astrid haussa les épaules en signe d'impuissance. Sam remarqua qu'elle ne portait qu'un chemisier léger. Il aurait bien aimé avoir une veste à lui offrir pour la réchauffer un peu!

— Il devait être avec mes parents. Sans doute sur le lieu de travail de mon père ou encore au Clifftop. Ma mère va jouer au tennis là-bas.

L'hôtel Clifftop surplombait la plage favorite de Sam. Il n'y avait jamais mis les pieds.

— Je pense qu'on aura plus de chances de le trouver au Clifftop, reprit Astrid. Ça m'embête de vous demander ça, mais vous voulez bien m'y accompagner ?

— Maintenant ? demanda Quinn, surpris. En pleine nuit ?

Sam haussa les épaules.

— C'est mieux que de rester assis là sans rien faire, Quinn. Peut-être qu'ils ont la télé, là-bas.

Quinn poussa un soupir.

— J'ai entendu dire qu'on y mange très bien. Le service est excellent, paraît-il.

Il tendit la main et Sam l'aida à se relever.

Ils passèrent devant le groupe d'enfants blottis les uns contre les autres. Certains hélèrent Sam pour lui demander la marche à suivre.

— Restez ici, leur répondit-il. Tout ira bien. Profitez des vacances et des barres chocolatées tant que vous le pouvez. Vos parents seront de retour bien assez tôt.

Les enfants hochaient la tête en souriant ou le remerciaient comme s'il venait de leur offrir un cadeau. Son nom était sur toutes les lèvres et des bribes de conversation lui parvenaient : « J'étais dans le bus ce jour-là… » « Il a foncé droit sur l'immeuble », ou encore : « Tu vois… Il a dit que tout irait bien. »

Sam sentit son estomac se nouer. Il avait hâte de retrouver l'obscurité de la nuit pour fuir ces visages effrayés levés vers lui, qui semblaient attendre un miracle.

Ils passèrent près du campement d'Orc. Le feu crépitait ; sous les tisons, le bitume commençait à fondre. Un pack de bières reposait dans une glacière. L'un des amis d'Orc, un gros garçon au visage de bébé surnommé Cookie, titubait en bafouillant – ivre, sans doute.

— Hé, où vous allez, comme ça ? cria Howard d'un ton brusque.

— On part en balade, répondit Sam.

— Le Petit Génie traîne avec les deux surfeurs débiles, maintenant ?

— Eh oui. On va apprendre le surf à Astrid. Ça te pose un problème ?

Howard dévisagea Sam de la tête aux pieds en ricanant.

— Tu te prends pour un dur, Sam du Bus ? Cause toujours, tu m'impressionnes.

— Super parce que c'est justement mon ambition dans la vie, t'impressionner, répliqua Sam.

Howard afficha un sourire grimaçant.

— Il va falloir que tu nous rapportes un petit quelque chose.

— De quoi tu parles ?

— Il ne faudrait pas vexer Orc. Quoi que tu ailles chercher, tu ferais mieux de lui en rapporter.

Orc, affalé sur une chaise longue, les jambes écartées, ne leur prêtait pas grande attention. Son regard toujours un peu hébété semblait perdu dans le lointain.

— Ouais, finit-il par marmonner.

À l'instant où il ouvrit la bouche, ceux de sa bande se découvrirent un intérêt pour le petit groupe de Sam. L'un d'eux, un grand garçon rachitique surnommé Panda en raison de ses yeux cernés, tapa le bitume de sa batte, l'air menaçant.

— Alors, il paraît que t'es un grand héros ? demanda-t-il.

— Vous voulez pas changer de disque ? répondit Sam.

— Non, pas Sammy, c'est pas le genre à croire qu'il vaut mieux que nous autres, ironisa Howard.

Il se livra à une mauvaise imitation de Sam pendant l'incendie :

— Toi, tu vas chercher un tuyau, toi, tu emmènes les gosses, fais ci, fais ça, c'est moi qui commande ici… Moi, Sam… Sam le surfeur sans peur.

— Je crois qu'on va y aller, dit Sam.

D'un grand geste, Howard désigna le feu de signalisation :

— Attends qu'il passe au vert.

Pendant quelques secondes interminables, Sam hésita entre se jeter sur lui et poursuivre son chemin. Puis le feu passa au vert et Howard éclata de rire en leur faisant un signe de la main.

6

Puis, TOUT LE MONDE SE TUT. À mesure qu'ils approchaient de la route longeant la plage, les rues semblaient de plus en plus désertes et ténébreuses.

— On n'entend pas beaucoup le ressac, observa Quinn.

— Calme plat, dit Sam.

Il avait l'impression d'être épié bien qu'ils soient désormais trop loin de la place.

— Une mer d'huile, renchérit Quinn. Mais avec le vent qui se lève, on était censés avoir de la houle. Et pourtant il y a autant de bruit que sur un lac.

— La météo n'est pas une science exacte, objecta Sam.

Il tendit l'oreille. Il y avait quelque chose d'étrange dans le ressac, mais Sam n'en était pas certain.

Quelques lumières brillaient aux fenêtres des maisons sur sa gauche, mais l'obscurité était beaucoup plus épaisse que d'habitude. Il était encore tôt, à peine l'heure du dîner. Toutes les fenêtres auraient dû être éclairées. Pourtant, les seules sources de lumière provenaient d'un minuteur ou d'une ampoule oubliée pendant la journée. À l'intérieur d'une maison, l'écran bleu d'un téléviseur vacillait dans le noir. En jetant un coup d'œil par la fenêtre, Sam vit deux enfants en train de manger des chips, les yeux fixés sur la télé.

Tous ces bruits de fond insignifiants qu'on remarquait à peine en temps normal – sonneries de téléphone, ronronnements de moteur, bruits de voix – s'étaient tus. Ils s'entendaient marcher. Respirer. Des aboiements furieux résonnèrent soudain, et tous trois sursautèrent.

— Qui va nourrir ce chien ? s'inquiéta Quinn.

Personne n'avait de réponse. Il y aurait des chiens et des chats livrés à eux-mêmes dans toute la ville. Sans parler des bébés qui devaient pleurer dans des maisons vides. Mais c'était trop horrible d'y penser.

Sam leva la tête vers les collines en plissant les yeux pour chasser les lueurs de la ville. Parfois, quand l'éclairage du terrain de sport était allumé, on distinguait au loin les lumières du pensionnat Coates. Mais pas ce soir. Le flanc de la montagne était plongé dans les ténèbres. Sam ne pouvait pas admettre que sa mère avait disparu. Au fond de lui-même, il avait envie de croire qu'elle travaillait là-haut, comme toutes les nuits.

— Les étoiles sont encore là, elles, déclara Astrid, avant de rectifier : Attendez… Non, il en manque à l'horizon. Je ne vois pas Vénus.

Tous trois s'arrêtèrent pour fixer le ciel. Immobiles, ils n'entendirent que la régularité monotone des vagues qui venaient lécher le rivage.

— Ça peut sembler bizarre, ce que je vous raconte, mais l'horizon me paraît plus haut qu'il ne devrait, observa Astrid.

— Est-ce que quelqu'un a regardé le soleil se coucher ? demanda Sam.

Personne n'avait pris cette peine.

— Continuons, dit-il. On aurait dû prévoir des vélos ou des skateboards.

— Et pourquoi pas une voiture ? suggéra Quinn.

— Tu sais conduire ?

— J'ai vu faire.

— Et moi j'ai vu des opérations à cœur ouvert à la télé, intervint Astrid. Ce n'est pas pour autant que je vais essayer.

— Tu regardes des opérations du cœur à la télé ? Ça explique beaucoup de choses, Astrid.

La route vers le Clifftop s'éloignait de la côte en serpentant. Le néon discret de l'hôtel, niché sur le bord de la route entre deux haies soigneusement taillées, brillait faiblement. Le vaste perron était éclairé comme pour Noël ; les employés de l'hôtel avaient suspendu avant l'heure des guirlandes clignotantes. Une voiture était garée devant l'entrée ; une portière ainsi que le coffre étaient ouverts, et des valises s'entassaient sur un chariot de groom à proximité.

À leur approche, les portes automatiques de l'hôtel s'ouvrirent en grand. Le hall était spacieux et clair, avec un large comptoir en bois blond, un carrelage étincelant de propreté et une porte vitrée menant à un bar plongé dans la pénombre. L'un des ascenseurs, ouvert, semblait les attendre.

— Y a pas un chat ici, dit Quinn dans un souffle.

Dans le bar trônait une télé à l'écran vide. Il n'y avait personne à la réception, personne dans le hall ni au bar. Leurs pas résonnaient sur le carrelage.

— Les courts de tennis sont de ce côté, déclara Astrid en les précédant. C'est là qu'ont dû aller le petit Pete et ma mère.

Les courts de tennis étaient noyés sous la lumière de puissants spots. Un silence de mort planait sur les lieux.

Ils virent tous les trois la même chose au même moment. Un mur, qui brillait faiblement et coupait par le milieu la piscine, les jardins aménagés et le dernier court de tennis. Bien qu'il ne fût pas opaque, la lumière laiteuse et ténue qu'il diffusait contrastait à peine avec la pénombre environnante. Il reflétait vaguement les alentours à la manière d'une vitre couverte de givre. Aucun son, aucune vibration n'en sortait ; on aurait dit, au contraire, qu'il absorbait les bruits.

Il s'agissait d'une sorte de membrane ; du moins c'était le mot qui venait à l'esprit de Sam. Une « peau » d'à peine un millimètre d'épaisseur qu'il aurait pu faire exploser comme un ballon de baudruche rien qu'en y enfonçant le doigt. Ce n'était peut-être rien de plus qu'une illusion. Mais son instinct, sa peur, le nœud dans son ventre lui soufflaient qu'il voyait bel et bien un mur.

La paroi s'élevait jusqu'à se perdre dans le ciel nocturne. À gauche et à droite, elle s'étendait à perte de vue. Les étoiles ne scintillaient pas au travers mais, très haut dans le ciel, elles réapparaissaient.

— Qu'est-ce que c'est ? demanda Quinn.

Un effroi teinté d'admiration perçait dans sa voix. Astrid se contenta de secouer la tête.

— Qu'est-ce que c'est ? répéta Quinn, avec impatience cette fois.

Ils s'avancèrent d'un pas hésitant, partagés entre l'envie de fuir et la curiosité. Après avoir franchi le grillage, ils pénétrèrent sur le court de tennis. Le mur coupait le filet qui se perdait dans le néant scintillant de sa matière. Sam tira sur les mailles, mais il eut beau s'échiner, il ne parvint pas à les libérer.

— Sois prudent, chuchota Astrid.

Quinn recula de quelques pas pour laisser le champ libre à son ami.

— Elle a raison, frangin. Fais gaffe.

Sam se trouvait à quelques dizaines de centimètres du mur, les mains tendues vers lui. Il hésita, aperçut une balle de tennis par terre, la ramassa et la jeta contre la paroi. La balle rebondit, Sam la rattrapa au bond et l'observa ; elle ne comportait aucune marque.

Il franchit les trois derniers pas qui le séparaient du mur et, sans hésiter cette fois, y posa les doigts.

— Aaah !

— Quoi ? cria Quinn.

— Ça brûle !

Sam secoua sa main endolorie comme pour chasser la douleur.

— Laisse-moi jeter un coup d'œil, suggéra Astrid.

Sam plia et déplia les doigts.

— Ça va mieux maintenant.

— Je ne vois pas de trace de brûlure, déclara Astrid en prenant d'office sa main pour l'examiner.

— Peut-être, mais crois-moi, mieux vaut ne pas toucher ce machin.

Même en cet instant et en dépit de tout ce qui s'était passé, le contact d'Astrid le faisait vibrer.

Quinn prit une chaise de jardin en fer forgé, la leva bien haut et la jeta contre la paroi. Cette dernière ne céda pas. Il recommença, plus fort cette fois, si fort que le choc manqua le faire tomber. Mais la paroi ne céda toujours pas.

Soudain, Quinn se mit à crier et à jurer en cognant frénétiquement la chaise contre la paroi. Sam jugea plus sage de ne pas s'interposer, de peur de prendre un mauvais coup. D'une main, il retint Astrid qui allait s'avancer.

— Laisse-le se calmer tout seul.

Quinn continuait à donner des coups de chaise sans laisser la moindre trace sur le mur. Enfin, il laissa tomber le siège, s'assit par terre en se prenant la tête à deux mains, et se mit à sangloter.

Quand Albert Hillsborough pénétra dans le McDonald's, toutes les lumières étaient allumées. Une alarme d'incendie hurlait ; des bips affolés retentissaient entre chaque gémissement strident du détecteur.

Les enfants étaient passés derrière le comptoir pour dérober les cookies et les viennoiseries sur les présentoirs. Un carton de jouets Happy Meal – produits dérivés d'un film qu'Albert n'avait pas encore vu – était grand ouvert et son contenu déversé sur le comptoir. Des sachets de frites éventrés traînaient par terre.

Un peu intimidé, Albert s'avança vers la porte de la cuisine et tenta de l'ouvrir ; elle était verrouillée. Il revint sur ses pas et sauta par-dessus le comptoir. Le fait de se trouver de l'autre côté lui donnait l'impression d'enfreindre la loi. Un panier de frites noircies achevait de carboniser dans l'huile bouillante. À l'aide d'un torchon, Albert saisit le panier et le suspendit le temps que les frites s'égouttent ; elles cuisaient depuis le matin. « Elles doivent être à point », se dit-il.

Le minuteur de la friteuse continuait inlassablement de biper. Il lui fallut quelques instants pour trouver le bouton qui réduisit la machine au silence.

Trois petites boulettes noircies étaient posées sur le gril : c'étaient des steaks qui, comme les frites, avaient cuit une dizaine d'heures de trop. Albert dénicha une spatule et les jeta à la poubelle. Ils avaient depuis longtemps cessé de fumer, mais personne n'avait éteint l'alarme d'incendie. Il hésita un peu, puis finit par se hisser pour atteindre le bouton qui commandait l'alarme, tout en prenant garde à ne pas atterrir sur le gril brûlant.

— C'est mieux, dit-il en redescendant.

Le silence était un réel soulagement. Albert se demanda s'il devait aussi éteindre les friteuses et le gril ; c'était sans doute la décision la plus sage. Tout éteindre et s'en aller. Retourner dehors, dans l'obscurité de la place où s'étaient rassemblés les enfants terrorisés dans l'attente de secours qui tardaient à venir. Le problème, c'était qu'il ne les connaissait pas vraiment, les autres.

Albert avait quatorze ans. Il était le cadet d'une fratrie de six enfants. Ses trois frères et ses deux sœurs étaient âgés de quinze à vingt-sept ans. Albert avait déjà vérifié chez lui : ils ne s'y trouvaient pas. La chaise roulante de sa mère était vide. Sur le canapé où elle s'allongeait en temps normal pour regarder la télé, prendre ses repas et se plaindre de son mal de dos, il ne trouva rien d'autre que sa couverture.

C'était bizarre d'être livré à lui-même, même pour une courte durée. C'était bien la première fois qu'aucun de ses frères et sœurs ne s'acharnait sur lui pour le tyranniser. À présent, Albert déambulait dans le McDonald's, plus seul qu'il n'aurait jamais pu l'imaginer.

Il repéra la chambre froide, tira sur la grosse poignée chromée, et la porte en acier s'ouvrit dans un grincement en exhalant un souffle de buée glacée. À l'intérieur, sur des étagères en métal, s'empilaient des cartons de hamburgers étiquetés, de grands sacs en plastique remplis de nuggets ou de frites, quelques boîtes, moins nombreuses, contenant des McMornings. Mais surtout il y avait des tonnes de steaks hachés.

Il passa ensuite en revue le contenu du grand réfrigérateur, un peu moins froid et beaucoup plus intéressant. Il y trouva des plateaux recouverts de film plastique sur lesquels étaient disposés des rondelles de tomate, des sachets de laitue, de gros tubes en plastique de sauce Big Mac, de mayonnaise et de ketchup, d'innombrables blocs de fromage jaune en tranches.

Puis il découvrit une minuscule salle de repos tapissée d'affiches donnant des consignes de sécurité en anglais et en espagnol. Des fournitures étaient empilées contre les murs de la pièce : cartons gigantesques pleins de gobelets et d'emballages, gros bidons en métal terni remplis de concentré de Coca-Cola. Au fond, près de la porte de derrière, étaient entreposés des chariots chargés de pains à hamburger et de muffins.

Chaque chose semblait à sa place. Tout était rangé et relativement propre, bien qu'un peu lustré par la graisse.

La sœur d'Albert, Rowena, lui avait appris à cuisiner. Avec une mère handicapée, les enfants avaient toujours dû se débrouiller seuls. Rowena avait été la cuisinière officieuse de la famille jusqu'au douzième anniversaire d'Albert, date à laquelle une partie des corvées de repas lui avait été confiée.

Il savait préparer le riz aux haricots rouges, le plat préféré de sa mère. Il savait faire les hot dogs, le pain perdu et les œufs au bacon. Il n'avait jamais pu se résoudre à l'avouer à Rowena, mais il aimait cuisiner. C'était beaucoup plus agréable que de faire le ménage qui, malheureusement, figurait toujours dans sa liste de tâches à accomplir, même depuis qu'il était responsable du dîner le vendredi et le dimanche.

Le gérant avait un bureau minuscule ; la porte était entrouverte. À l'intérieur, une petite table, un placard fermé à clé, un téléphone, un ordinateur et une étagère murale ployant sous d'énormes manuels de gestion.

Il entendit un bruit de voix, quelqu'un heurta un distributeur de pailles avant de s'excuser. Il vit deux gamins d'une douzaine d'années s'appuyer au comptoir, les yeux levés vers le menu affiché au-dessus de leur tête comme s'ils attendaient de passer commande.

Albert n'hésita que quelques instants. «Je peux le faire», se dit-il, presque surpris par ce constat.

— Bienvenue chez McDonald's, lança-t-il. Qu'est-ce que je vous sers?

— C'est ouvert?

— Je vous écoute.

Les deux gamins haussèrent les épaules.

— Deux menus Best Of?

Albert regarda la caisse devant lui, dont les touches colorées comportaient une série de codes mystérieux.

— Quelle boisson?

— Un soda à l'orange?

— Ça vient tout de suite!

Il trouva des steaks dans un tiroir réfrigéré sous le gril. Ils se mirent à grésiller agréablement quand il les jeta sur la plaque de cuisson. Il prit un chapeau en papier posé sur une étagère et s'en coiffa.

Pendant que les steaks cuisaient, il ouvrit un gros manuel et chercha «frites» dans l'index.

7

289 HEURES
45 MINUTES

É TENDUE DANS LE NOIR, Lana fixait les étoiles.
Si elle ne pouvait plus voir les vautours, elle
savait qu'ils n'étaient pas loin. Quelques-uns avaient
tenté de se poser tout près d'elle, mais Pat les avait
fait fuir. Elle était sûre, cependant, qu'ils rôdaient
toujours dans les parages.

Lana avait peur de mourir. Peur de ne jamais
revoir son père et sa mère, qui ignoraient sans doute
tout de son sort. Ils appelaient Grandpa Luke tous les
soirs pour lui parler, lui répéter qu'ils l'aimaient… et
qu'ils ne voulaient pas qu'elle rentre à la maison.

— Nous voulons t'éloigner de la ville pendant
quelque temps, chérie, disait sa mère. Nous voulons
que tu fasses une pause pour réfléchir et t'éclaircir
les idées.

Lana était folle de rage contre ses parents, sa mère
en particulier. Quand elle se laissait aller, la colère

la consumait tellement qu'elle parvenait presque à occulter la douleur.

Mais juste un peu. Et pas très longtemps. Elle n'était plus que souffrance, à présent. Souffrance et terreur.

Elle se demanda à quoi elle pouvait ressembler en ce moment. Elle n'avait jamais été jolie, à vrai dire : elle trouvait ses yeux trop petits et ses cheveux noirs trop raides ne lui permettaient aucune fantaisie. Mais maintenant, avec son visage couvert de bleus, d'égratignures et de sang séché, elle devait sûrement ressembler à un monstre.

Où était passé Grandpa Luke ? Elle se rappelait vaguement les instants qui avaient précédé l'accident. Quant à l'accident lui-même, ce n'était qu'un souvenir flou, un tourbillon d'images fragmentées tandis que son corps était malmené en tous sens.

Lana n'y comprenait rien ; tout ça n'avait aucun sens. Son grand-père s'était simplement volatilisé pendant qu'il conduisait : il était à côté d'elle et, l'instant d'après, il n'était plus là. Elle n'avait pas vu la portière s'ouvrir – d'ailleurs, pourquoi le vieil homme aurait-il sauté ?

C'était fou. Impossible.

Elle était sûre d'une chose : son grand-père n'avait pas dit un mot. En un clin d'œil, il avait disparu et elle avait plongé dans le ravin.

Lana mourait de soif. D'après elle, le plus proche endroit où trouver de l'eau, c'était le ranch, à moins de deux kilomètres de là. Si, d'une manière ou d'une autre, elle parvenait à regagner la route… Mais, même de jour, même en pleine possession de ses moyens, la pente était quasiment impossible à escalader.

Elle leva sa tête endolorie et se dévissa le cou pour voir la camionnette. Elle se découpait sur le ciel étoilé, à quelques mètres d'elle, les quatre roues en l'air.

Un frisson lui parcourut la nuque. Pat se redressa pour écouter le silence.

— Ne laisse personne m'approcher, mon vieux, dit-elle d'un ton suppliant.

Pat aboya comme quand il voulait jouer.

— Je n'ai rien à manger pour toi, reprit-elle. Je ne sais pas ce qui nous attend.

Pat se rallongea, la tête entre les pattes.

— C'est maman qui va être contente. Elle ne va pas regretter de m'avoir fait venir ici.

Elle n'aurait pas remarqué la paire d'yeux qui étincelait dans le noir si Pat ne s'était pas levé d'un bond en grognant, les poils hérissés ; elle ne l'avait jamais vu dans un état pareil.

— Qu'est-ce qui t'arrive, mon vieux ?

C'est à ce moment-là qu'elle vit les yeux verts, suspendus dans l'obscurité tel un objet désincarné. Ils étaient fixés sur elle. Ils cillèrent paresseusement et s'ouvrirent de nouveau.

Pat s'était mis à aboyer comme un fou en piétinant la poussière. Un grondement sourd et féroce lui répondit : un puma.

— Va-t'en ! cria Lana d'une voix faible, pathétique, déjà vaincue. Laisse-moi tranquille !

Pat revint auprès d'elle, la renifla comme pour prendre courage, puis fit volte-face et se jeta sur le puma.

En un éclair, le combat s'engagea et ce fut une véritable explosion de rugissements sauvages. En une demi-minute, ce fut terminé. Les yeux étincelants du puma réapparurent un peu plus loin. Ils cillèrent et se fixèrent une dernière fois sur Lana avant de disparaître.

Pat revint s'étendre lourdement au côté de sa maîtresse.

— Ça, c'est un bon chien, susurra Lana. Tu as flanqué une sacrée frousse à ce puma, pas vrai, mon vieux ? Oh, ça c'est un bon chien.

Pat remua faiblement la queue.

— Il t'a blessé, mon beau ?

De sa main valide, Lana caressa l'animal. Son poil était humide, un peu poisseux au toucher. Ça ne pouvait être que du sang. Elle tâtonna pour trouver la blessure et Pat gémit de douleur.

C'est alors qu'elle sentit sous ses doigts une profonde entaille dans le cou du chien ; le sang coulait à flots, au rythme de ses battements de cœur, et sa vie s'échappait avec.

— Non, non, non ! cria Lana. Ne meurs pas. Ne meurs pas.

S'il mourait, elle se retrouverait seule dans le désert, incapable de se défendre. Seule. Le puma reviendrait, puis les vautours.

La peur la submergea, irrépressible, incontrôlable. Folle de terreur, Lana se mit à crier :

— Maman ! Maman ! Je veux ma maman ! Aidez-moi, quelqu'un, aidez-moi ! Pardon, maman, pardon, je veux rentrer à la maison, je veux rentrer...

Elle se mit à sangloter, à répéter des phrases sans suite, et la panique, le sentiment de solitude l'emportèrent sur la douleur, pourtant intolérable. Son désarroi l'asphyxiait.

Pat ne devait pas mourir ; il était tout ce qu'il lui restait. Elle se blottit contre son chien, s'efforça de faire abstraction de ses propres maux, posa la main sur la blessure de la pauvre bête, et appuya aussi fort que possible.

Il fallait qu'elle arrête le sang. Elle le serrerait fort dans ses bras et empêcherait sa vie de s'échapper. Il ne mourrait pas. Mais le sang continuait à s'écouler entre ses doigts.

Elle tint bon, lutta pour garder les yeux ouverts, maintenir la pression de ses doigts sur la blessure.

— Bon chien, murmura-t-elle, les lèvres desséchées.

Pourtant, malgré ses efforts pour rester éveillée, la faim et la soif, la souffrance et la peur, la solitude et le désespoir eurent raison d'elle. Au terme d'une longue lutte, elle s'endormit.

Et sa main glissa du cou de son chien.

Sam, Quinn et Astrid passèrent une grande partie de la nuit à fouiller l'hôtel pour retrouver le petit Pete. Astrid, qui avait réussi à comprendre le système de sécurité de l'établissement, avait fabriqué un passe en plastique qui donnait accès à toutes les portes.

Ils vérifièrent chaque pièce et ne trouvèrent pas âme qui vive.

Épuisés, ils firent halte dans la dernière chambre. L'étrange membrane coupait la pièce en deux, comme si quelqu'un avait bâti un mur au beau milieu.

— Elle passe à travers la télé, observa Quinn.

Il prit la télécommande, appuya sur le bouton rouge : rien.

— Je serais curieuse de voir à quoi ça ressemble de l'autre côté, dit Astrid. Est-ce qu'une demi-télé vient de s'allumer là-bas ?

— Si c'est le cas, peut-être qu'on pourra enfin me donner le résultat du match de basket, ironisa Quinn, mais personne, y compris lui, n'était d'humeur à rire.

— Ton frère est probablement sain et sauf de l'autre côté, Astrid, dit Sam, avant d'ajouter : Avec ta mère.

— Je n'en sais rien, répliqua-t-elle avec colère. Je ne peux m'empêcher de penser qu'il est sans défense, isolé, et que je suis la seule à pouvoir l'aider.

Elle serra ses bras autour d'elle.

— Désolée, tu n'y es pour rien.

— Pas grave. On ne peut rien faire de plus pour le moment. Il est presque minuit. Je crois qu'on devrait retourner dans la grande chambre qu'on a visitée.

Astrid ne put que hocher la tête. Quant à Quinn, il tombait de fatigue. Ils retournèrent dans la suite qu'ils avaient fouillée auparavant. Elle se terminait par un immense balcon qui dominait l'océan. À gauche, la paroi bloquait leur champ de vision ; elle traversait l'océan à perte de vue, tel un mur sans fin qui partait de l'hôtel.

La suite comportait une chambre dotée d'un grand lit double et une autre avec des lits jumeaux. L'ameublement était somptueux. Un minibar proposait des alcools forts, de la bière, des sodas, des cacahuètes, un Snickers, un Toblerone et quelques en-cas du même genre.

— C'est la chambre des garçons, décréta Quinn en se laissant tomber à plat ventre sur l'un des lits jumeaux.

Il s'endormit au bout de quelques instants. Sam et Astrid allèrent se partager le Toblerone sur le balcon. Tous deux gardèrent le silence un long moment.

— À ton avis, qu'est-ce que c'est ? finit par demander Sam.

Il n'eut pas besoin de préciser à quoi il faisait allusion.

— Par moments, je me dis que je suis en train de rêver, répondit Astrid. C'est très bizarre que personne ne soit venu nous chercher. Le coin devrait grouiller de militaires, de scientifiques et de journalistes. Soudain, un mur surgit de nulle part, la plupart des habitants d'une ville disparaissent, et pourtant, pas la moindre équipe de télé à l'horizon ?

Sam était déjà parvenu à une conclusion déprimante sur le sujet. Il se demandait si Astrid en était au même point.

— Je ne crois pas que ce soit juste une paroi qui nous isole de la partie sud du continent, reprit-elle. À mon avis, elle fait tout le tour. Elle nous isole du reste du monde. Ça me paraît tout à fait possible, dans la mesure où personne ne nous est venu en aide. Qu'est-ce que tu en dis ?

— Oui, on est pris au piège. Mais pourquoi ? Et pourquoi tous les plus de quinze ans ont-ils disparu ?

— Je ne sais pas.

Sam laissa le silence s'installer ; il redoutait de poser la question qui lui trottait dans la tête, n'étant pas sûr de vouloir connaître la réponse. Puis, n'y tenant plus, il demanda :

— Qu'est-ce qui se passe quand on atteint quinze ans ?

Astrid se tourna vers lui.

— C'est quand ton anniversaire, Sam?

— Le 22 novembre, cinq jours avant Thanksgiving. Soit dans douze jours. Non, onze puisqu'il est minuit passé. Et toi?

— C'est en mars.

— J'aurais préféré mars. Ou juillet. C'est bien la première fois que je regrette de ne pas être plus jeune.

Pour chasser la compassion qui se lisait sur le visage d'Astrid, il ajouta:

— Tu crois qu'ils sont toujours en vie quelque part?

— Oui.

— Tu y crois vraiment ou tu l'espères?

— Oui, répondit-elle, puis avec un sourire: Sam?

— Quoi?

— J'étais dans le bus ce jour-là, tu t'en souviens?

— Vaguement, répondit-il, puis il reprit en riant: Mon quart d'heure de gloire.

— Je n'ai jamais vu autant de courage et de sang-froid. Soudain, tu étais le héros de toute l'école. Et ensuite, je ne sais pas ce qui s'est passé. Tu es redevenu… invisible.

Sam lui en voulut un peu de cette remarque. Il n'était pas invisible… Si?

— Eh bien, ce n'est pas tous les jours que les chauffeurs de bus ont des crises cardiaques.

Astrid rit.

— Tu es de ces gens qui vont leur petit bonhomme de chemin et qui, le jour où les choses tournent mal, font ce qu'ils ont à faire. Comme aujourd'hui, avec l'incendie.

— Ce n'est pas que ça m'amuse !

Astrid hocha la tête.

— Tu ferais mieux de t'y habituer, murmura-t-elle.

Sam baissa la tête, les yeux fixés sur la pelouse en contrebas. Un lézard traversa l'allée pavée et disparut.

— Ne t'attends pas à ce que j'accomplisse des miracles.

— Je sais, Sam, répondit Astrid sans grande conviction. On verra tout ça demain.

— Et on retrouvera ton frère.

— Oui, on retrouvera mon frère.

Elle rentra dans la chambre, et Sam resta seul sur le balcon. Il n'entendait pas le ressac. Il y avait très peu de vent. Pourtant, il sentait le parfum des fleurs et l'odeur iodée du Pacifique n'avait pas changé, elle.

Il n'avait pas menti à Astrid : il avait peur. Mais à la peur s'ajoutaient d'autres sentiments. Le vide de cette nuit trop tranquille s'immisçait en lui. Il se sentait seul, malgré la présence d'Astrid et de Quinn. Car il en savait plus long qu'eux.

Il y avait eu tellement de bouleversements dans sa vie qu'il ne savait plus où donner de la tête. Tout était lié, il en aurait mis sa main au feu : ce qui s'était passé avec son beau-père, et dans sa chambre, plus tard, ou encore avec la petite pyromane à couettes, sans oublier la disparition de tous les plus de quinze ans, et ce mur infranchissable, surnaturel. Tous ces événements n'étaient que les pièces d'un même puzzle.

Et le journal de sa mère. Oui, ça aussi.

Il avait peur, il se sentait perdu et seul ; moins seul, cependant, que ces derniers mois. La fillette lui avait prouvé qu'il n'était pas l'unique détenteur d'un pouvoir. Il n'était pas le seul dégénéré.

Il leva les mains, contempla ses paumes. Elles étaient roses, un peu calleuses à force de waxer sa planche de surf. Une ligne de vie, une ligne de chance. Des paumes pareilles à tant d'autres.

Comment ? Comment était-ce arrivé ? Quelle était la signification de tout cela ? Et s'il n'était pas le seul dégénéré, se pouvait-il qu'il ne soit pas responsable de cette catastrophe ? Il tendit les mains, paumes ouvertes, vers la paroi, comme pour la toucher.

En état de panique, il pouvait créer de la lumière ou brûler un homme. Pourtant, comment aurait-il pu provoquer une chose pareille ? Cette pensée le réconforta. Non, ça ne pouvait pas être lui. Cependant, quelqu'un ou quelque chose était à l'origine de tout ça.

— RESTE TRANQUILLE, j'essaie de changer ta couche, dit Mary Terrafino.

— C'est pas une couche, d'abord, protesta la petite fille. Les couches, c'est pour les bébés. C'est une culotte « asorbante ».

— Oh, pardon. Je n'étais pas au courant.

Mary remonta la « culotte absorbante » de la petite et lui sourit, mais cette dernière éclata en sanglots.

— C'est toujours ma maman qui me met ma culotte.

— Je sais, ma puce, répondit Mary. Mais ce soir, c'est moi, d'accord ?

Mary avait envie de pleurer, elle aussi. Jamais elle n'avait autant retenu ses larmes. La nuit était tombée. Elle et John, son frère de neuf ans, avaient distribué les derniers crackers au fromage, les derniers jus de fruits. Ils seraient bientôt à court de couches-culottes. La crèche n'était pas faite pour accueillir les enfants le soir.

Ils avaient rassemblé les vingt-huit petits dans la plus grande des deux pièces. Mary et John s'étaient portés volontaires pour les garder, ainsi qu'une fille d'une dizaine d'années prénommée Éloïse, qui s'occupait essentiellement de son petit frère de quatre ans. Éloïse faisait partie des plus responsables : d'autres enfants dépassés par les événements s'étaient contentés d'abandonner leur petite sœur ou leur petit frère sans même proposer leur aide.

Mary et John avaient préparé le lait et rempli les biberons. Ils avaient improvisé un « dîner » avec ce qu'ils avaient sous la main, lu des livres de contes à haute voix, et repassé inlassablement le même CD de comptines.

Mary avait répété les mêmes mots des millions de fois : « Ne t'inquiète pas, tout ira bien. » Elle avait câliné chaque enfant tour à tour, à tel point qu'elle avait l'impression de distribuer des gestes d'affection à la chaîne.

Pourtant, les petits continuaient à demander en pleurant : « Pourquoi ma maman ne vient pas ? Pourquoi elle n'est pas là ? » D'une voix où la colère le disputait à la peur, ils criaient : « Je veux ma maman ! Je veux rentrer chez moi ! Tout de suite ! »

Mary était accablée de fatigue. Elle se laissa tomber dans le rocking-chair et jeta un regard autour d'elle. Des berceaux. Des matelas sur le sol. De minuscules corps pelotonnés un peu partout dans la pièce. Ils dormaient, à l'exception de la petite de deux ans qui n'arrêtait pas de pleurer et du bébé qui braillait toutes les cinq minutes.

Son frère John luttait contre le sommeil ; ses boucles s'agitaient quand il relevait brusquement la tête avant de replonger dans sa somnolence. Il était affalé sur une chaise au milieu de la pièce et berçait un couffin de fortune fabriqué avec une grande jardinière en plastique récupérée à la quincaillerie. Croisant son regard, Mary lui dit :

— Je suis très fière de toi, John.

Il eut un faible sourire, et Mary faillit craquer. Sa bouche trembla et ses yeux se remplirent de larmes. Elle avait une boule dans la gorge et un poids sur la poitrine.

— Il faut que j'aille faire caca, gémit une petite voix.

Mary se tourna vers la fillette :

— Viens, Cassie, allons-y.

Les toilettes se trouvaient juste à côté de la salle de garderie. Après avoir montré le chemin, elle attendit, adossée au mur. Puis elle essuya les fesses de l'enfant.

— D'habitude, c'est ma maman qui le fait.

— Je sais, ma puce.

— Ma maman m'appelle toujours comme ça.

— Oh... Tu veux que je te trouve un autre petit nom ?

— Non, je veux juste savoir quand revient ma maman. Elle me manque. Elle vient toujours me faire des câlins.

— Je sais. En attendant qu'elle revienne, tu en veux un?

— Non. Y a que ma maman qui a le droit.

— D'accord, ma puce. Viens, on retourne se coucher.

Dans la salle de garderie, Mary s'avança vers John.

— Ça va, petit frère? dit-elle en ébouriffant ses boucles. On va bientôt manquer de tout. Demain matin, on risque d'avoir des problèmes. Il faut que j'aille voir ce que je peux rassembler. Tu es capable de rester ici en attendant mon retour?

— Oui, j'y arriverai.

Mary sortit dans la nuit et traversa la place silencieuse. Quelques enfants dormaient sur des bancs. D'autres s'étaient pelotonnés en petits groupes autour des lampadaires. Elle aperçut Howard qui se pavanait avec une bouteille de soda dans une main et une batte de base-ball dans l'autre.

— Tu as vu Sam? s'enquit-elle.

— Qu'est-ce que tu lui veux?

— Je ne peux pas m'occuper de tous les petits avec John pour seule aide.

Howard haussa les épaules.

— Qui t'a demandé de le faire?

C'en était trop pour Mary. Contrairement à Howard, qui était petit pour un garçon, elle était grande et robuste. Elle fit deux pas vers lui et, le visage à deux centimètres du sien, rétorqua :

— Écoute-moi bien, minus. Si je ne me charge pas d'eux, ils mourront. Tu comprends ça ? Il y a des bébés là-bas qui ont besoin d'être nourris et changés et, apparemment, je suis la seule à m'en rendre compte. Sans parler de tous ceux, morts de peur, qui sont livrés à eux-mêmes chez eux et ne comprennent rien à ce qui leur arrive.

Howard recula et fit mine de lever sa batte avant de se raviser.

— Et qu'est-ce que tu veux que j'y fasse ? gémit-il.

— Toi ? Rien. Où est Sam ?

— Il est parti.

— Comment ça, il est parti ?

— Oui, avec Astrid et Quinn.

— Mais alors, qui commande ? demanda Mary, désemparée.

— Tu crois, parce que Sam aime jouer les héros de temps en temps, que c'est lui qui commande ?

Mary se trouvait dans le bus, deux ans auparavant, quand le chauffeur avait eu une crise cardiaque. Elle était plongée dans son livre, indifférente à ce qui se passait autour d'elle ; elle avait levé les yeux en sentant le bus dévier de sa route. Le temps qu'elle comprenne la situation, Sam avait garé le bus sur le bas-côté.

Au cours des deux années qui avaient suivi, il s'était montré si modeste et si discret, si peu impliqué dans la vie de l'école, que Mary avait en quelque sorte oublié cet acte de bravoure. Comme la plupart des gens, d'ailleurs.

Et pourtant, elle ne s'était même pas étonnée quand Sam était entré dans l'immeuble en flammes. D'instinct, elle avait supposé que si quelqu'un devait commander, ce serait forcément lui. À présent, elle lui en voulait de ne pas être là pour l'aider.

— Va chercher Orc, lança-t-elle.

— Orc n'a d'ordres à recevoir de personne, pétasse.

— Pardon ? s'écria-t-elle. Comment tu m'as appelée ?

Howard avala sa salive avec difficulté.

— Je disais ça comme ça, Mary.

— Où est passé Orc ?

— Je crois qu'il dort.

— Eh bien, réveille-le. J'ai besoin d'aide. Je ne peux pas rester sans dormir. Il me faut au moins deux enfants avec une expérience de baby-sitter, et des couches, des biberons, des tétines, des céréales et beaucoup de lait.

— Pourquoi je ferais ça, moi ?

Mary n'avait pas de réponse à lui donner.

— Je ne sais pas, Howard. Pour me prouver que tu n'es pas qu'un pauvre type ? Peut-être que tu as un peu d'humanité, après tout.

Cette dernière remarque lui valut un coup d'œil sceptique suivi d'un ricanement moqueur.

— Écoute, les enfants lui obéiront, reprit Mary. Ils ont peur de lui. Tout ce que je lui demande, c'est de se comporter comme d'habitude.

Howard réfléchit un instant. Mary pouvait presque voir les rouages de son cerveau se mettre en branle.

— Oublie ça. J'irai parler à Sam dès son retour.

— Ouais, c'est lui le héros, après tout, répliqua Howard d'un ton sarcastique. Mais au fait, où est-il ?

— Tu veux m'aider, oui ou non ? Il faut que j'y retourne.

— D'accord, je vais te dégoter ton matos, Mary. Mais un conseil, n'oublie pas qui t'a aidée. Tu travailles pour Orc et moi, à partir de maintenant.

— Je m'occupe des petits, rétorqua Mary. Si je travaille pour quelqu'un, c'est pour eux.

— Je répète : rappelle-toi qui était là pour t'aider.

Howard tourna les talons et s'éloigna d'un air important.

— Deux baby-sitters et des provisions, cria Mary.

Elle retourna à la garderie. Trois petits étaient en larmes et menaçaient de réveiller les autres. John courait d'un lit à l'autre.

— Je suis là, dit Mary. Va dormir un peu, John.

John s'écroula aussitôt. Il ronflait avant même d'avoir touché le sol.

— Ne t'inquiète pas, dit Mary à l'un des enfants en pleurs. Tout ira bien.

SAM DORMIT dans ses vêtements et s'éveilla à
l'aube.

Il avait passé la nuit sur le canapé dans la grande
pièce de la suite. En entendant Quinn parler de
campements sur la plage, il comprit qu'il dormait
encore.

Il cligna des yeux et vit Astrid, frêle silhouette
se découpant sur la lumière du soleil. Elle se tenait
devant la fenêtre mais regardait dans sa direction.
D'un geste précipité, il s'essuya la bouche sur son
oreiller.

— Désolé, je bave en dormant.

— Je ne voulais pas te réveiller, mais il faut que
tu voies ça.

Le soleil se levait derrière les montagnes. Les
rayons qui scintillaient sur l'océan ne parvenaient pas
à percer l'opacité grisâtre de la paroi. Elle continuait
vers le large, véritable mur émergeant des eaux.

— Combien elle mesure ? demanda Sam.

— Je devrais pouvoir calculer ça, répondit Astrid. Il faut partir d'un point à la base du mur puis calculer l'angle… aucune importance. Elle est vraiment immense. On a beau être au troisième étage, on est loin d'en voir le sommet. S'il y en a un.

— Qu'est-ce que tu veux dire ?

— Je ne suis sûre de rien. Je pense tout haut, rien de plus : ne prends pas tout ce que je raconte au pied de la lettre.

— Bien, alors pense assez haut pour que je t'entende.

Astrid haussa les épaules.

— D'accord. Il n'y a peut-être pas de sommet. Ce n'est peut-être pas un mur mais un dôme.

— Pourtant je vois le ciel, objecta Sam. Je vois les nuages. Ils bougent.

— Bon. Imagine que tu tiens dans ta main un bout de verre sombre, celui d'une paire de lunettes noires, par exemple, mais en beaucoup, beaucoup plus grand. Tu le tords, il est opaque. Dans l'autre sens, il est réfléchissant. À force de l'examiner, tu as l'impression de voir de la lumière passer à travers. Tout dépend de l'angle et de…

— Vous avez entendu ? demanda Quinn.

Il s'était approché sans se faire remarquer.

Sam tendit l'oreille.

— On dirait un bruit de moteur.

Ils se précipitèrent hors de la chambre, dévalèrent l'escalier, sortirent de l'hôtel et coururent vers les courts de tennis.

— C'est Edilio. Le nouveau, dit Sam.

Edilio Escobar était assis dans l'habitacle ouvert d'une petite pelleteuse jaune. Sous leurs yeux, il manœuvra de sorte à se rapprocher le plus possible de la paroi et abaissa la pelle. Elle s'enfonça dans le sol et remonta avec une pleine pelletée de terre.

— Il essaie de creuser un tunnel pour s'échapper, observa Quinn.

Il piqua un sprint et sauta sur le siège à côté d'Edilio. Ce dernier eut un mouvement de surprise puis se fendit d'un grand sourire et coupa le moteur.

— Salut, les gars. J'imagine que vous l'avez remarqué, hein ? dit-il en désignant le mur. Au fait, ne le touchez pas.

Sam hocha la tête avec dépit.

— Oui, on est au courant.

Edilio remit le moteur en marche et extirpa du sol trois autres pelletées de terre. Puis, sautant à bas du véhicule, il prit une pelle et dégagea les derniers centimètres qui séparaient le trou de la paroi. Cette dernière s'enfonçait dans le sol. À eux trois, Edilio, Sam et Quinn creusèrent un trou d'un mètre cinquante avec la pelle et la machine ; ils n'avaient toujours pas atteint la base du mur. Cependant, Sam ne voulait pas déclarer forfait. Il y avait forcément un fond. Bientôt, il heurta une pierre qui l'empêcha de creuser plus profond.

— Et un marteau piqueur ? Ou une pioche, à la rigueur…

Comme il n'obtenait pas de réponse, il finit par s'apercevoir qu'il était le seul à creuser encore. Les autres l'observaient, immobiles.

— Oui, peut-être, dit enfin Edilio.

Il se baissa pour aider Sam à s'extirper du trou. Ce dernier se hissa péniblement hors de la tranchée, jeta sa pelle et nettoya la terre sur son jean.

— C'était une bonne idée, Edilio.

— Et toi, chapeau pour le réflexe, hier. Tu as réussi à sauver la quincaillerie et la crèche.

Sam ne voulait pas revenir là-dessus.

— Je n'aurais rien sauvé du tout, y compris mes fesses, sans ton aide, Edilio. Et sans celle de Quinn et d'Astrid, ajouta-t-il après réflexion.

Quinn jaugea Edilio d'un œil sévère.

— Pourquoi tu es venu ici ? demanda-t-il.

Edilio poussa un soupir et appuya sa pelle contre le mur. Puis il essuya la sueur sur son front et promena son regard sur la pelouse bien entretenue.

— Ma mère travaille ici.

Quinn esquissa un sourire narquois.

— Quoi, c'est elle la directrice de l'hôtel ?

— Elle est femme de ménage, répondit Edilio d'un ton égal.

— Ah oui ? Et vous habitez où ?

Edilio montra du doigt la paroi.

— De l'autre côté. À trois kilomètres environ en suivant l'autoroute. On vit dans une caravane avec mon père et mes deux petits frères. Ils ont attrapé un rhume, alors ma mère les gardait à la maison. J'ai un grand frère, Alvaro, qui est parti en Afghanistan.

— Il est dans l'armée ?

— Les Forces spéciales, se rengorgea Edilio. L'élite.

S'il n'était pas grand, il se tenait très droit. Une lueur placide, confiante, brillait dans ses yeux noirs. Il avait des mains calleuses et couvertes de cicatrices qui semblaient appartenir à quelqu'un d'autre. Il restait immobile, bras légèrement écartés, paumes tournées comme s'il s'apprêtait à attraper quelque chose au vol. Il paraissait à la fois très calme et prêt à passer à l'action.

— C'est bête, quand on y réfléchit. Les gens de l'autre côté de la paroi, eux, savent ce qui s'est passé, observa Quinn. Ils ont forcément remarqué que, du jour au lendemain, on s'était retrouvés coincés derrière un mur.

— Et ? dit Sam.

— Et ils sont mieux équipés que nous, non ? Ils peuvent creuser beaucoup plus profond et se glisser sous la paroi. Ou la contourner, la survoler. On perd notre temps, là.

— Jusqu'à maintenant, on ne connaît pas ses dimensions, déclara Astrid. À première vue, je dirais qu'elle mesure une soixantaine de mètres de haut, mais c'est peut-être une illusion d'optique.

— Il y a forcément un moyen de sortir, objecta Edilio.

— Tes parents ont bien réussi à franchir la frontière mexicaine, ironisa Quinn.

Sam et Astrid lui jetèrent un regard scandalisé.

Edilio ne broncha pas ; malgré sa petite taille, il semblait regarder Quinn de haut. D'un ton calme, mesuré, il répondit :

— Mes parents viennent du Honduras. Ils ont dû traverser tout le Mexique avant de passer la frontière. Si j'ai un accent, c'est parce que j'ai appris l'espagnol avant l'anglais. D'autres questions, mon pote ?

— Je ne disais pas ça pour te vexer, protesta Quinn.

— Tant mieux.

L'attitude d'Edilio n'avait rien de menaçant. Et puis, de toute façon, Quinn pesait facilement dix kilos de plus que lui. Pourtant, Quinn recula d'un pas.

— Il va falloir y aller, dit Sam.

Il se tourna vers Edilio pour lui expliquer :

— On cherche le petit frère d'Astrid. Il… il a besoin qu'on s'occupe de lui. Astrid pense qu'il est peut-être à la centrale nucléaire.

— Mon père travaille là-bas comme ingénieur, ajouta-t-elle. Mais c'est à plus de quinze kilomètres d'ici.

Sam hésita avant de demander à Edilio de leur prêter main-forte. Il ne voulait pas contrarier Quinn. Ce dernier n'était plus lui-même, ce qui n'avait rien d'étonnant, vu la situation, mais Sam s'en inquiétait. D'un autre côté, Edilio avait gardé son sang-froid pendant l'incendie. Il n'était pas resté les bras croisés, lui.

Astrid parla à sa place :

— Tu veux nous accompagner, Edilio ?

Maintenant c'était au tour de Sam de se vexer. Quoi, elle pensait qu'il n'était pas capable de prendre les choses en main ? Elle avait besoin d'Edilio ?

Devant la mine de Sam, Astrid leva les yeux au ciel :

— C'était juste histoire de faire avancer le débat. Inutile de rouler des mécaniques.

— Je ne roule pas des mécaniques, marmonna Sam.

— Comment on fait pour aller là-bas ? interrogea Edilio.

— Je ne crois pas que ce soit judicieux de conduire, si c'est ce que tu as en tête, répondit Sam.

— J'ai peut-être une idée. Ça ne vaut pas une voiture mais c'est mieux que de marcher quinze kilomètres.

Edilio les mena jusqu'à un garage derrière la piscine. Il renfermait deux voiturettes de golf arborant le logo de l'hôtel.

— Les jardiniers et la sécurité s'en servent pour se déplacer sur la propriété et pour rejoindre le parcours de golf, de l'autre côté de l'autoroute.

— Tu as déjà conduit ce genre d'engin? demanda Sam.

— Oui, mon père travaille au golf de temps à autre. Je l'accompagne pour lui donner un coup de main.

Cette explication emporta la décision. Même Quinn dut admettre que c'était la meilleure solution.

— OK, lança-t-il à contrecœur. C'est toi qui conduis.

— On peut prendre la bretelle d'accès à l'autoroute, suggéra Sam. C'est la première à droite.

— Tu évites le centre-ville, constata Astrid. Tu as peur que les enfants t'arrêtent pour te demander conseil…

— Tu veux aller à la centrale? Ou tu préfères que je perde mon temps à leur expliquer qu'ils n'ont rien d'autre à craindre que la peur elle-même?

Astrid éclata de rire et, de l'avis de Sam, c'était sans doute le plus joli son qu'il ait jamais entendu.

— Tu t'en souviens?

— Oui. Roosevelt. La Grande Dépression. Parfois, en me concentrant à fond, j'arrive même à faire des multiplications.

— On est sur la défensive ? le taquina Astrid.

Ils traversèrent le parking et rejoignirent la route, puis coupèrent à droite et s'engagèrent sur une voie étroite récemment goudronnée. En gravissant la colline, la voiturette ralentit ; ils se déplaçaient à peine plus vite qu'à pied. Ils ne tardèrent pas à s'apercevoir que le mur leur barrait la route. Ils firent halte et allèrent examiner le goudron à l'endroit où s'élevait la paroi.

— On se croirait dans un dessin animé de Bip Bip, observa Quinn. S'il peint l'entrée d'un tunnel sur une muraille, il peut passer à travers, mais Vil Coyote, lui, s'écrase dessus.

— Bon, dit Sam, on n'a qu'à prendre la route de la falaise et couper par l'extérieur de la ville pour rejoindre l'autoroute. On devrait déjà avoir retrouvé Pete…

— Arrêtez ! cria Astrid.

Edilio écrasa la pédale de frein ; Astrid sauta de son siège et s'avança vers une masse de plumes blanches qui gisait sur le bord de la route. Elle s'agenouilla pour ramasser une brindille.

— C'est une mouette, dit Sam, étonné par l'intérêt d'Astrid. Elle a dû heurter la paroi.

— Peut-être. Mais regardez.

Elle souleva la patte de l'oiseau à l'aide de la brindille.

— Oui ?

— Elle a les pattes palmées, ça c'est normal. Mais jetez un coup d'œil sur le prolongement de la patte. Cette mouette a des serres, comme un oiseau de proie.

— Tu es sûre qu'il ne s'agit pas d'une espèce particulière ?

— J'aime les oiseaux et je les connais bien, expliqua Astrid. Ce n'est pas normal. Les mouettes n'ont pas besoin de serres, par conséquent, elles n'en ont pas.

— Alors cette bestiole est un mutant, dit Quinn. Bon, on peut y aller, maintenant ?

— Ce n'est pas normal, répéta Astrid.

Quinn s'esclaffa :

— Astrid, depuis quand ce qui se passe est-il normal ? Et tu t'inquiètes pour quoi ? Pour les pattes d'un oiseau ?

— Cette mouette est soit un phénomène isolé, soit une mutation aléatoire. À moins qu'une nouvelle espèce n'ait brusquement fait son apparition.

— Je vais me répéter mais : et alors ?

Astrid était sur le point de poursuivre, puis elle secoua la tête et parut se raviser.

— Aucune importance, Quinn. Tu as raison, ça fait longtemps qu'on a dépassé le stade du normal.

Ils remontèrent en voiture et atteignirent bientôt les vingt kilomètres/heure. Ils tournèrent dans la 3e Avenue et, pour s'éloigner de la ville, coupèrent par la 4e, dans un quartier résidentiel pauvre, calme et ombragé, non loin de chez Sam.

Les seules voitures qu'ils aperçurent étaient garées au bord du trottoir ou accidentées au milieu de la route. Il n'y avait pas âme qui vive, hormis deux gamins qui traversèrent la rue derrière eux. Ils entendirent le bruit d'une télé en provenance d'une maison voisine, mais conclurent rapidement qu'il s'agissait d'un DVD.

— L'électricité fonctionne, lança Quinn. Ils n'ont pas emporté nos DVD. Les MP3 doivent marcher, eux aussi, même sans accès à Internet. Il nous reste encore la musique.

— «Ils», observa Astrid. On est passés de Dieu à «ils».

En arrivant sur l'autoroute, ils s'arrêtèrent net.

— Ça, c'est flippant, dit Quinn.

Un semi-remorque leur barrait la route. La remorque s'était détachée du véhicule et gisait sur le flanc, tel un jouet jeté au rebut. Le camion avait fini sa course sur le bas-côté. Une décapotable s'était encastrée dans l'avant du camion. Elle était dans un piteux état; elle avait percuté le semi-remorque de plein fouet avant de prendre feu.

— Les deux conducteurs ont disparu, celui de la décapotable et celui du camion, reprit Quinn.

— Il n'y a pas eu de blessés, fit remarquer Edilio.

— Sauf s'il y avait un enfant dans la voiture, objecta Astrid.

Aucun d'eux ne proposa d'aller vérifier. Personne n'aurait pu survivre à l'accident ou à l'incendie qui avait suivi, et ils ne tenaient pas à trouver un petit corps sans vie à l'arrière de la décapotable.

L'autoroute se divisait en quatre voies séparées au milieu par une bretelle de sortie. Elle était toujours très fréquentée. Même au beau milieu de la nuit, il y avait beaucoup de trafic. Or, désormais, elle était vide et silencieuse.

Edilio eut un rire nerveux.

— Je m'attends encore à ce qu'un énorme camion nous fonce dessus.

— Ce serait presque un soulagement, marmonna Quinn.

Edilio appuya sur la pédale d'accélération, le moteur électrique vrombit et ils s'engagèrent sur l'autoroute en contournant la remorque renversée.

L'expérience était pour le moins bizarre. Ils roulaient moins vite qu'un cycliste sur une autoroute où, d'ordinaire, personne ne circulait à moins de cent kilomètres/heure. Ils dépassèrent un garage et un immeuble de bureaux qui abritait un cabinet d'avocats et un autre de comptables. À plusieurs reprises, ils croisèrent des véhicules encastrés les uns dans les autres. Une décapotable avait fini sa course dans la vitrine d'une teinturerie installée en bord de route. Des vêtements enveloppés dans du plastique gisaient épars sur la capote de la voiture et le siège du passager.

Partout régnait un silence de mort. Le seul bruit qu'ils entendaient provenait des pneus en caoutchouc de la voiturette et du moteur électrique poussé à fond.

La ville s'étendait à leur gauche. De l'autre côté de la route, une haute chaîne de montagnes se découpait sur le ciel, dominant Perdido Beach telle une autre muraille. Jusqu'à cet instant, il n'était jamais venu à l'esprit de Sam que Perdido Beach était déjà entourée de barrières : les montagnes au nord et à l'est, et l'océan au sud et à l'ouest. Cette route déserte et silencieuse était, à peu de chose près, le seul moyen d'y accéder ou d'en sortir.

En arrivant à proximité de la station-service, Sam crut déceler un mouvement à l'intérieur.

— Qu'est-ce que vous en dites ? demanda-t-il en se tournant vers les autres.

— Il reste peut-être de quoi manger, là-bas, répondit Quinn. Il y a une supérette, et je meurs de faim.

— On devrait continuer, suggéra Astrid.

— Edilio ?

— Je ne veux pas jouer les paranos, mais on ne sait jamais.

— Moi, je vote pour continuer, dit Sam.

Edilio hocha la tête et engagea la voiturette sur la voie de gauche.

— S'il y a des enfants là-bas, on leur fait signe avec un grand sourire en disant qu'on est pressés, reprit Sam.

— Oui, chef, marmonna Quinn.

— Arrête ton char, frangin. On a voté.

— Ouais, c'est ça.

À présent, ils voyaient distinctement des silhouettes à l'intérieur de la station-service. Une légère brise fit voleter vers eux l'emballage rouge et or d'un sachet de chips. Comme la voiturette approchait de la station, un garçon puis un autre s'avancèrent sur la route. Sam reconnut le premier, Cookie, mais le visage du second ne lui disait rien.

— Salut, Cookie, lança-t-il une fois près d'eux.

— Salut, Sam, répondit ce dernier.

— On cherche le petit frère d'Astrid.

— Arrêtez-vous, ordonna Cookie.

Il tenait à la main une batte en métal. Le garçon qui l'accompagnait était armé d'un maillet de croquet à rayures vertes.

— Désolé, mais on est en mission, on se voit plus tard.

Sam leur adressa un signe de la main. Edilio garda le pied appuyé sur la pédale ; ils étaient à quelques mètres des garçons et les auraient bientôt dépassés.

— Arrêtez-les, cria une voix depuis la station-service.

Howard courut au-devant d'eux, Orc sur les talons, tandis que Cookie s'avançait pour leur barrer la route.

— Ne t'arrête pas, souffla Sam.

— Attention ! cria Edilio.

Cookie s'écarta à la dernière seconde. Son compagnon brandit son maillet ; le manche heurta le poteau en acier qui soutenait l'auvent de la voiturette. L'extrémité du maillet se brisa net et manqua de peu la tête de Quinn.

Ils dépassèrent les deux garçons et Quinn se retourna pour crier :

— Hé, tu as failli m'assommer, crétin !

Ils avaient quelques mètres d'avance sur leurs assaillants et commençaient à les distancer quand Orc hurla :

— Rattrapez-les, espèces d'andouilles !

Cookie était un grand garçon apathique, mais l'autre, qui tenait encore à la main le maillet cassé, était plus petit et plus rapide. Il piqua un sprint, suivi d'Orc et d'Howard, qui couraient aussi vite que possible, mais Orc était lourd et pataud, et Howard ne tarda pas à le devancer.

Bientôt, ils furent rattrapés par le garçon au maillet.

— Vous feriez mieux de vous arrêter, lança-t-il, hors d'haleine, sans cesser de courir à côté d'eux.

— Pas question, répondit Sam.

— Tu vas tâter de mon maillet, menaça le garçon, mais il avait de plus en plus de mal à reprendre son souffle.

Il fit mine de brandir ce qui restait du maillet. Sam rattrapa le manche au vol et le lui arracha des mains. Le garçon trébucha et tomba. Sam jeta le manche au loin d'un geste dédaigneux.

Howard était presque en vue. Impassibles, Astrid et Quinn le regardaient s'essouffler dans sa course ridicule, ses bras grêles moulinant dans le vide. Il jeta un coup d'œil derrière lui et s'aperçut qu'Orc n'était pas près de le rejoindre.

— Howard, qu'est-ce que tu fabriques ? demanda Quinn froidement. Tu me fais penser à un chien qui poursuit un camion. Qu'est-ce que tu comptes faire si tu réussis à nous rattraper ?

Découragé, Howard ralentit le pas.

— Une vraie course-poursuite, ironisa Edilio. Peut-être qu'on va passer aux infos.

Cette remarque suscita des éclats de rire nerveux.

Cinq minutes plus tard, plus personne ne riait.

— Un 4 x 4 nous suit. Il arrive droit sur nous, dit Astrid. Garons-nous sur le bas-côté.

— Ils ne vont pas nous écraser, objecta Quinn. Même Orc n'est pas dingue à ce point.

— Peut-être, poursuivit Astrid, mais c'est un garçon de quatorze ans qui conduit ce 4 x 4. Il vaudrait mieux ne pas rester sur la route.

Quinn hocha la tête.

— On va y laisser notre peau.

274 HEURES
27 MINUTES

L E 4 x 4 DÉCRIVAIT DES ZIGZAGS sur la route. Pourtant, il ne faisait aucun doute qu'il finirait par
les rattraper.

— On continue ou on se gare? demanda Edilio
en s'agrippant au volant.

— On va se faire écrabouiller! lança Quinn.
Je vous avais bien dit qu'il fallait s'arrêter.

Le 4 x 4 se rapprochait à une vitesse vertigineuse.

— Ils vont nous rentrer dedans! cria Astrid.

Quinn sauta de la voiturette et se mit à courir.
Le 4 x 4 pila dans un crissement de pneus. Cookie
et Maillet descendirent de voiture et se lancèrent à
la poursuite du fuyard.

— Range-toi, dit Sam en sautant à son tour, et il
se précipita pour aider Quinn.

Ce dernier tenta de franchir le fossé qui longeait
la route, mais il atterrit mal, et les deux brutes

fondirent sur lui avant même qu'il ait pu se relever. Cookie lui donna un coup de poing dans le dos.

Sam se jeta sur Cookie qui tomba à plat ventre, puis roula sur le côté. Cookie avait lâché sa batte pour frapper Quinn, et Sam se dépêcha de la ramasser. Maillet, Edilio et Quinn en vinrent aux mains, et au terme d'une mêlée brève mais brutale, Maillet finit au tapis. Entre-temps, Orc et Howard étaient descendus du 4 x 4.

Orc donna un coup de batte dans les genoux d'Edilio, qui s'affaissa comme un sac de ciment. Armé de la batte de Cookie, Sam s'interposa.

— Je n'ai pas envie de me battre contre toi, lança-t-il.

— Tu m'étonnes ! répondit Orc avec assurance. Personne veut se battre contre moi.

Astrid les rejoignit en quelques enjambées.

— Ça suffit ! cria-t-elle, au bord des larmes, en serrant les poings. On n'a pas de temps à perdre avec ces idioties.

Howard s'interposa entre Orc et Astrid.

— Recule, Astrid. Mon copain Orc va donner une bonne leçon à ce minable.

— Je n'ai pas d'ordres à recevoir de toi, espèce… d'invertébré, répliqua Astrid.

— Astrid, reste en dehors de ça, je m'en occupe, intervint Sam.

Edilio essaya de se relever, mais il avait toutes les peines du monde à se tenir debout.

À la surprise générale, Orc lança :

— Hé, laissez parler Astrid.

Dans un premier temps, Sam, encore sous l'effet de l'adrénaline, crut qu'il avait mal entendu. Quand il comprit qu'Orc ne plaisantait pas, il prit le parti de se taire.

Astrid prit une grande inspiration. Elle avait les joues en feu et les cheveux ébouriffés.

— On ne veut pas la bagarre, dit-elle en s'efforçant de garder son calme.

— Parle pour toi, marmonna Cookie.

— C'est absurde. On cherchait juste mon petit frère.

Les yeux d'Orc s'étrécirent.

— Le débile ?

— Il est autiste, rétorqua Astrid avec colère.

— C'est ça. Pete le débile, ricana Orc.

— Tu aurais mieux fait de t'arrêter, Sammy, dit Howard d'un ton réprobateur.

Quinn esquissa un geste furieux en direction de Sam.

— C'est bien ce que je disais, et c'est moi qui me fais taper dessus !

Howard hocha la tête, amusé.

— Tu aurais dû écouter ton copain, Sam. Je te l'ai pourtant expliqué, hier soir, que t'avais intérêt à être aux petits soins avec mon pote Orc.

— Aux petits soins ? s'étonna Astrid. Qu'est-ce que tu veux dire par là ?

Howard la dévisagea d'un œil glacial.

— Il faut respecter le capitaine Orc, voilà ce que je veux dire.

— Capitaine? répéta Sam en réprimant une envie de rire.

Howard s'avança, enhardi par la présence d'Orc à ses côtés.

— Oui. Capitaine. Il faut bien que quelqu'un commande, non? Pendant que tu surfais ou je sais pas quoi, le capitaine Orc s'est porté volontaire.

— Pour quoi faire? demanda Quinn.

— Pour empêcher tout ce petit monde de péter les plombs.

— Ouais, renchérit Orc.

— Tous ces gamins qui se servent partout et qui font n'importe quoi, reprit Howard.

— Ouais.

— Sans parler de tous les petits morveux qui se baladent en liberté, sans personne pour les consoler ou changer leur couche. Orc s'est démené pour qu'on s'occupe d'eux.

Howard leur adressa un large sourire avant de poursuivre:

— Il les a réconfortés. Ou du moins, il s'est assuré que quelqu'un s'en chargeait.

— C'est vrai, ajouta Orc, comme si c'était la première fois qu'il entendait cette version des faits.

— Personne d'autre ne voulait assumer la situation. Donc, maintenant, c'est lui le capitaine en attendant le retour des adultes.

— Seulement, voilà, ils reviennent pas, déclara Orc.

— C'est tout à fait vrai, ce que le capitaine vient de dire, ajouta Howard.

Sam jeta un coup d'œil à Astrid. Si, effectivement, quelqu'un devait empêcher les enfants de semer la pagaille, il n'aurait jamais choisi Orc pour s'acquitter de cette tâche. Mais lui-même n'avait aucune envie de s'en charger.

Il n'était plus vraiment question de se battre. Et maintenant que les deux camps se faisaient face, il n'y avait pas de doute sur l'issue d'une bagarre. Ils étaient quatre contre quatre, mais le clan des brutes incluait Orc, qui comptait au moins pour trois.

— On veut seulement retrouver le petit Pete, dit Sam en ravalant sa colère.

— Ah ouais ? Quand on cherche quelque chose, c'est mieux de commencer doucement, répliqua Howard avec un sourire narquois.

— Vous voulez la voiturette, c'est ça ?

— T'as tout compris, Sammy.

— C'est comme un impôt, non ? suggéra Maillet.

— Exactement, répondit Howard.

— Qui es-tu, au fait ? demanda Astrid à Maillet. Je ne t'ai jamais vu à l'école.

— C'est parce que je suis au pensionnat Coates.

— Ma mère est infirmière de nuit là-bas, dit Sam.

— Plus maintenant.

— Qu'est-ce que tu fabriques ici ? le questionna Astrid.

— Je ne m'entendais pas avec ceux de là-bas, répliqua Maillet d'un ton qui se voulait nonchalant, mais ses yeux trahissaient la peur.

— Il reste des adultes là-haut ? s'enquit Sam avec espoir.

— Oooh, fit Howard. Sammy veut sa maman.

— Allez-y, prenez la voiturette, dit Sam, résigné.

— Me regarde pas comme ça. Je te connais, va, Sam du Bus, monsieur le pompier en chef. Tu joues les héros et puis tu disparais. Avec toi, c'est un jour avec, un jour sans. Hier soir, tout le monde demandait : «Où est Sam ? Où est Sam ?» Et moi, j'ai dû leur répondre : «Sam est parti avec Astrid le Petit Génie parce qu'il a autre chose à faire que de fréquenter le commun des mortels. Il préfère sa copine blondinette.

— Astrid n'est pas ma copine, rétorqua Sam, et il regretta instantanément sa réaction.

Howard rit, ravi de l'avoir fait sortir de ses gonds.

— Tu vois, Sam, pendant que tu t'occupes de tes petites affaires parce que tu te crois au-dessus de tout le monde, le capitaine Orc, moi et la bande, on prend les choses en main. On gère, et toi tu restes à l'écart.

Sam sentait le regard d'Astrid et de Quinn peser sur lui, espérant sans doute qu'il contredirait Howard. Mais à quoi bon ? Sur la place, il avait compris ce que tant d'enfants attendaient de lui, à savoir « prendre les choses en main », comme disait Howard. Il n'avait eu qu'une envie : fuir. Il avait sauté sur l'occasion en acceptant d'accompagner Astrid.

— J'en ai marre de cette conversation, grommela Orc.

Howard sourit.

— OK, Sam. Tu peux aller chercher Pete le débile, mais à ton retour, tu as intérêt à rapporter un joli cadeau pour le capitaine. C'est lui le chef de la Zone, maintenant.

— La Zone ? répéta Astrid.

— Oui, c'est comme ça que j'ai rebaptisé le coin, répliqua Howard, content de lui.

Le soleil tapait fort sur le visage de Lana. Elle ouvrit les yeux. Des formes menaçantes planaient dans le ciel au-dessus de sa tête, lui cachant le soleil par intermittence. Les vautours attendaient, leurs petits yeux fixés sur elle, ne doutant pas qu'ils feraient bientôt un bon repas.

Sa langue était si enflée qu'elle était tout près de s'étouffer. Ses lèvres étaient craquelées. Elle était en train de mourir.

Elle chercha des yeux le cadavre de son pauvre compagnon. Il aurait dû se trouver juste à côté d'elle. Mais il n'y avait pas de corps.

Un aboiement familier s'éleva.

— Pat?

Le chien s'avança et se mit à faire des bonds autour d'elle, surexcité, comme pour la presser de venir jouer avec lui.

Elle leva son bras valide pour toucher le cou de Pat. Sa fourrure était collée par le sang séché. Les doigts de Lana cherchèrent la morsure fatale sans la trouver : la blessure s'était refermée. Elle finit par sentir sous ses doigts une longue estafilade qui ne saignait plus, et à en juger par le comportement de Pat, il ne s'était jamais aussi bien porté.

Avait-elle rêvé? Le sang séché était bien la preuve que non.

Elle s'efforça de se remémorer ses derniers instants de conscience au cours de la nuit. Avait-elle prié? Était-ce un miracle? Elle ne se rappelait pourtant pas avoir récité la moindre prière; ce n'était pas son genre, d'invoquer Dieu.

Avait-elle réussi, d'une manière ou d'une autre, à guérir Pat?

Elle réprima un ricanement. Voilà qu'elle délirait, maintenant. Elle était en train de devenir folle et son imagination lui jouait des tours. La souffrance, la faim et la soif lui faisaient perdre la tête.

Une odeur infecte, douceâtre lui monta aux narines. Elle examina son bras droit ; la chair boursouflée sur ses os brisés était d'un noir qui tirait sur le vert. La puanteur qui s'en dégageait était épouvantable.

Lana inspira profondément pour lutter contre la terreur qui s'emparait d'elle. Elle avait entendu parler de la gangrène. C'était ce qui se produisait quand la chair pourrissait ou que le sang ne circulait plus. Son bras était en train de se décomposer. L'odeur qu'elle sentait était celle de la chair humaine en putréfaction. Un vautour se posa à quelques mètres d'elle et l'observa de ses yeux perçants en tendant son cou décharné. Lui aussi avait reconnu l'odeur. Pat se jeta sur l'oiseau en poussant des aboiements furieux et ce dernier s'envola de mauvaise grâce.

— Tu ne m'auras pas, croassa Lana, mais le ton de sa voix la terrifia encore davantage.

Ils finiraient par l'avoir.

Pourtant, Pat était là, bien vivant, alors que la veille il avait été blessé à mort.

Lana posa sa main gauche sur son bras droit, juste en dessous de l'os ; la chair était brûlante au toucher, et enflée sous la croûte de sang séché. Elle ferma les yeux et pensa : «Quoi que j'aie fait pour Pat, je veux faire la même chose pour moi. Je ne veux pas mourir.»

Son esprit se mit à dériver. Elle songea à sa maison, à sa chambre : les posters sur les murs, l'attrape-rêves[1] suspendu à l'une des fenêtres, les peluches abandonnées dans un panier, le placard regorgeant de vêtements, sa collection d'éventails asiatiques, que tout le monde trouvait bizarre.

Elle n'était plus furieuse contre ses parents. Elle avait simplement envie de les revoir. Sa mère lui manquait plus que tout. Et son père aussi. Lui saurait comment la sortir de ce mauvais pas.

Elle fit des rêves fiévreux qui la laissèrent hors d'haleine, le cœur battant. Elle rêva qu'elle flottait au-dessus d'une couche de terre fine comme une baudruche. En dessous, elle distinguait un vaste abîme dans lequel s'amoncelaient des nuages tourbillonnants éclairés par des jets de flammes. Et, plus loin au-dessous, le monstre de son enfance qui l'avait si souvent réveillée en sursaut. La bête fourbe et cruelle, ciselée dans de la pierre vivante, avait des mouvements lents et des yeux noirs perçants. Dans la poitrine de cette créature hideuse battait un cœur verdâtre, qui se cassait comme un œuf pour libérer une lumière aveuglante.

Elle s'éveilla brusquement au son de son propre cri et se redressa, comme chaque fois qu'elle s'arrachait à un cauchemar dans son lit. La douleur était insoutenable. Sa tête, son dos, son…

---

1. Amulette d'origine amérindienne censée éloigner les mauvais rêves. (*N.d.T.*)

Lana baissa les yeux vers son bras et en eut le souffle coupé ; elle oublia même son dos, sa tête et sa jambe endoloris pendant quelques instants. Son bras ne la faisait plus souffrir. Il était bien en place : du coude au poignet, l'os formait une belle ligne droite. La gangrène avait disparu, et avec elle l'odeur de mort. Sa peau était encore couverte de sang séché mais ce n'était rien, comparé à ce qu'elle avait traversé.

Tremblant comme une feuille, elle leva le bras : elle pouvait le bouger ! Lentement, elle serra le poing. Ce n'était pas possible, ça ne se pouvait pas. Cependant, la souffrance ne mentait pas, et de la douleur auparavant mordante dans son bras ne subsistait qu'un vague élancement.

Lana posa sa main gauche sur sa jambe cassée. La guérison était lente, et la faim et la soif l'avaient terriblement affaiblie. Pourtant, elle garda la main appuyée sur sa jambe et, une heure plus tard, le miracle se produisit : Lana Arwen Lazar se leva, chose qu'elle n'aurait pourtant jamais crue possible.

Deux vautours s'étaient perchés sur le pick-up renversé.

— On dirait que vous avez attendu pour rien, leur dit-elle.

Sam, Quinn, Edilio et Astrid repartirent à pied sous les rires et les quolibets.

— Quinn, Edilio, vous n'avez rien de cassé? s'enquit Astrid.

— À part l'énorme bleu qui va me décorer le dos? répondit Quinn. Non non. Excepté le fait que je me suis pris une raclée pour rien, tout baigne. Super idée, frangin. Ton plan a marché comme sur des roulettes. Non seulement on n'a plus de véhicule mais en plus on s'est fait humilier.

Sam ravala sa colère. Quinn n'avait pas tort: il avait pris le parti de forcer le barrage et ils en avaient payé le prix.

Les mots d'Howard l'avaient blessé; il avait l'impression que ce minus l'avait mis à nu pour montrer au monde de quoi il était vraiment fait. Non qu'il se croie au-dessus des autres – là-dessus Howard se trompait – mais il n'avait en effet aucune envie de prendre les choses en main. Il avait ses raisons mais, en ce moment même, elles pesaient moins lourd que le sentiment cuisant d'avoir été humilié devant ses amis.

— Moi, je vais bien, dit Edilio à Astrid. Ça va passer en marchant.

— Oh, toi t'es un homme, un vrai, lança Quinn avec un sourire méprisant. Si tu aimes te faire tabasser, c'est ton problème. Et maintenant, on est censés se taper tout le chemin à pied jusqu'à la centrale ? Tout ça pour retrouver un gosse qui ne sait sans doute même pas qu'il manque à quelqu'un ?

Une fois encore, Sam s'efforça de se contrôler. D'un ton qui se voulait désinvolte, il répondit :

— Personne ne t'a forcé à venir, mon gars.

— Ça veut dire quoi, ça ? J'aurais pas dû venir ? Quinn rattrapa Sam par l'épaule.

— Tu veux que je parte, c'est ça ?

— Non. Tu es mon meilleur ami.

— Ton seul ami.

— Oui, c'est vrai, admit Sam.

— Ce que j'en dis, moi, c'est que tu joues les chefs. Qu'est-ce qui t'arrive ? Je n'ai pas à recevoir d'ordres de toi.

— Je ne donne aucun ordre à personne, répliqua Sam avec colère. Ce n'est pas mon intention. Si je voulais que les gens m'obéissent, je serais sur la place centrale en train de dicter mes instructions.

D'un ton plus calme, il ajouta :

— Tu n'as qu'à prendre les commandes, Quinn.

— Ce n'est pas ce que je voulais dire, s'offusqua Quinn, dont l'amertume commençait à se dissiper.

Il jeta un regard noir à Edilio et considéra Astrid d'un air méfiant.

— C'est juste que... ça fait tout drôle. Avant, il n'y avait que toi et moi, pas vrai?

— Oui, dit Sam.

Quinn reprit d'un ton plaintif:

— Je veux juste retrouver ma planche et aller à la plage. Je veux que tout redevienne comme avant.

Brusquement, il s'écria:

— Où sont-ils tous passés? Pourquoi ils ne sont pas venus nous chercher? Où sont mes parents?

Un silence embarrassé lui répondit.

Ils se remirent en marche. Edilio boitait un peu et Quinn suivait en traînant les pieds et en marmonnant. Sam marchait à côté d'Astrid, dont la présence le mettait toujours un peu mal à l'aise.

— Tu t'y es bien prise avec Orc, dit-il. Merci.

— Je lui ai donné des cours de rattrapage en maths, expliqua-t-elle avec un sourire las. Je l'intimide un peu, je crois. Enfin, il ne faut pas trop compter là-dessus.

Ils marchaient au milieu de l'autoroute, un peu surpris de contempler la ligne blanche à leurs pieds.

Soudain, Astrid demanda:

— Et si la centrale avait un lien avec ce qui se passe ?

Sam lui lança un regard perçant.

— Tu penses à un accident ?

Astrid haussa les épaules.

— Je ne suis sûre de rien.

— Il y a peut-être eu une explosion…

— L'électricité fonctionne toujours. Perdido Beach se fournit exclusivement auprès de la centrale. Donc, d'une manière ou d'une autre, elle est encore en activité.

Edilio s'arrêta net.

— Hé, les gars ! Pourquoi on marche, au fait ?

— Parce que cette andouille d'Orc et son lèche-bottes ont volé notre voiturette de golf, répondit Quinn.

Edilio montra du doigt une voiture qui avait plongé sur le bas-côté de la route avant de s'immobiliser dans le fossé. Deux vélos étaient fixés à un porte-bicyclettes suspendu au coffre du véhicule.

— Ça me fait quelque chose de piquer le vélo de quelqu'un, gémit Astrid.

— Oh, tu n'en mourras pas ! dit Quinn. Tu n'as pas remarqué ? Le monde a changé.

Astrid observa une mouette qui planait au-dessus de leurs têtes.

— Si, Quinn. J'ai remarqué.

Ils décrochèrent les deux vélos et se mirent en route, Quinn perché sur le guidon d'Edilio, Astrid sur celui de Sam. Les cheveux d'Astrid lui picotaient le visage, et il eut un pincement au cœur quand ils tombèrent sur deux autres vélos un peu plus loin.

L'autoroute ne menait pas à la centrale. Ils durent donc emprunter une voie transversale, au bout de laquelle s'élevait un corps de garde imposant flanqué d'une barrière rayée de rouge, comme celles des passages à niveau ; elle était baissée. Ils la contournèrent à vélo.

La route serpentait parmi des collines couvertes d'herbe sèche et de fleurs sauvages flétries. Il n'y avait ni maisons ni commerces à proximité de la centrale. Elle était cernée par une zone inhabitée de plusieurs centaines d'hectares. À perte de vue, on ne voyait que des pans de roche escarpés, de rares bouquets d'arbres et des plaines desséchées.

Enfin, la route décrivait un dernier lacet avant de dévaler vers un rivage rocheux et accidenté. La vue était à couper le souffle, mais la mer, d'ordinaire agitée à cet endroit, était d'huile. La route montait et descendait en traçant des méandres, puis s'enfonçait entre deux collines et s'ouvrait à nouveau sur une vue grandiose de l'océan.

— Il y a un autre barrage de sécurité là-bas, annonça Astrid.

— Si on tombe sur un garde, je l'embrasse, déclara Quinn.

— La zone est constamment surveillée et patrouillée. Ils emploient quasiment une armée privée pour protéger les abords de la centrale.

— Plus maintenant, grommela Sam.

Ils s'arrêtèrent devant un grillage surmonté de barbelés. La clôture s'étendait jusqu'aux rochers sur leur gauche et disparaissait dans les collines à leur droite. Il y avait un corps de garde à cet endroit, qui ressemblait à une véritable forteresse. Il semblait paré pour repousser de grosses attaques. La grille d'entrée était constituée d'un haut grillage qui se levait et s'abaissait grâce à un bouton.

Tous quatre levèrent les yeux vers l'obstacle.

— Comment on fait pour entrer ? demanda Astrid.

— Quelqu'un doit escalader la grille, répondit Sam. On joue à « pierre, feuille, ciseaux » ?

Les trois garçons s'exécutèrent et ce fut Sam qui perdit.

— Tu joues « feuille », toi, maintenant ? le taquina Quinn. Allons, Sam… tout le monde sait bien que tu choisis toujours « ciseaux » au premier tour.

Sam escalada lestement le grillage et, parvenu au niveau des barbelés, fit une pause. Après avoir ôté sa chemise pour l'enrouler autour de l'extrémité des fils de fer, il passa prudemment une jambe par-dessus et poussa un glapissement de douleur quand le barbelé lui entailla la cuisse. Puis il se laissa tomber sur le sol en abandonnant sa chemise en haut de la grille et pénétra dans le corps de garde.

L'air conditionné qui fonctionnait à plein régime lui fit instantanément regretter la perte de son vêtement.

Une série de moniteurs montraient la route qu'ils avaient empruntée, ainsi qu'un éventail de vues des alentours : océan, rochers et montagne. On y voyait aussi plusieurs portes d'accès à la centrale protégées par des passes électroniques.

Dans les toilettes, il repéra un de ces passes attaché à un cordon, lequel était suspendu à un crochet. L'employé devait être très occupé quand il avait disparu. Sam passa le cordon autour de son cou.

Dans un placard de la pièce principale, il trouva une chemise d'uniforme kaki, de type militaire, beaucoup trop grande pour lui. Une armoire verrouillée, fixée au mur, renfermait des armes automatiques et des pistolets-mitrailleurs. La pièce sentait l'huile et le soufre.

Il observa un long moment l'artillerie sous clé. Armes automatiques contre battes de base-ball.

— N'y pense même pas, marmonna-t-il.

Sam sortit de la pièce et referma soigneusement la porte derrière lui. Cependant, sa main resta posée sur la poignée pendant quelques instants. Puis il secoua la tête. Non. Il n'en était pas arrivé à ce point-là. Pas encore.

L'idée qu'il ait pu être tenté lui soulevait le cœur. Comment avait-il pu envisager cette option pendant une seule seconde ? Il appuya sur le bouton qui commandait le mécanisme de la grille.

— Tu en as mis, du temps, dit Quinn, l'air suspicieux.

— Je cherchais une chemise.

La centrale nucléaire était un complexe vaste, imposant, parfaitement isolé, composé de bâtiments pareils à des entrepôts coiffés par deux immenses dômes de béton.

Toute sa vie, Sam avait entendu parler de la centrale. Apparemment, la moitié de la population de Perdido Beach travaillait là. En grandissant, il avait écouté les discours rassurants de rigueur. Il n'avait jamais eu peur du nucléaire, à vrai dire. Pourtant, à présent qu'il voyait de ses propres yeux la centrale, cette énorme bête tapie entre mer et montagne, il se sentait nerveux.

— On pourrait empiler toutes les maisons de Perdido Beach dans cet endroit, dit-il. Je ne l'avais jamais vue de près. C'est gigantesque.

— Ça me rappelle mon voyage à Rome, quand j'ai visité la cathédrale Saint-Pierre, observa Quinn. Je me sentais tout petit à côté.

— Question idiote, d'accord, mais... on ne risque pas de se faire irradier ? demanda Edilio.

— On n'est pas à Tchernobyl, répondit Astrid avec agacement. Ils n'avaient même pas d'enceintes de confinement, là-bas. Les deux dômes que vous voyez, c'est ça. Les réacteurs se trouvent en dessous, de sorte que, s'il y a un problème, les gaz radioactifs sont contenus à l'intérieur.

Quinn donna une tape faussement amicale dans le dos d'Edilio.

— Et c'est pour ça qu'il n'y a aucune raison de s'inquiéter. Sauf que, justement, le surnom de la centrale, c'est Tchernobyl. Je me demande bien pourquoi : tout est parfaitement sécurisé, ici.

Quinn et Sam connaissaient l'histoire mais, pour qu'Edilio comprenne, Astrid montra du doigt le plus éloigné des deux dômes.

— Tu vois ? La couleur est différente : ce dôme a l'air plus récent. C'est parce qu'il a été heurté par une météorite il y a une quinzaine d'années. Mais quels sont les risques que ça se reproduise ?

— C'est bien arrivé une fois, marmonna Quinn.

— Une météorite ? répéta Edilio en levant les yeux vers le ciel.

Le soleil, qui avait depuis longtemps dépassé son zénith, descendait vers la mer.

— Une petite météorite se déplaçant à une vitesse vertigineuse, expliqua Astrid. Elle est tombée sur le dôme et l'a pulvérisé. Puis elle a heurté le réacteur avant de continuer sa route. En fait, c'était une bonne chose qu'elle aille aussi vite.

Sam s'imagina l'énorme caillou venu de l'espace s'abattant à une allure prodigieuse sur le dôme en béton et le faisant voler en éclats.

— Pourquoi ça ? demanda-t-il.

— Parce qu'elle s'est enfoncée dans la terre en emportant avec elle quatre-vingt-dix pour cent de l'uranium, qu'elle a enterré à plus de trente mètres de profondeur. Donc, ils n'avaient plus qu'à reboucher le trou, le bétonner et reconstruire le réacteur.

— J'ai entendu dire qu'il y a eu un mort.

Astrid hocha la tête.

— L'un des ingénieurs. Je crois qu'il travaillait près du réacteur.

— Tu es en train de me dire qu'il y a un tas d'uranium enterré là-dessous et que personne ne s'en inquiète ? lança Edilio, l'air sceptique.

— Un tas d'uranium et les ossements d'un pauvre type, ajouta Quinn. Bienvenue à Perdido Beach ! Notre slogan, c'est : « Radiations ? Quelles radiations ? »

Astrid montra le chemin. Elle avait visité la centrale à plusieurs reprises avec son père. Elle s'arrêta devant une porte sans écriteau. Sam introduisit son passe dans la fente prévue à cet effet, et la porte s'ouvrit avec un clic.

Ils se retrouvèrent dans une salle caverneuse au sol en béton peint et au plafond surélevé, sous lequel s'entrelaçaient des poutres métalliques. Elle renfermait quatre énormes turbines, chacune plus grosse qu'une locomotive. Le bruit qu'elles produisaient était assourdissant.

— Voici les turbines, cria Astrid par-dessus le vacarme. L'uranium provoque une réaction qui chauffe l'eau et produit de la vapeur, laquelle actionne les turbines, générant ainsi de l'électricité.

— Et moi qui croyais que c'était une histoire de hamsters géants et de roues ! ironisa Quinn. On m'aura mal informé.

— Je crois qu'on ferait mieux de commencer par chercher ici, suggéra Sam en se tournant vers Quinn.

D'un geste indolent, ce dernier lui adressa un salut militaire.

Ils se dispersèrent dans la salle des turbines. Astrid leur rappela que, d'ordinaire, Pete ne venait pas quand on l'appelait. Le seul moyen de le retrouver, c'était de vérifier le moindre recoin où un petit enfant avait la place de se glisser.

Mais le petit Pete n'était pas dans la salle des turbines, et Astrid finit par leur faire signe de sortir. Après avoir passé deux portes, ils purent se parler sans hurler.

— Allons dans la salle de contrôle, proposa-t-elle en devançant les autres dans un couloir sinistre qui menait à une pièce au matériel daté.

On aurait dit la reconstitution d'un programme spatial de la NASA, avec des ordinateurs obsolètes, de vieux moniteurs, et beaucoup trop de panneaux comprenant beaucoup trop de lumières clignotantes, d'interrupteurs et de branchements.

Là, assis sur le sol, en train de se balancer imperceptiblement d'avant en arrière tout en jouant avec une console portable muette, se trouvait le petit Pete.

Astrid ne se précipita pas pour le prendre dans ses bras : elle l'observa avec une expression que Sam apparenta à de la déception. Il lui sembla qu'elle s'était un peu ratatinée sur elle-même. Soudain, elle s'avança vers l'enfant avec un sourire forcé.

— Pete, dit-elle avec le plus grand calme.

Comme s'il n'avait jamais disparu, comme s'ils n'avaient jamais été séparés et qu'il n'y avait rien d'étrange dans le fait de le trouver tout seul au beau milieu de la salle de contrôle d'une centrale nucléaire, en train de jouer à Pokémon sur une Game Boy.

— Heureusement qu'il n'était pas dans la salle des réacteurs, observa Quinn. Il était hors de question que j'aille le chercher là-bas.

Edilio acquiesça d'un signe de tête.

Pete était un petit garçon de quatre ans, blond comme sa sœur ; avec ses traits fins et ses joues criblées de taches de rousseur, il était adorable. Il ne paraissait ni lent ni stupide : en fait, sans y regarder de près, n'importe qui l'aurait considéré comme un enfant normal, sans doute intelligent.

Mais quand Astrid le prit dans ses bras, il sembla à peine s'en apercevoir. Au bout d'une minute, il leva une main de son jeu vidéo et toucha les cheveux de sa sœur d'un geste absent.

— Tu as mangé quelque chose ? demanda Astrid, avant de reformuler sa question : Tu as faim ?

Elle avait une façon particulière de s'adresser à son petit frère quand elle voulait attirer son attention. Avec des gestes précautionneux, elle prenait son visage dans ses mains et bloquait son champ de vision en lui couvrant à moitié les oreilles. Puis elle rapprochait son visage du sien et parlait d'une voix calme en ayant soin d'articuler.

— Tu as faim ? répéta-t-elle avec lenteur mais fermeté.

Les yeux du petit Pete cillèrent et il fit oui de la tête.

Edilio était en train d'inspecter les installations électroniques datées qui tapissaient la plus grande partie d'un pan de mur. Il fronça les sourcils.

— Tout semble normal.

Quinn s'esclaffa :

— En plus d'être conducteur de voiturettes, tu es ingénieur dans le nucléaire ?

— Je jette juste un coup d'œil aux affichages. Vert, ça veut dire que c'est bon, j'imagine ?

Il s'avança vers une table ronde et basse soutenant trois écrans d'ordinateur alignés devant trois fauteuils pivotants élimés.

— Je n'arrive même pas à lire ce truc, admit-il en se rapprochant de l'écran. Il n'y a que des nombres et des symboles.

— Je vais en salle de repos chercher quelque chose à manger pour Pete, annonça Astrid.

Comme elle faisait mine de s'éloigner, l'enfant se mit à pleurnicher : on aurait dit le gémissement d'un chiot.

Astrid jeta un regard suppliant à Sam.

— La plupart du temps, il ne s'aperçoit même pas de ma présence. Je déteste le laisser quand il essaie de communiquer.

— J'y vais à ta place, dit Sam. Qu'est-ce qu'il aime ?

— Il ne dit jamais non au chocolat et...

Astrid s'interrompit.

— Je trouverai bien quelque chose, la rassura Sam.

Edilio s'était approché du seul appareil récent, un écran plasma fixé au mur. Quinn observait l'écran lui aussi, en se berçant doucement dans l'un des fauteuils pivotants.

— Tu veux pas changer de chaîne ? Cette émission est trop naze.

— C'est une carte, protesta Edilio. Ici, Perdido Beach. Là, dans les collines, ce sont des petites villes. Toute la région jusqu'à San Luis y est représentée.

La carte comprenait des zones en bleu pâle, en blanc, en rose, et un point rouge au centre.

— Le rose, c'est la zone de retombées radioactives en cas de fuite, expliqua Astrid. Le rouge, c'est l'endroit où l'exposition aux radiations est susceptible d'être le plus intense. La carte fournit des données sur le vent, le relief, le jet-stream, etc., ajustées au fur et à mesure.

— Le rouge et le rose, ce sont les zones dangereuses ? s'enquit Edilio.

— Oui. C'est l'endroit où les retombées radioactives dépasseraient le niveau d'irradiation acceptable.

— Ça fait beaucoup de surface.

— C'est bizarre, tout de même, lança Astrid.

Après avoir levé le petit Pete, elle s'approcha de la carte.

— Je ne lui ai jamais vu cet aspect. En temps normal, le panache reste à l'intérieur des terres, tu sais, à cause des vents dominants qui soufflent de l'océan. Quelquefois, il descend jusqu'à Santa Barbara. Ou encore il traverse le parc national, en fonction de la météo.

La zone rose formait un cercle parfait dont la zone rouge, pareille à une cible, était le centre.

— L'ordinateur ne fournit plus les conditions météo par satellite, reprit Astrid. Par conséquent, il a dû revenir à son schéma par défaut, un cercle rouge d'un rayon d'une quinzaine de kilomètres, et un cercle rose d'un rayon de cent cinquante kilomètres environ.

Sam examina la carte sans parvenir à la déchiffrer dans un premier temps. Puis il repéra peu à peu sa ville, les plages qu'il fréquentait, d'autres sites.

— Toute la ville est située dans la zone rouge, observa-t-il.

Astrid hocha la tête.

— Elle continue au sud.

— Oui.

Sam scruta le visage d'Astrid pour savoir si elle était parvenue au même constat que lui.

— Elle passe en plein milieu de l'hôtel Clifftop.

— Oui, répondit-elle d'une voix lasse. C'est exact.

— Tu crois que...

— Oui. C'est tout de même une drôle de coïncidence que les contours de la paroi suivent le tracé de la zone de danger. Du moins, pour ce que nous en avons vu, s'empressa-t-elle d'ajouter. Nous ne sommes pas certains qu'elle inclue toute la zone rouge.

— Est-ce que ça signifie qu'il y aurait eu des fuites radioactives?

Astrid secoua la tête.

— Je ne crois pas. L'endroit est truffé de systèmes d'alarme. Ce qui est bizarre, c'est que la cause et l'effet semblent inversés. C'est l'apparition de la Zone qui a entraîné la suppression des données météorologiques par satellite, qui, elle-même, a incité l'ordinateur à prendre une valeur par défaut. Alors pourquoi la paroi suivrait-elle le tracé d'une carte dont elle est à l'origine?

Sam secoua la tête avec un sourire désabusé.

— Je dois être fatigué, j'ai perdu le fil. Je vais aller chercher à manger.

Il sortit dans le couloir et prit la direction indiquée par Astrid. Avant de s'éloigner, il se retourna et la vit, debout, les yeux fixés sur la carte avec une expression sévère, concentrée.

Elle s'aperçut que Sam l'observait. Leurs regards se croisèrent. Astrid tressaillit comme s'il venait de la prendre en faute et passa un bras protecteur autour des épaules du petit Pete, qui était absorbé dans son jeu vidéo. Puis elle baissa les yeux, inspira un grand coup et lui tourna délibérément le dos.

— CAFÉ.
        Mary prononça le mot comme s'il s'agissait d'une formule magique.

— C'est du café qu'il me faut.

Elle était entrée dans la petite pièce réservée aux assistantes maternelles pour inspecter le réfrigérateur. Elle cherchait quelque chose à manger, n'importe quoi, pour une petite fille qui refusait de s'alimenter. Elle titubait de fatigue quand elle avait aperçu la cafetière. Sa mère se préparait toujours un bon café lorsqu'elle était fatiguée.

Suite aux supplications de Mary la veille, Howard avait fourni à la crèche un seul et unique paquet de couches pour nouveau-nés, qui n'était d'aucune utilité. Il leur avait aussi fait porter deux litres de lait, ainsi qu'une demi-douzaine de paquets de chips et de crackers. Enfin, il avait dépêché Panda, qui s'était vite avéré pire qu'inutile. Mary l'avait entendu menacer d'une gifle un petit de trois ans éploré avant de le chasser hors de la garderie.

Toutefois, les jumelles, Anna et Emma, étaient venues spontanément proposer leur aide. Ils manquaient encore de main-d'œuvre, mais Mary avait pu s'offrir deux heures de sommeil.

Seulement, depuis qu'elle avait ouvert les yeux ce matin – non, cet après-midi –, elle était complètement à côté de la plaque. Elle s'était réveillée tout ensuquée, sans la moindre notion de l'heure et, pendant quelques instants, elle avait lutté pour se rappeler où elle était.

Mary n'avait jamais préparé de café auparavant, mais elle l'avait vu faire. Les yeux larmoyants de sommeil, elle essaya de comprendre le fonctionnement de la machine. Elle disposait d'un doseur et de filtres. Sa première tentative se solda par un échec. Après être restée assise pendant dix minutes dans un état comateux, le regard dans le vague, elle s'aperçut qu'elle avait oublié de mettre de l'eau dans la machine. Quand elle voulut y remédier, un nuage de vapeur en jaillit mais, au bout de cinq minutes, elle obtint une pleine cafetière de café odorant.

Elle s'en versa une tasse et y trempa les lèvres avec circonspection : le café était brûlant et très amer. Comme elle ne pouvait pas se permettre de gâcher du lait, elle s'accorda deux grosses cuillerées de sucre.

C'était meilleur. Pas très bon, mais meilleur.

Elle retourna dans la pièce principale, sa tasse à la main. Au moins six enfants pleuraient à chaudes larmes. Il fallait changer des couches. Nourrir les plus jeunes. Une fois de plus.

Une petite fille de trois ans aux cheveux blonds et fins accourut en voyant Mary. Comme cette dernière se penchait sans réfléchir, elle renversa son café sur les épaules et le cou de l'enfant.

La petite poussa un hurlement, auquel Mary répondit par un cri d'effroi. John arriva en courant.

— Qu'est-ce qui s'est passé?

La petite hurlait à pleins poumons et Mary s'était figée d'horreur.

— Qu'est-ce qu'on fait? s'écria John.

Anna se précipita pour les rejoindre, un bébé dans les bras.

— Oh là là, qu'est-ce qui s'est passé?

La fillette n'en finissait pas de hurler. Mary posa sa tasse sur une table et sortit en courant de la garderie. Elle se hâta jusque chez elle sans cesser de pleurer, et ouvrit la porte d'une main tremblante. Elle y voyait à peine à travers ses larmes; de gros sanglots lui secouaient le corps.

À l'intérieur, il faisait frais. Hormis le calme qui régnait sur les lieux, rien n'avait changé. Dans le silence de mort, les sanglots de Mary évoquaient le râle d'une bête sauvage.

— Tout ira bien, tout ira bien, répéta-t-elle pour se rassurer.

Le même mensonge qu'aux petits. Ses sanglots s'apaisèrent.

Elle s'assit à la table de la cuisine et enfouit sa tête dans ses bras avec l'envie de pleurer encore, plus calmement cette fois. Mais ses larmes s'étaient taries. Pendant un moment, elle écouta le bruit de sa propre respiration, le regard fixé sur les fibres de la table en bois, que la fatigue faisait danser devant ses yeux.

Elle n'arrivait pas à croire que son père et sa mère avaient disparu. Où étaient-ils tous passés?

Sa chambre et son lit l'attendaient en haut de l'escalier, pourtant elle ne pouvait pas aller se coucher, sans quoi elle ne se réveillerait pas avant des heures. Les enfants avaient besoin d'elle. Et le pauvre John qui devait se débrouiller seul pendant qu'elle piquait sa crise.

Mary ouvrit le freezer: un pot de glace Ben & Jerry's. Des barres glacées. Elle se sentirait mieux après avoir mangé tout ça. Ou encore plus mal.

Quand elle commençait, on ne pouvait plus l'arrêter. Si elle se mettait à manger dans cet état-là, elle ne cesserait pas avant d'être tellement submergée par la honte qu'elle irait se faire vomir.

Mary souffrait de boulimie depuis l'âge de dix ans: un cercle vicieux de gavages et de purges qui avait entraîné un surpoids de vingt kilos et des dents gâtées par les remontées acides.

Si elle avait réussi à cacher sa maladie pendant longtemps, ses parents avaient fini par découvrir le pot aux roses. Il y avait eu les psychologues et le camp d'été spécialisé puis, comme aucune de ces méthodes ne réussissait vraiment, les médicaments. À ce sujet, Mary se souvint qu'elle devait récupérer son flacon de pilules dans l'armoire à pharmacie.

Elle allait mieux depuis qu'elle en prenait. Son alimentation s'était régulée et elle ne se purgeait plus. Elle avait perdu du poids.

Mais à présent, à quoi bon s'interdire de manger ? Le freezer lui souffla de l'air froid au visage. Ils étaient là, à portée de main : la glace, le chocolat. Ça ne pouvait pas faire de mal. Juste une fois. Il fallait bien oublier la terreur, la solitude et l'épuisement.

Juste une barre glacée. Elle se servit dans la boîte et déchira l'emballage avec des gestes nerveux, maladroits. Elle mordit dans la glace : que c'était bon, ce chocolat riche, onctueux, qui fondait sur la langue ! L'enrobage craquant quand elle mordait dans la barre, la douceur de la glace à la vanille à l'intérieur. Elle n'en fit qu'une bouchée.

Puis elle s'empara du pot de Ben & Jerry's et, les yeux de nouveau pleins de larmes, elle le glissa dans le micro-ondes pour ramollir la glace : elle avait envie d'une soupe de chocolat froid.

Armée d'une grande cuillère, elle ôta le couvercle du pot et engloutit la glace, moitié à la cuillère, moitié à même le pot, avec voracité, sans même savourer. Elle se lécha les mains en sanglotant et racla le fond du pot. «Ça suffit», se dit-elle.

Elle prit deux grands sacs-poubelle dans un placard et les remplit de tout ce qui lui tombait sous la main : crackers, beurre de cacahuètes, miel, barres de céréales, noix de cajou.

Munie du second sac, elle monta à l'étage et rassembla des oreillers, des draps, du papier toilette, des serviettes qui pourraient faire office de couches.

Puis elle alla chercher le flacon de médicaments, l'ouvrit et en versa le contenu dans sa main. Les pilules, de forme ovale, étaient orange et vert. Elle en mit une dans sa bouche et l'avala avec un peu d'eau du robinet. Il n'en restait que deux dans le flacon.

Après avoir traîné les deux sacs sur le seuil de la maison, elle remonta dans la salle de bains et verrouilla la porte derrière elle. Puis elle s'agenouilla devant les toilettes, souleva la lunette et fourra un doigt dans sa bouche pour expulser la nourriture de son estomac.

Une fois qu'elle eut fini, elle se brossa les dents et descendit l'escalier, ramassa les deux sacs et commença à les traîner en direction de la garderie.

— Je suppose que le petit Pete ne peut pas se tenir en équilibre sur le guidon d'un vélo, dit Sam à Astrid.

Astrid secoua la tête.

— D'accord, on rentrera à pied. Il est quatre heures du matin. Peut-être qu'on devrait passer la nuit ici et prendre la route à l'aube.

Un peu contrarié par les protestations de Quinn plus tôt dans la journée, il ajouta :

— Qu'est-ce que t'en penses, Quinn ? On reste ou on bouge ?

— Je suis crevé, répondit Quinn avec un haussement d'épaules. Et puis ils ont un distributeur de sucreries.

Le bureau du directeur de la centrale était doté d'un canapé qu'Astrid pouvait partager avec son frère. Elle proposa les coussins à Edilio, qui était toujours un peu mal en point.

En cherchant les toilettes, Sam et Quinn tombèrent sur l'infirmerie qui comprenait des lits d'hôpital montés sur roulettes.

— Une petite séance de surf ? suggéra Quinn en riant.

Sam hésita mais Quinn prit son élan, se hissa sur le lit et parvint même à se tenir debout quelques instants avant de s'écraser contre le mur.

— OK, fit Sam. C'est parti.

Pendant quelques minutes, ils s'amusèrent à surfer dans les couloirs déserts. Et Sam s'aperçut qu'il savait encore rire. Il avait l'impression qu'une éternité s'était écoulée depuis sa dernière séance de surf avec Quinn.

Ils entreposèrent les lits roulants dans la salle de contrôle. Ni l'un ni l'autre ne savaient se servir du matériel mais, d'instinct, ils sentaient que c'était le meilleur endroit où s'établir pour la nuit. Edilio avait déniché cinq combinaisons antiradiations qui ressemblaient à des tenues de cosmonaute ; chacune était dotée d'un capuchon, d'un masque à gaz et d'une petite bouteille d'oxygène.

— Sympa, Edilio, commenta Quinn. C'est juste au cas où ?

Edilio parut mal à l'aise.

— Exactement.

Devant le sourire dédaigneux de Quinn, il ajouta :

— Tu ne crois pas que cet endroit est la cause de tout ce qui s'est passé ? Tu n'as qu'à regarder la carte, mon pote. La zone rouge est la même que celle délimitée par la paroi ! C'est une sacrée coïncidence, tout de même !

— Les radiations ne font pas pousser des murs et elles ne font pas disparaître les gens, répondit Astrid d'un ton las.

— Oui, mais elles sont mortelles, non ?

Avec un soupir, Quinn poussa son lit dans un coin sombre de la pièce ; cette discussion l'ennuyait. Sam attendit la réponse d'Astrid.

— Les radiations sont mortelles, c'est vrai. Elles peuvent tuer très vite ou très lentement, provoquer des cancers, des nausées. Elles peuvent aussi être inoffensives. Ou encore entraîner des mutations.

— Comme par exemple une mouette avec des serres de faucon ? lança Edilio.

— Oui, mais seulement à très, très long terme. Pas en une nuit.

Astrid se leva et prit la main du petit Pete.

— Il faut que j'aille le mettre au lit.

Elle ajouta en s'éloignant :

— Ne t'inquiète pas, Edilio. Tu ne vas pas muter pendant la nuit.

Sam s'étira sur son lit roulant. Astrid avait éteint les lumières en sortant, mais les moniteurs et autres écrans d'affichage brillaient faiblement dans l'obscurité. Sam aurait préféré laisser la lumière. Il doutait de parvenir à s'endormir.

Allongé sur son lit, il se remémora la dernière fois qu'il était parti surfer avec Quinn. C'était le lendemain d'Halloween. C'était tôt le matin et le ciel était éclairé par un soleil timide de novembre mais, dans son souvenir, il régnait une clarté éclatante, et chaque rocher, chaque caillou était auréolé d'or. Les vagues étaient merveilleuses, pareilles à des êtres vivants, un kaléidoscope de bleu, de vert et de blanc qui l'appelait, le mettait au défi d'oublier ses soucis et de venir jouer.

Puis une autre image s'imprima dans son esprit : sa mère, au sommet de la falaise, qui lui souriait et lui faisait de grands signes. Il se souvenait de ce jour-là. D'habitude, quand il partait surfer aux premières heures de la journée, elle dormait encore. Mais cette fois-là, elle était venue le regarder.

Elle portait sa jupe portefeuille à fleurs blanches et bleues et un chemisier blanc. Ses cheveux, plus clairs que les siens, dansaient dans la brise fraîche, et elle semblait frêle et vulnérable à cette distance. Il lui avait demandé de reculer du bord de la falaise. Mais il avait eu beau crier, elle ne l'entendait pas.

Il s'éveilla en sursaut. Son souvenir s'était mué en rêve. La pièce n'ayant pas de fenêtres, il ne pouvait pas vérifier s'il faisait jour.

Il se glissa hors de son lit en prenant garde à ne pas faire de bruit et alla vérifier que les autres étaient bien endormis. Quinn avait le sommeil paisible, pour une fois ; Edilio ronflait sur les coussins que lui avait donnés Astrid. Cette dernière était roulée en boule dans un coin du canapé dans le bureau ; le petit Pete dormait à l'autre bout.

C'était leur deuxième nuit sans parents. Il y avait eu cette première nuit à l'hôtel, puis la deuxième ici, dans une centrale nucléaire. Et demain ?

Sam ne voulait pas rentrer chez lui. Il espérait le retour de sa mère mais souhaitait tirer un trait sur cette maison.

Dans le bureau du directeur, sur la table, il repéra un iPod. S'il n'était pas très optimiste quant aux goûts musicaux de son propriétaire qui, d'après la photo de famille trônant sur le bureau, devait avoir une soixantaine d'années, il ne pensait pas pouvoir se rendormir.

Il se faufila vers le bureau en tâtonnant, aussi discrètement que possible, manquant frôler la main d'Astrid au passage, puis contourna la table, déplaça imperceptiblement la chaise en évitant l'étagère chargée de trophées de golf.

Soudain, quelque chose s'agita à ses pieds : un rat. Sam recula d'un bond et heurta la tablette en verre où étaient exposés les trophées. Un vacarme épouvantable s'ensuivit.

Le petit Pete ouvrit brusquement les yeux.

— Pardon, murmura Sam.

Mais avant qu'il ait pu prononcer un mot de plus, Pete se mit à pousser un long cri aigu, presque primitif. On aurait dit le hurlement paniqué, interminable, assourdissant d'un singe.

— Ce n'est rien, dit Sam. C'est…

Sa gorge se serra et les mots moururent sur ses lèvres. Il s'aperçut qu'il ne pouvait plus respirer et porta la main à sa gorge. Il avait l'impression que des mains invisibles enserraient son cou, que des doigts d'acier l'empêchaient de recracher l'air. Il se débattit, s'efforça de desserrer l'étau invisible, tandis que le petit Pete n'en finissait plus de hurler en battant l'air de ses bras tel un oiseau cherchant à s'envoler.

Edilio et Quinn accoururent.

Sam sentit le sang affluer à ses yeux et obscurcir sa vision. Son cœur battait à tout rompre. Ses poumons privés d'air se convulsaient.

— Pete, Pete, tout va bien, dit Astrid.

Elle se mit à cajoler son frère, à lui caresser la tête en le serrant contre elle.

— La fenêtre, Pete. La fenêtre.

Sam chancela contre le bureau. Astrid chercha à tâtons la Game Boy du petit Pete et l'alluma.

— Qu'est-ce qui se passe ? cria Quinn.

— Il a entendu un grand bruit, expliqua Astrid. Ça l'a effrayé. Quand il a peur, il pète les plombs. Tout va bien, Pete, tout va bien. Je suis là. Tiens, ton jeu.

Sam voulut crier qu'il était en train de s'étouffer mais il ne pouvait pas articuler un seul son. Sa tête se mit à tourner.

— Hé, Sam, qu'est-ce qui te prend ? demanda Quinn.

— Il s'étrangle ! s'écria Edilio.

— Fais taire ce sale gosse ! aboya Quinn.

— Il ne s'arrêtera pas tant que tout le monde ne sera pas calmé, répliqua Astrid entre ses dents. La fenêtre, Pete, va t'asseoir près de la fenêtre.

Sam tomba à genoux. Il se sentait mourir. La terreur le submergea. Les ténèbres l'envahirent. Ses mains, paumes ouvertes, poussèrent le vide.

Soudain, il y eut un éclair de lumière.

On aurait dit qu'une petite étoile venait d'exploser au beau milieu du bureau. Sam perdit conscience et s'effondra. Il revint à lui quelques secondes plus tard ; il gisait sur le dos, et les visages inquiets de Quinn et d'Edilio étaient penchés sur lui. Le petit Pete s'était tu. Ses jolis yeux étaient de nouveau fixés sur l'écran de son jeu vidéo.

— Il est vivant ? demanda Quinn d'une voix qui semblait venir de très loin.

Sam aspira une grande bouffée d'air, puis une autre.

— Je vais bien, croassa-t-il.

— Comment va-t-il ? s'enquit Astrid en s'efforçant d'endiguer sa panique pour ne pas effrayer son frère.

— D'où venait cette lumière ? lança Edilio. Vous avez vu ça ?

Les yeux de Quinn s'écarquillèrent.

— D'habitude, c'est dans les films que ça arrive, ce genre de truc.

— Sortons d'ici, décréta Edilio.

Astrid voulut protester :

— Mais où… ?

Edilio l'interrompit d'un geste.

— Je m'en fiche. Sortons d'ici.

— Bonne idée, renchérit Quinn.

Il se baissa pour aider son ami à se relever. Sam avait encore le tournis et du mal à se tenir sur ses jambes flageolantes. En voyant l'effroi sur les visages autour de lui, il comprit qu'il était inutile de résister. L'heure n'était pas aux protestations ni aux explications. Ne trouvant pas la force de parler, il montra la porte du doigt en hochant la tête, et ils se mirent tous à courir.

ILS S'ENFUIRENT À TOUTES JAMBES, sans prendre le temps d'emporter quoi que ce soit avec eux. Quinn courait en tête ; venaient ensuite Edilio avec Astrid et le petit Pete, et Sam suivait tant bien que mal.

Ils ne s'arrêtèrent qu'après avoir franchi la grille, hors d'haleine, courbés en deux, les mains sur les genoux. Il faisait nuit noire. À cette heure, la centrale ressemblait encore plus à un être vivant : elle était éclairée par une centaine de spots qui creusaient les ténèbres des collines alentour.

— Bon, qu'est-ce que c'était ? voulut savoir Quinn.

— Pete a fait une crise de panique, c'est tout, répondit Astrid.

— Oui, ça, j'ai compris. Mais cette lumière ?

— Je ne sais pas, parvint à articuler Sam.

— Comment t'as fait ton compte, frangin ?

— Je me suis étouffé, ça arrive.

— Avec quoi ? Avec de l'air ?

— Je ne sais pas. J'ai… J'ai dû faire une crise de somnambulisme et m'étrangler en mangeant quelque chose dans mon sommeil.

Piètre excuse. L'expression dubitative de Quinn, relayée par celle d'Edilio, sous-entendait qu'ils n'en croyaient pas un mot.

— Oui, c'est sûrement ça, renchérit Astrid.

Sa réaction était si inattendue que même Sam ne put cacher sa surprise.

— Quoi d'autre ? poursuivit-elle. Quant à la lumière, c'est sans doute un système d'alarme interne qui s'est déclenché.

— Le prends pas mal, Astrid, mais tu racontes des salades, dit Edilio.

Les mains sur les hanches, il s'avança vers Sam.

— Mon vieux, c'est le moment de nous dire la vérité. Jusqu'à présent, je te respectais, mais comment veux-tu que j'y arrive si tu me mens ?

Sam resta bouche bée : c'était la première fois qu'Edilio se mettait en colère.

— De quoi tu parles ?

— Tu nous caches quelque chose. Cette lumière, je l'ai déjà vue. Juste avant que je t'évacue par la fenêtre de cet immeuble en flammes.

Quinn se tourna soudain vers lui.

— Quoi ? Qu'est-ce que c'est que cette histoire ?

— Le mur, les disparitions, ce n'est pas tout. Il se passe d'autres trucs bizarres. Tu en sais long là-dessus, Sam. Et Astrid aussi, vu qu'elle s'est dépêchée de te couvrir à l'instant.

Sam s'aperçut avec surprise qu'Edilio avait raison : Astrid savait quelque chose, elle aussi. D'autres dissimulaient des secrets. Il poussa un soupir de soulagement. Il n'était pas seul, cette fois-ci.

— Bon.

Il prit une grande inspiration et s'efforça de mettre de l'ordre dans ses pensées avant de prendre la parole.

— Tout d'abord, je ne sais pas ce que c'est ni d'où ça vient ni comment ça se produit. Je ne sais rien si ce n'est que, parfois, cette… lumière apparaît.

— Qu'est-ce que tu racontes, frangin ? demanda Quinn.

Sam leva les mains, les paumes tournées vers son ami.

— Je sais que ça va te sembler fou mais, parfois, de la lumière jaillit de mes mains.

Quinn laissa échapper un ricanement.

— Non, ça ne me semble pas fou. « Fou », c'est quand tu me dis que tu es meilleur surfeur que moi. Mais là, tu délires complètement. Allez, vas-y, montre-moi comment tu t'y prends.

— Impossible, confessa Sam. C'est arrivé quatre fois, mais je ne peux pas m'exécuter sur commande.

— À quatre reprises, tu as fait jaillir des rayons laser de tes mains ? Tu te fiches de moi ?

Quinn oscillait entre l'hilarité et la colère.

— On se connaît depuis une éternité et tu essaies de me faire avaler que tu es Superman ? Ben voyons.

— Il dit la vérité, intervint Astrid.

— Foutaises. Si c'est vrai, vas-y, montre-moi.

— Je t'ai déjà expliqué que c'est impossible : ça n'arrive que lorsque je panique. Ce n'est pas quelque chose que je peux contrôler.

— Tu as dit « quatre fois », lança Edilio. Je l'ai vue le jour de l'incendie et à l'instant. Les deux autres fois, c'était quand ?

— La fois d'avant, c'était chez moi. Cette lumière est apparue... comme quand on branche une ampoule. Il faisait noir. Je venais de m'éveiller d'un cauchemar.

Il croisa le regard d'Astrid : elle ne cilla pas. Soudain, tout devint clair dans son esprit.

— Tu l'as vue ! s'écria-t-il d'un ton accusateur. Tu as vu la lumière dans ma chambre. Tu savais depuis le début.

— Oui, admit Astrid. Je suis au courant depuis le premier jour. Et je savais pour le petit Pete bien avant.

Edilio voulait comprendre.

— L'incendie, ici tout à l'heure, ton histoire d'ampoule, ça fait trois.

— La première fois, c'était avec Tom.

Ce nom n'évoquait rien à Edilio, mais Quinn comprit sur-le-champ.

— Ton beau-père ? Enfin, ex-beau-père.

— Oui.

Quinn regarda fixement Sam.

— Tu n'es pas en train de me dire...

— J'ai cru qu'il allait agresser ma mère. J'ai cru... Je dormais, j'ai été réveillé par des éclats de voix, j'ai descendu l'escalier et je les ai trouvés tous les deux dans la cuisine. J'ai vu Tom brandir un couteau, et un jet de lumière a jailli de mes mains.

À sa grande surprise, Sam sentit les larmes lui monter aux yeux. Il n'était pas triste ; s'il ressentait quelque chose, c'était du soulagement. Il n'avait jamais raconté ça à personne jusque-là et, soudain, il se sentait plus léger. Mais à ce moment, il vit Quinn reculer d'un pas.

— Ma mère savait, bien sûr, reprit-il. Aux urgences, elle m'a couvert. Tom criait que je lui avais tiré dessus. Les médecins n'ont trouvé que des traces de brûlure, preuve qu'il ne s'agissait pas d'un coup de feu. Ma mère leur a raconté qu'il était tombé contre le four.

— Elle a dû choisir entre te protéger, toi, et soutenir son mari, résuma Astrid.

— Oui. Et Tom a compris, une fois la douleur calmée, qu'il finirait à l'asile s'il continuait à prétendre que son beau-fils l'avait attaqué avec un rayon laser.

— C'est à cause de toi qu'il a perdu sa main? s'écria Quinn.

— Ouh là, une seconde! s'exclama Edilio. Il a quoi?

C'était son tour d'être surpris.

— Son beau-père a fini avec un crochet en guise de main, expliqua Quinn. Ils ont dû l'amputer. (Il montra son avant-bras.) Je l'ai croisé il y a une semaine à San Luis. Il a un crochet maintenant, tu sais, un de ces trucs avec des pinces. Il était en train d'acheter des cigarettes et il a tendu la monnaie au vendeur avec son machin.

Quinn mima la scène avec deux doigts censés représenter les pinces de la prothèse.

— Donc, tu es une sorte de dégénéré? reprit-il.

Il semblait toujours se demander s'il devait rire ou s'affoler.

— Je ne suis pas le seul, répliqua Sam. La petite fille dans l'immeuble en flammes. Je crois que c'est elle qui a causé l'incendie. En m'apercevant, elle a paniqué et j'ai vu du feu liquide jaillir de ses mains.

— Alors, tu as riposté, déclara Edilio.

Sam ne distinguait que les contours de son visage dans l'obscurité.

— C'est ça qui te travaille: tu te sens responsable.

— Je ne sais pas contrôler ce pouvoir. Je n'ai rien demandé, moi. J'ignore comment m'en débarrasser. Heureusement que je n'ai pas blessé le petit Pete. Mais j'ai bien failli m'étouffer.

Edilio et Quinn reportèrent leur attention sur le petit garçon. Ce dernier frotta ses yeux gonflés de sommeil et fixa le vide derrière eux, indifférent à leur présence, voire inconscient de leur existence. Il se demandait peut-être ce qu'il fabriquait dehors, en pleine nuit, à côté d'une centrale nucléaire. À moins qu'il ne se demande rien du tout.

— Lui aussi, c'en est un, lança Quinn d'un ton accusateur.

— Il ne sait même pas ce qu'il fait, protesta Astrid.

— C'est censé me rassurer ? C'est quoi, sa spécialité ? Il lance des missiles par les fesses ?

Astrid lissa les cheveux de son frère et ses doigts effleurèrent sa joue.

— La fenêtre, chuchota-t-elle. Puis, à l'intention des autres, elle ajouta : Ça l'aide à se calmer. Je fais référence à la fenêtre de ma chambre.

— La fenêtre, répéta le petit Pete, à la stupéfaction générale.

— Il parle, maintenant ! s'exclama Edilio.

— Oui, il sait parler. Mais ça n'arrive pas souvent.

— Génial. Qu'est-ce qu'il sait faire d'autre ? demanda Quinn.

— Je crois qu'il est capable de faire plein de choses. Ça marche bien quand on est tous les deux. Souvent, il ne prête pas vraiment attention à moi. Un jour où je m'occupais de sa rééducation, j'ai pris un livre d'images avec lequel on travaille de temps en temps. Je lui ai fait voir une image en essayant de lui faire répéter le mot et, je ne sais pas, je crois que j'étais de mauvaise humeur ce jour-là. J'ai dû me montrer un peu brutale quand j'ai pris sa main pour mettre son doigt sur l'image comme on est censé le faire. Il s'est mis en colère. Et soudain, j'ai été transportée ailleurs. J'étais là, à côté de lui, et l'instant d'après, je me suis retrouvée dans ma chambre.

Un silence pesant s'installa tandis que tous les regards convergeaient vers le petit Pete.

— Alors peut-être qu'il peut nous transporter loin de la Zone, auprès de nos parents, suggéra Quinn.

Le silence retomba. Les cinq enfants étaient debout au beau milieu de la route. La centrale éclairée brillait derrière eux tandis que, droit devant, la route se perdait dans l'obscurité.

— Je m'attends encore à ce que tu éclates de rire, Sam, reprit Quinn. Tu sais : «Je t'ai eu!» Dis-moi que tu me fais marcher.

— Le monde a changé autour de nous, intervint Astrid. Je suis au courant depuis longtemps pour le petit Pete. J'ai essayé de me persuader que c'était une sorte de miracle. Comme toi, Quinn, j'ai voulu croire que c'était l'œuvre de Dieu.

— À ton avis, c'est quoi la cause de ces phéno-mènes ? s'enquit Edilio. Tu sous-entends que c'est arrivé avant l'apparition de la Zone.

— D'accord, je ne suis pas bête, mais de là à com-prendre ce qui se passe ! Je sais juste que, conformé-ment aux lois de la physique et de la biologie, tout ça n'est pas possible. Le corps humain ne possède pas d'organes générant de la lumière. Quant au fait que Pete soit capable de transporter des choses d'un endroit à un autre, les scientifiques ont découvert un moyen d'appliquer ce principe à deux atomes. Mais pas à des êtres humains. Pour ça, il faudrait plus d'énergie que n'en produit cette centrale nucléaire, ce qui sous-entend, en gros, qu'il faudrait réécrire les lois de la physique.

— Comment réécrit-on les lois de la physique ? interrogea Sam.

Astrid leva les bras au ciel.

— Je suis tout juste capable de suivre les cours à l'école. Pour comprendre ces phénomènes, il faut s'appeler Einstein, Heisenberg ou Feynman. Je sais seulement que l'impossible ne peut pas se produire. Alors, soit on est en train de rêver, soit les règles ont changé.

— En gros, c'est comme si quelqu'un avait fait buguer l'univers, résuma Quinn.

— Exactement, dit Astrid, étonnée qu'il ait saisi son propos.

— Les adultes ont disparu, un grand mur a surgi de nulle part et mon meilleur ami se met à faire des tours de magie, récapitula Quinn. Mais au moins, j'ai toujours mon frangin à mes côtés.

— Je suis resté le même, Quinn, le rassura Sam.

Quinn soupira.

— Mouais. Tu ne peux pas nier que ce n'est plus comme avant.

— Il y en a probablement d'autres comme Sam, Pete, et la fillette qui est morte, observa Astrid.

— Il ne faut en parler à personne, décréta Edilio. Les gens n'aiment pas se sentir inférieurs. Si des gamins normaux ont vent de cette histoire, on va au-devant des ennuis.

— Pas forcément, objecta Astrid.

— Tu es loin d'être idiote, Astrid, mais si tu crois que cette nouvelle va les réjouir, tu ne connais rien à l'espèce humaine.

— En tout cas, ce n'est pas moi qui vais cafter, dit Quinn.

— D'accord, peut-être qu'Edilio a raison, admit Astrid. Pour l'instant, du moins. Et surtout, personne ne doit savoir pour le petit Pete.

— Tu peux compter sur mon silence, affirma Edilio.

— Vous êtes les seuls au courant. C'est amplement suffisant, conclut Sam.

Ils prirent la direction de la ville sans ajouter un mot. D'abord, ils marchèrent côte à côte, puis Quinn prit la tête du groupe tandis qu'Edilio avançait sur le bas-côté et qu'Astrid se serrait contre son petit frère.

Sam se laissa distancer. Il avait besoin de calme et de solitude. Une part de lui-même aurait voulu ralentir le pas jusqu'à ce que les autres l'aient complètement oublié. Mais son destin était lié à celui de ces quatre personnes, désormais. Ils savaient. Ils connaissaient son secret. Et pourtant, ils ne lui avaient pas tourné le dos.

La voix de Quinn, qui venait d'entonner une chanson, lui parvint. Il accéléra pour rejoindre ses amis.

14

Sam, Astrid, Edilio et Quinn se laissèrent tomber dans l'herbe sur la place, à bout de forces. Le petit Pete resta debout, les yeux fixés sur son jeu vidéo, oublieux de tout, comme s'il revenait d'une simple balade et non d'une marche de quinze kilomètres en pleine nuit. Le soleil levant se profila au-dessus des montagnes derrière eux, illuminant l'océan trop paisible.

L'herbe humide de rosée avait déjà trempé la chemise de Sam. Il pensa : « Je ne vais jamais fermer l'œil ici », et une seconde après il s'endormit.

Il se réveilla avec le soleil dans les yeux. La rosée s'était évaporée, et l'herbe craquait dans la chaleur de midi. Il y avait beaucoup d'enfants dans les parages, pourtant il ne vit pas ses amis parmi eux. Peut-être étaient-ils partis chercher à manger. Lui-même mourait de faim.

En se levant, il s'aperçut qu'une foule était en train de se diriger vers l'église. Il se joignit à elle et, apercevant une fille qu'il connaissait, il lui demanda ce qui se passait.

Elle haussa les épaules.

— Je suis le mouvement.

Sam continua d'avancer jusqu'à ce que la foule s'immobilise. Puis il grimpa sur un banc d'où, en équilibre précaire, il pouvait dominer la cohue.

Quatre voitures roulaient à faible allure le long d'Alameda Avenue, les unes derrière les autres comme dans un défilé officiel. Ajoutant à cette impression, le troisième véhicule de la file était une décapotable. Les quatre engins, tous de couleur noire, étaient des modèles coûteux et puissants. Un énorme 4 x 4 fermait le cortège. Tous roulaient avec les phares allumés.

— Ils viennent nous sauver ? demanda à Sam un garçon d'une dizaine d'années.

— Ça m'étonnerait, je ne vois pas de voiture de police. À ta place, je reculerais.

— Ce sont des extraterrestres ?

— Si c'était le cas, ils se déplaceraient en vaisseau spatial, pas en BMW.

Parvenu sur la place, le convoi longea le trottoir bordant l'hôtel de ville avant de s'arrêter.

Des enfants descendirent de voiture. Les garçons étaient en pantalon noir et chemise blanche, et les filles en jupe plissée et chaussettes assorties qui montaient jusqu'aux genoux. Tous portaient le même blazer d'un rouge discret, avec un énorme blason cousu sur la poitrine, ainsi qu'une cravate à rayures rouge, noir et or.

Le blason arborait la lettre « C » rebrodée de fil doré, ainsi qu'un aigle et un puma, le tout flanqué de la devise en latin du pensionnat Coates : *Ad augusta per angusta*. « Vers les sommets par des chemins étroits. »

— Ce sont les élèves de Coates, lança Astrid, qui s'était rapprochée avec Edilio et le petit Pete.

Sam sauta de son perchoir pour les rejoindre.

— Une entrée en scène bien préparée, ajouta Astrid, comme si elle lisait dans les pensées de Sam.

Tandis que les élèves du pensionnat Coates descendaient de voiture, la foule avait reculé d'un pas. Il y avait toujours eu de la rivalité entre les enfants de la ville, qui se vivaient comme « normaux », et ceux du pensionnat qui, dans l'ensemble, avaient les moyens et, malgré les dénégations de l'administration, étaient considérés comme des gamins à problèmes.

Coates, c'était l'endroit où les parents fortunés envoyaient leur progéniture quand les autres établissements les trouvaient trop « difficiles ».

Les pensionnaires se mirent en rang : or, si leurs gestes manquaient un peu d'ordre et de précision, à l'inverse d'une parade militaire, on n'en voyait pas moins qu'ils avaient répété.

Puis un garçon vêtu d'un pull à col en V jaune vif se leva dans la décapotable. Avec un sourire penaud, il enjamba le siège arrière et se hissa sur le coffre d'un mouvement agile en agitant comiquement la main, comme pour signifier qu'il n'en revenait pas d'en être réduit à de telles extrémités.

Il était beau, même Sam s'en rendait compte. Il avait les cheveux et les yeux noirs, un peu comme lui, mais le visage de l'inconnu semblait irradier de l'intérieur ; il respirait la confiance en soi sans pour autant trahir de l'arrogance ou du dédain. En fait, il arrivait à paraître sincèrement humble alors qu'il se tenait seul face à la foule qu'il dominait.

— Salut tout le monde, lança-t-il. Je m'appelle Caine Soren. Vous avez sans doute deviné que je… que nous sommes élèves au pensionnat Coates. Ou alors c'est vraiment qu'on a le même mauvais goût en matière de vêtements.

Quelques rires s'élevèrent de l'assemblée.

— Un peu d'autodérision pour nous mettre dans sa poche, dit Astrid, poursuivant ses commentaires à voix basse.

Du coin de l'œil, Sam reconnut Maillet. Ce dernier s'était détourné et se faisait tout petit, comme s'il essayait de se cacher. C'était un élève du pensionnat Coates. Qu'avait-il dit, déjà ? Qu'il ne s'entendait pas avec les autres ?

— Je sais, la tradition veut qu'il y ait une rivalité entre les élèves de Coates et ceux de Perdido Beach, poursuivit Caine. Eh bien, c'est du passé. J'ai l'impression qu'on est tous dans le même bateau, maintenant. On partage les mêmes problèmes. Et on devrait se serrer les coudes pour les régler, vous ne croyez pas ?

Des hochements de tête lui répondirent.

Il parlait d'une voix claire qui montait un peu dans les aigus, mais n'en était pas moins forte et déterminée. Il avait une façon de dévisager la foule assemblée devant lui qui donnait à chaque enfant l'impression qu'il le regardait dans les yeux et qu'il les traitait tous en égaux.

— Tu as découvert ce qui s'est passé ? s'enquit quelqu'un.

Caine secoua la tête.

— Non. On n'en sait sans doute pas plus que vous. Les plus de quinze ans ont disparu. Et puis il y a ce mur, cette paroi.

— Nous, on l'appelle la Zone, dit Howard d'une voix forte.

— La Zone ? répéta Caine. Oui, c'est pas mal. Quel est ton nom ?

— Howard. Je suis le second du capitaine Orc.

Un murmure gêné parcourut la foule. Caine comprit instantanément la situation.

— J'espère que le capitaine Orc et toi, vous me rejoindrez, vous et tous ceux qui sont déterminés à débattre de nos projets d'avenir. Parce que nous, nous avons des projets.

Il ponctua sa dernière phrase d'un geste tranchant, sous-entendant qu'il fallait en finir avec le passé.

— Je veux ma maman ! cria soudain un petit garçon.

Toutes les voix se turent. Le petit garçon avait mis des mots sur ce que tous ressentaient au fond d'eux-mêmes.

Caine sauta de la voiture et s'avança vers l'enfant. Puis il s'agenouilla, prit les mains du petit dans les siennes et lui demanda son nom. Après s'être de nouveau présenté, il dit d'une voix douce mais assez forte pour être entendu de tous :

— On veut tous retrouver nos parents. Et je suis sûr qu'on les retrouvera. Je suis sûr qu'on reverra nos pères et mères, frères et sœurs, et même nos profs. J'en suis persuadé. Tu vas y croire, toi aussi ?

— Oui, répondit l'enfant dans un sanglot.

Caine le prit dans ses bras.

— Il va falloir que tu sois courageux. Ta maman l'aurait voulu.

— Il est doué, observa Astrid. Très doué.

Caine se redressa. Les enfants avaient formé un cercle serré mais respectueux autour de lui.

— On va tous devoir se montrer courageux. On va tous traverser cette épreuve. Si on sait désigner les bons chefs et qu'on fait les choix qui s'imposent, on y arrivera.

L'ensemble des enfants rassemblés s'étaient redressés. La détermination se lisait sur leurs visages effrayés et défaits de fatigue.

Sam était comme hypnotisé par la prestation du nouveau venu. En quelques minutes, Caine avait réussi à insuffler de l'espoir à une foule d'enfants abattus et terrorisés. Astrid paraissait très impressionnée, elle aussi, bien que Sam ait cru détecter une lueur de scepticisme dans ses yeux.

Lui-même n'y croyait pas trop. Il se méfiait des discours préparés et des numéros de charme. Mais il avait envie de se persuader que Caine essayait de tendre la main aux enfants de Perdido Beach. Il avait envie de croire en lui, ne serait-ce qu'un peu. Et si Caine avait réellement un plan, comment ne pas s'en réjouir ? Il était bien le seul.

Caine reprit la parole :

— Si tout le monde est d'accord, j'aimerais réquisitionner votre église pour m'asseoir avec vos chefs afin de discuter de mon projet et de tous les changements éventuels que vous souhaiterez y apporter. Y a-t-il, je ne sais pas, une douzaine de personnes capables de parler en votre nom ?

— Moi, répondit Orc.

Il s'avança en jouant des coudes, sa batte de base-ball en aluminium à la main. Il s'était procuré un casque de policier, un de ces couvre-chefs en plastique noir qu'arboraient les flics de Perdido Beach quand ils patrouillaient à vélo.

Caine fixa la brute d'un regard perçant.

— Tu dois être le capitaine Orc?

— Ouais, c'est moi.

Caine tendit la main.

— Enchanté de te connaître, capitaine Orc.

Orc en resta sans voix. Il parut hésiter quelques instants. C'était sans doute la première fois, de l'avis de Sam, que quelqu'un se prétendait enchanté de faire sa connaissance. C'était probablement aussi la première fois que quelqu'un cherchait à lui serrer la main. Orc en était visiblement tout bouleversé. Il jeta un coup d'œil à Howard.

Ce dernier promena son regard tour à tour sur Caine et sur Orc, comme pour évaluer la situation.

— Il te transmet ses respects, capitaine, dit-il enfin.

Orc poussa un grognement, changea sa batte de main, et tendit sa grosse patte. Caine la prit à deux mains et, l'air solennel, regarda Orc droit dans les yeux.

— Il est rusé, souffla Astrid.

Sans lâcher la main d'Orc, Caine défia le reste de la foule.

— Qui d'autre souhaite représenter Perdido Beach?

La grosse Betty répondit:

— Sam Temple. Il s'est précipité dans un immeuble en flammes pour sauver une petite fille. Il parlera pour moi, en tout cas.

Un murmure d'approbation parcourut la foule.

— Oui, Sam est un vrai héros, lança quelqu'un.

— Il aurait pu mourir, renchérit un autre.

— Oui, Sam est l'homme de la situation.

Caine esquissa un sourire. Son expression changea si vite que Sam se demanda s'il n'avait pas rêvé, mais il avait cru voir, l'espace d'une seconde, un sourire de triomphe se dessiner sur les lèvres de l'inconnu. Caine marcha droit vers Sam avec une attitude franche et ouverte, la main tendue.

— Il y a sûrement des gens mieux placés que moi, dit Sam en reculant.

Mais Caine le prit par le coude pour lui serrer la main.

— Sam, c'est bien ça ? Apparemment, tu es le héros de la ville. Tu as un lien de parenté avec l'infirmière de notre école, Connie Temple ?

— C'est ma mère.

— Je ne suis pas étonné qu'elle ait un fils aussi courageux, déclara Caine avec conviction. C'est une femme bien. Tu m'as l'air aussi modeste que brave, Sam, mais je... je te demande ton aide. J'ai besoin de toi.

En entendant prononcer le nom de sa mère, Sam avait immédiatement fait le recoupement. « C »... Il était peu probable que « C » soit un autre élève du pensionnat.

Tôt ou tard, C ou un autre finiront par dépasser les bornes. Ils risquent de blesser quelqu'un. Comme S avec T.

— D'accord, répondit Sam. Si c'est ce qu'ils veulent.

Quelques autres noms furent cités, et Sam, plus par loyauté que par conviction, proposa celui de Quinn.

Les yeux de Caine se posèrent tour à tour sur Sam et sur Quinn et, pendant une fraction de seconde, Sam crut y déceler du cynisme et de la ruse. Mais l'instant d'après, ils brillaient à nouveau d'une lueur humble et résolue.

— Allons-y tous ensemble, dit Caine.

Se détournant, il gravit les marches de l'église d'un pas décidé. Le reste des élus lui emboîta le pas.

Parmi les élèves du pensionnat Coates se trouvait une fille très belle, aux yeux noirs, qui arrêta Sam pour lui serrer la main.

— Je m'appelle Diana, lança-t-elle sans le lâcher. Diana Ladris.

— Sam Temple.

Les yeux sombres de la fille fixaient Sam avec insistance. Mal à l'aise, il voulut détourner les yeux mais, sans s'expliquer pourquoi, il ne pouvait pas s'y résoudre.

— Ah, fit-elle comme si elle venait d'apprendre une nouvelle fascinante.

Lâchant enfin la main de Sam, elle ajouta avec un sourire narquois :

— Tiens, tiens… On ferait mieux d'y aller. Il ne faudrait pas laisser tout seul notre Leader Sans Peur.

L'église catholique avait été bâtie une centaine d'années plus tôt par le propriétaire prospère d'une conserverie désormais à l'abandon, située près de la marina. Avec ses voûtes démesurées, sa demi-douzaine de statues de saints et ses bancs de bois usés par les ans, l'église était beaucoup plus grandiose que ne le méritait sans doute Perdido Beach. Des six hautes fenêtres, trois avaient conservé leur vitrail d'origine représentant diverses paraboles de Jésus. Les trois autres, qui n'avaient pas résisté aux vandales, aux ravages climatiques ou aux tremblements de terre, avaient été remplacée par de simples panneaux de verre teint beaucoup moins coûteux.

En entrant dans l'église, Astrid posa un genou à terre et fit le signe de croix, les yeux levés vers le crucifix aux dimensions intimidantes qui surplombait l'autel.

— C'est cette église que tu fréquentes, d'habitude ? demanda Sam dans un souffle.

— Oui, pas toi ?

Sam secoua la tête. C'était la première fois qu'il pénétrait entre ces murs. Sa mère était juive non pratiquante, personne n'avait cru bon de le renseigner sur la confession de son père, et Sam lui-même n'était pas très porté sur la religion. Il se sentait tout petit dans cet endroit, et pas du tout à sa place.

Caine s'était avancé vers l'autel d'un pas assuré. Ce dernier, de dimensions modestes, se réduisait à un bloc de marbre clair auquel menaient trois marches recouvertes d'un tapis bordeaux. Au lieu de prendre place dans la chaire désuète, Caine s'arrêta sur la deuxième marche.

En tout, quinze enfants s'étaient rassemblés dans l'église. En faisaient partie Sam Temple, Quinn, Astrid accompagnée du petit Pete, Albert Hillsborough, Mary Terrafino, Elwood Booker – le meilleur athlète de troisième – et sa petite amie, Dahra Baidoo, Orc – dont le véritable nom était, d'après la rumeur, Charles Merriman –, Howard Bassem et Cookie, qui s'appelait en réalité Tony Gilder.

Les représentants du pensionnat Coates, outre Caine Soren, incluaient Drake Merwin – un garçon aux cheveux blond-roux hirsutes dont les yeux rieurs brillaient d'une lueur mauvaise –, Diana Ladris et un gamin blond d'une dizaine d'années, affublé de grosses lunettes, qui semblait un peu perdu et que Caine appelait Jack le Crack.

Tous les enfants de Perdido Beach s'installèrent sur les bancs ; Orc et sa bande avaient réquisitionné le premier rang. Jack le Crack s'assit dans un coin, le plus loin possible du groupe. Drake Merwin se posta à droite de Caine, les bras croisés, un sourire narquois sur les lèvres, tandis qu'à sa gauche Diana ne quittait pas l'assemblée des yeux.

Une fois de plus, Sam se fit la réflexion que les élèves du pensionnat Coates avaient préparé le déroulement de la matinée, du cortège de voitures savamment orchestré – qui avait sans doute requis des heures de pratique au volant – à cette réunion. Ils avaient dû commencer à élaborer des plans dès l'apparition de la Zone.

Cette pensée troublait Sam.

Une fois les présentations achevées, Caine entreprit d'expliquer son projet sans autre préambule.

— Il va falloir qu'on se serre les coudes, annonça-t-il. Je pense qu'on devrait s'organiser pour éviter les destructions et gérer les différents problèmes. Notre but, à mon avis, est de maintenir l'ordre. Comme ça, quand les disparus reviendront, ils s'apercevront qu'on a fait du bon boulot.

— Le capitaine y arrive très bien tout seul, objecta Howard.

— Oui, il a visiblement fourni un excellent travail, concéda Caine en s'avançant vers Orc. Mais c'est un sacré fardeau. Pourquoi le capitaine Orc devrait-il tout assumer ? Je crois que nous avons besoin de nous organiser ; il nous faut un plan. Capitaine Orc, poursuivit-il en s'adressant directement à l'intéressé, je suis certain que tu n'as aucune envie de prendre soin des malades tout en veillant au bon fonctionnement de la garderie et en t'acquittant de la paperasse nécessaire à l'établissement d'un système d'organisation ici, à Perdido Beach.

— Il a deviné qu'Orc était quasiment analphabète, chuchota Astrid.

Orc jeta un coup d'œil à Howard, qui semblait hypnotisé par Caine, et haussa les épaules. Comme l'avait supposé Astrid, le mot « paperasse » le mettait mal à l'aise.

— Exactement ! s'exclama Caine, comme si le haussement d'épaules d'Orc signifiait son approbation.

Il regagna l'autel et reprit son discours en s'adressant à tout l'auditoire.

— Apparemment, nos sources d'électricité sont fiables ; mais tous les outils de communication sont hors d'état de marche. Mon ami Jack pense qu'on pourra bientôt faire fonctionner les téléphones portables.

Un murmure excité parcourut l'assemblée, et Caine leva les mains.

— Je ne suis pas en train de dire qu'on pourra passer des appels à l'extérieur de la Zone mais, au moins, on pourra communiquer entre nous.

Les regards se tournèrent vers Jack, qui acquiesça d'un signe de tête et rajusta ses lunettes en rougissant.

— Ça va prendre du temps, mais ensemble on peut y arriver, reprit Caine.

Et, pour montrer sa conviction, il se frappa la paume de son poing.

— En plus d'un shérif censé s'assurer que les règles seront respectées, une tâche qui me semble toute trouvée pour Drake Merwin puisque son père est lui-même officier de police, nous aurons besoin d'un pompier en chef qui s'occupera des urgences, et je nomme Sam Temple à ce poste. D'après ce que j'ai entendu dire de ses exploits lors de cet incendie, Sam est un choix évident, non ?

Des hochements de tête et des murmures d'assentiment saluèrent la proposition de Caine.

— Voilà qu'il te coopte, chuchota Astrid. Il te voit comme un concurrent, apparemment.

— Tu ne lui fais pas confiance, on dirait, répondit Sam à voix basse.

— C'est un manipulateur. Ça ne signifie pas que ses intentions sont mauvaises. C'est peut-être un gars bien.

Mary prit la parole :

— Sam a sauvé la crèche et la quincaillerie. Et il était à deux doigts de sauver cette petite fille. À ce sujet, il faudrait que quelqu'un s'occupe de l'enterrer.

— Tu as parfaitement raison, dit Caine. Espérons que nous n'aurons plus à gérer ce genre de situation à l'avenir, mais il faut bien que quelqu'un se charge d'enterrer les morts. Et il faudra aussi quelqu'un pour assister les malades et les blessés, et pour s'occuper des enfants en bas âge.

Dahra Baidoo prit la parole à son tour :

— Mary a entièrement pris en charge les tout-petits avec l'aide de son frère John.

— Mais nous avons besoin d'aide, s'empressa d'ajouter Mary. On ne peut pas fermer l'œil. On manque de couches, de nourriture et de... (Elle poussa un soupir.) De tout. John et moi, on connaît les enfants, maintenant, et on est capables de mener notre barque. Mais il nous faut de l'aide. Beaucoup d'aide.

Les yeux de Caine s'embuèrent ; il s'avança promptement vers Mary, la fit se lever et passa un bras autour de ses épaules.

— Tu as vraiment le cœur noble, Mary. Ton frère et toi, vous aurez le droit de déléguer... Combien de personnes faut-il pour prendre soin des petits ?

Mary fit un bref calcul :

— Nous deux plus quatre autres, peut-être...

Puis, s'enhardissant, elle ajouta :

— En fait, il nous en faudrait quatre le matin, quatre l'après-midi et quatre le soir. Et puis on aura besoin de couches et de lait maternisé. Et on devrait pouvoir demander aux autres de nous rapporter ce qu'il nous manque, en nourriture, par exemple.

Caine hocha la tête.

— Les petits sont notre plus grande responsabilité. Mary et John, vous aurez l'autorité absolue pour nommer les personnes dont vous aurez besoin, et exiger ce qui vous sera nécessaire. En cas de protestation, Drake et son équipe, qui inclut le capitaine Orc, seront là pour vous assister.

Si Mary semblait déborder de gratitude, il n'en allait pas de même pour Howard.

— Et puis quoi encore ? J'ai laissé dire jusqu'à maintenant, mais tu es en train d'insinuer qu'Orc va travailler pour ce gars-là ?

Howard désigna du doigt Drake, qui répondit par un sourire carnassier.

— On ne travaille pour personne. Le capitaine Orc n'a pas de comptes à rendre ni d'ordres à recevoir.

Sam vit une lueur de colère traverser le beau visage de Caine, mais ce dernier se maîtrisa très vite. Orc avait dû voir la même chose car il se leva, bientôt imité par Cookie. Ils tenaient toujours leur batte à la main. Sans cesser de sourire, Drake s'interposa entre eux et Caine. Une bagarre s'annonçait, avec la soudaineté d'une tornade. Bizarrement, Diana Ladris ne quittait pas Sam des yeux, comme si Orc n'existait pas.

Avec un soupir, Caine leva les mains et lissa ses cheveux en arrière. Au même moment, le sol se mit à gronder. Un petit tremblement de terre, une broutille, rien que Sam n'ait expérimenté jusqu'alors, à l'instar de nombreux Californiens.

Toute l'assemblée se leva d'un bond. Ils connaissaient la marche à suivre en cas de tremblement de terre. Mais soudain, un grincement s'éleva, tel le bruit du bois qui frotte contre l'acier, et le grand crucifix se détacha du mur comme si un géant invisible venait de l'arracher.

Personne ne bougea.

Un déluge de plâtre et de pierre s'abattit sur l'autel. La croix pencha à la manière d'un arbre scié à la base, tandis que Caine baissait les bras avec une expression dure, furieuse sur le visage.

Le crucifix, qui devait mesurer au moins quatre mètres de haut, s'écrasa avec une violence surprenante sur les bancs du premier rang. L'impact fut aussi bruyant et soudain qu'un carambolage de voitures. Orc et Howard s'écartèrent d'un bond, mais Cookie fut trop lent à réagir. La barre horizontale de la croix heurta son épaule. Il s'affaissa sur le sol et, bientôt, une flaque rouge s'épanouit autour de lui. Tout advint si vite que les enfants qui s'étaient levés n'eurent pas le temps de fuir.

— Au secours ! cria Cookie.

Étendu sur le sol, il s'époumonait tandis que le sang trempait son tee-shirt et s'écoulait sur les pavés de l'église. Elwood parvint à déplacer le crucifix et Cookie poussa un hurlement.

Caine n'avait pas bougé. Drake Merwin, les bras croisés, gardait les yeux rivés sur Orc, l'air indifférent à ce qui se passait autour de lui. Quant à Diana

Ladris, elle fixait toujours Sam sans se départir de son sourire narquois.

Astrid prit Sam par le bras et lui glissa à l'oreille :

— Sortons d'ici. Il faut qu'on parle.

— Aaaah, au secours, je suis blessé ! criait Cookie.

Orc et Howard ne faisaient pas mine de venir en aide à leur camarade.

Caine lança d'un ton parfaitement calme :

— C'est terrible. Est-ce que quelqu'un s'y connaît en premiers secours ? Sam ? Ta mère est infirmière.

Le petit Pete, qui était resté silencieux et immobile comme une pierre, se mit à se balancer de plus en plus vite en agitant les mains comme s'il cherchait à se protéger d'un essaim de guêpes.

— Il faut que je l'éloigne d'ici, il fait une crise ! s'exclama Astrid en poussant son frère vers la sortie. La fenêtre, Pete, la fenêtre.

— Je ne suis pas médecin, bredouilla Sam. Je ne sais pas...

Dahra Baidoo, s'arrachant à son hébétude, s'agenouilla auprès de Cookie qui gesticulait en hurlant.

— J'ai des notions de premiers secours. Elwood, aide-moi.

— Je crois qu'on tient notre nouvelle infirmière, annonça Caine avec le même détachement que le principal de l'école citant le nom d'une élève au tableau d'honneur.

Diana s'avança vers Caine pour lui glisser quelque chose à l'oreille. Les yeux sombres du garçon balayèrent l'assemblée en état de choc comme pour jauger chaque personne une par une. Il eut un petit sourire et adressa à Diana un signe de tête à peine perceptible.

— La réunion est ajournée jusqu'à ce qu'on ait pu venir en aide à notre ami blessé… Comment s'appelle-t-il ? Cookie ?

La voix de Cookie se fit plus stridente, à deux doigts de l'hystérie.

— J'ai mal ! J'ai trop mal !

Caine, talonné par Drake et Diana, s'avança dans l'allée centrale en frôlant Sam au passage, et suivit Astrid qui entraînait le petit Pete vers la sortie.

À mi-chemin, Drake se retourna et prit la parole pour la première fois.

— Oh, hum, capitaine Orc ? lança-t-il d'un ton amusé. Demande à tes sous-fifres – enfin, ceux qui ne sont pas blessés – de se mettre en rang dehors. On va répartir les tâches.

Avec un sourire qui ressemblait à un rictus féroce, il ajouta :

— À plus tard !

15

Il fallut quelques instants à Jack pour comprendre qu'il était censé quitter l'église avec Caine et sa bande. Il se leva d'un bond et se cogna bruyamment contre le banc, attirant l'attention du garçon tranquille que Caine avait appelé le « héros ».

— Pardon, bredouilla Jack avant de se hâter vers la sortie.

D'abord, il ne vit aucun des élèves du pensionnat Coates. Beaucoup d'enfants étaient restés sur la place et discutaient de ce qui s'était passé à l'intérieur de l'église. Les murs de l'édifice n'étaient pas parvenus à étouffer les hurlements de douleur de Cookie.

Jack repéra la grande fille blonde qu'il avait vue dans l'église, ainsi que son petit frère.

— Excuse-moi, tu sais où sont partis Caine et les autres ?

La fille, dont il ne se rappelait pas le prénom, le regarda droit dans les yeux.

— Il est entré dans l'hôtel de ville. Où veux-tu qu'il soit, notre nouveau leader ?

Si Jack avait souvent du mal à saisir les nuances quand les gens parlaient, le sarcasme qui perçait dans la voix d'Astrid ne pouvait pas lui échapper.

— Pardon de t'avoir dérangée.

Jack s'efforça de sourire en rajustant ses lunettes sur son nez puis, tendant le cou, il chercha des yeux l'hôtel de ville.

— C'est là-bas, dit la fille en tendant le doigt. Je m'appelle Astrid, ajouta-t-elle. Tu crois vraiment pouvoir remettre les téléphones en état de marche ?

— Oui, mais ça prendra du temps. En ce moment même, le signal de ton téléphone passe par l'antenne relais, d'accord ?

Il parlait d'un ton condescendant, et se mit à dessiner dans l'air le schéma de l'antenne et des ondes émises dans sa direction.

— Laquelle les envoie à un satellite qui les envoie à un routeur. Mais comme on ne peut pas envoyer de signal au satellite pour l'instant…

Il fut interrompu par un cri perçant en provenance de l'église, et tressaillit.

— Comment tu sais qu'on ne peut pas atteindre de satellite ? demanda Astrid.

Jack cligna des yeux, surpris, et prit l'air offensé qu'il réservait à ceux qui contestaient sa compétence en matière de technologie.

— Ça m'étonnerait que tu comprennes.

— Essaie toujours, gamin.

À la surprise de Jack, Astrid eut l'air de saisir toutes ses explications. Il alla donc jusqu'à lui démontrer comment il pourrait reprogrammer quelques ordinateurs assez puissants pour faire office de routeurs.

— Mon système ne permettra pas de passer plus de douze appels simultanément, mais il devrait fonctionner pour l'essentiel.

Le petit frère d'Astrid avait les yeux rivés sur les mains de Jack qu'il tordait nerveusement. Ce dernier n'était pas tranquille quand Caine ne se trouvait pas dans les parages. Avant de quitter le pensionnat, Drake Merwin leur avait recommandé de communiquer le moins possible avec ceux de Perdido Beach. Les avertissements de Drake n'étaient pas à prendre à la légère.

— Bon, je ferais mieux d'y aller, lança Jack.

Astrid l'arrêta d'un geste.

— Alors, comme ça, tu t'intéresses aux ordinateurs ?

— Oui, je suis assez calé.

— Quel âge as-tu ?

— Douze ans.

— Tu en sais des choses, pour ton âge.

Jack eut un rire dédaigneux.

— Ce dont je t'ai parlé, ce n'est pas bien difficile à faire. Ce n'est pas à la portée de tout le monde, ça oui, mais pour moi ce n'est pas grand-chose.

Jack n'avait jamais été modeste au sujet de ses compétences en informatique. Pour le Noël de ses quatre ans, il avait reçu son premier ordinateur. Ses parents racontaient sans cesse que, immédiatement, il avait passé quatorze heures d'affilée sur la machine, ne s'arrêtant que pour avaler des barres de céréales et des cartons de jus de fruits.

Dès l'âge de cinq ans, il savait installer des programmes et surfer sur Internet. Un an plus tard, ses parents se tournaient vers lui pour régler leurs problèmes d'ordinateur. À huit ans, il possédait son propre site Web et jouait les informaticiens officieux auprès de ses camarades de classe. À neuf ans, il avait piraté le système informatique du poste de police local pour effacer la contravention du père d'un ami. Ses parents découvrirent le pot aux roses et, paniqués, l'inscrivirent dès le semestre suivant au pensionnat Coates, un établissement réputé pour les enfants intelligents mais difficiles.

Pourtant, Jack n'avait rien d'un enfant difficile, et cette décision l'indigna. Dans tous les cas, elle ne l'aida pas à se tenir à l'écart des ennuis. Au contraire, il y avait des enfants au pensionnat Coates que les parents de Jack auraient considérés comme de mauvaises fréquentations. Très mauvaises, pour certains.

— Alors qu'est-ce qui n'est pas dans tes cordes, Jack ? s'enquit Astrid.

— Rien ou presque, répondit-il avec assurance. Mais ce que j'aimerais, moi, c'est réussir à faire fonctionner Internet, ici, dans la Zone. D'après mes estimations, il y a deux cent vingt-cinq ordinateurs en état de marche, compte tenu du nombre de commerces et d'habitations. La Zone n'étant pas très étendue, ce serait relativement simple d'y installer le Wi-Fi. Et avec deux G5 en prime, je pense pouvoir établir un réseau local limité.

Jack sourit à cette idée.

— Ce serait génial. Alors, dis-moi, Jack le Cr… Je suis vraiment obligée de t'appeler Jack le Crack ?

— Tout le monde m'appelle comme ça. Ou Jack tout court, quelquefois.

— D'accord, Jack. Qu'est-ce qu'il a derrière la tête, ce Caine ?

— Quoi ? fit Jack, pris de court.

— Qu'est-ce qu'il prépare ? Tu es un garçon intelligent, tu dois avoir ta petite idée sur la question.

Jack aurait bien voulu s'éclipser, mais il ne savait pas comment s'y prendre. Astrid s'avança pour lui toucher le bras ; il regarda sa main, l'air hébété.

— Je sais qu'il a un plan, dit Astrid.

Le petit Pete fixa Jack de ses grands yeux vides, ronds comme des soucoupes.

— Tu sais ce que je pense ? reprit Astrid.

Jack secoua lentement la tête.

— Je pense que tu es un gentil garçon. Je pense que tu es très intelligent et que, pour cette raison, tu n'es pas toujours très bien traité. Les autres ont peur de ton génie. Et ils essaient de se servir de toi.

Jack se surprit à hocher la tête.

— En revanche, je ne crois pas que ce Drake soit une bonne personne. Je me trompe ?

Jack se figea ; il ne voulait pas laisser échapper la moindre information. Il n'était pas aussi rapide à comprendre les hommes que les machines. La plupart des gens étaient loin d'être aussi intéressants.

— C'est une brute, pas vrai ?

Jack haussa les épaules.

— C'est bien ce que je pensais. Et Caine ?

Jack ne répondit pas. Il s'efforçait de détourner le regard : la situation n'était pas simple.

— Caine, répéta Astrid. Quelque chose ne va pas chez lui, hein ?

Si les résistances de Jack tombèrent, il n'en resta pas moins prudent. Réduisant sa voix à un murmure, il répondit :

— Il a des pouvoirs. Il…

— Te voilà, Jack.

Jack et Astrid sursautèrent. Diana Ladris venait de les rejoindre. Elle salua Astrid d'un signe de tête.

— J'espère que ton petit frère va mieux. En vous voyant sortir en trombe de l'église, j'ai pensé qu'il était malade.

— Non, non, il va bien.

— Il a de la chance de t'avoir.

À ces mots, Diana saisit les doigts d'Astrid comme pour échanger une poignée de main amicale. Mais Jack avait son idée sur la raison de son geste. Astrid retira sa main. Le sourire affable de Diana s'évanouit. Jack songea qu'elle avait sans doute manqué son but : il lui fallait d'ordinaire plus de temps pour évaluer le niveau de quelqu'un.

L'échange tendu entre les deux filles fut interrompu par le rugissement d'un moteur diesel. Un gamin, d'origine mexicaine, semblait-il, manœuvrait une pelleteuse dans la rue.

— Qui c'est ? demanda Diana.

— Edilio, répondit Astrid.

— Qu'est-ce qu'il fabrique ?

Le garçon au volant de la pelleteuse s'était mis à creuser un trou dans l'herbe de la place, tout près du trottoir où gisait le cadavre de la fillette sous une couverture, que tous évitaient soigneusement.

— Je crois qu'il enterre les morts, répondit Astrid tout bas.

Diana fronça les sourcils.

— Caine ne lui a pas demandé de le faire.

— Et alors ? Il faut bien que quelqu'un s'en charge. D'ailleurs, je vais aller voir s'il n'a pas besoin d'aide. Enfin, si Caine est d'accord, bien sûr.

Cette remarque ne fit pas sourire Diana. Mais elle n'était pas du genre à perdre son sang-froid, Jack l'avait souvent vérifié.

— Tu m'as l'air d'être une gentille fille, Astrid, dit-elle. Je parie que tu es de ces bonnes élèves à la Lisa Simpson, pleines de grands idéaux, préoccupées par l'avenir de la planète, ce genre de foutaises. Mais le monde a changé. Pour te donner une idée de la situation, avant tu avais la belle vie, mais maintenant c'est la jungle. Et je ne crois pas que tu sois de taille, Astrid.

— Qu'est-ce qui est à l'origine de la Zone ? Tu le sais, toi ? demanda Astrid sans se laisser intimider.

Diana éclata de rire.

— Les extraterrestres. Dieu. Un bouleversement soudain dans le continuum spatio-temporel. Il paraît qu'on te surnomme le Petit Génie, tu as donc probablement réfléchi à des explications que je n'aurais même pas envisagées. On s'en fiche. C'est arrivé, point.

— Et Caine, qu'est-ce qu'il veut ?

Jack n'arrivait pas à croire qu'Astrid ne se laisse pas impressionner par Diana, contrairement à beaucoup d'autres. Rares étaient ceux qui osaient se mesurer à elle. Le cas échéant, elle le leur faisait regretter.

Jack crut même voir une lueur d'admiration traverser le regard sombre de Diana.

— Quoi qu'il veuille, il l'obtiendra. Maintenant, va t'occuper de ton enterrement. Reste en dehors de mon chemin. Et prends bien soin de ton petit frère. Jack ?

En entendant son nom, Jack cessa de rêver.

— Oui ?

— Viens.

Jack suivit Diana sans broncher, honteux de se montrer aussi soumis. Tous deux gravirent les marches de l'hôtel de ville avant de disparaître à l'intérieur du bâtiment.

Caine avait pris possession du bureau du maire, ce qui n'étonna guère ceux qui le connaissaient. Assis derrière un vaste secrétaire en acajou, il se balançait doucement dans un grand siège en cuir bordeaux.

— Où étais-tu passée ? lança-t-il.

— Je suis allée chercher Jack.

— Et Jack ? Qu'est-ce qu'il fabriquait ?

— Rien, répondit Diana. Il errait dans les parages, l'air un peu perdu.

Jack s'aperçut avec stupeur que Diana le couvrait.

— Je suis tombée sur cette fille, poursuivit Diana. La blonde qui a un petit frère bizarre.

— Et ?

— On la surnomme le Petit Génie. Je crois qu'elle traîne avec le garçon de l'incendie.

— Il s'appelle Sam, lui rappela Caine.

— Je pense qu'on devrait la tenir à l'œil.

— Tu as réussi à l'évaluer ?

— En partie seulement, je ne suis pas sûre.

Caine ouvrit grand les bras, l'air exaspéré.

— Il faut que je te supplie ? Accouche.

— Elle doit avoir deux barres.

— Tu as une idée de la nature de ses pouvoirs ? Lumière ? Rapidité ? Caméléon ? Pourvu que ce ne soit pas une autre Dekka. Elle nous a posé problème, celle-là. Espérons qu'elle n'est pas capable d'évaluer comme toi.

Diana secoua la tête.

— Aucune idée. Je ne suis même pas sûre qu'elle ait deux barres.

Caine poussa un gros soupir, comme s'il portait le poids du monde sur les épaules.

— Mets-la sur la liste, Jack. Astrid alias le Petit Génie : deux barres. Avec un point d'interrogation.

Jack sortit son ordinateur de poche. S'il ne pouvait plus consulter Internet, les autres fonctions de l'appareil marchaient encore. Il entra son mot de passe et ouvrit le fichier.

La liste comprenait vingt-huit noms, tous inscrits au pensionnat Coates. En face de chaque nom figurait un chiffre : un, deux ou trois. Un seul était suivi d'un quatre : celui de Caine Soren.

Jack se contenta d'entrer l'information. Astrid. Deux barres. Point d'interrogation. Il essaya de ne pas penser à ce que ça signifiait pour la jolie blonde.

— Ça s'est mieux passé que je ne l'espérais, dit Caine à Diana. J'avais prévu qu'on aurait maille à partir avec la brute du coin, et qu'il y aurait forcément un leader-né parmi eux. La brute travaille pour nous et on garde un œil sur le leader le temps de s'occuper de son cas.

— Je m'en charge, déclara Diana. Il est mignon.

— Tu as eu le temps de l'évaluer ?

Jack avait vu Diana prendre la main de Sam. Aussi fut-il étonné d'entendre Diana répondre :

— Non, je n'en ai pas eu l'occasion.

Jack fronça les sourcils, ne sachant trop s'il devait rafraîchir la mémoire de Diana. Non, mauvaise idée. Elle se rappelait forcément qu'elle avait serré la main de Sam.

— Occupe-t'en sans attendre, ordonna Caine. Tu as vu comment les autres le regardaient ? Quand j'ai procédé aux nominations, son nom a été mentionné en premier. Je n'aime pas ça, que ce soit le fils de l'infirmière Temple. Mauvaise coïncidence. Il faut que tu l'évalues. S'il détient le pouvoir, on ne peut pas se permettre de laisser traîner les choses.

Lana était guérie mais très faible. Et elle avait faim. Le pire, cependant, c'était la soif. Elle n'était pas sûre de pouvoir tenir encore bien longtemps.

Pourtant, elle venait de réchapper de l'enfer. Et ce miracle lui donnait des raisons d'espérer.

Le soleil s'était levé mais ne la brûlait pas encore de ses rayons : le ravin était à l'ombre pour l'instant. Lana savait qu'elle avait de meilleures chances de s'en sortir si elle se mettait en route pour le ranch avant que la terre ne soit aussi chaude qu'une tarte sortie du four.

— Évite de penser à la nourriture, s'enjoignit-elle.

Découvrir qu'elle avait encore une voix lui réchauffa le cœur. Elle tenta d'escalader le ravin mais, après s'être écorché mains et genoux, elle dut admettre que ce n'était pas envisageable. Même Pat ne pouvait pas grimper : la pente était trop raide.

Il ne restait qu'à suivre le ravin en espérant qu'il mènerait quelque part. Ça n'avait rien d'une promenade de santé. La plupart du temps, le sol était dur, mais par moments il s'effondrait sous les pieds de Lana, qui tombait à quatre pattes.

Plus elle tombait, plus elle avait de mal à se relever. Pat se traînait à son côté, la langue pendante, l'air aussi épuisé et mal en point qu'elle.

— On est tous les deux dans la même galère, hein, mon vieux ?

Les herbes sèches lui griffaient les jambes, les rochers la faisaient trébucher. Par endroits, d'épais buissons d'épineux lui barraient la route. L'un d'eux était si dense qu'elle dut se frayer un passage à travers, avec mille précautions, sans toutefois éviter les griffures qui lui brûlaient les mollets comme des braises.

Cependant, il lui suffisait de poser la main sur ses égratignures pour calmer la douleur. Au bout d'une dizaine de minutes, elles avaient disparu.

Un véritable miracle! Lana en était convaincue. Elle savait qu'elle ne possédait pas le pouvoir de guérir les gens ni les bêtes. Elle ne l'avait jamais expérimenté jusque-là. Comment ce miracle s'était-il accompli? Elle l'ignorait. Elle avait d'autres préoccupations en tête, beaucoup plus pressantes : comment grimper cette pente abrupte ou franchir ces ronces, et surtout – surtout! – où trouver de l'eau et de la nourriture dans cette contrée désolée?

Elle regrettait de ne pas avoir davantage prêté attention au paysage pendant tous ces allers et retours en voiture. Ce ravin menait-il au ranch? À moins qu'il ne le contourne? À quelle distance se trouvait-elle de la maison? Était-elle en train de se diriger à l'aveuglette vers le grand désert? Y avait-il quelqu'un qui l'attendait?

Les parois du ravin, bien qu'ayant diminué, étaient toujours aussi escarpées et semblaient se rapprocher l'une de l'autre. L'espace se resserrait peu à peu. C'était forcément une bonne nouvelle : si le ravin devenait de plus en plus étroit et de moins en moins profond, ça devait signifier qu'elle en atteindrait bientôt le bout, non?

Elle guettait les serpents, les yeux fixés sur le sol, quand Pat se figea, comme pétrifié.

— Qu'est-ce qui se passe, mon vieux ?

Levant les yeux, Lana aperçut, bouchant le passage, un pan de mur d'une hauteur vertigineuse, bien plus élevé que le ravin lui-même, une sorte de paroi faite d'un matériau... qui ne ressemblait à rien de ce qu'elle avait vu jusqu'alors.

La hauteur du mur et le contraste saisissant qu'il créait dans le paysage la frappèrent d'effroi. Pourtant, il avait l'air inoffensif. Ce n'était qu'un mur. Il semblait translucide, comme du lait coupé d'eau, et brillait faiblement. Tout ça était absurde. Impossible. Un mur n'avait rien à faire là.

Elle s'avança vers la paroi, mais Pat refusa de la suivre.

— Il faut aller voir ça de plus près, mon vieux, dit-elle avec impatience.

Pat n'était visiblement pas d'accord. En se rapprochant, Lana distingua un vague reflet d'elle-même.

— C'est sans doute une bonne chose que je ne puisse pas me voir mieux, marmonna-t-elle.

Du sang séché collait ses cheveux, elle était sale à faire peur et ses vêtements étaient en lambeaux. Elle parcourut les derniers mètres qui la séparaient de la paroi et la toucha du doigt.

— Aïe !

Lana poussa un cri et recula. Avant l'accident, elle aurait décrit la douleur comme cuisante. Désormais, elle avait une tout autre conception de la souffrance. Mais elle n'avait pas pour autant l'intention de toucher ce mur à nouveau.

— C'est quoi, une espèce de barrière électrique ? dit-elle à Pat. Qu'est-ce que ça fiche ici ?

Il ne lui restait pas d'autre choix que d'escalader le ravin. Seul problème, Lana était certaine que le ranch se trouvait à sa gauche, et ce versant était infranchissable ; il lui aurait fallu une corde et des pitons.

Elle envisagea de gravir l'autre côté en prenant appui sur des rochers éboulés, afin de se hisser jusqu'à une saillie de la paroi. Mais dès lors, à moins que ses calculs ne soient faux, elle mettrait le ravin entre le ranch et elle. La seule alternative était de revenir sur ses pas. Il lui avait fallu la moitié de la journée pour arriver jusque-là. Le soleil serait couché avant qu'elle ait atteint son point de départ. Après tous ces efforts, elle mourrait quand même là-bas, en fin de compte.

— Viens, Pat. Tirons-nous de là.

Elle mit au moins une heure pour escalader la paroi à sa droite, à deux pas du mur, présence silencieuse et lugubre qu'elle avait commencé à considérer comme une chose vivante, une force colossale et maléfique déterminée à lui barrer le chemin.

Quand elle atteignit enfin le sommet, elle scruta les alentours en se protégeant les yeux du soleil et crut tomber à la renverse : aucune trace de la route. Aucun signe du ranch. Elle ne vit qu'une chaîne de montagnes séparée de l'endroit où elle se trouvait par moins de deux kilomètres de terre désertique. Et ce mur irréel sorti de nulle part.

D'un côté il y avait les montagnes, de l'autre le ravin, dans une troisième direction le mur qui se dressait dans le paysage comme s'il venait de tomber du ciel. Le seul moyen d'avancer, c'était de revenir sur ses pas en marchant le long de l'étroite bande de terre qui longeait le ravin. Lana scruta l'horizon.

— Attends. Il y a quelque chose là-bas.

Niché contre le mur, tout près des montagnes, était-ce un carré d'herbe devant elle, qui miroitait dans les vagues de chaleur ? Ce devait être un mirage.

— Qu'est-ce que tu en dis, Pat ?

Pat ne manifesta qu'une profonde indifférence. Toute volonté l'avait abandonné. Il n'était pas en meilleure condition qu'elle.

— Je suppose que c'est tout ce qui nous reste, ce mirage, décida Lana.

Ils se mirent en route. Au moins, c'était plus facile que d'escalader le ravin. Mais le soleil tapait dur à présent, et Lana n'avait pas de chapeau. Elle sentait ses forces la quitter à mesure que sa détermination laissait place au doute. Elle poursuivait un mirage en puisant dans ses dernières ressources.

Mais le point vert était toujours là, et se précisait au fur et à mesure de leur progression. La conscience de Lana vacillait telle la flamme d'une chandelle. Alerte pendant quelques secondes, elle glissait à nouveau dans un vague rêve éveillé.

Soudain, Lana tituba, à demi aveuglée par l'éclat impitoyable du soleil, et s'aperçut qu'une herbe grasse avait remplacé la poussière sous ses pieds.

C'était un carré minuscule de quelque trois mètres de côté, un véritable mouchoir de poche. Au centre, un arroseur rattaché à un tuyau qui se perdait derrière une cabane en bois dépourvue de fenêtres.

La cabane, exiguë, se réduisait à une unique pièce, à laquelle étaient adossés une sorte d'appentis à moitié effondré et un moulin de fortune, ou plutôt une hélice d'avion posée au sommet d'une tour branlante de cinq ou six mètres de haut.

Chancelante, Lana suivit le tuyau ; il était relié à un réservoir poussiéreux, posé sur une plate-forme soutenue par des traverses, qui se trouvait sous le moulin de bric et de broc. Une conduite rouillée sortant de terre, d'où émergeaient des valves et des tuyaux de raccordement, était fixée sous le moulin. Quant au tuyau qu'avait suivi Lana, il se terminait par un robinet soudé au réservoir.

— C'est un puits, Pat.

De ses doigts tremblants, Lana tourna le robinet qui libéra un jet d'eau tiède sentant le calcaire et la rouille.

Lana but à grandes gorgées, imitée par Pat, puis laissa l'eau couler sur son visage pour se débarrasser du sang séché qui maculait ses joues et ses cheveux. Mais elle n'avait pas fait tout ce chemin pour gaspiller sa seule chance de salut : elle referma le robinet. Une dernière, précieuse goutte resta suspendue au rebord de cuivre, qu'elle récupéra avec soin sur le bout de son doigt pour nettoyer la croûte de sang qui s'était formée sur son œil.

Puis, pour la première fois depuis une éternité, elle éclata de rire.

— On n'est pas morts, hein, Pat ? Pas encore.

16

— Il faut d'abord faire bouillir l'eau. Ensuite, on ajoute les pâtes, dit Quinn.

— Comment tu le sais?

Sam, les sourcils froncés, retournait dans ses mains un paquet de tortellinis pour essayer de trouver les instructions.

— Parce que j'ai vu faire ma mère des centaines de fois. Il faut d'abord porter l'eau à ébullition.

Sam et Quinn regardèrent, ahuris, la grosse casserole d'eau sur le fourneau.

— C'est pas en la regardant qu'elle bouillira plus vite, fit remarquer Edilio en riant.

— Peut-être que tu pourrais accélérer le processus avec tes mains magiques, suggéra Quinn.

Sam ignora sa remarque. Il jugeait les plaisanteries de Quinn à ce sujet un peu agaçantes.

La caserne était un bâtiment gris de forme cubique. Au rez-de-chaussée se trouvait un garage abritant le fourgon d'incendie et l'ambulance. L'étage était consacré à l'espace de vie, une grande pièce comprenant une cuisine, une longue table et deux canapés dépareillés. Une porte menait à une petite chambre meublée de lits superposés, pouvant accueillir jusqu'à six personnes.

La pièce principale était plutôt accueillante. Des photos de pompiers s'alignaient sur les murs : devant l'objectif, certains posaient, un peu raides, tandis que d'autres chahutaient avec leurs collègues. Des lettres de remerciements étaient épinglées çà et là, dont certaines illustrées par une classe de maternelle qui commençaient toutes par « Chers pompiers », orthographiées avec plus ou moins de bonheur.

En arrivant pour prendre possession des lieux, ils avaient trouvé sur une grande table ronde les vestiges d'une partie de poker abandonnée brusquement – cartes éparses, chips, mégots de cigares dans un cendrier –, lesquels avaient été nettoyés depuis.

Ils avaient aussi découvert un garde-manger étonnamment fourni : conserves de sauce tomate, boîtes de soupe, paquets de pâtes. Une boîte rouge contenait des cookies maison un peu rassis, mais pas immangeables si on se donnait la peine de les passer au micro-ondes pendant une quinzaine de secondes.

Sam avait accepté la fonction de chef des pompiers. Non qu'il en ait envie, mais beaucoup de gens semblaient le vouloir pour lui. À présent, il priait pour que personne ne vienne lui demander de l'aide, car après trois jours passés dans la caserne, ils ne savaient toujours pas démarrer correctement le camion, sans parler de le conduire.

La seule fois où un enfant avait fait irruption dans la caserne en criant « au feu ! », Sam, Edilio et Quinn avaient traîné un tuyau sur plusieurs centaines de mètres pour s'apercevoir que le frère du gamin avait eu la bonne idée de faire réchauffer une boîte de conserve au micro-ondes. La seule fumée visible provenait du four calciné.

Mais, d'un autre côté, ils savaient où trouver tout le matériel d'urgence dans l'ambulance. Et ils s'étaient entraînés dehors avec le tuyau, aussi pourraient-ils être plus efficaces et rapides qu'Edilio lors de la première alerte. Enfin, et surtout, ils avaient appris à maîtriser parfaitement la perche.

— On n'a plus de pain, annonça Edilio.

— Pas besoin de pain avec les pâtes, objecta Sam. On a assez de féculents.

— Qui parle de diététique ? On ne fait pas de repas sans pain.

— Je croyais que ton peuple mangeait des tortillas, lança Quinn.

— Les tortillas, c'est du pain.

— Eh bien, on n'en a pas, conclut Sam.

— Dans une semaine, plus personne n'en aura, observa Quinn. Le pain, c'est un produit frais.

Trois jours s'étaient écoulés depuis que Caine et son équipe avaient fait main basse sur la ville. Trois jours, et aucun secours à l'horizon. Trois jours de déprime grandissante. Trois jours durant lesquels tous s'étaient peu à peu résignés à cette vie-là, pour le moment du moins.

La Zone, que tout le monde appelait ainsi désormais, avait cinq jours d'existence. Cinq jours sans adultes. Cinq jours sans pères ni mères, sans grands frères ni grandes sœurs, sans professeurs, officiers de police, commerçants, médecins, prêtres, dentistes. Cinq jours sans télévision, sans téléphone, sans Internet.

D'abord, Caine avait été bien accueilli. Les enfants avaient besoin d'un chef. Ils voulaient des réponses. Des règles. Dès lors qu'il s'agissait d'asseoir son autorité, Caine faisait des merveilles. Chaque fois que Sam avait eu affaire à lui, il avait été impressionné par l'assurance dont il faisait preuve en toute circonstance, comme s'il était né pour diriger.

Mais déjà, en trois jours à peine, le doute s'installait. Les inquiétudes ne se focalisaient pas tant sur Caine et Diana que sur Drake Merwin. Certains affirmaient qu'il fallait une personne de poigne, qui inspire un peu de crainte, pour que les règles soient respectées. D'autres, s'ils étaient d'accord sur le principe, objectaient que Drake leur faisait vraiment trop peur.

Ceux qui défiaient Drake ou l'un de ses soi-disant shérifs étaient frappés, molestés, jetés à terre ou finissaient (dans un cas) la tête dans les toilettes. La peur de l'inconnu avait laissé place à la crainte de voir débarquer Drake.

— Je peux préparer des tortillas, suggéra Edilio. J'ai juste besoin de farine, d'un peu de matière grasse, de sel et de levure. Nous avons tout ça ici.

— Garde-les pour une soirée *fajitas*, répondit Quinn.

Il prit le paquet de pâtes des mains de Sam et en vida le contenu dans la casserole.

Edilio fronça les sourcils.

— Vous avez entendu ?

Sam et Quinn s'immobilisèrent. Ils n'entendaient que le gargouillement de l'eau bouillante. Puis, en tendant l'oreille, ils perçurent une plainte.

Sam s'avança vers la perche et, enroulant ses jambes et ses bras autour, se laissa glisser jusqu'au sol du garage brillamment éclairé qui donnait sur la rue plongée dans l'obscurité. Quelqu'un – une fille, d'après ses longs cheveux roux – était blotti sur le seuil. Trois silhouettes traversaient la rue dans sa direction.

— Au secours, gémit-elle faiblement.

Sam s'agenouilla auprès d'elle et eut un mouvement de recul.

— Betty ?

Le côté gauche du visage de la grosse Betty était couvert de sang coulant d'une entaille sur sa tempe. Elle cherchait son souffle comme un coureur de marathon s'efforçant de rassembler ses dernières forces pour ramper jusqu'à la ligne d'arrivée.

— Betty, qu'est-ce qui s'est passé?

— Ils en ont après moi! s'écria-t-elle en saisissant le bras de Sam.

Les trois silhouettes s'avancèrent au bord du halo de lumière. Sam reconnut Orc à sa corpulence. Entre-temps, Edilio et Quinn les avaient rejoints à l'entrée du garage. S'arrachant à l'étreinte de Betty, Sam alla se poster à côté d'Edilio.

— Si vous cherchez la bagarre, les gars, vous allez la trouver! cria Orc.

— Qu'est-ce qui se passe ici? demanda Sam.

Plissant les yeux, il reconnut les deux autres: un garçon de cinquième prénommé Karl, et Chaz, l'un des élèves de quatrième du pensionnat Coates. Tous trois étaient armés de battes en aluminium.

— Occupez-vous de vos affaires, répondit Chaz. On a un compte à régler.

— Quel compte à régler? Orc, tu as frappé Betty?

— Elle a enfreint les règles.

— Tu as frappé une fille? s'écria Edilio, indigné.

— Ferme-la, le métèque.

— Où est Howard ? s'enquit Sam pour gagner du temps.

Il avait déjà perdu une bataille contre Orc. Ce dernier prit sa question pour une insulte.

— J'ai pas besoin d'Howard pour te mater.

Orc s'avança vers Sam d'un pas décidé, puis s'arrêta à deux pas de lui, la batte sur l'épaule tel un joueur se préparant pour la prochaine balle. Seulement, la tête de Sam, elle, était immanquable.

— Dégage, Sam, ordonna-t-il.

— Moi, je n'ai pas l'intention de rejouer à ce jeu-là, dit Quinn. Sam, laisse-le régler ses comptes avec elle.

— Y a pas de « laisse-le » qui tienne, protesta Orc. Je fais ce que je veux.

Sam remarqua du mouvement derrière les trois brutes. Une vingtaine d'enfants descendaient la rue dans leur direction. Orc s'en aperçut, lui aussi, et jeta un coup d'œil vers le groupe.

— Ils ne te sauveront pas, dit-il en levant sa batte.

Sam se baissa, la batte passa à un cheveu de sa tête, et Orc, emporté par son élan, fit un demi-tour sur lui-même. Sam perdit l'équilibre mais Edilio réagit en un éclair : avec un rugissement de colère, il se jeta sur Orc tête la première. Il devait faire la moitié de sa taille, mais Orc tomba à la renverse et atterrit sur le bitume. Chaz accourut à la rescousse.

Les enfants qui descendaient la rue se précipitè-rent. Des cris furieux et des menaces s'élevèrent, tous dirigés contre Orc et sa bande. Sam remarqua que s'ils manifestaient leur mécontentement, aucun d'eux ne faisait mine de se jeter dans la bagarre.

Une voix fit taire le vacarme :

— Que personne ne bouge, cria Drake.

Poussant Edilio, Orc se releva d'un bond et se mit à lui donner des coups de pied. Sam se précipita pour aider son ami, mais Drake fut plus rapide : se glissant derrière Orc, il le saisit par les cheveux et lui assena un violent coup de coude dans le visage. Orc, le nez en sang, poussa un hurlement de rage. Drake le frappa de nouveau avant de le relâcher. Orc s'affaissa par terre.

— Tu n'as pas compris, Orc ? J'ai dit : personne ne bouge.

Orc se redressa sur les genoux et se jeta sur Drake pour le plaquer, comme un footballeur américain. Drake s'écarta avec l'agilité d'un matador. Puis, tendant la main, il dit à Chaz :

— Donne-moi ça.

Chaz lui remit sa batte. Drake appliqua une série de coups secs et violents dans les côtes, les reins et la tête de sa victime. Chaque coup était maîtrisé, efficace et précis. Orc roula sur le dos : il était à la merci de son adversaire. Posant la batte sur sa gorge, Drake lança :

— Tu vas devoir apprendre à écouter quand je te cause.

Puis il recula avec un ricanement de dédain, fit tournoyer la batte dans les airs avant de l'appuyer sur son épaule.

— Et maintenant, si tu m'expliquais ce qui se passe, monsieur le chef des pompiers ? dit-il en se tournant vers Sam avec un grand sourire.

Sam avait déjà eu affaire à des brutes auparavant, mais il n'avait jamais rencontré quelqu'un comme Drake Merwin. Orc devait peser au moins dix kilos de plus que lui, et pourtant il l'avait envoyé au tapis avec une facilité déconcertante.

Sam tendit le doigt vers Betty, qui tremblait comme une feuille.

— Je crois qu'il l'a frappée.

— Oui ? Et alors ?

— Je n'allais pas le laisser recommencer, répondit calmement Sam.

— Tu ne m'as pas donné l'impression que tu étais en train de sauver quelqu'un. Quand je suis arrivé, tu étais sur le point de te faire démolir.

Une voix stridente s'éleva de la foule :

— Betty n'a rien fait de mal !

Sans se retourner, Drake aboya :

— La ferme !

Puis, désignant Chaz du doigt, il ajouta :

— Toi, explique-moi ce qui s'est passé.

219

Chaz était un garçon athlétique avec des cheveux blonds longs jusqu'aux épaules et des lunettes à la mode. Son uniforme du pensionnat Coates était sale et froissé.

— Cette fille, lança-t-il en montrant Betty. Je l'ai vue se servir du pouvoir.

Sam sentit un frisson glacé lui parcourir le dos.

« Pouvoir » : Chaz employait ce terme avec désinvolture, comme s'il s'agissait d'un simple détail mentionné dans une conversation ordinaire. À croire que c'était une banalité connue de tous.

Drake gratifia Chaz d'un sourire narquois.

— Qu'est-ce que tu entends par là, Chaz ? demanda-t-il d'un ton lourd de menace.

— Rien, répondit ce dernier avec empressement.

— Elle faisait un tour de magie, cria quelqu'un. Elle ne voulait de mal à personne.

— J'ai essayé de l'en empêcher.

Orc s'était relevé ; il fixait Drake d'un regard à la fois haineux et craintif.

— Orc est shérif adjoint, dit Drake d'un ton professoral. Donc, quand il ordonne quelque chose, il faut lui obéir. Si cette fille a refusé d'obtempérer, je pense qu'elle a eu ce qu'elle méritait.

— Vous n'avez pas le droit d'employer la force, protesta Sam.

Avec un sourire carnassier, Drake rétorqua :

— Il faut bien faire respecter la loi, non ?

— Il y a une loi qui interdit les tours de magie ? ironisa Edilio.

— Oui, justement, répondit Drake sans le moindre humour. Mais il faut croire que tout le monde n'était pas au courant. Chaz, donne au chef la liste des règles à observer.

Sam prit la feuille froissée qu'on lui tendait sans même y jeter un coup d'œil.

— Voilà, déclara Drake. Maintenant tu connais les règles.

— D'accord, pas de magie ici, dit Quinn dans le but de calmer les esprits.

— Alors mon travail est terminé, lança Drake, l'air content de lui. (Il jeta la batte à Chaz.) Bien. À présent, que tout le monde rentre chez soi.

— Betty va rester un peu, décréta Sam.

— Comme tu le sens.

Drake s'éloigna, Orc et les autres brutes dans son sillage. La foule s'écarta à son passage. Sam s'agenouilla auprès de Betty.

— On va soigner tout ça.

— Qu'est-ce que c'est que cette histoire de magie ? demanda Quinn.

Betty secoua la tête.

— Rien du tout.

— Elle faisait jaillir des petites boules de lumière de ses mains, dit une petite voix.

— Bon, vous avez entendu les ordres de Drake : tout le monde dehors, cria Quinn. Rentrez chez vous.

Sam, Edilio et Quinn portèrent Betty à l'intérieur de l'ambulance. Edilio utilisa des compresses stériles pour nettoyer le sang sur son visage, puis désinfecta la blessure et la couvrit avec deux pansements adhésifs.

— Tu peux passer la nuit ici, Betty, proposa Sam.

— Non, il faut que je rentre, mon frère a besoin de moi, répondit-elle. Mais merci quand même.

Elle esquissa un sourire à l'intention d'Edilio.

— Je suis désolée que tu aies pris des coups par ma faute.

Edilio, embarrassé, haussa les épaules.

— Pas grave.

Sam alla raccompagner Betty pendant qu'Edilio et Quinn remontaient à l'étage. Quinn se planta devant la casserole et, à l'aide d'une écumoire, récupéra quelques tortellinis pour les goûter.

— C'est de la purée.

— Ils ont trop cuit, renchérit Edilio en y jetant un coup d'œil.

— Il reste des céréales.

Quinn s'en versa un bol et se mit à fredonner pour signifier à Edilio qu'il n'avait pas envie d'entamer la conversation. Quinn supportait mal Edilio, sa bonne humeur perpétuelle, ses compétences dans tous les domaines. Quelques minutes plus tôt, il s'était jeté sur Orc : un vrai commando mexicain à lui seul ! Il fallait être stupide pour s'en prendre à quelqu'un comme Orc, songea Quinn. C'était bien triste, ce qui était arrivé à Betty, mais à quoi bon chercher la bagarre quand on était sûr de perdre ? Si Drake n'était pas intervenu, Edilio se serait fait démolir. Quoique… pas si sûr.

Sam revint. Il salua Edilio d'un signe de tête et accorda à peine un regard à Quinn. Ce dernier serra les dents. Génial. Voilà que Sam était furieux contre lui parce qu'il n'était pas allé au casse-pipe. Sam, le grand héros. Quinn aurait pu citer des tas de fois où Sam s'était dégonflé devant une vague alors que lui y allait à tous les coups. Oui, des tas de fois.

— Les pâtes n'ont pas survécu, annonça-t-il.

— J'ai ramené Betty chez elle. J'espère que ça ira. Elle m'a dit qu'elle se sentait bien.

— Betty a le même truc que toi, non ? demanda Quinn, tandis que Sam s'attablait devant un bol de céréales.

— Oui, en moins puissant, j'ai l'impression. Elle m'a expliqué qu'elle arrivait à créer un peu de lumière dans ses mains, c'est tout.

— Oh, alors elle n'a pas encore cramé le bras de quelqu'un ?

Quinn en avait assez des regards mi-apitoyés, mi-condescendants de Sam. Il était las d'essuyer les critiques sous prétexte qu'il avait le bon sens de s'occuper de ses affaires.

Sam leva les yeux, fit mine de répliquer, puis pinça les lèvres et repoussa son bol sans rien dire.

— Voilà pourquoi tu ne peux pas en parler, reprit Quinn. Les autres vont te considérer comme un dégénéré. Regarde ce qui s'est passé ce soir.

— Betty n'est pas une dégénérée, rétorqua Sam en s'efforçant de garder son calme. C'est une fille comme les autres.

— Ne sois pas bête, Sam. Betty, le petit Pete, la gamine de l'incendie, toi. Il y en a forcément d'autres. Les gens normaux ne vont pas aimer ça ; ils vont croire que vous êtes dangereux.

— Et toi, Quinn, c'est ce que tu penses ? s'enquit Sam d'un ton tranquille en évitant son regard.

Trouvant la liste des règles dans sa poche, il la déplia avant de la poser sur la table.

— Je te demande seulement de regarder autour de toi. Ils ont assez peur comme ça. Comment les gens normaux…

— Tu veux bien cesser de répéter « les gens normaux » à tort et à travers ? rugit Sam.

Edilio, qui jouait de plus en plus les intermédiaires entre Sam et Quinn, intervint :

— Lis-nous donc ces règles à voix haute.

Avec un soupir, Sam défroissa soigneusement la feuille de papier, la parcourut des yeux, et s'éclaircit la gorge :

— La règle numéro un proclame Caine maire de Perdido Beach et de toute la Zone.

Edilio ricana.

— C'est pas la modestie qui l'étouffe !

— Règle numéro deux : Drake est nommé shérif de la Zone et il est habilité à faire appliquer les règles. Numéro trois : en tant que chef des pompiers, je suis tenu de prendre en charge toutes les urgences. Génial. J'en ai, de la chance ! (Il leva les yeux et se reprit :) Je veux dire nous.

— C'est gentil de te souvenir des petites gens, ironisa Quinn.

— Numéro quatre : personne ne peut accéder aux commerces sans la permission du maire ou du shérif.

— Tu as un problème avec ça ? lança Quinn. Les gens ne pouvaient pas continuer à se servir comme ça leur chantait.

— Oui, je suis d'accord, admit Sam à contrecœur. Numéro cinq : nous devrons tous aider Mary à la crèche, lui apporter ce qu'elle demande et lui rendre service dès qu'elle nous sollicitera. OK, ce n'est que justice. Six : tu ne tueras point.

— Sans blague ? lâcha Quinn.

Sam grimaça un sourire las, sous-entendant qu'il enterrait la hache de guerre.

— Je plaisante.

— Arrête de nous charrier et contente-toi de lire ce machin.

— J'essaie de garder le sens de l'humour bien que le monde s'écroule autour de nous. Six : nous devrons tous donner un coup de main pour inspecter les maisons. Sept : nous sommes dans l'obligation de signaler à Drake tout manquement aux règles.

— En gros, on est censés jouer les balances, résuma Edilio.

— T'inquiète, il n'y a pas de flics de l'immigration dans le coin, railla Quinn. Et, de toute façon, si quelqu'un trouve un moyen de te renvoyer au Mexique, je pars avec toi.

— Je viens du Honduras, pas du Mexique. Combien de fois faut-il que je te le répète ?

— Numéro huit, reprit Sam. Nous y voilà. Je lis tel que c'est écrit : les tours de magie ou tous agissements susceptibles de susciter la peur ou l'inquiétude sont formellement interdits.

— Qu'est-ce que ça veut dire ? demanda Quinn.

— Que Caine sait pour le pouvoir, manifestement.

— Grande surprise, commenta Edilio. Les enfants prétendent que c'était la main de Dieu. J'ai toujours pensé que Caine avait le pouvoir. Certains le prennent pour un mage ou un truc du même genre.

— S'il détenait le pouvoir, objecta Quinn, il ne demanderait pas à Orc et à Drake d'empêcher les autres de s'en servir.

— Sauf s'il veut être le seul à l'avoir, ajouta Sam.

— Tu serais pas un peu parano, frangin ?

Sam reprit sa lecture :

— Numéro neuf : la situation est grave. En période de crise, personne ne doit critiquer, ridiculiser ou gêner les responsables dans l'exercice de leur fonction.

Quinn haussa les épaules.

— Eh bien, on est en période de crise, non ? Si ça ce n'est pas une crise, je me demande bien ce que c'est.

— Alors, du jour au lendemain, on n'a plus le droit à la parole ?

Sam, incrédule, secoua la tête. Tout espoir de réconciliation l'avait abandonné. Quinn le décevait, une fois de plus.

— Enfin, c'est comme à l'école, pas vrai ? protesta Quinn. On n'a pas le droit de critiquer les profs. Pas en face, en tout cas.

— Je sens que la règle numéro dix va beaucoup te plaire, Quinn : le shérif peut décréter que les règles énoncées ci-dessus ne sont pas à même de pallier l'urgence d'une situation. Dans pareil cas, il peut instaurer toutes les règles qui lui sembleront nécessaires pour maintenir l'ordre et la sécurité.

— «Instaurer» ? ricana Quinn. À croire que c'est Astrid qui l'a rédigée, cette liste !

Sam repoussa la feuille de papier.

— Non, ce n'est pas le style d'Astrid. Ça sent mauvais.

Le regard d'Edilio reflétait l'inquiétude de Sam.

— Oui, ça revient à dire que Caine et Drake peuvent faire ce qui leur chante.

— Tu as bien résumé la situation. Et ils poussent les enfants à se soupçonner, ils les montent les uns contre les autres.

Quinn se mit à rire.

— Tu ne comprends pas, frangin. Ils se soupçonnent déjà. Tout a changé ! On est coupés du monde, sans adultes, sans parents, sans flics, sans profs et – ne le prends pas mal – voilà que certains d'entre nous commencent à muter. Et toi, tu t'attends à ce que la vie continue tranquillement, comme si la Zone n'avait jamais existé.

Sam était à bout de patience.

— Et toi, à t'entendre, on dirait que Betty avait mérité les coups qu'elle a reçus. Pourquoi tu ne te mets pas en colère, Quinn ? Pourquoi ça ne te pose aucun problème qu'une fille de notre entourage, qui n'a jamais fait de mal à une mouche, se fasse passer à tabac ?

— Comme si c'était ma faute !

Quinn se leva en faisant valser sa chaise.

— Je ne prétends pas qu'elle l'a mérité. Qu'est-ce que tu veux, les enfants se font chahuter à cause de leurs vêtements ou de leur niveau en sport ! Mais ça, c'est quand les parents et les profs sont là ! C'est notre quotidien ! Or, maintenant, tu t'imagines, dans ce bourbier, que les enfants vont penser : « Oh, super ! Sam a des rayons laser qui lui sortent des yeux ! » ou je ne sais quoi. Non, mon pote, tu n'y es pas.

À la surprise de Quinn et de Sam, Edilio renchérit :

— Il a raison. S'il en existe encore d'autres comme Betty et toi, Sam, il va y avoir du grabuge. On aura d'un côté ceux qui ont un pouvoir, et de l'autre ceux qui n'en ont pas. Moi, j'ai pris l'habitude d'être un citoyen de seconde zone… (À ces mots, il jeta un regard noir à Quinn, qui l'ignora.) Mais cette histoire risque d'exciter les jalousies et la peur. Ils sont tous paumés et ils ne vont pas tarder à se trouver quelqu'un pour porter le chapeau. En espagnol, on dit *cabeza de turco*.

— Bouc émissaire, traduisit Quinn.

Edilio hocha la tête.

— Oui, c'est ça. Un bouc émissaire.

Quinn écarta les bras avec une expression d'innocence outragée.

— Qu'est-ce que je disais ? Les gens différents finissent toujours par devenir des victimes, c'est comme ça. Tu prends tes grands airs, Sam, tu joues les vertueux, mais tu n'as toujours pas compris. Avant, le pire qui pouvait nous arriver quand on sortait du rang, c'était d'être puni ou d'obtenir une mauvaise note. À présent, quand tu dérapes, c'est à grands coups de batte dans la figure qu'on te règle ton compte. Il y a toujours eu des gros durs, mais jusqu'à présent, c'étaient les adultes qui commandaient. Aujourd'hui, ceux qui commandent, ce sont les durs. Les règles ont changé, frangin, et du tout au tout. Désormais, c'est avec leurs règles qu'on joue.

17

— Il me faut plus de médocs, criait Cookie d'une voix qui, au grand désespoir de Dahra Baidoo, ne semblait jamais faiblir.

— Il est trop tôt, répéta-t-elle pour la énième fois depuis trois jours.

— Donnez-moi des médocs ! hurla Cookie. J'ai trop mal.

Dahra se boucha les oreilles et s'efforça de déchiffrer le document qu'elle avait sous les yeux. Elle aurait peut-être été plus à même de prendre une décision si elle avait eu accès à Internet. Il lui aurait suffi de taper « overdose » sur Google. C'était bien plus compliqué d'obtenir une réponse précise auprès de l'énorme manuel de médecine écorné qu'on lui avait rapporté d'un cabinet médical de Perdido Beach.

Le problème, parmi tant d'autres, était qu'elle alternait et mélangeait tous les remèdes possibles. Aucun passage dans le livre n'expliquait comment calmer la douleur en mélangeant une pincée de ceci et un soupçon de cela.

Le petit ami de Dahra, Elwood, s'était endormi, affalé dans un fauteuil. Il s'était montré particulièrement dévoué, du moins pour lui tenir compagnie. Et il l'aidait toujours à soulever Cookie pour glisser le bassin sous ses fesses quand ce dernier avait un besoin naturel à soulager.

Mais il y avait des limites à ne pas dépasser : Elwood refusait de nettoyer le bassin ou de tenir l'entonnoir quand le malade avait envie d'uriner.

C'était Dahra qui s'en chargeait. Au cours des trois jours qui avaient suivi sa nomination accidentelle à la tête de ce royaume de souffrance situé sous l'église, un lieu sombre et sordide, Dahra avait accompli toutes sortes de tâches dont elle ne se serait jamais crue capable une semaine plus tôt. Ces tâches rebutantes incluaient l'injection quotidienne d'insuline à un petit diabétique de sept ans.

On frappa à la porte et Dahra s'arracha à son manuel inutile. Mary Terrafino entra avec une petite fille qui devait être âgée de quatre ans.

— Salut, Mary, lança Dahra. Qu'est-ce que tu nous amènes ?

— Pardon de te déranger. Je sais que tu es très occupée mais la petite a mal à l'estomac.

Les deux filles s'étreignirent. Si elles ne se connaissaient pas très bien avant l'apparition de la Zone, depuis, elles étaient comme sœurs.

Dahra s'agenouilla auprès de la fillette.

— Bonjour, ma puce. Comment tu t'appelles ?

— Ashley.

— Bien, Ashley. On va prendre ta température pour en savoir un peu plus. Viens t'asseoir sur la table d'examen.

Après avoir glissé le thermomètre électronique dans une nouvelle protection en plastique, Dahra l'introduisit dans la bouche de la petite fille.

— On dirait que tu as perdu ta langue, dit Mary en souriant.

Soudain, Cookie poussa un cri déchirant, et Ashley faillit en avaler le thermomètre.

— Je suis à court de calmants, expliqua Dahra. Je ne sais plus quoi faire. On a vidé le cabinet du médecin et, parfois, les enfants nous apportent des médicaments qu'ils ont trouvés en fouillant les maisons. Mais il est très mal en point.

— Son épaule ne va pas mieux ?

— Non, au contraire. Tout ce que je peux faire, c'est éviter que sa blessure ne s'infecte.

Elle examina le thermomètre.

— 37,1. C'est dans la moyenne. Allonge-toi, que je vérifie quelque chose. Je vais te tâter le ventre, ça risque de chatouiller un peu.

— Tu vas me faire une piqûre ? demanda la petite fille.

— Non, ma puce.

Dahra appuya sur le ventre de l'enfant avant de relâcher brusquement la pression de ses doigts.

— Ça te fait mal quand j'appuie ?

— Non, ça chatouille.

— Qu'est-ce que tu cherches ? s'enquit Mary.

— Une éventuelle appendicite.

Dahra haussa les épaules.

— C'est tout ce que je peux faire, Mary. Si je regarde à « maux de ventre » dans le manuel, j'ai tout depuis la crise de constipation jusqu'au cancer de l'estomac. Elle a probablement besoin d'aller aux toilettes.

Elle se tourna vers la petite :

— Tu as fait caca aujourd'hui ?

— Non, je crois pas.

— Je vais l'asseoir sur les toilettes, dit Mary.

— Fais-lui boire de l'eau. Un ou deux verres.

Mary serra la main de Dahra dans la sienne.

— Je sais que tu n'es pas médecin, mais c'est bien de t'avoir.

Dahra soupira.

— J'essaie de lire ce livre, mais il m'effraie plus qu'autre chose. Il y a un million de maladies dont je n'avais jamais entendu parler et auxquelles je n'ai aucune envie de penser.

— Oui, j'imagine.

Mary parut mal à l'aise, soudain. Dahra lui demanda ce qu'elle avait.

— Voilà, hum… je sais que ça peut paraître bizarre, commença Mary sur le ton de la confidence, mais tout ce que je raconte…

— Rien de ce qu'on me dit ne sort de ces murs, répondit Dahra d'un ton un peu pincé.

— Je sais. Désolée. Je… C'est un peu embarrassant.

— Mary, j'ai passé ce stade. J'ai eu ma dose d'humiliations et de dégoût ici, alors plus rien ne peut me choquer.

Mary hocha la tête. Elle sortit de sa poche le bout de papier où elle avait noté le nom de son médicament et le tendit à Dahra.

— Voilà : je prends des calmants.

— Pourquoi ?

— Juste pour, tu sais, régler quelques problèmes. Or, je suis à court. Je sais que tu as plus important à faire (elle jeta un coup d'œil à Cookie) mais sans ces comprimés…

Mary laissa échapper un soupir qui ressemblait presque à un sanglot.

— Pas de problème, dit Dahra.

Elle aurait bien voulu en savoir davantage, mais son instinct lui soufflait de ne pas poser de questions.

— Voyons ce que j'ai… Tu sais quel dosage tu prends, d'habitude ?

— Quarante milligrammes, une fois par jour.

— J'ai une envie pressante, gémit Cookie d'une voix pathétique.

Dahra se dirigea vers l'armoire où elle entreposait les médicaments, conservés dans des flacons de tailles et de couleurs différentes ; certains, sous forme d'échantillons, provenaient du cabinet médical.

Elwood s'éveilla au milieu d'un ronflement :

— Oh, je me suis endormi.

— Salut, Elwood, lança Mary.

— Mmm... marmonna Elwood avant de se rendormir.

— C'est gentil de sa part de te tenir compagnie, observa Mary.

— Il ne me sert pas à grand-chose, répliqua Dahra d'un ton cassant, puis elle se radoucit : Au moins, il est là. Je suppose que je peux te donner des cachets de vingt milligrammes, il te suffira d'en prendre deux.

Elle versa les comprimés dans sa main.

— Il y en a assez pour une semaine. Désolée, je n'ai pas de flacon.

Mary prit les comprimés avec gratitude.

— Tu es quelqu'un de bien, Dahra. Plus tard, quand tout sera fini, tu feras un bon docteur.

Dahra partit d'un rire plein d'amertume.

— Après ça, Mary, c'est bien le dernier métier que j'aimerais exercer.

La porte de l'hôpital improvisé s'ouvrit brusquement. En se retournant, les deux filles virent la grosse Betty sur le seuil. Elle entra dans la pièce en titubant, la main sur la tempe.

— Mal à la tête, dit-elle d'une voix à peine audible.

Elle avait visiblement du mal à articuler. Son bras gauche pendait le long de son corps, inerte, et elle fit quelques pas vers les deux filles en traînant la jambe. Dahra courut au-devant d'elle comme elle s'affaissait par terre.

— Elwood, réveille-toi !

Dahra, aidée d'Elwood et de Mary, porta Betty jusqu'à la table d'examen.

— J'ai envie de faire caca, gémit Ashley.

— Il me faut des médocs ! hurla Cookie.

— La ferme !

Dahra, les mains plaquées sur les oreilles, avait fermé les yeux.

— Que tout le monde se taise.

Betty parvint à se redresser et murmura :

— Pa... don.

— Je ne m'adressais pas à toi, Betty, répondit Dahra d'une voix contrite. Rallonge-toi.

Après avoir examiné le visage de sa patiente, elle dit à Elwood :

— Va me chercher le manuel.

Dahra posa le livre sur le ventre de Betty et se mit à feuilleter nerveusement l'index.

— Mal... tête, dit Betty.

Levant son bras valide, elle toucha une bosse violacée sur sa tempe.

— On t'a frappée, Betty? demanda Elwood.

Sa question parut troubler Betty. Elle fronça les sourcils et poussa un gémissement de douleur.

— Un côté de son corps ne fonctionne pas bien, déclara Dahra. Regarde comme sa bouche s'affaisse. Et ses yeux: on dirait qu'ils louchent.

— Mal... tête, répéta Betty.

— Qu'est-ce qu'on fait? demanda Mary.

— Je n'en sais rien, on n'a qu'à lui ouvrir le crâne, on verra bien si je peux réparer! rétorqua Dahra, au bord de l'hystérie. Ensuite, j'opère Cookie vite fait. Pas de problème, j'ai ce fichu bouquin.

Et à ces mots, Dahra jeta au loin le livre, qui glissa sur le lino. Elle essaya de retrouver son calme en inspirant à fond. La petite Ashley s'était mise à pleurer. Mary regardait Dahra comme si elle avait perdu la raison. Cookie réclamait tantôt des calmants, tantôt le bassin.

— O... upe-... oi de... on... ère, marmonna Betty en saisissant le bras de Mary.

Son visage se crispa sous la douleur puis, soudain, ses traits se détendirent.

— Betty? Ne me fais pas ça, Betty, chuchota Dahra.

Elle posa deux doigts sur la gorge de la malade.

— Qu'est-ce qu'elle a dit? s'enquit Elwood.

— Je crois qu'elle nous demandait de prendre soin de son petit frère, répondit Mary.

Dahra ôta sa main de la gorge de Betty et lui caressa la joue, comme pour lui dire adieu.

— Est-ce qu'elle est… ?

Mary se tut, incapable d'aller jusqu'au bout de sa question.

— Oui, murmura Dahra. Elle a dû faire une hémorragie cérébrale. Celui qui l'a frappée est un assassin. Elwood, va chercher Edilio à la caserne. Dis-lui qu'il va falloir enterrer Betty.

— Elle est auprès du Seigneur, maintenant, dit Mary.

— Je ne suis pas sûre qu'il y ait un dieu dans la Zone, répliqua Dahra.

Ils enterrèrent Betty sur la place, à côté de la petite fille, vers une heure du matin. Ils n'avaient nulle part où inhumer les morts, nulle part où préparer les corps avant de les mettre en terre.

Edilio creusa le trou avec la pelleteuse. Le rugissement du moteur et les tressautements de la pelle avaient quelque chose d'irrévérencieux.

Sam était présent, ainsi qu'Astrid et le petit Pete, Mary, Albert, qui avait abandonné le McDonald's pendant quelques minutes, Elwood, qui représentait Dahra, tenue de rester au chevet de Cookie, et les jumelles, Anna et Emma. Le petit frère de Betty était là, lui aussi : le garçon âgé de neuf ans sanglotait dans les bras de Mary. Quinn avait préféré rester à la caserne.

Edilio et Sam avaient porté le corps de Betty sur les quelques dizaines de mètres qui séparaient le sous-sol de l'église de la place. Ne trouvant pas de moyen digne ou délicat de descendre le cadavre dans le trou, ils s'étaient résolus à le pousser dedans. En touchant le fond, le corps fit un bruit sourd pareil à celui d'un gros sac qui tombe par terre.

— On devrait dire quelques mots, suggéra Anna. Évoquer nos souvenirs de Betty.

Tous s'exécutèrent et racontèrent les quelques anecdotes qui leur revenaient en mémoire. Aucun d'eux n'avait été très proche de la défunte.

Astrid récita un Notre-Père. Le petit Pete l'imita, à la surprise générale : c'était la première fois qu'on l'entendait parler autant. Tous se joignirent à eux, excepté Sam. Puis chacun jeta une pelletée de terre dans le trou et recula pour qu'Edilio finisse le travail avec la pelleteuse.

— Je lui fabriquerai une croix demain, annonça-t-il, une fois sa tâche achevée.

À la fin de la cérémonie, Orc et Howard étaient apparus, tels des fantômes dans la brume, et avaient observé la scène pendant quelques minutes avant de s'éloigner. Personne ne leur avait adressé la parole.

— Je n'aurais pas dû la laisser rentrer chez elle, dit Sam à Astrid.

— Tu n'es pas médecin. Comment pouvais-tu deviner qu'elle souffrait d'une hémorragie interne ? Et quand bien même, qu'est-ce que tu aurais fait ? La question, c'est : qu'est-ce que tu comptes faire maintenant ?

— Des suggestions ?

— Orc a tué Betty. Peut-être qu'il n'en avait pas l'intention, mais ça reste un meurtre.

— Oui, il l'a tuée. Qu'est-ce que tu veux qu'on y fasse ?

— On pourrait au moins exiger qu'il soit puni.

— Exiger auprès de qui ? demanda Sam en refermant sa veste (Le froid tombait.) Tu veux réclamer justice à Caine ?

— Question rhétorique, répondit Astrid.

— Ça veut dire quoi, rhétorique ? Que je ne peux pas espérer une réponse ?

Astrid hocha la tête. Tous deux gardèrent le silence un long moment. Mary et les jumelles, le petit frère de Betty sur les talons, reprirent le chemin de la crèche.

— Je ne sais pas si Dahra pourra continuer comme ça bien longtemps, dit Elwood sans s'adresser à quelqu'un en particulier.

Puis, redressant les épaules, il regagna l'hôpital d'un pas décidé. Edilio rejoignit Sam et Astrid.

— On ne peut pas laisser faire, vous m'entendez ? Sinon, il n'y aura plus de limites. On ne peut pas laisser les gens s'entre-tuer.

— Tu as une idée ? lança froidement Sam.

— Moi ? Je suis le métèque de service, tu te souviens ? Je ne suis pas d'ici, je ne connais même pas ces gens. Ce n'est pas moi le Petit Génie, ce n'est pas moi qui ai des pouvoirs.

À ces mots, il donna un coup de pied dans la terre fraîchement retournée. Il parut sur le point d'ajouter quelque chose mais se mordit la lèvre et s'éloigna.

— Caine a Drake et Orc, Panda et Chaz, et j'ai entendu dire qu'il avait fait la paix avec Maillet. Plus une demi-douzaine de gars, peut-être.

— Tu as peur d'eux ? demanda Astrid.

— Oui, Astrid, ils me font peur.

— D'accord, mais tu avais peur d'entrer dans cet immeuble en flammes, non ?

— Tu ne comprends rien ! s'exclama Sam avec assez de violence pour la faire reculer d'un pas. Je sais que, toi et les autres, vous voulez faire de moi l'anti-Caine. Vous n'aimez pas ses méthodes et vous souhaitez que je prenne sa place. Or, même si j'en étais capable, je ne vaudrais pas mieux que lui.

— Tu te trompes, Sam. Tu...

— Tu sais, la nuit où je me suis servi du pouvoir pour la première fois ? Qu'est-ce que j'ai ressenti, à ton avis, quand j'ai blessé mon beau-père ?

— De la tristesse. Du regret.

Astrid scruta le visage de Sam comme si elle y cherchait une réponse.

— Oui, mais tu oublies quelque chose.

Il leva la main à quelques centimètres du visage d'Astrid et serra le poing.

— J'ai aussi éprouvé une envie folle de m'en servir. J'ai pensé : Oh, regardez ce dont je suis capable.

— Le pouvoir corrompt, dit Astrid avec douceur.

— Oui, il paraît, répliqua Sam d'un ton lourd de sarcasme.

— « Le pouvoir corrompt, le pouvoir absolu corrompt absolument. » J'ai oublié qui a dit ça.

— Je commets beaucoup d'erreurs, Astrid. Et je n'ai pas envie de faire celle-là. Je ne veux pas devenir comme Caine. Je veux…

Sam ouvrit grand les bras dans un geste d'impuissance.

— Je veux juste aller surfer.

— Tu ne te laisseras pas corrompre, Sam. Ce n'est pas ton genre.

— Comment peux-tu en être aussi sûre ?

— Eh bien, pour deux raisons. D'abord, ce n'est pas dans ton caractère. C'est normal que tu aies été grisé. Et puis, tu as réfléchi. Tu ne t'es pas servi de ton pouvoir, tu l'as rejeté. Ça, c'est la première raison. Tu n'as rien en commun avec eux, que ce soit Caine, Drake ou Orc.

Sam aurait voulu acquiescer mais, au fond de lui-même, il n'était pas convaincu.

— Je ne sais pas…

— Et la seconde raison, reprit Astrid, c'est que je suis avec toi.

Soudain, toute la colère et la frustration de Sam le quittèrent. Pendant un long moment, il ne sut que répondre et garda les yeux fixés sur Astrid. Elle était tout près de lui. Son cœur, qui s'était mis à battre plus vite, semblait résonner dans tout son corps. Il fit mine de se rapprocher, puis se ravisa.

— Je ne peux pas t'embrasser devant ton petit frère.

Astrid recula, prit le petit Pete par les épaules et le fit se retourner.

— Et maintenant?

18

APRÈS LA CÉRÉMONIE funéraire, Albert traversa la place pour regagner le McDonald's. Il avait besoin de compagnie ; peut-être qu'en rallumant les lumières, quelqu'un viendrait commander un repas tardif.

Mais le petit groupe s'était dispersé avant qu'il ait eu le temps de déverrouiller la porte du McDonald's – son McDonald's –, et la place était de nouveau déserte et silencieuse à l'exception du vrombissement ténu des lignes à haute tension.

Debout avec dans une main ses clés et dans l'autre sa casquette McDonald's – qu'il avait ôtée par respect pour la défunte –, Albert fut submergé par un mauvais pressentiment. Il était d'un naturel optimiste, mais sortir en pleine nuit pour enterrer une pauvre fille assassinée par des brutes, ça n'avait rien de très réjouissant.

Albert appréciait sa solitude depuis que la Zone avait fait son apparition. Il s'inquiétait pour ses frères et sœurs. Sa mère lui manquait. Cependant, en un rien de temps, le cadet de six enfants, la victime, le bouc émissaire, le petit dernier corvéable à merci et pourtant toujours déconsidéré, était devenu un individu responsable et respecté dans cette étrange communauté.

Ça ne changeait rien au fait qu'en ce moment même, avec l'odeur de terre fraîchement retournée dans les narines et l'inquiétude qui le taraudait, il aurait adoré regarder l'un de ces feuilletons minables qu'aimait sa mère en chapardant du pop-corn dans le saladier posé sur ses genoux.

Les grandes questions concernant la Zone – les pourquoi et les comment – n'intéressaient pas beaucoup Albert. C'était un garçon pragmatique, et ces questions étaient davantage du ressort d'Astrid. Quant au meurtre de Betty, c'était à Sam, à Caine et aux gars de leur trempe de s'en occuper.

Les inquiétudes d'Albert portaient sur un tout autre sujet : personne ne travaillait, à l'exception de Mary, de Dahra et, à l'occasion, d'Edilio. Tous les autres passaient leur temps à se morfondre, à traîner leur carcasse, à se battre, à regarder des DVD ou à jouer à des jeux vidéo. Ils vivaient comme des rats dans une maison abandonnée, mangeant ce qu'ils trouvaient, semant la pagaille partout où ils allaient sans se soucier des conséquences.

La situation ne pouvait pas durer. Ils se contentaient tous de tuer le temps mais, à force, leur comportement finirait par leur jouer des tours.

Si Albert en était convaincu, il se voyait mal en persuader les autres. Il n'avait pas l'assurance tranquille de Caine quand il parlait, ni le détachement et le savoir d'Astrid. Lorsqu'il prenait la parole, il ne captait pas l'attention des gens comme Sam. Il lui fallait les mots de quelqu'un d'autre pour exprimer ce que lui dictait son instinct.

Albert mit ses clés dans sa poche et remonta la rue d'un pas décidé. La raison lui commandait de rentrer chez lui pour grappiller quelques heures de sommeil. L'aube serait bientôt là. Mais il ne pourrait pas fermer l'œil, il le savait. Sam, Caine, Astrid et Jack avaient leurs secrets, et celui-là, c'était le sien.

— On ne peut pas vivre comme des rats, marmonna-t-il. Il faut…

Mais il avait beau essayer de s'expliquer sa vision des choses, il ne trouvait pas les mots.

La bibliothèque municipale de Perdido Beach n'avait rien d'impressionnant. C'était un endroit sombre, poussiéreux, bas de plafond, et une odeur de moisi l'assaillit quand il y pénétra. Il n'y était jamais entré jusqu'à ce soir et fut un peu surpris de trouver la porte déverrouillée et les néons allumés.

— Personne n'a mis les pieds ici depuis l'apparition de la Zone, lança-t-il à l'intention d'une étagère chargée de livres jaunis.

Il inspecta le vieux bureau en chêne dans l'espoir de mettre la main sur une barre chocolatée. Il ne trouva qu'une boîte de pastilles mentholées qui devait traîner là depuis un bon bout de temps : des friandises destinées à des enfants qui ne venaient jamais.

Il en prit une et se mit à examiner les maigres rayonnages. Il cherchait quelque chose sans savoir quoi exactement. Apparemment, la plupart de ces livres n'avaient pas été ouverts depuis une éternité.

Il dénicha une encyclopédie, une version papier de Wikipedia en nettement plus encombrant. Il saisit un volume et s'assit sur la moquette élimée. S'il ignorait ce qu'il cherchait au juste, il savait par où commencer. À force de feuilleter il trouva le mot « travail », que l'encyclopédie définissait comme « l'ensemble des activités nécessaires à la survie de la société ».

— Oui, dit Albert. C'est bien de ça que je parle.

Il commença à lire. Il passait d'un article à l'autre, d'un livre à l'autre et ne saisissait qu'en partie ce qu'il lisait. C'était un peu comme cliquer sur des liens, mais en moins rapide.

« Travail » le mena à « productivité », qui le mena à un certain « Karl Marx », puis à un autre vieux croûton nommé Adam Smith. Albert n'avait jamais été un élève très studieux. Ce qu'on lui enseignait à l'école ne servait pas à grand-chose, à son avis.

Seulement, cette fois, c'était important : tout avait une importance, désormais.

Albert glissa peu à peu vers le sommeil et fut réveillé en sursaut par la sensation d'être épié. Il se leva d'un bond, se retourna et poussa un énorme soupir de soulagement : ce n'était qu'un chat. Un gros chat tigré, sans doute âgé, avec un collier rose orné d'un médaillon de cuivre en forme de cœur. Il était posté au milieu de l'allée, l'air parfaitement confiant et sûr de lui ; il le fixa de ses yeux verts et remua la queue.

— Salut, minou, dit Albert.

À cet instant, le chat disparut.

Albert recula, abasourdi, puis poussa un cri de douleur : l'animal s'était jeté sur lui et lui plantait ses griffes dans la tête. Albert appela à l'aide, mais la bête enfonça un peu plus ses griffes dans la chair. Albert tenait toujours en main un volume de l'encyclopédie : il s'en assena un grand coup sur la tête.

Or le chat avait de nouveau disparu et Albert manqua s'assommer. Quant au félin, il se trouvait de l'autre côté de la pièce, tranquillement assis sur le comptoir de la bibliothécaire.

Albert devait rêver : aucun être vivant n'était capable de se mouvoir aussi vite.

Les jambes flageolantes, il recula vers la porte qui donnait sur la rue. Sans qu'il ait pu détecter le moindre mouvement, le chat disparut du comptoir et, l'instant d'après, il le sentit plaqué contre lui, lui lacérant le cou de ses griffes en feulant. De nouveau, Albert leva le gros livre pour en frapper l'animal et, une fois encore, le coup manqua l'assommer : le chat était désormais perché sur une pile d'ouvrages, le narguant de ses yeux verts étincelant de mépris.

Albert comprit qu'il allait encore l'attaquer. D'instinct, il leva le livre pour se protéger le visage et le sentit tressauter violemment dans ses mains au moment où la bête furieuse se jetait sur lui.

Il tenait toujours le livre à la main. Sauf qu'à présent, le chat était prisonnier du gros volume relié de cuir bleu. Albert, glacé d'horreur, vit les yeux du félin se voiler tandis qu'il exhalait son dernier souffle.

Il jeta l'encyclopédie par terre. Le livre avait coupé le chat en deux au niveau des pattes de devant. On aurait dit que quelqu'un avait cousu les deux tronçons de l'animal au livre. Son dos dépassait de la couverture.

Encore sous le coup de la terreur, Albert avait du mal à retrouver son souffle.

«Tu es train de faire un cauchemar», se dit-il.

Mais s'il était en train de rêver, ce songe ressemblait sacrément à la réalité. Il n'aurait pas pu imaginer l'odeur de moisi, pas plus que la puanteur de la bête quand ses boyaux et sa vessie s'étaient vidés au moment de rendre l'âme.

Albert se souvint d'avoir vu le grand sac à bandoulière de la bibliothécaire posé sur le bureau.

De ses mains tremblantes, il en vida le contenu : rouge à lèvres, portefeuille, poudrier, un téléphone portable tout cabossé.

Il ramassa l'encyclopédie avec des gestes précautionneux. Elle était lourde : au poids du livre s'ajoutait celui du chat. Et le tout était trop grand pour entrer dans le sac. Pourtant, il fallait bien montrer cette chose à quelqu'un. Albert avait besoin qu'on lui dise qu'il n'était pas en train de rêver, qu'il n'avait pas perdu l'esprit.

Caine ? Non. Sam ? Il devait être à la caserne, mais ce mystère était davantage du ressort d'Astrid. Deux minutes plus tard, il s'avançait sur le perron illuminé de sa maison.

Astrid ouvrit la porte avec méfiance après avoir jeté un coup d'œil au judas.

— Albert ? C'est le milieu de la n... Oh, qu'est-ce qui t'est arrivé au visage ?

— J'aurais besoin de quelques pansements, répondit-il.

Il avait complètement oublié ses blessures.

— Oui, un petit coup de main ne serait pas de refus, reprit-il. Mais ce n'est pas pour ça que je suis venu. Astrid, je...

Les mots lui manquèrent. Maintenant qu'il était sain et sauf, la peur revenait et, pendant quelques instants, il ne put articuler un son.

Astrid le fit entrer et referma la porte derrière lui. D'une voix étranglée, il dit :

— Regarde.

Il laissa tomber le livre avec le chat sur le tapis persan. Astrid se figea.

— C'est arrivé si vite. Il m'a attaqué ; je ne l'ai même pas vu bouger. Il était là, devant moi, et soudain... Il ne s'est pas jeté sur moi, Astrid. Il s'est simplement... matérialisé.

Astrid s'agenouilla et, d'un geste prudent, poussa le livre pour essayer de l'ouvrir, mais le cadavre du chat collait les pages les unes aux autres, comme si son corps ne faisait plus qu'un avec le papier.

— Qu'est-ce que c'est ? demanda Albert d'un ton suppliant.

Astrid, les yeux fixés sur la chose, ne répondit rien. Albert se tut pour la laisser réflechir. Comme elle ne répondait toujours pas, il se fit une raison : l'impossible ne pouvait pas s'expliquer.

Pourtant, elle la voyait, cette chose qui ne pouvait pas être. Il n'était pas fou.

Enfin, au terme d'un long silence qui lui sembla une éternité, Astrid murmura :

— Viens, Albert. Occupons-nous de ces griffures.

Allongée dans l'obscurité de la cabane, Lana écoutait les échos mystérieux du désert au-dehors. D'abord, un bruit ténu pareil au frôlement d'une main sur de la soie. Puis des coups brefs, semblables à ceux d'une batterie minuscule, qui ralentirent au bout de quelques secondes et se turent avant de reprendre de plus belle.

Le moulin poussait des plaintes exaspérantes, sans aucune régularité, agité par d'imperceptibles souffles d'air qui faisaient décrire un quart de tour à ses ailes rongées par les ans – parfois un demi-tour, suivi d'un grincement sonore – ou les caressaient à peine, et le bois produisait un son pareil au pépiement aigu d'un oisillon.

Ces bruits étaient dominés par le ronflement réconfortant de Pat. Il ronflait par intermittence et, de temps à autre, laissait échapper un gémissement sourd qui réchauffait le cœur de Lana.

Son corps allait mieux. Ses blessures avaient toutes miraculeusement guéri. Elle avait nettoyé le sang séché et disposait d'eau, de nourriture et d'un toit pour s'abriter. Pourtant, le cerveau de Lana fonctionnait comme une machine lancée à toute allure. Il ressassait encore et encore des souvenirs de souffrance et de terreur, des visions du siège vide de son grand-père, de la dégringolade dans le ravin, des charognards, du puma.

Mais, si atroces soient-elles, ces images n'étaient qu'un écran de fumée qui en dissimulait d'autres, plus tenaces. Des souvenirs de sa maison. De son école. Du centre commercial. De la voiture de son père et du van de sa mère. De la piscine municipale. La ligne, tremblotante comme un mirage, des gratte-ciel de Las Vegas, visible de la fenêtre de sa chambre.

Prises toutes ensemble, ces images qui se succédaient dans sa tête alimentaient une rage sourde et inapaisable.

Elle aurait dû être chez elle, dans sa chambre, entourée de ses amis, et pas seule ici, à écouter mille bruits étranges ponctués de grincements et de ronflements.

Si elle avait pris un peu plus de précautions... Elle avait essayé de glisser la bouteille de vodka dans son sac, celui avec les perles qu'elle aimait tant, mais il était trop petit ; le seul contenant assez grand aurait été sa besace d'écolière, qu'elle n'avait pas voulu emporter parce qu'elle n'était pas assortie à sa tenue. C'était pour ça qu'elle s'était fait prendre. Pour une stupide histoire de coquetterie. Et maintenant...

Lana fut prise d'un accès de fureur et crut s'étrangler de rage. Tout ça, c'était la faute de sa mère. Son père, lui, s'était contenté de suivre le mouvement. Il avait dû se ranger à l'avis maternel, bien qu'il soit le moins strict et le plus indulgent des deux. Ce n'était pas la fin du monde, d'avoir donné une bouteille de vodka à Tony ! Après tout, il n'avait pas conduit en état d'ivresse.

La mère de Lana ne comprenait rien à Las Vegas. Cet endroit n'avait rien à voir avec Perdido Beach. Là-bas, elle subissait des pressions. C'était une grande ville, et pas n'importe laquelle, avec ça. Les enfants grandissaient plus vite à Las Vegas. Dès l'âge de douze ou treize ans, ils devaient se plier à des exigences, alors à quatorze !

Son idiote de mère ! C'était sa faute.

Quoiqu'elle eût été bien en peine de lui reprocher l'apparition de ce mur impressionnant en plein désert. Là, elle n'y était pour rien. C'était peut-être un coup des extraterrestres ; peut-être qu'en ce moment même des monstres effrayants poursuivaient son père et sa mère dans les rues de Las Vegas, comme dans *La Guerre des mondes*.

Lana trouva cette pensée étrangement réconfortante. Elle, au moins, n'était pas la proie d'extraterrestres se déplaçant dans de gigantesques tripodes. Peut-être que le mur était un moyen de se défendre contre les envahisseurs. Peut-être qu'elle était en sécurité de ce côté-ci de la barrière.

La bouteille de vodka n'était pas le seul objet qu'elle avait dérobé pour Tony ; elle avait aussi subtilisé quelques calmants dans l'armoire à pharmacie de sa mère pour les lui donner. Et une autre fois, elle avait volé une bouteille de vin dans une épicerie.

Lana n'était pas naïve. Elle n'avait jamais cru que Tony l'aimait et savait parfaitement qu'il se servait d'elle. Elle lui rendait la pareille, à sa façon. Tony avait acquis une réputation à l'école et, de fait, elle en avait bénéficié.

Au beau milieu d'un ronflement, Pat leva soudain la tête.

— Qu'est-ce qu'il y a, mon vieux?

S'arrachant au lit étroit, Lana s'accroupit sans bruit sur le sol de la cabane plongée dans les ténèbres, la peur au ventre.

Il y avait quelque chose dehors. Des bruits de pas étouffés lui parvenaient. Pat se leva lentement, les poils hérissés, les yeux fixés sur la porte.

Il y eut un grattement contre le panneau de bois, semblable au bruit que ferait un chien essayant d'entrer. Puis Lana entendit, ou du moins crut entendre, un murmure à peine compréhensible:

— Sors.

Pat, qui aurait dû se mettre à aboyer, ne réagit pas. Immobile, il haletait bruyamment sans quitter des yeux la porte.

— Tu t'imagines des choses, chuchota Lana pour se rassurer.

— Sors, répéta la voix rocailleuse.

Lana s'aperçut qu'elle avait envie de faire pipi. Une envie pressante, et il n'y avait rien qui ressemblât à des toilettes dans la cabane.

— Il y a quelqu'un? cria-t-elle.

Pas de réponse. Ce devait être le fruit de son imagination ou le vent qui soufflait au-dehors. Elle rampa jusqu'à la porte et tendit l'oreille. Rien. Elle jeta un coup d'œil à Pat; malgré les poils de son dos encore tout hérissés, il s'était un peu détendu. La menace, quelle qu'elle soit, avait dû s'éloigner.

Lana entrouvrit la porte. Rien dans son champ de vision et, manifestement, Pat n'était plus inquiet. Elle n'avait pas d'autre choix que de courir jusqu'à l'appentis. Elle s'élança, suivie de son chien.

L'appentis était une espèce de boîte aux murs nus, posée à la verticale contre la cabane ; l'endroit semblait assez propre et ne sentait pas trop mauvais. Il n'y avait pas de lumière, bien entendu, et Lana dut tâtonner pour trouver le siège des toilettes et du papier.

À un moment, elle ne put retenir un gloussement nerveux : c'était un peu bizarre d'uriner dans cet endroit pendant que son chien montait la garde.

Le retour à la cabane fut un peu plus agréable. Lana prit le temps de contempler le ciel nocturne : la lune descendait déjà à l'ouest. Quant aux étoiles, elles avaient l'air bizarre, mais Lana n'aurait pas su dire ce qui clochait.

Elle reprit sa marche en direction de la cabane et se figea. Un coyote posté devant la porte lui barrait le passage. Or, ce coyote-là n'avait rien à voir avec ceux que son grand-père lui avait montrés, qui n'atteignaient même pas la taille de Pat. Cette bête à la fourrure jaune sale était de la taille d'un loup.

Pat, qui n'avait ni vu ni entendu l'animal s'approcher, semblait trop choqué pour réagir. Lui qui s'était battu avec un puma semblait effrayé et hésitant.

Le grand-père de Lana lui avait parlé des animaux du désert : le coyote, qu'on devait traiter avec respect sans le craindre pour autant ; les lézards, qui détalaient en vous faisant sursauter ; les daims, qui ressemblaient plus à de gros rats qu'à Bambi ; les lapins sauvages, si différents de leurs cousins domestiqués ; et les serpents à sonnette, qui ne présentaient pas de menace tant qu'on portait des bottes et qu'on gardait les yeux ouverts.

— Ouste ! cria Lana en agitant les mains, comme son grand-père le lui avait appris.

Le coyote ne bougea pas.

Soudain, il émit un jappement aigu qui la fit reculer. Du coin de l'œil, elle vit des silhouettes sombres, au nombre de trois ou quatre, s'avancer vers elle avec la rapidité d'une ombre.

Pat se décida enfin à réagir et poussa un grondement menaçant en découvrant les crocs, le poil hérissé. Pourtant le coyote ne bougeait toujours pas et ses compagnons se rapprochaient.

Si Lana avait toujours entendu dire que les coyotes n'étaient pas dangereux pour les humains, elle avait de plus en plus de mal à le croire. Elle fit un pas de côté dans l'espoir de leurrer l'animal, mais il était trop rapide pour se laisser berner.

— Pat, attaque ! cria-t-elle, au désespoir.

Pat s'en tint à des grognements sourds et à d'autres tentatives d'intimidation dérisoires. Dans quelques secondes, les autres coyotes les auraient rejoints, et alors… comment savoir ce qui se passerait ?

Lana n'avait pas d'autre choix que de se réfugier dans la cabane. C'était son seul salut. Avec un cri perçant, elle s'élança vers le coyote qui recula, surpris. Elle vit une petite chose brune bondir, rapide comme l'éclair, et le coyote poussa un glapissement de douleur. Saisissant sa chance, elle passa en trombe près de lui. Plus que dix pas avant la porte. Neuf, huit, sept, six…

Pat, qui la précédait, paniqué, se précipita à l'intérieur. Le talonnant de près, Lana claqua la porte derrière elle, puis fit volte-face et se jeta contre le battant.

Mais les coyotes ne l'avaient pas poursuivie. Ils étaient confrontés à d'autres problèmes. Elle entendit des glapissements frénétiques de douleur et de rage.

Au bout d'un moment, les cris se raréfièrent puis se turent. L'un des coyotes poussa un dernier hurlement sauvage au clair de lune, puis le silence revint.

Au matin, à la lumière du soleil, une fois les terreurs de la nuit dissipées, Lana trouva le coyote mort à quelques mètres de sa porte, avec une moitié de serpent enroulée autour du museau. Le reptile avait une large tête triangulaire ; son corps avait été à demi happé, mais le venin avait eu le temps de se propager.

Elle observa longtemps la tête du reptile ; c'était un serpent, pas de doute là-dessus, pourtant elle aurait juré l'avoir vu voler.

Elle chassa cette image de son esprit, ainsi que le murmure derrière la porte, qu'elle avait forcément imaginé : les serpents volants et les coyotes qui parlent, de la taille d'un dogue allemand, ça n'existait pas. Il fallait être fou pour donner foi à ce genre d'absurdités.

— On dirait que Grandpa ne s'y connaît pas si bien que ça en faune du désert, finalement, dit-elle à Pat.

— TU N'ES pas obligé d'aimer ce type, mais il fait du bon boulot.

Quinn s'apprêtait à frapper à leur troisième porte de la matinée. Il faisait équipe avec Sam et une fille du pensionnat, une certaine Brooke. Ils étaient l'«équipe numéro trois».

Huit jours s'étaient écoulés depuis l'apparition de la Zone. Cinq depuis que Caine avait pris les choses en main. Quarante-huit heures depuis que Sam avait embrassé Astrid près d'une tombe toute fraîche.

Caine avait désigné dix équipes de recherche chargées de quadriller la ville ; dans un premier temps, chacune avait hérité d'un quartier. Le projet de Caine consistait à visiter chaque habitation bâtie dans les quatre rues qui formaient un pâté de maisons. Il fallait s'assurer que tout était éteint : le four, l'air conditionné, la télé, les lumières intérieures et extérieures, l'arrosage automatique, le chauffe-eau.

S'ils n'y arrivaient pas seuls, ils devaient en prendre note pour passer le relais à Edilio qui, apparemment, savait résoudre n'importe quel problème technique. Il déambulait dans Perdido Beach, ses outils pendus à la ceinture, avec deux gamins du pensionnat désignés comme « auxiliaires ».

Les équipes de recherche devaient aussi localiser les enfants égarés, les bébés abandonnés, pris au piège dans leur berceau, et les animaux de compagnie.

Dans chaque habitation, ils devaient dresser une liste des objets utiles tels que les ordinateurs, ou dangereux, comme les drogues ou les armes. Ils devaient aussi recenser la nourriture et collecter tous les médicaments pour Dahra. Les couches et le lait maternisé finissaient à la garderie.

L'idée en soi n'était pas mauvaise.

Caine avait sans conteste de bonnes initiatives. Il avait chargé Jack le Crack d'établir un système de communication d'urgence. Ce dernier avait opté pour la bonne vieille méthode et installé des radios à ondes courtes à l'hôtel de ville, la caserne, la garderie et dans la maison abandonnée que Drake occupait avec quelques-uns de ses shérifs.

En revanche, Caine n'avait intenté aucune action à l'encontre d'Orc. Sam était allé le trouver pour réclamer justice.

— Qu'est-ce que tu veux que j'y fasse ? avait répondu Caine d'un ton raisonnable. Betty enfreignait les règles, et Orc est shérif. C'est une tragédie pour toutes les personnes impliquées. Orc s'en veut beaucoup.

Orc n'en continuait pas moins à rôder dans les rues de Perdido Beach. D'après ce qu'avait entendu dire Sam, sa batte était encore souillée par le sang de Betty. Et depuis lors, la peur que suscitaient ces shérifs autoproclamés avait été multipliée par dix.

— N'en parlons plus, trancha Sam.

Il n'avait pas l'intention de débattre de Caine devant Brooke. Il soupçonnait cette fille, âgée de dix ans à peine, de l'espionner pour son compte. De toute façon, il était de mauvaise humeur car sa maison figurait parmi celles qu'ils étaient censés visiter pendant la journée.

Quinn frappa à la porte puis sonna.

— *Nada.*

Il essaya d'actionner la poignée ; elle était bloquée.

— Passe-moi la masse, dit-il.

Chaque équipe traînait une petite remorque empruntée à la quincaillerie ou au jardin d'un particulier. Elle servait entre autres à transporter une lourde masse.

Il leur avait fallu deux heures pour s'acquitter des deux premières maisons. Il s'écoulerait du temps avant que chaque habitation de Perdido Beach soit fouillée et sécurisée.

— Tu veux t'en occuper ? demanda Sam, soulagé de s'en remettre à Quinn.

— Je ne vis que pour ça, frangin.

Quinn leva la masse avant de l'abattre sur le panneau de la porte, juste en dessous de la poignée. Le bois céda et il poussa le battant d'un coup de pied. L'odeur les saisit à la gorge.

— Dites donc, quelqu'un est mort, ici ! lança Quinn sur le ton de la plaisanterie.

Sa blague tomba à plat. Sur le plancher près de la porte se trouvait une tétine. Tous trois la fixèrent en silence.

— Non, non, non, gémit Brooke. Je ne peux pas faire ça.

Immobiles sur le seuil, ils n'avaient la force ni d'avancer ni de s'enfuir.

Les mains de Brooke s'étaient mises à trembler si fort que Sam les prit dans les siennes.

— Ne t'inquiète pas. Tu n'es pas obligée d'entrer.

Brooke avait des joues rebondies constellées de taches de rousseur et des cheveux roux secs comme de la paille. Elle portait l'uniforme du pensionnat. Jusqu'à cet instant, cette fille avait été une sorte d'énigme : elle ne plaisantait jamais et se contentait de suivre les ordres de Sam.

— C'est juste que, depuis Coates…

— Quoi, depuis Coates ? demanda Sam.

Brooke rougit.

— Rien. Tu sais, depuis que les adultes ont disparu.

Puis, sentant qu'elle devait une explication, elle ajouta :

— Je ne veux plus voir d'horreurs, tu comprends ?

Sam lança un regard lourd de sous-entendus à Quinn mais ce dernier haussa les épaules.

— Il y a un enfant mort ici, on n'a pas besoin d'entrer pour le savoir.

— Il y a quelqu'un ? cria Sam, puis il se tourna vers Quinn : On ne peut pas faire comme si de rien n'était.

— Peut-être qu'un rapport à Caine suffirait.

— Je ne le vois pas faire du porte-à-porte. Il ne décolle pas les fesses de sa chaise, comme s'il était l'empereur de Perdido Beach.

Personne ne répondit ; il lança :

— Donnez-moi un gros sac-poubelle.

Quinn s'exécuta. Dix minutes plus tard, la tâche de Sam était terminée. Il traîna le sac et son triste contenu sur le tapis de l'entrée puis le souleva pour le transporter jusqu'à la remorque.

— C'est comme sortir les poubelles, songea-t-il tout haut.

Ses mains tremblaient. Il était si furieux qu'il avait envie de frapper quelqu'un. S'il avait pu mettre la main sur le responsable de tout ce chaos, il l'aurait étranglé avec plaisir.

Mais surtout, Sam était furieux contre lui-même. Il n'avait jamais côtoyé ces gens. La mère, célibataire, enchaînait les amants. Ce n'étaient pas des amis, ni même des connaissances, et pourtant il aurait dû se souvenir du bébé.

Sans jeter un seul regard à Quinn et à Brooke, il ajouta :

— Ouvrez les fenêtres pour laisser entrer l'air. On reviendra quand… quand l'odeur se sera dissipée.

— Hors de question que j'entre là-dedans, décréta Quinn.

Sam le rejoignit en quelques enjambées. En voyant l'expression de son visage, Quinn recula d'un pas.

— J'ai mis le corps de ce bébé dans un sac-poubelle, OK ? Alors tu peux bien aller ouvrir une fenêtre. Exécution.

— Baisse d'un ton, fit Quinn. Je n'ai pas d'ordres à recevoir de toi.

— Ce sont les ordres de Caine.

Quinn leva la main comme pour le provoquer.

— Désolé, je t'énerve ? Tu n'as qu'à me brûler la main, Superman.

Sam et Quinn s'étaient souvent disputés par le passé. Mais depuis l'apparition de la Zone, et en particulier depuis que Sam avait révélé la vérité sur son compte, le moindre désaccord tournait au vinaigre. Ils se faisaient face à présent, prêts à se jeter l'un sur l'autre. Du moins, Sam était assez remonté pour en arriver là. Brooke intervint :

— Je m'en charge, Sam.

Sam, le visage à quelques centimètres de celui de Quinn, dit entre ses dents :

— Je n'ai pas envie que les choses prennent cette tournure-là.

Quinn se détendit et répondit avec un sourire forcé :

— Y a pas de lézard, frangin.

Se tournant vers Brooke, Sam lança :

— Ouvre les fenêtres. Puis trouve Edilio et demande-lui de creuser un autre trou. Je m'occupe de ma maison. Ce serait sympa de rapporter la remorque en ville mais, si tu ne t'en sens pas capable, je comprendrai.

Il s'éloigna sans ajouter un mot et, parvenu au bout de l'allée, il s'arrêta net :

— Brooke, vois si tu peux dénicher une photo de lui avec sa mère, d'accord ? Je ne veux pas qu'on l'enterre tout seul. Il…

Incapable de poursuivre, il se tut. À moitié aveuglé par ses larmes, il descendit la rue au pas de charge, franchit le perron de sa maison, qu'il détestait par-dessus tout, et claqua la porte derrière lui.

Il ne remarqua pas tout de suite que l'ordinateur portable de sa mère avait disparu. Il toucha la table à l'endroit où il se trouvait lors de sa dernière visite, comme pour s'assurer qu'il ne rêvait pas. Puis il s'aperçut que les tiroirs et les placards étaient ouverts. Les provisions, qu'on n'avait pas jugé utile d'emporter, étaient éparpillées sur le plan de travail et le sol. Il courut jusqu'à sa chambre. La lumière était toujours là. Sa maigre tentative de camouflage n'avait pas suffi.

Quelqu'un savait. Quelqu'un l'avait vue.

Mais ce n'était pas tout ; dans la chambre de sa mère, la commode et la penderie avaient été mises à sac. Connie Temple conservait une boîte en métal cadenassée au fond de son placard. Sam était au courant parce qu'à maintes occasions elle la lui avait montrée.

— S'il m'arrive quelque chose, c'est là que je garde mon testament.

La mine sérieuse, elle avait ajouté :

— Tu sais, au cas où je me ferais renverser par un bus.

— Il n'y a pas de bus à Perdido Beach, avait-il objecté.

— Mmm, voilà qui explique pourquoi ils arrivent toujours en retard, avait-elle commenté en riant avant de le prendre dans ses bras.

Tout en le serrant contre elle, elle avait chuchoté :

— Sam, il y a aussi ton extrait de naissance, là-dedans.

— D'accord.

— À toi de décider quand tu voudras le voir.

Il s'était raidi contre elle ; elle lui offrait une chance de connaître la vérité. Trois noms figuraient sur cet extrait : le sien, celui de sa mère et celui de son père.

— On verra, avait-il répondu, avant de s'arracher doucement à son étreinte.

Il aurait aimé ajouter quelque chose, s'excuser pour ce qui était arrivé à Tom, lui demander s'il avait aussi, d'une manière ou d'une autre, effrayé son véritable père.

Mais sa vie était jalonnée de secrets. Et bien que sa mère lui ait fait cette proposition, elle n'aurait pas souhaité qu'il viole la règle du silence.

Sam était au courant pour la boîte depuis des mois. Il savait où se trouvait la clé. Et voilà qu'elle avait disparu. Il avait très peu de doutes sur l'identité du voleur.

Désormais, Caine savait qu'il détenait le pouvoir.

Il enfourcha son vélo. Il avait désespérément besoin de voir Astrid. Elle avait toujours réponse à tout.

La plupart des enfants se déplaçaient à vélo ou en skate, maintenant. Seuls les petits marchaient. En traversant la place pour se rendre chez Astrid, il vit une procession de bambins descendre la rue. John marchait en tête tandis que Mary promenait une poussette à deux places. Une fille en uniforme du pensionnat les suivait, un bébé calé sur la hanche. Deux autres enfants, nommés pour la journée, guidaient la trentaine de petits placés en file indienne. Ils étaient très solennels pour des enfants aussi jeunes, à l'exception de quelques chahuteurs qui s'attirèrent les foudres de Mary :

— Julia et Alice, restez dans le rang !

Les jumelles, Emma et Anna, surveillaient l'arrière de la file. Sam les connaissait bien : il était sorti avec Anna pendant un temps. Emma était équipée d'une poussette et Anna d'un caddie chargé de casse-croûtes, de couches et de biberons.

Sam s'arrêta et attendit qu'ils traversent la rue. Ils s'étaient agglutinés au bord du passage clouté, ce qui lui sembla tout à fait approprié : mieux valait qu'ils apprennent, dès leur plus jeune âge, à traverser la rue comme s'il y avait du trafic. Certains enfants s'étaient essayés à la conduite et, dans de nombreux cas, mal leur en avait pris. Caine avait aussi édicté des lois à ce sujet : plus personne n'avait le droit de prendre le volant, excepté quelques personnes de son entourage, et Edilio qui serait peut-être amené à conduire l'ambulance ou le camion de pompiers.

— Salut, Anna, lança poliment Sam.

— Salut, Sam. Où t'étais ?

Sam haussa les épaules.

— À la caserne. Je vis plus ou moins là-bas, maintenant.

Anna montra les petits qui marchaient devant elle.

— Moi, je pouponne.

— Quelle corvée !

— Ça va, ça ne me dérange pas.

— Où allez-vous ?

— À la plage. On a prévu de pique-niquer.

— Cool. À plus !

Anna lui fit signe de la main en s'éloignant.

— Hé, souhaite-nous un bon anniversaire ! cria Emma.

— Joyeux anniversaire, toutes les deux !

Sam, debout sur ses pédales, accéléra pour rejoindre Astrid. Il se sentit un peu triste en repensant à son unique rendez-vous avec Anna. C'était une chouette fille. Mais, à vrai dire, il ne s'intéressait pas beaucoup à la gent féminine en ce temps-là. S'il était sorti avec elle, c'était parce qu'il sentait qu'il fallait bien en passer par là. Il ne voulait pas que les autres le prennent pour un crétin. Et sa mère n'avait de cesse de lui demander s'il avait une copine, alors il avait emmené Anna au cinéma. Il se souvenait très bien du film : *Stardust*.

Anniversaire ?

Sam fit brusquement demi-tour et pédala à fond de train pour rejoindre le groupe. Il ne lui fallut pas longtemps pour les rattraper. Ils venaient d'atteindre la plage : les petits enjambaient maladroitement la barrière et couraient pieds nus sur le sable avec des éclats de rire tandis que Mary leur criait d'un ton sévère :

— Gardez vos chaussures, vous allez les perdre ! Alex, ramasse tes chaussures et tiens-les à la main.

Sam jeta son vélo à terre et courut à perdre haleine vers Anna.

— Qu'est-ce qu'il y a, Sam ?

— Quel âge ? demanda-t-il, haletant.

— Quoi ?

— Quel âge ça te fait ?

Il fallut quelques instants à Anna pour comprendre la raison de sa frayeur.

— Quinze ans, répondit-elle dans un souffle.

— Et alors ? fit Emma, qui avait perçu un changement d'humeur chez sa jumelle. Ça ne veut rien dire.

— Tu as sûrement raison, déclara Sam.

— Mon Dieu, est-ce qu'on va disparaître ? s'enquit Anna.

— Quelle est l'heure exacte de votre naissance ?

Les jumelles échangèrent un regard terrifié.

— Aucune idée.

— Vous savez que, depuis le premier jour, personne ne s'est volatilisé, alors…

À cet instant, Emma disparut. Anna poussa un hurlement. Les autres enfants, petits et grands, se tournèrent vers elle.

— Oh mon Dieu ! cria Anna. Emma ! Emma !

Elle saisit les mains de Sam qui la serra fort contre lui. Mary s'avança vers eux.

— Qu'est-ce qui se passe ? Vous effrayez les enfants. Où est passée Emma ?

Anna ne cessait de répéter «oh mon Dieu!» en appelant sa sœur.

— Où est Emma? demanda de nouveau Mary. Qu'est-ce qu'il y a?

Sam n'avait pas le cœur à se lancer dans des explications. Les doigts d'Anna lui labouraient le dos des mains. Ses yeux écarquillés d'effroi le regardaient fixement.

— À combien de temps d'intervalle êtes-vous nées?

Horrifiée, Anna le dévisagea sans répondre. Baissant la voix, Sam répéta:

— Combien, Anna?

— Six minutes. Ne lâche pas mes mains, Sam. Ne me laisse pas.

— Promis, Anna. Je ne te lâcherai pas.

— Qu'est-ce qui va se passer?

— Je ne sais pas, Anna.

— Je vais retrouver mes parents?

— Je ne sais pas.

— Et si je meurs?

— Non, Anna. Tu ne vas pas mourir.

— Ne me lâche pas, Sam.

Mary s'était rapprochée, un bébé dans les bras. John les avait rejoints, lui aussi. Quelques petits observaient la scène, le visage grave, tendu par l'inquiétude.

— Je ne veux pas mourir, répéta Anna. Je... je ne sais pas comment c'est, là-bas.

— Tout ira bien, Anna.

Anna sourit.

— C'était chouette, ce rendez-vous. Tu t'en souviens ?

— Oui, c'était chouette.

Pendant une fraction de seconde, Sam eut l'impression que l'image d'Anna devenait floue. Tout alla trop vite pour qu'il en ait le cœur net, mais il aurait pu jurer qu'elle lui avait souri. Et soudain, ses doigts se refermèrent sur le vide.

Pendant un long moment, personne n'osa bouger ni parler. Petits et grands fixaient, muets d'horreur, l'endroit où se tenait Anna quelques minutes plus tôt. Sam pouvait encore sentir le contact de ses doigts. Il scruta le vide comme pour y chercher son visage. Il croyait encore voir ses yeux suppliants.

Malgré lui, il tendit la main vers le néant et soudain, des sanglots s'élevèrent, puis des cris. Bientôt, tous les petits pleuraient de concert.

Sam eut un haut-le-cœur. Quand le professeur d'histoire avait disparu, il n'avait rien vu venir. Cette fois, il avait vu le moment arriver, tel un monstre sorti d'un cauchemar, et il lui avait semblé que, planté sur une voie ferrée, il attendait le passage du train, incapable de fuir.

— ÇA Y EST, annonça Drake.

Caine était assis dans son fauteuil en cuir trop grand pour lui, ce même fauteuil qui avait appartenu au maire de Perdido Beach. Il paraissait très jeune dans ce siège. Et pour couronner le tout, il se rongeait l'ongle du pouce, si bien qu'à première vue on aurait pu penser qu'il le suçait.

Diana, allongée sur le divan, lisait un magazine sans prêter attention à eux.

— Quoi, qu'est-ce qu'il y a ?

— Les deux filles que tu m'as demandé de surveiller. Elles ont fait le grand saut. Pouf, comme dirait cet abruti de Quinn.

Caine se leva d'un bond.

— Exactement comme je l'avais prévu.

Apparemment, Caine ne se réjouissait pas d'avoir raison. Il contourna son bureau et, pour le plus grand plaisir de Drake, arracha le magazine des mains de Diana et le jeta à travers la pièce.

— Ça t'embêterait de suivre ?

Avec un soupir, Diana se redressa lentement, puis répondit en époussetant son chemisier :

— Ne passe pas tes nerfs sur moi, Caine. Je te rappelle que c'est moi qui ai eu l'idée de réunir les extraits de naissance.

Le lendemain de l'apparition de la Zone, Drake était allé consulter le dossier de Diana, rédigé par le psychologue scolaire. Or, il avait disparu. À sa place, il avait trouvé son propre dossier ouvert sur le bureau du psy, avec un petit smiley dessiné à côté du mot « sadique ». Drake la haïssait déjà auparavant. Mais depuis l'incident, détester Diana était devenu une occupation à plein temps.

À la déception de Drake, Caine acquiesça :

— Oui, c'était une bonne idée. Une très bonne idée.

— Sam était là, lui aussi, intervint Drake. Le petit chéri de Diana.

Cette dernière ne releva pas la provocation.

— Il tenait les mains de la fille quand elle a disparu, ajouta-t-il. Il la regardait droit dans les yeux. Imaginez un peu, la première jumelle s'est volatilisée, et ils savaient tous ce qui se passerait ensuite. La seconde, elle, pleurait comme une Madeleine. J'étais trop loin pour entendre ce qu'elle disait mais on voyait bien qu'elle crevait de trouille.

— Sadisme, commenta Diana. Délectation dans la souffrance d'autrui.

Drake lui fit son plus beau sourire.

— Les mots ne me font pas peur.

— Si c'était le cas, tu ne serais pas un psychopathe, Drake.

— Fermez-la, tous les deux ! pesta Caine.

Il se laissa tomber dans son fauteuil et se remit à se ronger les ongles.

— On est le 17 novembre. Il me reste cinq jours pour trouver une solution.

— Cinq jours, répéta Drake. Je ne sais pas ce qui se passera si tu disparais, Caine.

À ces mots, il jeta à Diana un regard sous-entendant qu'il savait parfaitement ce qu'il ferait d'elle une fois Caine parti.

Jack le Crack entra soudain dans la pièce en tenant un ordinateur portable à bout de bras ; il était, comme à son habitude, très agité.

— Quoi ? rugit Caine.

— J'ai réussi à le pirater, annonça fièrement Jack.

Comme il n'obtenait pas de réaction, il ajouta :

— L'ordinateur de l'infirmière Temple.

Caine ne parut guère impressionné.

— Hein ? Ah oui, génial. J'ai d'autres problèmes. Donne-le à Diana. Et sors d'ici.

Jack remit l'ordinateur portable à Diana et ne se fit pas prier pour quitter la pièce.

— Quel petit trouillard ! lança Drake.

— Laisse-le tranquille, dit Caine d'un ton menaçant. Il m'est très utile. Qu'est-ce que tu as vu exactement quand la fille a disparu ?

— La première, je ne la regardais pas quand c'est
arrivé. La seconde, je ne l'ai pas lâchée des yeux.
Elle était là et, l'instant d'après, plus personne.

— À 13 heures 17 ?

Drake haussa les épaules.

— Dans ces eaux-là.

Caine frappa du poing sur la table.

— Il n'y a pas d'approximation qui tienne, idiot !
cria-t-il. J'essaie de comprendre. Tu sais, il n'y a pas
que moi, Drake. On vieillit tous. Un de ces quatre,
toi aussi, tu vas disparaître.

— Le 12 avril, une minute après minuit, déclara
Diana. Ce n'est pas que j'aie mémorisé le jour et
l'heure exacts ni…

Diana se tut, les yeux fixés sur l'écran de l'ordinateur.

— Quoi ? fit Caine.

Diana l'ignora, mais il ne faisait aucun doute
qu'elle avait trouvé un renseignement d'une grande
importance dans le journal de Connie Temple. Elle
se leva promptement avec une grâce féline et alla
ouvrir le placard des dossiers. Elle en sortit la boîte
en métal et la posa d'un geste presque révérencieux
sur le bureau de Caine.

— Tu ne l'as pas encore ouverte ? demanda-t-elle.

— L'ordinateur de l'infirmière me paraissait plus urgent, répondit Caine. Pourquoi ?

— Sers à quelque chose, Drake. Casse cette serrure.

Drake s'empara d'un coupe-papier, en inséra la lame dans la serrure de mauvaise qualité et tourna. Cette dernière céda sans difficulté. Diana ouvrit la boîte.

— On dirait un testament. Ah, et voilà qui est intéressant : un article de journal sur l'affaire du bus. Et… le voilà.

Elle sortit de la boîte une pochette en plastique qui protégeait un extrait de naissance. Elle y jeta un coup d'œil et se mit à rire.

— Ça suffit, Diana.

Caine se leva d'un bond, lui arracha le document des mains et l'examina, les sourcils froncés. Puis il se rassit lourdement, comme une marionnette dont on aurait coupé les fils.

— Vingt-deux novembre, annonça Diana avec un sourire dédaigneux.

— Coïncidence, observa Caine.

— Il est né trois minutes avant toi.

— C'est une coïncidence, répéta-t-il. On ne se ressemble pas.

— Comment on appelle ça, déjà ?

Diana, un doigt posé sur la bouche, fit mine de réfléchir.

— Ah oui, des faux jumeaux. Deux œufs issus du même utérus.

Caine semblait à deux doigts de s'évanouir. Drake ne l'avait jamais vu dans un état pareil.

— C'est impossible.

— Aucun de vous deux ne connaît l'identité de son véritable père, déclara Diana en feignant de compatir. Et combien de fois tu m'as dit que tu ne ressemblais pas du tout à tes parents ?

— Ça n'a aucun sens, bredouilla Caine.

Sa main chercha celle de Diana et, après une hésitation, elle le laissa faire.

— De quoi vous parlez, tous les deux ? demanda Drake avec colère.

Il n'aimait pas leur façon de le tenir à l'écart. Tous deux ignorèrent sa question.

— L'infirmière y fait allusion dans son journal, reprit Diana. Elle savait que tu étais un mutant. Elle se doutait que tu détenais une espèce de pouvoir surnaturel. Elle te soupçonnait d'avoir infligé des blessures dont personne ne comprenait la cause.

Drake, qui venait de comprendre, s'esclaffa :

— Tu sous-entends que l'infirmière Temple est la mère de Caine ?

Soudain, le visage de Caine s'empourpra de rage.

— Boucle-la, Drake !

— Deux petits garçons nés le 22 novembre, dit Diana. Le premier reste avec sa mère, l'autre est adopté.

— C'était ta mère et elle t'a abandonné tout en gardant Sam? pouffa Drake, tout heureux d'humilier Caine.

Ce dernier s'écarta vivement de Diana et leva les mains, les paumes tournées vers Drake.

— Grosse erreur, commenta Diana.

Mais restait à savoir qui, de Caine ou de Drake, faisait l'objet de sa remarque…

Quelque chose heurta la poitrine de Drake avec une violence inouïe et le projeta contre le mur. Sa tête cogna contre un tableau et il s'effondra comme une masse.

Il se secoua au prix d'un gros effort et fit mine de se relever pour se jeter sur Caine. Mais ce dernier l'avait devancé: se dressant au-dessus de lui, le visage cramoisi, il montra les dents comme un chien enragé.

— N'oublie pas qui est le chef, Drake, dit-il d'une voix grave, gutturale, presque animale.

Drake hocha la tête, vaincu. Pour le moment, du moins.

— Debout, ordonna Caine. On a du pain sur la planche.

Astrid s'était installée sur le porche avec le petit Pete. C'était le meilleur endroit pour un bain de soleil. Elle s'était assise dans le grand rocking-chair en osier blanc, les pieds appuyés sur la rambarde. Ses jambes nues étaient d'une blancheur éclatante sous le soleil. Elle avait toujours eu le teint pâle et n'était pas du genre à se préoccuper de son bronzage, mais aujourd'hui, elle avait besoin de lumière. Ces derniers temps, avec Pete, ils avaient tendance à rester enfermés. Et au bout de deux jours, la maison devenait une prison.

Elle se demandait si sa mère avait éprouvé le même sentiment d'étouffement. Était-ce pour cette raison qu'elle avait cessé de se dévouer jour et nuit au petit Pete et qu'elle sautait sur le moindre prétexte pour s'en débarrasser auprès de celui ou celle qui voulait bien s'en occuper?

La rue où habitait Astrid avait subi quelques légers changements depuis l'apparition de la Zone. Il n'y avait plus de circulation. Les pelouses se desséchaient. Les fleurs que chouchoutait M. Massilio, à deux maisons de là, se fanaient faute de soins. Les boîtes aux lettres attendaient en vain le passage du facteur. Un parapluie ouvert voltigeait avec indolence sur quelques mètres avant de s'immobiliser dans la rue. Deux habitations plus bas, quelque bête sauvage ou un chien affamé avait renversé la poubelle et éparpillé des peaux de bananes noircies, des journaux détrempés et des os de poulet sur la chaussée.

Astrid vit Sam qui arrivait en pédalant furieusement sur son vélo. Il avait promis de l'emmener à l'épicerie et elle l'attendait, en proie à des émotions contradictoires. Elle avait envie de le voir tout en redoutant leurs retrouvailles. Et si ce baiser était une erreur?

Sam abandonna son vélo sur la pelouse et gravit les marches du porche.

— Salut, Sam.

À l'évidence, il était contrarié. Elle reposa les pieds sur le sol et se redressa dans son rocking-chair.

— Anna et Emma ont disparu.

— Quoi?

— J'étais là, je les regardais. Je tenais les mains d'Anna quand c'est arrivé.

Astrid se leva et, sans réfléchir, prit Sam dans ses bras avec les gestes qu'elle réservait au petit Pete quand elle s'efforçait de le réconforter. Mais, contrairement à son frère, Sam répondit à son étreinte en l'enlaçant à son tour, un peu maladroitement. Pendant quelques instants, il enfouit le visage dans ses cheveux, et elle entendit son souffle irrégulier contre son oreille. Ils étaient à deux doigts de s'embrasser de nouveau, pourtant, d'un même mouvement, ils s'écartèrent.

— Anna était morte de peur, reprit Sam. Elle a vu Emma disparaître. Elles sont nées à six minutes d'intervalle. D'abord Emma. Puis Anna, qui attendait son tour.

— C'est horrible, Sam. Viens, rentrons.

Elle jeta un coup d'œil à son frère : il jouait à son jeu vidéo, comme d'habitude. Astrid emmena Sam à la cuisine et lui servit un verre d'eau. Il en vida la moitié d'une seule gorgée.

— Il me reste cinq jours, dit-il, affolé. Cinq jours. Même pas une semaine.

— Tu n'en es pas sûr.

— Arrête, tu veux ? Ne me dis pas que tout ira bien. Tu sais bien que c'est faux.

— D'accord, admit Astrid. Tu as raison. Sans qu'on sache pourquoi, quinze ans, c'est la limite. Après, on disparaît.

Ce constat parut l'apaiser. Il avait besoin d'entendre la vérité sans dérobade. Astrid comprit tout à coup que ce serait un bon moyen de lui venir en aide à l'avenir. S'il existait encore un avenir.

— Je tournais autour du pot. J'essayais de ne pas y penser. J'avais presque réussi à me convaincre que ça n'arriverait pas.

Il parvint à esquisser un sourire las. Il voyait sa propre terreur se refléter dans le regard d'Astrid et s'efforçait de l'endiguer.

— L'avantage, c'est que je ne vais plus m'inquiéter à l'idée du Thanksgiving déprimant qui nous attend.

— Il existe peut-être un moyen de l'éviter, suggéra Astrid d'un ton prudent.

Sam la regarda, les yeux brillant d'espoir : elle détenait peut-être une solution. Comme elle secouait la tête, il lança :

— On n'a même pas cherché à sortir de la Zone. Il y a sans doute une issue. Il faudrait prendre la mer, explorer le désert ou le parc national. On n'est même pas allés voir.

Astrid résista à l'envie de lui répondre qu'il se berçait d'illusions.

— Si on pouvait sortir, on pourrait aussi entrer. Le monde entier devrait être au courant. Perdido Beach, la centrale, l'autoroute barrée du jour au lendemain, ils s'en sont forcément rendu compte. La moitié des scientifiques de la planète doit être sur le coup. Mais nous, on est toujours là.

— Je sais tout ça.

Sam avait retrouvé son sang-froid. Il s'assit sur un des tabourets alignés devant le bar de la cuisine et caressa la surface lisse en granit comme s'il appréciait la fraîcheur de la pierre.

— J'ai réfléchi, Astrid. Qu'est-ce que tu dis d'un œuf ?

— Je n'en ai plus.

— Non, pense à un œuf. Le poussin sort en cassant la coquille avec son bec, d'accord ? Mais si toi tu essaies d'ouvrir l'œuf, tu l'écrases.

D'un geste de la main, il illustra son propos. Comme elle ne répondait pas, il s'affaissa sur son siège.

— Dans ma tête, ça semblait parfaitement logique.

— En fait, c'est assez bien vu.

À l'évidence, il l'avait prise de court. Il eut un sourire en coin.

— Tu as l'air surprise.

— Oui, un peu. Tu viens peut-être de faire une analogie pertinente.

— Tu dis ça pour me rappeler que tu es plus intelligente que moi, plaisanta Sam.

Leurs regards se croisèrent puis, d'un même mouvement, ils détournèrent la tête avec un sourire gêné.

— Je ne regrette rien, tu sais, reprit-il. Mauvais endroit, mauvais moment, mais je ne regrette rien.

— Tu parles de...

— Oui.

— Moi non plus. C'était ma première fois. Si on excepte Alfredo Slavin en CP.

— Ah bon?

— Pas toi?

Sam secoua la tête et regretta aussitôt son geste.

— Mais c'était la première fois que j'en avais vraiment envie, lança-t-il.

Après un silence, Astrid prit de nouveau la parole :

— Sam, ce que tu essaies de me dire avec ton histoire d'œuf, c'est qu'en tentant de franchir la paroi, les gens de l'extérieur pourraient nous mettre en danger, et qu'ils s'en sont sûrement aperçus. Ça signifie que nous seuls pouvons passer de l'autre côté sains et saufs. Peut-être que le monde entier nous surveille en attendant qu'on trouve le moyen de sortir.

Astrid ouvrit le placard devant elle et en sortit un paquet de biscuits entamé. Elle le posa sur le bar et se servit.

— C'est une théorie intéressante mais peu probable.

— Je sais. Pourtant, je ne peux pas rester assis là à attendre, s'il existe un moyen de sortir de la Zone.

— Qu'est-ce que tu comptes faire ?

Sam haussa les épaules, puis il soupira.

— D'abord, je veux suivre cette enceinte, vérifier s'il existe une issue. Peut-être qu'il suffit de franchir une porte pour retrouver tous les autres de l'autre côté : ma mère, tes parents, Anna et Emma.

— Les profs, ajouta Astrid.

— Ne gâche pas tout.

— Et si tu trouves une porte, Sam ? Tu sors ? Et les enfants encore prisonniers de la Zone, qu'est-ce qu'ils deviendront ?

— Ils sortiront à leur tour.

— Tu ne seras pas certain qu'il s'agit d'une porte avant de l'avoir franchie. Une fois libre, tu ne pourras peut-être pas revenir sur tes pas.

— Astrid, dans cinq jours, j'aurai disparu. Pouf!

— Oui, il faut avant tout penser à toi, dit-elle d'un ton froid.

Sam la dévisagea, abasourdi.

— Ce n'est pas juste de…

Il fut interrompu par un bruit sourd, immédiatement suivi d'un hurlement. C'était la voix du petit Pete.

Astrid se précipita au-dehors et trouva l'enfant recroquevillé sur lui-même, tremblant, hurlant. Sur le sol à côté de lui, un gros caillou. Et plantés sur le trottoir d'en face, hilares, Panda, un certain Chris, du pensionnat Coates, et Quinn. Panda et Chris étaient armés de battes de base-ball. Ce dernier tenait aussi à la main un sac en plastique. À l'intérieur du sac, on distinguait le logo d'un nouveau modèle de console de jeux.

— C'est vous qui jetez des pierres à mon petit frère? cria Astrid, blême de colère.

Elle s'agenouilla auprès de Pete. Sam s'avança sur la pelouse d'un pas décidé.

— Qu'est-ce qui te prend, Panda?

— Il n'avait qu'à pas m'ignorer, rétorqua ce dernier.

— Panda voulait juste rigoler, protesta Quinn en s'interposant entre les deux garçons.

— Jeter des pierres à un petit sans défense, c'est votre façon de rigoler? Et qu'est-ce que tu fiches avec ce minable, d'abord?

— Qui tu traites de minable ? demanda Panda en serrant sa batte de base-ball dans sa main.

— Qui ? Les pauvres types qui jettent des pierres à plus petit qu'eux, répondit Sam sans broncher.

Quinn leva les mains dans un geste d'apaisement.

— Oh là, du calme, frangin. On est en mission pour Mary. Elle a demandé à Panda de lui rapporter la peluche d'un petit, OK ? On est là pour la bonne cause.

— Et au passage, vous en profitez pour voler ?

Sam désigna le sac en plastique que Chris tenait à la main.

— Et puis, en rentrant, vous vous êtes dit : Pourquoi ne pas balancer des pierres à un gamin autiste ?

— Hé, minute ! lança Quinn. La console, on l'apporte à Mary pour qu'elle ait de quoi les occuper.

Le petit Pete hurlait dans les oreilles d'Astrid qui, par conséquent, n'entendait rien d'autre que les éclats de voix des deux garçons.

Enfin, Sam tourna les talons et rejoignit Astrid, tandis que Quinn faisait un bras d'honneur dans son dos puis s'éloignait d'un pas nonchalant avec ses nouveaux copains.

Sam se laissa tomber lourdement sur une chaise. Pendant les dix minutes qu'Astrid employa à calmer son petit frère, il fulmina dans son coin.

— Il est de plus en plus naze, finit-il par dire, avant d'ajouter d'un ton radouci : Ça lui passera.

— Qui ça, Quinn ?

Astrid envisagea de se taire pour ne pas aggraver la situation. Mais elle sentait que, tôt ou tard, elle devrait avoir cette conversation avec Sam.

— Je n'en suis pas sûre.

— Tu ne le connais pas très bien.

— Il est jaloux de toi.

— Évidemment, avec mon physique, ironisa Sam.

— Vous n'êtes pas de la même trempe. Quand la vie suit tranquillement son cours, vous vous ressemblez plus ou moins. Mais quand ça dérape, vous vous différenciez complètement. Ce n'est pas la faute de Quinn s'il est lâche et faible, contrairement à toi.

— Tu me vois encore comme le héros de service.

— Non, je te vois tel que tu es.

Sans s'éloigner du petit Pete, elle tendit la main pour prendre celle de Sam.

— La situation ne va pas s'arranger, Sam. Pour l'instant, tout le monde est sous le choc. Les enfants ont peur et pourtant, ils n'ont pas encore compris qu'ils avaient encore plus de raisons de flipper. Tôt ou tard, les réserves de nourriture s'épuiseront. Tôt ou tard, la centrale tombera en panne. Quand on sera assis dans le noir à désespérer, le ventre vide, qui va prendre les rênes ? Caine ? Orc ? Drake ?

— Tu as une vision très optimiste de l'avenir, répondit sèchement Sam.

— D'accord, je te laisse tranquille, capitula Astrid, sentant qu'elle était allée trop loin.

Elle demandait l'impossible à ce garçon qu'elle connaissait à peine. Cependant, elle était sûre d'avoir raison. Elle croyait en Sam, certaine qu'il portait en lui une grande destinée. « Va savoir pourquoi », songea-t-elle. Rationnelle, Astrid ne croyait pas au destin – jusqu'à présent.

Tenant toujours la main de Sam, elle se tourna vers le petit Pete pour éviter qu'il ne lise l'inquiétude sur ses traits. Soudain, elle lâcha sa main, poussa un profond soupir, et ses certitudes s'envolèrent. Son humeur s'assombrit.

— En route pour l'épicerie, déclara-t-elle.

Sam avait l'esprit ailleurs. Perdu dans ses pensées, il ne la vit pas contempler ses mains, les traits tendus par la concentration. Elle s'essuya les paumes sur son short.

— Oui, dit-il. On ferait mieux d'y aller tant qu'on peut encore.

— FAIS VOIR ta liste, lança Howard sèchement.
Il était affalé sur une chaise longue devant
la porte de l'épicerie, les pieds appuyés sur une autre
chaise. Il s'était installé devant un combi TV/lecteur
DVD qui diffusait *Spider-Man 3*, et leva à peine les
yeux à leur approche.

— Je n'en ai pas, répondit Astrid.

Howard haussa les épaules.

— Personne n'entre sans liste.

Sam intervint :

— D'accord, t'as un crayon et un bout de
papier ?

— C'est ton jour de chance, Sam.

Howard fouilla dans la poche de sa veste en cuir
mal coupée et en sortit un petit carnet à spirale qu'il
tendit à Astrid. Après avoir noirci une feuille du
carnet, elle la lui remit.

— Tu peux prendre tous les produits frais que tu veux, ils seront bientôt périmés. On n'a quasiment plus de glace, mais il reste peut-être quelques Mr. Freeze. Il aime les Mr. Freeze, le débile?

— Ça suffit, répliqua Sam.

— Pour les conserves et les pâtes, il faut une permission spéciale de Caine ou d'un des shérifs.

— Comment ça? dit Astrid.

— Je répète: tu peux prendre de la salade, des œufs, du lait et des produits frais en général, mais on économise les conserves et tout ce qui se garde.

— OK, c'est logique, je suppose, admit Astrid.

— Pareil pour le papier toilette. Chacun a droit à un rouleau, histoire de le faire durer.

Il baissa les yeux sur la liste.

— Tampons? Quelle taille?

— La ferme, dit Sam.

— Continuez tout seuls, lança Howard en riant. Je vérifierai tous les sacs à la sortie, et si ça ne me va pas, vous devrez remettre la marchandise en rayon.

Le magasin était sens dessus dessous. Avant que Caine ait pu le mettre sous garde, presque tous les biscuits, sandwiches, barres chocolatées avaient été volés. Et ceux qui avaient fait le coup n'avaient pas été très soigneux: ils avaient cassé des pots de mayonnaise, renversé des présentoirs, pulvérisé des vitrines de congélateurs.

Des mouches voletaient un peu partout. Une odeur de détritus imprégnait l'air. Quelques néons avaient grillé, formant des îlots d'obscurité. Les affiches de couleurs vives vantant telle ou telle promotion étaient toujours en place, cependant.

Sam prit un caddie et Astrid hissa le petit Pete sur le siège.

Les fleurs disposées sur un rayon faisaient pâle figure. Une douzaine de ballons de baudruche portant l'inscription «Joyeux anniversaire» ou des messages de Thanksgiving flottaient dans un coin, mais ils commençaient à perdre de l'altitude.

— Peut-être que je devrais me mettre en quête d'une dinde, dit Astrid en examinant le présentoir des produits pour Thanksgiving : petits gâteaux, sauce et farce.

— Tu sais cuisiner une dinde, toi ?

— Je peux trouver la recette sur Internet.

Elle se reprit avec un soupir.

— Euh… non. Ils ont peut-être un livre de cuisine en rayon.

— Je suppose qu'on peut faire une croix sur la sauce.

— Oui, pas de conserves.

Sam s'avança vers le rayon des produits frais puis s'arrêta à mi-chemin en s'apercevant qu'Astrid, les yeux toujours fixés sur le présentoir, s'était mise à pleurer.

— Hé, qu'est-ce qui t'arrive ?

Astrid s'essuya les yeux.

— Les courses, on les faisait chaque semaine toujours ensemble, avec ma mère et le petit Pete, dit-elle en hoquetant. C'était l'occasion de bavarder. Je n'étais jamais venue ici sans elle.

— Moi non plus.

— Ça fait tout drôle. L'endroit a changé sans être différent.

— Tout a changé. Mais il faut bien se nourrir.

Astrid se força à sourire.

— Occupons-nous de ces courses.

Ils choisirent de la laitue, des carottes et des pommes de terre. Sam passa derrière le comptoir pour envelopper deux steaks dans du papier. Des mouches s'agglutinaient sur des morceaux de viande laissés à l'air libre depuis que les bouchers avaient disparu. Cependant, la viande disposée sur l'étal semblait intacte.

— Avec ceci, ma p'tite dame ?

— Eh bien, puisque personne n'en veut, je ferais bien de prendre aussi ce rôti. Je peux le congeler.

Sam prit la pièce de viande et l'enveloppa dans une feuille de papier paraffiné.

— Tu te rends compte que ça coûte douze dollars la livre ?

— Mets-le sur mon ardoise.

En arrivant au rayon des produits laitiers, ils trouvèrent Panda au milieu de l'allée, qui tenait sa batte de base-ball à la main, prêt à s'en servir.

— Encore toi ? lança Sam.

Panda ne répondit pas. Astrid poussa un cri. Sam se retourna juste à temps pour apercevoir Drake Merwin derrière lui, puis quelque chose heurta sa tempe. Il s'écroula sur un rayon chargé de fromages et fit voler quelques bouteilles. Il vit la batte décrire un cercle, tenta de se protéger, mais la tête lui tournait et il voyait trouble. Ses genoux se dérobèrent sous lui et il tomba. Comme de très loin, il distingua quatre ou cinq silhouettes, peut-être, qui s'avançaient furtivement. Deux d'entre elles s'emparèrent d'Astrid et lui maintinrent les mains derrière le dos.

Une voix féminine s'éleva, que Sam ne reconnut pas avant d'entendre Panda prononcer le nom de Diana.

— Liez-lui les mains.

Sam voulut résister, mais il n'avait plus aucun contrôle sur ses muscles. Il sentit qu'on lui passait quelque chose autour de la main gauche, puis de la droite. Des doigts puissants le tenaient sous leur emprise.

Une fois qu'il eut retrouvé ses esprits, il fixa, hébété, ses poignets retenus par du ruban adhésif. Scotchés à chacune de ses mains pendaient deux ballons dégonflés.

Diana Ladris s'agenouilla pour le regarder dans les yeux.

— C'est du polyéthylène, une matière réfléchissante. Bref, je n'essaierais pas d'avoir recours à mon pouvoir, à ta place : tu te brûlerais les mains.

— Qu'est-ce que vous me voulez ? demanda Sam d'une voix pâteuse.

— Ton frère aimerait avoir une petite conversation avec toi.

Sam n'y comprenait rien et n'était pas sûr d'avoir bien entendu. La seule personne qu'il ait jamais appelée «frangin», c'était Quinn.

— Relâchez Astrid, dit-il.

Drake s'approcha de Diana et donna un grand coup de pied dans le dos de Sam. Puis, le dominant de toute sa hauteur, il colla l'extrémité de sa batte sur sa pomme d'Adam. Il s'y était pris exactement de la même manière avec Orc.

— Si tu es sage, on ne fera pas de mal à ta chérie et à son frère. Mais si tu nous crées des problèmes, je vais lui faire passer un sale quart d'heure.

Le petit Pete s'était mis à hurler.

— Fais taire ce môme ou c'est moi qui m'en charge, aboya Drake à l'intention d'Astrid.

Se tournant vers Howard, Panda et les autres, il ajouta :

— Mettez-moi le grand héros dans un caddie.

Ils s'exécutèrent et Howard entreprit de pousser le chariot.

— Sam du Bus est devenu Sam du Caddie, on dirait.

Drake se pencha vers Sam et la dernière chose qu'il vit fut la grosse bande de scotch qu'il lui colla sur les yeux. Ils le promenèrent à travers la ville dans son chariot. S'il ne voyait rien, il sentait les bosses de la route et il entendait les rires et les insultes d'Howard et de Panda. Il essaya malgré tout de deviner où ils l'emmenaient. Après ce qui lui sembla une éternité, il s'aperçut qu'ils montaient une côte.

Howard commença à se plaindre.

— Aidez-moi à pousser ce truc. Hé, Freddie, viens me filer un coup de main.

Le caddie accéléra quelques instants, puis ralentit. Sam entendait quelqu'un respirer bruyamment.

— Demande à quelqu'un d'autre, ils sont tous là à nous regarder les bras croisés, gémit Freddie.

— Hé, toi ! Viens m'aider à pousser ce caddie.

— Non, pas question.

Quinn. Le cœur de Sam bondit dans sa poitrine. Lui viendrait à sa rescousse. Le caddie s'arrêta.

— Quoi, tu as peur que ton copain apprenne ce que tu as fait ? lança Howard.

— La ferme, répondit Quinn.

— Sammy, à ton avis, qui nous a prévenus que tu partais faire les courses avec Astrid, hein ?

— La ferme, Howard, répéta Quinn, au désespoir.

— Qui nous a parlé de tes pouvoirs ?

— Je ne connaissais pas leurs projets, se lamenta Quinn. Je ne savais pas, frangin.

Si Sam ne s'en étonna pas, la trahison de Quinn le blessa davantage que tous les coups de Drake. Il avait envie de lui hurler à la figure, de le traiter de Judas, mais il passerait pour un faible.

— Je ne savais pas, c'est la vérité, reprit Quinn.

— C'est ça. Tu croyais qu'on organisait une petite réunion du fan-club de Sam Temple, ironisa Howard en riant de sa propre plaisanterie. Maintenant, pousse.

Le caddie se remit en branle. Sam avait la nausée. Quinn l'avait trahi. Astrid était entre les mains de Drake et de Diana, et il ne pouvait rien tenter pour la sauver.

Sam commençait à croire qu'ils ne s'arrêteraient jamais quand le caddie s'immobilisa. Sans prévenir, quelqu'un le fit basculer et Sam se retrouva sur le trottoir. Il atterrit sur les genoux et les mains, et s'efforça discrètement de se débarrasser des ballons en frottant ses poignets contre le bitume. Le coup de pied qu'il reçut dans les côtes lui coupa la respiration.

— Hé, cria Quinn, tu n'es pas obligé de le frapper.

Des mains agrippèrent les bras de Sam et il entendit la voix d'Orc.

— Si tu cherches les problèmes, je t'assomme.

On lui fit gravir une volée de marches. Puis il entendit le bruit d'une porte qui s'ouvrait et ses pieds rencontrèrent du lino.

Nouvel arrêt. Une autre porte s'ouvrit, on le fit entrer dans une pièce, et Orc lui décocha un coup de pied dans les genoux qui le fit tomber face contre terre. À califourchon sur lui, il le saisit par les cheveux pour le forcer à relever la tête.

— Ôtez-lui le scotch, dit une voix.

Howard s'exécuta en arrachant une partie des sourcils de Sam avec le ruban adhésif. Ce dernier reconnut les lieux immédiatement : ils se trouvaient dans le gymnase de l'école. Il était allongé sur le sol et Caine se dressait au-dessus de lui, les bras croisés, un sourire de jubilation sur les lèvres.

— Salut, Sam.

Sam tourna la tête de droite et de gauche : Orc, Panda, Howard, Freddie et Chaz l'entouraient, tous armés de battes de base-ball. Quinn essayait de se faire tout petit dans un coin.

— Tu as pris beaucoup de gars avec toi, Caine. Je dois être dangereux.

Caine acquiesça d'un air pensif.

— Je préfère prendre mes précautions. Drake est resté avec ta copine, bien sûr. Si j'étais toi, je ne causerais pas d'histoires. Drake est un garçon violent et un peu dérangé.

Howard éclata de rire.

— Levez-le, ordonna Caine.

Orc se redressa, non sans avoir enfoncé son genou dans les côtes de Sam. Ce dernier se leva à son tour, tremblant mais soulagé de pouvoir se tenir debout.

Il étudia attentivement le visage de Caine. Ils s'étaient rencontrés sur la place le jour de son arrivée. Depuis, Sam l'avait seulement croisé de temps à autre.

Caine lui rendit son regard.

— Qu'est-ce que tu me veux ? demanda Sam.

Caine se mit à ronger l'ongle de son pouce, puis colla ses bras le long de son corps comme s'il se mettait au garde-à-vous.

— J'aimerais qu'on trouve un moyen d'être amis, Sam.

— Oui, je vois bien que tu meurs d'envie de devenir mon pote.

— Tu as le sens de l'humour, observa Caine en riant. Tu ne dois pas tenir ça de ta mère : je ne l'ai jamais trouvée très marrante. Peut-être que ça te vient de ton père ?

— Je n'en sais rien.

— Comment ça ?

— Tu détiens l'ordinateur portable de ma mère et tous ses papiers personnels. Et Quinn t'a sans doute déjà tout dit sur mon compte. Alors je pense que tu connais la réponse à ta question.

Caine hocha la tête.

— Oui, ton père a disparu peu après ta naissance. Il faut croire que tu ne l'as pas beaucoup emballé.

Caine rit de sa propre plaisanterie et quelques membres de sa cour l'imitèrent sans grand enthousiasme, un peu perdus.

— Ne t'en fais pas. Mon père biologique s'est fait la malle, lui aussi. Et ma mère, par la même occasion.

Sam ne répondit pas. Ses mains étaient engourdies par ses liens. Il avait peur, mais il était déterminé à ne pas le montrer.

— Alors ton père disparaît et tu ne veux même pas savoir pourquoi ? claironna Caine. Intéressant. Moi, j'ai toujours voulu connaître l'identité de mes vrais parents.

— Laisse-moi deviner : en réalité, tu es un sorcier élevé par des Moldus.

Caine esquissa un sourire glacial. Il leva la main, paume ouverte, et un poing invisible frappa Sam au visage. Ce dernier recula en chancelant. Il parvint à rester debout mais la tête lui tournait. Du sang se mit à couler de son nez.

— Oui, c'est plus ou moins ça, marmonna Caine.

Il tendit les bras et Sam sentit ses pieds quitter la terre ferme. Caine le souleva à un mètre du sol puis croisa les doigts, et Sam retomba lourdement. Il se releva avec peine, la jambe gauche engourdie, la cheville foulée.

— Nous connaissons un moyen de mesurer le pouvoir, reprit Caine. C'est Diana qui s'en occupe, en fait. Elle peut évaluer quelqu'un rien qu'en lui tenant la main. Elle compare ce phénomène au signal d'un téléphone portable : une barre, deux barres… Tu sais combien j'ai de barres, Sam ?

Pour toute réponse, Sam cracha un mince filet de sang.

— Quatre. Je suis le seul de sa connaissance à avoir quatre barres. Je peux te faire voler jusqu'au plafond ou te projeter contre un mur.

Il illustra son propos d'un geste de la main qui ressemblait à un mouvement de danse hawaiienne.

— Tu pourrais te faire embaucher dans un cirque, ironisa Sam.

— C'est ça, fais le malin.

Caine semblait vexé que Sam ne montre pas davantage de crainte et de respect.

— Écoute, Caine, j'ai les mains liées, je suis cerné par cinq brutes armées de battes de base-ball, et il faudrait en plus que j'aie peur de tes tours de magie ?

Sam avait compté cinq personnes et non six ; il se refusait à inclure Quinn dans le lot. Caine, qui avait relevé son omission, jeta un regard soupçonneux à Quinn. Apparemment, ce dernier ne savait pas quoi faire de lui-même, ni quel camp choisir.

— Et l'une de ces cinq personnes, poursuivit Sam, est un meurtrier. Un meurtrier et une bande de lâches. C'est ça, ta bande, Caine ?

Les yeux de Caine s'écarquillèrent ; il se mordit la lèvre, furieux, et soudain Sam fut projeté à l'autre bout de la pièce comme par une catapulte. Le monde dansa autour de lui, et sa tête s'écrasa contre le panneau du terrain de basket. Il resta suspendu à l'arceau pendant quelques instants avant de tomber sur le dos. Puis des mains invisibles, d'une force terrifiante, le traînèrent sur le sol. Il avait l'impression d'être balayé par une tornade. Enfin, il s'immobilisa aux pieds de Caine.

Cette fois, il fut plus lent à se relever. Au sang qui coulait de son nez s'ajouta bientôt celui d'une entaille sur son front.

— Plusieurs d'entre nous ont développé d'étranges pouvoirs il y a quelques mois, reprit Caine sur le ton de la conversation. On formait une espèce de club secret : Frederico, Andrew, Dekka, Brianna et quelques autres. On travaillait ensemble à développer nos dons. On s'encourageait. Tu vois, c'est ça la différence entre ceux de Coates et vous autres de la ville. Dans un internat, c'est difficile de garder un secret. Très vite, j'ai compris que mes pouvoirs étaient d'une tout autre nature. Ce que je t'ai fait, personne d'autre n'en est capable.

— Oui, c'était cool, répondit Sam d'un ton de défi, mais sa voix tremblait un peu. Tu peux recommencer, pour voir ?

— Il te cherche, là.

Diana venait d'entrer dans le gymnase. Manifestement, ce qu'elle voyait ne lui plaisait pas du tout.

— Il essaie de jouer les durs, répliqua Caine avec colère.

— Oui, et il vient de prouver qu'il en était un. Passe à autre chose.

— Surveille ta façon de me parler, Diana.

Diana rejoignit Caine d'un pas nonchalant et se posta devant Sam, les bras croisés, en secouant la tête d'un air faussement consterné.

— Regarde dans quel état tu es, Sam.

— Ça ne risque pas de s'arranger, dit Caine d'un ton menaçant.

Avec un soupir, Diana lança :

— Voilà notre marché, Sam. Caine veut des réponses.

— Il n'a qu'à questionner Quinn.

— Quinn n'a pas ces réponses. Toi si. Alors écoute bien : si tu refuses de répondre aux questions de notre Leader Sans Peur, Drake se vengera sur Astrid. Et, pour information, il est complètement dingue. Je ne dis pas ça pour t'effrayer mais parce que c'est la vérité. J'ai peut-être un mauvais fond et Caine a des rêves de grandeur, mais Drake est un malade mental. Il la tuera, Sam. Et il va se mettre au boulot dans cinq minutes à moins que j'aille l'en empêcher. Bref, l'heure tourne.

Sam avala avec difficulté sa salive mêlée de sang et de bile.

— C'est quoi, ces questions ?

Diana se tourna vers Caine en levant les yeux au ciel.

— Tu vois, ce n'était pas compliqué !

À la surprise de Sam, Caine ne broncha pas. Plutôt que d'avoir recours aux menaces et à l'agression physique, il ne trahissait que ressentiment et résignation. «Il est amoureux d'elle», songea Sam, abasourdi. Chaque fois qu'il les avait vus ensemble, ils n'avaient jamais eu le moindre geste d'affection l'un pour l'autre, pourtant c'était la seule explication possible.

— Parle-moi de ton père, dit Caine sans préambule.

Sam eut un haussement d'épaules qui le fit tressaillir de douleur.

— Il n'a jamais fait partie de ma vie. Je sais juste que ma mère n'aimait pas aborder le sujet.

— Ta mère. L'infirmière Temple.

— Oui.

— Le nom de ton père sur ton extrait de naissance. Taegan Smith.

— Oui?

— Taegan. C'est un prénom inhabituel. Très rare.

— Et alors?

— Par contre, Smith, c'est très banal. C'est le patronyme qu'utiliserait quelqu'un pour cacher sa véritable identité.

— Bon, je réponds à tes questions. Maintenant, relâche Astrid.

— Taegan, répéta Caine. Là, sur l'acte de naissance. Mère : Constance Temple. Père : Taegan Smith. Date de naissance : 22 novembre. Heure : 22 h 12. Lieu : hôpital régional de Sierra Vista.

— Maintenant tu peux faire mon thème astral.

— Ça ne t'intéresse pas ?

— Ce qui m'intéresse, c'est le présent. Les causes de la Zone. Le moyen de la détruire ou de s'en échapper. Sur la grande liste de mes préoccupations, mon père biologique, que je n'ai jamais connu et qui n'est rien pour moi, arrive bon dernier.

— Tu disparais dans cinq jours, Sam. Et ça, ça ne t'intéresse pas ?

— Relâche Astrid.

— C'est bon, Caine. Ça suffit, intervint Diana.

Un sourire narquois étira les lèvres de Caine.

— Moi, je m'intéresse beaucoup à ces questions de disparition. Tu veux savoir pourquoi ? Parce que je n'ai pas envie de mourir. Et je ne veux pas non plus retourner dans le monde d'avant. Je préfère rester ici, dans la Zone.

— Alors tu crois qu'on peut y retourner ?

— C'est moi qui pose les questions, aboya Caine.

— Relâche Astrid.

— Le hic, poursuivit Caine, c'est que toi et moi, on a quelque chose en commun, Sam. On est nés à trois minutes d'intervalle.

Sam sentit un frisson lui parcourir le dos.

— Trois minutes, répéta Caine en se rapprochant. Toi d'abord. Moi ensuite.

— Non, dit Sam. C'est impossible.

— Nous sommes… frères.

La porte s'ouvrit avec fracas. Drake Merwin déboula dans la salle, l'air de chercher quelque chose.

— Ils sont là?

— Qui? demanda Diana.

— À ton avis? La blonde et son frère l'attardé!

— Tu l'as laissée s'enfuir? rugit Caine, oubliant momentanément Sam.

— Non. Ils étaient dans la pièce avec moi. La fille me tapait sur les nerfs alors je lui ai balancé un coup de poing. Et à ce moment-là, ils ont disparu.

Caine jeta un regard assassin à Diana qui répondit:

— Non, elle n'aura pas quinze ans avant plusieurs mois. Et puis, son frère a quatre ans.

— Alors comment? demanda Caine en fronçant les sourcils. Est-ce qu'elle détient le pouvoir?

Diana secoua la tête.

— J'ai évalué Astrid encore une fois en venant jusqu'ici. Elle atteint à peine les deux barres. Impossible. Deux personnes qui se téléportent en même temps?

Caine blêmit.

— L'attardé?

— Il est autiste, il vit dans son propre monde, protesta Diana.

— Tu as réussi à l'évaluer?

— Il est autiste! Pourquoi voudrais-tu que je l'évalue?

Caine se tourna vers Sam.

— Qu'est-ce que tu sais sur son compte?

Il leva la main d'un geste menaçant et, le visage à quelques centimètres de celui de Sam, répéta :

— Qu'est-ce que tu sais?

— Je sais que j'adore te voir flipper, Caine.

Le poing invisible fit tomber Sam à la renverse. Pour la première fois, Diana paraissait inquiète. Son éternel sourire narquois avait disparu.

— La seule personne qu'on ait vue se téléporter, c'était Taylor, au pensionnat. Et encore, elle pouvait juste se transporter à l'autre bout de la pièce. Elle avait trois barres. Si ce gamin peut se téléporter avec sa sœur au-delà de ces murs...

— Il doit avoir quatre barres, murmura Caine.

— Oui, quatre. Ou peut-être plus.

En disant le mot «quatre», Diana avait regardé Sam droit dans les yeux.

— Orc, Howard! Enfermez Sam, attachez-le solidement, il ne faut pas qu'il se débarrasse des ballons. Faites-vous aider de Freddie, il s'y connaît. Allez chercher ce qu'il vous faut à la quincaillerie.

Caine saisit Drake par l'épaule.

— Retrouve Astrid et le gosse.

— Comment je vais m'y prendre pour les capturer, s'ils peuvent disparaître à tout moment?

— Qui t'a demandé de les capturer? Prends un flingue et descends-les avant qu'ils puissent te voir.

À cet instant, Sam se rua sur Caine et tous deux roulèrent sur le sol. Sam assena un coup de tête à son adversaire, lequel ne retrouva pas ses esprits tout de suite, mais Drake et Orc fondirent sur Sam et l'écartèrent en le rouant de coups de pied. Il poussa un gémissement de douleur.

— Tu n'as pas le droit d'assassiner les gens, Caine. Tu es dingue !

— Tu m'as fait mal au nez, gémit Caine.

— C'est un psy qu'il te faut, Caine, tu es complètement fou.

— Oui, maugréa ce dernier en se tâtant le nez avec une grimace de douleur. C'est ce qu'on m'a répété à tort et à travers. L'infirmière Temple… maman… me le disait aussi. Estime-toi heureux que je sois obligé de te garder en vie, Sam. Je dois te voir disparaître pour comprendre, et empêcher que ça m'arrive. Orc, emmène notre héros. Drake, à toi de jouer.

Avant d'être emmené, Sam cria :

— Si tu leur fais du mal, Drake, je te retrouverai et je te tuerai.

— Ne gaspille pas ta salive, lâcha Diana. Tu ne connais pas Drake. Ta copine vient de signer son arrêt de mort.

ASTRID AVAIT ENVIE de hurler, de se répandre en injures contre Drake et Diana : quel genre d'individus méprisables s'abaissaient à se servir de la Zone comme d'un prétexte pour employer la violence ?

Elle devait pourtant s'assurer que le petit Pete ne perdait pas son calme. Son frère, cet enfant impassible, vulnérable, incapable d'aimer, passait avant tout.

Elle lui en voulait de l'avoir contrainte à endosser un rôle de mère à quatorze ans. Quelle injustice ! Quatorze ans, c'était l'âge de l'épanouissement, de toutes les audaces. L'heure était venue pour elle d'exploiter son intelligence, censément son principal atout, et voilà qu'elle devait jouer les baby-sitters.

Astrid et le petit Pete furent introduits, avec une courtoisie feinte, dans une salle de classe. C'était la première fois qu'elle mettait les pieds dans cette salle, pourtant tout lui était douloureusement familier : les manuels ouverts sur les tables, les murs tapissés de dessins d'élèves et de projets communs.

— Assieds-toi. Lis un livre, si tu veux, lança Diana. Je sais que c'est ton truc, les bouquins.

Astrid prit l'un des manuels.

— Maths pour les CM1. Oui, effectivement, j'adore.

— Toi, je ne peux pas te sentir, dit Diana.

Drake s'adossa à un mur, un sourire moqueur sur les lèvres.

— C'est normal, rétorqua Astrid, tu te sens inférieure à moi.

Les yeux de Diana étincelèrent.

— Je ne me sens inférieure à personne. Maintenant, donne-moi ta main.

— Quoi ?

— Donne-moi ta main.

— Non.

— Drake, explique-lui qu'elle va devoir me donner sa main.

Drake se détacha du mur auquel il était adossé. Astrid tendit la main sans protester davantage et Diana la prit dans la sienne pour l'examiner.

— Tu sais lire en nous, dit Astrid. J'aurais dû m'en douter. Tu as le pouvoir, hein ?

Elle scruta Diana comme si elle avait affaire à un spécimen de laboratoire.

— Oui, répondit cette dernière en lui lâchant la main. Mais ne t'inquiète pas, je me contente d'évaluer le niveau de tes pouvoirs, je n'ai pas accès à tes petits fantasmes secrets sur Sam Temple.

Astrid rougit malgré elle, et Diana lui rit au nez.

— Oh, je t'en prie, ça crève les yeux. Il est mignon, courageux, intelligent mais pas autant que toi. L'homme idéal, quoi.

— C'est un ami, protesta Astrid.

— Mmm, eh bien, nous allons savoir jusqu'à quel point. Il sait que tu es entre nos mains. S'il n'accepte pas de se plier aux ordres de Caine, Drake va t'en faire baver.

Astrid sentit son ventre se nouer.

— C'est-à-dire?

— À ton avis, pourquoi est-ce qu'on le garde? dit Diana avec un soupir. Son truc à lui, c'est la souffrance des autres. Ce n'est pas sa conversation qui nous intéresse.

Drake jeta un regard assassin à Diana.

— Vas-y, lève la main sur moi, Drake, persifla-t-elle. Caine te tuera. (Puis, se tournant vers Astrid, elle ajouta:) Je te conseille d'être gentille, il est très remonté maintenant.

Et à ces mots, elle sortit de la pièce.

Astrid sentit le poids du regard de Drake, mais elle garda les yeux fixés sur le manuel de maths. Elle jeta un coup d'œil à son frère qui, assis dans son coin, jouait à son jeu idiot, étranger à ce qui se passait autour de lui.

Astrid avait honte de sa propre peur. Honte de ne pas pouvoir soutenir le regard de la brute nonchalamment adossée au mur. Elle ne doutait pas que Sam ferait tout son possible pour la sauver, mais Caine était bien capable d'exiger l'impossible de lui.

Réfléchir, trouver un plan. La violence physique l'avait toujours effrayée. Elle avait peur du vide qu'elle percevait chez Drake Merwin.

Elle se leva de son pupitre et posa la main sur l'épaule du petit Pete. S'il avait conscience de sa présence, il n'en montrait rien et s'absorbait dans son jeu.

Toujours sans regarder Drake, Astrid demanda :

— Ça ne t'embête pas que Diana te traite comme un animal enragé qu'il faut tenir en laisse ?

— Et toi, ça ne t'embête pas de te trimballer partout avec un attardé ? répliqua Drake.

— Ce n'est pas un attardé, répondit Astrid d'un ton égal.

— Oh, ce n'est pas le mot qui convient, «attardé» ?

— Non, il est autiste.

— Il est attardé, martela Drake.

Cette fois, Astrid se força à le regarder dans les yeux.

— «Attardé», c'est un mot qu'on n'utilise plus. À l'époque, on l'employait pour parler de déficience

cérébrale. Or, Pete n'est pas intellectuellement défi-
cient : il a un QI normal, peut-être même supérieur
à la moyenne. Donc ce mot ne s'applique pas à lui.

— Ah ouais ? Moi, ce mot me plaît bien. D'ailleurs,
j'aimerais l'entendre de ta bouche.

Astrid sentit tout son courage l'abandonner. Elle
ne doutait pas une seconde que Drake avait l'intention de lui faire du mal. Elle soutint son regard
quelques instants puis baissa les yeux et retourna
s'asseoir.

— Attardé, reprit Drake. Répète.

— Non, murmura Astrid.

Drake traversa la pièce à pas lents. Il n'était pas
armé, c'était inutile. Posant les poings sur le pupitre,
il se pencha vers elle.

— Mon frère est un attardé. Répète.

Astrid, refoulant ses larmes, ne trouvait plus la
force de parler. Elle qui voulait se convaincre de
son courage, elle sentait bien qu'elle n'aurait pas le
cran de tenir tête à Drake.

— Mon. Frère. Allez, répète après moi. Mon.
Dis-le.

La gifle fut si soudaine qu'elle ne la vit pas
venir.

— Dis-le. Mon…

— Mon… chuchota-t-elle.

— Plus fort, je veux que le petit puisse t'entendre.
Mon frère est un attardé.

La deuxième gifle fut si violente qu'elle faillit en tomber de sa chaise.

— Tu peux obéir maintenant, tant que tu as toujours un joli minois, ou attendre que je t'aie refait le portrait, à toi de voir. Mon frère est un attardé.

— Mon frère est un attardé, répéta Astrid d'une voix tremblante.

Drake éclata d'un rire ravi et se dirigea vers le petit Pete, qui avait levé les yeux de son jeu vidéo et semblait presque saisir la gravité de la situation. Drake se rapprocha de lui et, attrapant Astrid par les cheveux, colla sa bouche contre l'oreille de l'enfant.

— Encore une fois, à voix haute et intelligible.

Poussant la tête d'Astrid contre celle du petit Pete, il cria :

— Mon frère est un...

Et Astrid se retrouva sur son lit, dans sa chambre. Le petit Pete était assis jambes croisées sur le rebord de la fenêtre, son jeu vidéo à la main.

Astrid comprit aussitôt ce qui s'était passé, bien qu'elle n'en soit pas moins désorientée.

Elle ne put se résoudre à regarder son frère. Elle sentait encore la brûlure des coups sur son visage, pourtant moins cuisante que la honte.

— Merci, petit Pete, murmura-t-elle.

Orc traîna Sam jusqu'à la salle de musculation du gymnase. Howard parcourut la pièce du regard, l'air pensif. Sam s'efforça de le raisonner.

— Howard, tu ne peux pas laisser Caine assassiner Astrid et le petit Pete. Même toi, Orc. Tu n'avais pas l'intention de tuer Betty. Ça va beaucoup trop loin !

— Oui, ça va trop loin, admit Howard d'un ton préoccupé, la bouche tordue par une mimique perplexe.

— Il faut que vous m'aidiez. Libérez-moi pour que je puisse rattraper Drake.

— Laisse tomber, Sammy. Je sais de quoi Drake est capable. Et on a tous les deux eu une démonstration des pouvoirs de Caine.

Se tournant vers Orc, il dit :

— On n'a qu'à l'attacher sur ce banc.

Orc souleva Sam et l'allongea sans ménagement sur le banc d'haltérophilie.

— Orc, c'est du meurtre de sang-froid, dit Sam.

— C'est pas à moi qu'il faut le dire. Moi, je t'attache, c'est tout.

— Drake va assassiner Astrid. Souviens-toi, elle t'a aidé en maths. Tu as le pouvoir d'arrêter ça, Orc.

— Elle n'était pas censée le répéter à tout le monde, grommela Orc. Et puis, les cours de maths, c'est terminé.

Avec une corde, ils lièrent les chevilles de Sam aux pieds du banc.

— Bon, et maintenant, le meilleur, déclara Howard. On charge la barre avec des poids puis on y attache les mains de Sam. Ça va l'occuper un peu, d'essayer de ne pas se faire écraser le cou.

Comme Orc était long à comprendre, Howard dut lui montrer. Il se mit à empiler des poids sur la barre.

— Combien tu soulèves, Sam ? Je parie sur deux fois vingt-cinq de chaque côté, qu'est-ce que t'en dis ? Avec la barre, ça fait plus de cent kilos.

— Ça m'étonnerait qu'il soulève autant, observa Orc.

— Je crois que tu as raison, Orc. Ce sera déjà pas mal s'il empêche la barre de l'étouffer.

— Tu sais que c'est mal, Howard ! s'exclama Sam. Ça ne vous ressemble pas, cette façon d'agir. Vous êtes les bourreaux de la cour de récré, pas des assassins.

Howard poussa un soupir.

— Sammy, le monde a changé, t'as pas remarqué ? C'est la Zone, mon pote.

Orc abaissa la barre qui pesa sur les poignets de Sam, lesquels appuyèrent sur sa pomme d'Adam. Il poussa de toutes ses forces mais, même au mieux de sa forme, il n'était pas capable de soulever cent kilos. Tout ce qu'il pouvait faire, c'était retenir suffisamment la barre pour parvenir à respirer.

— Du nerf, mon pote, lança Orc en riant. On ferait mieux de retourner auprès de Caine si on ne veut pas rater le spectacle.

Howard suivit Orc mais, au moment de franchir le seuil, il se retourna :

— C'est drôle, Sammy. Le premier soir, j'ai cru que Sam du Bus allait prendre les choses en main si on n'y prenait pas garde. Tout le monde comptait sur toi. Ça, tu le sais. Mais non, tu étais trop bien pour nous. Tu t'es barré avec Astrid, sans un mot pour personne. (Il rit.) C'est vrai qu'elle est mignonne, hein ? Et maintenant c'est Caine qui tient les rênes, et Drake va descendre ta chérie.

Sam poussa de toutes ses forces sur la barre, en pure perte. Cependant, si rusé soit-il, Howard avait omis un détail : dans cette position, Sam pouvait venir à bout des ballons avec ses dents.

Il essaya d'abord d'arracher ses liens, mais le temps lui était compté. Il était certain que le petit Pete s'était téléporté chez lui avec sa sœur. Drake ne tarderait pas à mettre la main sur eux. Sam tenta de percer un premier ballon : le plastique était solide, et quand il concentrait ses efforts sur cette tâche, il n'arrivait plus à retenir la barre. Il la repoussa de toutes ses forces et sentit bientôt les muscles de ses bras faiblir. Soit il se débarrassait de ses liens, soit il empêchait la barre de l'étrangler, mais il ne pouvait pas faire les deux à la fois.

Et même s'il parvenait à se libérer, que ferait-il ensuite ? Contrairement à Caine, il ne contrôlait pas son pouvoir. Il finirait peut-être par venir à bout des ballons et ne serait guère plus avancé.

La barre pesait de plus en plus sur sa gorge. Il entreprit de mâchonner le plastique dans le but de percer un petit trou qu'il pourrait élargir ensuite. De son côté, Drake avait dû se mettre en route. Ferait-il un crochet pour aller récupérer une arme ?

Astrid devait se douter qu'il se lancerait à sa poursuite et qu'il était dangereux de rester chez elle. Mais aurait-elle le temps de fuir ? Et où irait-elle se cacher ?

Sam sentit ses dents s'entrechoquer : il avait réussi. À bout de souffle, il n'entendit pas la porte s'ouvrir. Des pas furtifs se rapprochèrent.

— Tiens bon.

Quinn ôta un à un les poids et, de ses bras tremblants, Sam repoussa la barre loin de lui. Puis il avala une grande bouffée d'air.

— Je ne savais pas ce qu'ils manigançaient, je te le jure, dit Quinn.

Il était pâle comme un linge.

— Il faut me croire, répétait-il en s'échinant sur les liens de Sam.

Quinn paraissait dans tous ses états : il avait pleuré, à en juger par ses yeux rouges et bouffis.

— Je dois retrouver Astrid avant Drake, dit Sam.

— Je sais, je sais. C'est la catastrophe.

Une fois libéré, Sam se leva.

— C'est un autre piège, c'est ça ? Ils vont me suivre pour que je les mène jusqu'à elle ?

— Non, protesta Quinn, ils me tueraient s'ils savaient que je t'ai détaché.

Il écarta les bras d'un geste suppliant.

— Il faut que tu m'emmènes avec toi.

— Comment veux-tu que je te fasse confiance, Quinn ?

— Si tu me laisses ici, Caine va me régler mon compte.

Sam n'avait pas le temps de discuter.

— Tu ferais mieux de prier pour qu'il n'arrive rien à Astrid, Quinn. Si tu m'as trahi sur ce coup-là, je ne donne pas cher de ta peau.

— Pas la peine de me menacer, frangin, répondit Quinn d'un ton nerveux.

— Ne m'appelle pas comme ça. Je ne suis pas ton frère.

Astrid était tiraillée entre le soulagement et la culpabilité. Elle s'était laissé impressionner par Drake. Elle avait insulté son propre frère.

Ses mains tremblaient. Pour sauver sa peau, elle avait trahi le petit Pete. Elle le haïssait pour ce qu'il était, lui en voulait d'être aussi dépendant. Pourtant, à cet instant, c'était contre elle-même qu'elle était furieuse.

Mais l'heure n'était pas aux remords : il fallait réfléchir, et vite. Drake finirait par la retrouver. Caine ou Diana, cette créature malfaisante, avaient dû deviner ce qui s'était passé. Il ne faudrait que quelques secondes à Drake pour faire son rapport à Caine, et Caine comprendrait aussitôt ce qu'il en était. Si Diana était réellement capable d'évaluer le pouvoir d'autrui, elle saurait que ce n'était pas Astrid qui les avait téléportés, mais le petit Pete.

Il fallait partir dès maintenant. Mais pour aller où ?

Trouver un refuge où Drake n'irait pas les chercher et auquel Sam penserait. S'il avait réussi à s'échapper. S'il était encore en vie.

Le cerveau d'Astrid tournait au ralenti. Incapable de se concentrer, elle revoyait sans cesse l'expression folle de Drake et sentait encore la brûlure de la gifle qui se confondait avec sa propre honte.

« Réfléchis, idiote, s'enjoignit-elle. Réfléchis, tu n'es bonne qu'à ça. »

Ils ne pouvaient pas retourner en ville ni prendre la fuite en voiture : il était trop tard pour apprendre à conduire.

Son esprit, telle une caméra déréglée, ressassait les mêmes images, revenait sans cesse à ce moment où la peur avait pris le dessus, où, n'y résistant plus, elle avait trahi son petit frère. Les mêmes mots : « Mon frère est un attardé » passaient en boucle dans sa tête.

L'hôtel ! La chambre qu'ils avaient partagée le premier soir. Sam s'en souviendrait forcément. Quinn était avec eux, ce soir-là. Il parviendrait peut-être à la même conclusion.

Astrid hésitait. « Pas le temps de tergiverser », songea-t-elle. Drake, lui, n'hésiterait pas. Il s'était sans doute déjà lancé à leur poursuite, et elle ne se sentait pas capable de l'affronter seule encore une fois.

— Pete, il faut qu'on parte.

Astrid prit son frère par la main et l'entraîna dans l'escalier. Le temps leur était compté.

« La porte d'entrée. Non, la porte de derrière. Meilleure idée. »

Ils traversèrent le jardin sans presser le pas, le petit Pete se laissant rarement persuader de courir. La clôture en bois n'était pas très haute, mais il fallut du temps et des efforts à Astrid pour convaincre l'enfant de la franchir. « Surtout, rester à l'écart de la rue », pensa-t-elle.

Ils progressèrent autant que possible en passant par les arrière-cours, par la rue quand ils ne pouvaient pas faire autrement, puis regagnant les jardins et les ruelles dès que l'occasion s'en présentait. S'ils ne croisèrent personne, il était impossible de s'assurer qu'on ne les espionnait pas.

Ils arrivèrent au pied de la colline qui séparait la ville de l'hôtel et se frayèrent un chemin parmi les arbustes. Astrid traînait le petit Pete par la main, partagée entre l'envie d'accélérer le pas et la crainte de faire un geste susceptible de le déstabiliser.

Le Clifftop n'avait pas changé. La paroi était toujours là. Le hall toujours désert, éclatant de propreté.

Astrid détenait encore le passe électronique qu'ils avaient fabriqué le premier soir. Elle trouva la suite, ouvrit la porte et se laissa tomber sur le lit, où elle resta un long moment étendue, le cœur battant, les yeux fixés sur le plafond blanc. Le matelas était moelleux ; l'air conditionné ronronnait agréablement.

Elle finit par se pardonner d'avoir répété les paroles de Drake. Ce n'étaient que des mots, vidés de leur sens. Le petit Pete n'y avait sans doute pas prêté attention. Ce qu'elle ne s'expliquait pas, en revanche, c'était la peur qu'elle avait ressentie et la honte qui subsistait. Elle porta la main à sa joue : était-elle brûlante ou était-ce seulement le fruit de son imagination ?

— Où est-ce qu'on va, Sam ? demanda Quinn avec anxiété.

Plutôt que de courir à perdre haleine, ils avaient opté pour de petites foulées, plus faciles à tenir sur le long terme. Sam les fit couper par la place, comme s'il ne se souciait pas d'être poursuivi.

— Il faut qu'on retrouve Astrid avant Drake, répéta Sam.

— Alors on passe chez elle ?

— Non. L'avantage, avec les petits génies, c'est qu'on est sûr qu'ils ne commettent pas ce genre d'erreur. Astrid sait pertinemment qu'elle ne doit pas rester chez elle.

— Où est-elle allée, à ton avis ?

Sam réfléchit un instant.

— À la centrale. Il ne nous reste plus qu'à trouver un bateau pour longer la côte.

— D'accord, mais tu ne crois pas qu'on devrait éviter de passer par la ville?

Sam ne répondit pas. S'il n'avait pas opté pour une trajectoire plus discrète, c'était en partie parce qu'il espérait trouver Edilio à la caserne. Par ailleurs, il avait besoin de s'assurer que Quinn ne le trahirait pas à la première occasion. En outre, c'était une question de tactique, que Sam avait adoptée d'instinct: dans la mesure où Caine était le plus fort, il se devait d'être le plus rapide. Plus il tardait à réagir, plus Caine avait de chances de gagner.

Arrivés devant la caserne, ils trouvèrent Edilio assis à l'avant du camion de pompiers, le moteur en marche. Avisant Sam et Quinn, il se pencha par la vitre.

— Bon timing, les gars, j'étais sur le point de l'essayer...

Il se tut en voyant le visage blême de Sam.

— Viens, Edilio. On part.

— OK, laisse-moi juste...

— Non, tout de suite. Drake recherche Astrid pour la tuer.

Edilio sauta à bas du camion.

— Où on va?

— À la marina pour réquisitionner un bateau. Je pense qu'Astrid est en route pour la centrale.

Les trois garçons coururent jusqu'à la marina. Sam savait qu'Orc et Howard étaient restés à l'intérieur de l'école avec Caine, tandis que Drake faisait route vers la maison d'Astrid, ce qui leur laissait un peu de temps pour agir sans être inquiétés. Ils aperçurent Maillet et un autre élève de Coates qui traînaient sur les marches de l'hôtel de ville, mais ni l'un ni l'autre ne les interpellèrent à leur passage.

La marina, assez petite, ne comptait qu'une quarantaine d'emplacements, dont la moitié seulement étaient occupés. Elle était flanquée d'un bassin et d'un entrepôt rouillé, qui avait jadis abrité une fabrique de conserves et qui servait désormais d'atelier de réparation. Un grand nombre de bateaux étaient suspendus par des poulies au-dessus de l'eau, et menaçaient de se renverser au moindre coup de vent.

L'endroit était désert. Il n'y avait personne pour leur barrer la route.

— Lequel on prend ? demanda Sam, qui ne connaissait rien aux bateaux.

Il s'avança quand même sur le premier ponton et se tourna vers Edilio, qui répondit par un haussement d'épaules.

— Bon. Quelque chose qui supporterait le poids de cinq personnes, avec un moteur et un plein d'essence. Quinn, tu prends les bateaux à ma droite, Edilio, ceux à ma gauche. Je vais partir du bout du ponton et revenir sur mes pas. Au boulot !

Ils se séparèrent et, bien que pressés par le temps, ils inspectèrent chaque embarcation susceptible de

convenir dans l'espoir d'y trouver un trousseau de
clés et un réservoir bien rempli.

Dans un coin de sa tête, Sam s'imaginait Drake
en train de fouiller la maison d'Astrid, un pistolet
à la main. La crainte qu'Astrid et le petit Pete se
téléportent de nouveau le ralentirait peut-être un
peu dans ses recherches. Drake ignorait que l'enfant
ne maîtrisait pas vraiment ses pouvoirs, aussi se
déplacerait-il le plus discrètement possible, en usant
de toute sa patience. Un bon point pour eux : moins
Drake en saurait, plus il serait ralenti.

Soudain, le bruit d'un moteur déchira le silence.
Sam revint sur ses pas en courant et trouva Quinn,
fièrement installé dans un gros canot à moteur.

— Il est un peu enroué, dit-il par-dessus le tous-
sotement paresseux du moteur.

— Bon boulot, commenta Sam en sautant dans
le canot. Edilio, largue les amarres.

Edilio s'exécuta avant de sauter à son tour dans
le bateau.

— Il faut que je vous prévienne, les gars : j'ai le
mal de mer.

— Il y a des choses plus graves, fit remarquer
Sam.

— J'ai peut-être réussi à le mettre en marche, mais
je ne sais pas le manœuvrer, annonça Quinn.

— Moi non plus, avoua Sam. Mais il va bien
falloir que j'apprenne, j'imagine.

— Hé ! Regardez !

Orc, Howard et Panda apparurent à l'autre bout du ponton.

— Maillet nous a vus, dit Sam. Il a dû donner l'alerte.

Les trois garçons se mirent à courir dans leur direction. Sam, affolé, scruta les écrans de contrôle. Le moteur continuait de cracher tandis que le bateau, privé de ses amarres, dérivait lentement vers le large. Cependant, Orc aurait tout le temps de franchir à la nage la distance qui les séparait du ponton.

— Accélère ! cria Edilio en montrant un levier rouge.

— OK, accrochez-vous.

Sam tira brusquement sur le levier et le canot s'élança avant de heurter un poteau. Sam perdit l'équilibre et se redressa in extremis. Edilio s'agrippa au bord du canot tandis que Quinn s'asseyait lourdement à l'avant. Après avoir frotté contre le poteau, la proue du canot, par un hasard heureux, se positionna vers le large.

— Il faut peut-être y aller doucement au début, suggéra Edilio.

— Stop ! Arrêtez ce bateau ! rugit Orc. Je vais vous massacrer !

Sam manœuvra dans la bonne direction, du moins l'espérait-il, et le canot s'éloigna paresseusement. À présent, Orc ne pouvait plus les rattraper.

— Caine va tous vous tuer, cria Panda.

— Quinn, espèce de traître ! renchérit Howard.

— Dis-leur que c'est moi qui t'ai forcé, ordonna Sam.

— Quoi ?

— Obéis.

Quinn se leva et, les mains en porte-voix, lança :

— C'est lui qui m'a forcé.

— Maintenant, dis-leur qu'on va à la centrale.

— Mais...

— Allez. Et montre la direction.

— On va à la centrale, cria Quinn en tendant le doigt vers le nord.

Sam lâcha le volant du canot, fit volte-face et envoya un crochet du gauche à Quinn, qui tomba assis dans le bateau.

— Mais qu'est-ce...

— Fallait que ça fasse plus vrai, expliqua Sam sans exprimer le moindre regret.

Ils étaient hors de danger pour l'instant. Sam fit un geste obscène à leurs poursuivants, accéléra un peu, et vira vers le nord en direction de la centrale.

— À quoi tu joues ? demanda Edilio, méfiant.

— Elle n'est pas allée à la centrale, expliqua Sam. C'est au Clifftop qu'on la trouvera. On garde le cap tant qu'ils nous regardent.

— Tu m'as menti ! s'indigna Quinn en se frottant le menton. Tu n'as pas confiance en moi.

Orc, Howard et Panda s'éloignèrent. Ils retournaient sans doute en ville pour prévenir Caine. Une fois certain qu'ils étaient partis, Sam tourna le volant et mit les gaz, cap vers le sud.

Drake avait établi ses quartiers dans une maison abandonnée qui donnait sur la place. Elle se trouvait à moins d'une minute de l'hôtel de ville. Elle avait appartenu à un homme solitaire. Petite, elle ne comprenait que deux chambres, et elle était propre, bien rangée, conforme au goût de Drake.

L'ancien propriétaire, dont Drake avait oublié le nom, possédait trois armes à feu au total : un fusil à canons superposés, une carabine de chasse à lunette et un pistolet semi-automatique.

Drake gardait ces trois armes chargées en permanence. Elles étaient posées en évidence sur la table de la salle à manger, et il les contemplait amoureusement à la moindre occasion.

Il soupesa la carabine dont le fût, astiqué avec soin, était aussi lisse que du verre. Elle sentait l'huile et l'acier. Il hésitait à l'emporter car il n'avait jamais utilisé ce genre d'arme jusque-là. Il ne savait pas se servir d'une lunette, mais ça ne devait pas être bien difficile.

Il passa la courroie à son bras et remua les épaules pour tester sa liberté de mouvement. La carabine était lourde, et un peu longue. La crosse protégée par du caoutchouc lui arrivait à la cuisse, mais il s'en sortirait.

Puis il soupesa le pistolet, serra la crosse et enroula son doigt autour de la détente. Il aimait sentir le poids de l'arme dans sa main.

Son père lui avait appris à tirer avec son arme de service. Il se souvenait encore de sa première fois. Glisser les balles dans le chargeur puis l'insérer dans la crosse. Faire coulisser la culasse pour mettre la balle en place. Ôter le cran de sûreté.

Il gardait en mémoire les leçons de son père : maintenir la crosse fermement sans trop crisper les doigts. Reposer la main droite sur la paume de la gauche et viser calmement. Se poster de biais afin de ne pas être une cible trop facile en cas de riposte. Son père devait crier, car ils portaient tous deux des protections auditives.

— Il faut que tu vises juste en dessous du prolongement de ta cible. Puis tu expires doucement et tu presses la détente.

La première détonation, le recul de l'arme, l'odeur de la poudre, toutes ces sensations étaient restées gravées dans la mémoire de Drake. Lors de son premier essai, il avait manqué sa cible. Même chose la deuxième fois car, après la première détonation, il avait éprouvé une légère appréhension en tirant. Le troisième coup de feu avait atteint le bas de la cible. Il avait épuisé une boîte de munitions, ce jour-là, et, à la fin de la séance, il était capable de faire mouche.

— Et si je tire sur quelqu'un? avait-il demandé à son père.

— Ce n'est pas le but, avait répliqué ce dernier.

Puis il s'était radouci, sans doute rassuré à l'idée de pouvoir enfin partager quelque chose avec ce fils si dérangeant.

— Il existe différentes techniques. Mais, en ce qui me concerne, si j'arrête un conducteur, que je le crois armé et que je dois réagir vite, je pointe mon arme sur lui comme si le canon était un sixième doigt. Tu vises et tu vides la moitié du chargeur, bang bang bang bang.

— Pourquoi autant de balles?

— Parce que quand on tire dans ce cas, c'est pour tuer. Or, on n'a pas le temps de viser précisément le cœur ou la tête, on braque son arme sur une masse indistincte en espérant avoir un peu de chance. Mais le cas échéant, si on touche l'épaule ou le ventre, la seule rapidité de l'impact enverra la cible au tapis.

Drake ne pensait pas qu'il faudrait six coups de feu pour tuer Astrid.

Il gardait un souvenir très précis du jour où il avait tiré sur Holden, le fils du voisin, qui adorait l'enquiquiner. Bien que ce dernier ait été touché à la cuisse, avec une arme de petit calibre, il avait failli y laisser sa peau. Cet «accident» avait valu à Drake une inscription au pensionnat Coates.

Le pistolet qu'il tenait à la main était moins puissant que la carabine de son père, mais c'était toujours mieux que l'arme qu'il avait utilisée contre Holden.

Un seul coup suffirait. Un pour la pimbêche blonde, un pour le débile. La classe. En guise de rapport, il annoncerait à Caine : « Deux cibles, deux balles. » Voilà qui ferait passer à Diana l'envie de se moquer de lui.

La maison d'Astrid n'était pas loin. La seule difficulté consistait à l'attraper avant que son petit frère ait recours à son pouvoir pour les téléporter. Drake détestait ces histoires de pouvoir. Si Caine commandait à sa place, c'était pour cette seule et unique raison. Caine avait néanmoins compris que les dégénérés devaient être surveillés de près. Et dès que Diana et lui les tiendraient sous leur coupe, qu'est-ce qui l'empêcherait d'utiliser sa magie à lui, son pistolet, pour se tailler la part du lion ?

Mais chaque chose en son temps.

Il observa la maison d'Astrid, à quelques mètres devant lui, chercha des signes de vie derrière les fenêtres et se glissa dans le jardin pour gagner la porte de derrière. Elle était verrouillée. Il y avait fort à parier que la porte d'entrée était elle aussi fermée à double tour, mais il restait les fenêtres. Après avoir escaladé la balustrade du perron, il se pencha vers une fenêtre à guillotine, chercha une prise et souleva le panneau sans difficulté. En revanche, c'était moins facile de se glisser par l'ouverture.

Il lui fallut dix minutes pour fouiller chaque pièce : il inspecta tous les placards, sous les lits, derrière les rideaux, et alla même jusqu'à examiner les moindres recoins mansardés du grenier.

Une fois son inspection terminée, il fut pris d'un accès de panique : Astrid pouvait se cacher n'importe où. Il passerait pour un idiot s'il n'arrivait pas à la retrouver. Où avait-elle pu aller ?

Il examina le garage. Rien, pas même une voiture. Par contre, une tondeuse à gazon était entreposée dans un coin ; or, qui disait tondeuse disait bidon d'essence. Il se demanda ce qu'il adviendrait d'Astrid et de son attardé de frère s'ils se matérialisaient dans une maison en flammes. Drake ouvrit le bidon, alla à la cuisine et arrosa le bar d'essence. Il fit de même au salon, aspergea les rideaux, la table de la salle à manger.

Ne trouvant pas d'allumettes, il déchira un bout de papier qu'il alluma avec le brûleur du four à gaz, puis il le jeta sur la table de la salle à manger et sortit sans prendre la peine de refermer la porte.

« Voilà au moins un endroit où elle ne pourra pas venir se cacher », se dit-il.

Il revint sur ses pas en courant et, parvenu sur la place, gravit les marches de l'église. Le clocher n'était certes pas très haut, mais il offrait une assez bonne vue des environs.

Il monta l'escalier en colimaçon, poussa une trappe et se hissa jusqu'à un espace étroit, poussiéreux, envahi de toiles d'araignée et surplombé d'une énorme cloche. Il prit garde à ne pas la toucher pour ne pas signaler sa présence.

Les ouvertures du clocher étaient dotées de persiennes qui laissaient passer la brise mais ne lui permettaient de voir que vers le bas. À l'aide de la crosse de son fusil, il abattit la première persienne qui alla s'écraser sur le sol.

Sur la place, des enfants levèrent les yeux. «Qu'ils regardent!» Il fit tomber les trois autres persiennes qui rejoignirent la première. Maintenant, il jouissait d'une vue panoramique de Perdido Beach, dont les toits de tuiles orange s'étendaient au-dessous de lui.

Il observa d'abord la maison d'Astrid, qui commençait déjà à fumer. Il œuvra méthodiquement, tel un chasseur traquant le moindre mouvement. Chaque fois qu'il repérait quelqu'un en train de marcher, de courir ou de pédaler, il jetait un œil à travers la lunette de sa carabine et le mettait en joue. Il avait l'impression d'être Dieu. Il lui suffisait de presser la détente. Mais aucune de ces silhouettes n'était Astrid. Impossible de rater ces cheveux blonds. Non. Pas d'Astrid.

Il était sur le point d'abandonner quand il discerna du mouvement du côté de la marina. Il colla son œil à la lunette et soudain, Sam Temple apparut distinctement dans sa ligne de mire: Drake visa sa poitrine pendant quelques secondes, puis Sam disparut de son champ de vision. Il venait de sauter dans un canot.

Impossible. Caine retenait Sam à l'école. Comment avait-il réussi à s'échapper ?

Edilio et Quinn étaient montés à bord, eux aussi, et s'efforçaient de faire démarrer le bateau. Drake voyait l'eau bouillonner autour de l'hélice.

Quinn. C'était forcément lui qui avait délivré Sam. Il faudrait qu'ils aient une petite conversation, tous les deux.

Drake vit Orc, debout sur le ponton, agiter sa batte en s'époumonant de rage impuissante. Le canot accéléra en laissant dans son sillage de longues traînées d'écume blanche.

Il ne faisait pas l'ombre d'un doute que Sam essaierait de retrouver Astrid. Et qu'il faisait route vers le nord.

La centrale.

Drake poussa un juron et, pendant un bref instant, fut submergé par la peur d'échouer devant Caine. S'il ne s'inquiétait pas pour son avenir – après tout, Caine avait besoin de lui –, il savait en revanche que Diana le ridiculiserait.

Drake reposa son fusil. Comment atteindre la centrale avant Sam ? C'était irréalisable. Même en bateau, il ne pourrait pas rattraper son retard. Une voiture ? Peut-être. Mais il ne connaissait pas le chemin et c'était plus direct par la mer. Il lui faudrait un bon moment pour rejoindre la marina et… Une seconde.

Le canot faisait demi-tour.

— Tu es malin, Sam, murmura Drake. Mais pas autant que moi.

À travers la lunette, il distinguait à peine le visage de Sam, debout au volant du canot, les cheveux au vent ; il avait échappé à Caine, semé Orc, et voguait désormais vers le sud, gonflé d'assurance et d'auto-satisfaction.

Il était impossible de l'atteindre à cette distance, Drake le savait bien. L'œil toujours collé à la lunette, il suivit la direction du bateau et son regard buta sur la paroi. Sam ne pourrait pas aller bien loin de ce côté-là.

La plage au pied des falaises ? Si Astrid était là-bas, Drake ne la rejoindrait jamais avant Sam. Mais si, par exemple, elle s'était réfugiée au Clifftop ? Il lui restait une chance de la rattraper en agissant vite. Ce serait un grand plaisir de l'abattre sous les yeux de Sam Temple !

ASTRID AVAIT BIEN FAILLI manquer le bateau. Elle était allée à la fenêtre pour tirer les rideaux et, du coin de l'œil, elle avait vu le canot à moteur se détacher sur l'eau, seul sur l'immensité déserte de l'océan.

Pendant un bref moment, elle s'était demandé si des adultes venaient les sauver de la Zone. Mais si des secours devaient arriver de l'extérieur, ils ne débarqueraient pas d'un seul canot. En outre, Astrid était convaincue que personne ne se montrerait. Pas pour le moment, du moins. Peut-être même jamais.

Elle plissa les yeux sans pouvoir distinguer les occupants du bateau. Si seulement elle avait des jumelles ! Apparemment, trois personnes se trouvaient à bord. Peut-être quatre. Difficile d'en avoir le cœur net. Mais une chose était sûre, le bateau se rapprochait.

Elle s'agenouilla à côté du minibar pour en vérifier le contenu. Lors de leur dernier passage, Sam, Quinn et elle l'avaient quasiment vidé. Il ne restait plus que des noix de cajou à grignoter. Tôt ou tard, il faudrait trouver à manger pour le petit Pete.

— Viens, Pete, dit-elle en levant l'enfant assis sur le lit. On va chercher de quoi manger. Miam miam ? ajouta-t-elle, choisissant des mots qui suscitaient parfois une réaction chez son frère.

Ils pouvaient toujours descendre au restaurant, où ils trouveraient sans doute quelque chose à se mettre sous la dent. À moins qu'il soit plus sûr de passer en revue les minibars des autres chambres.

Astrid ouvrit la porte, jeta un coup d'œil dans le couloir. Il était désert.

— Va pour une barre chocolatée, décréta-t-elle, comprenant qu'elle n'aurait pas le courage de descendre au rez-de-chaussée.

La chambre d'à côté était pourvue d'un minibar, mais il était sous clé. Astrid en essaya trois autres avant de comprendre qu'elle avait eu de la chance le premier soir. Les réfrigérateurs étaient tous verrouillés. Les clés ne semblaient pas interchangeables.

— Viens, on retourne dans notre chambre, dit-elle.

— Miam miam, protesta le petit Pete.

— Oui, miam miam. Viens, Pete.

Une fois dans le couloir, elle entendit le cliquetis d'un ascenseur. Les portes automatiques venaient de s'ouvrir.

C'était peut-être Sam. Elle s'immobilisa, partagée entre la peur et l'espoir.

La peur l'emporta.

L'ascenseur se trouvait au bout d'un couloir, dans un renfoncement. Elle n'avait que quelques secondes devant elle.

— Viens, chuchota-t-elle en poussant le petit Pete devant elle.

De ses doigts tremblants, elle glissa le passe dans la serrure électronique. Son geste avait été trop précipité ; elle dut s'y reprendre, plus lentement cette fois. Toujours rien. Il fallait recommencer, alors que les portes de l'ascenseur s'étaient refermées et qu'Astrid comprenait, en un éclair, que c'était Drake qui venait d'en sortir.

Elle essaya le passe encore une fois. Le voyant de la serrure passa au vert. Elle tourna la poignée et vit Drake, à l'autre bout du couloir, un fusil sur l'épaule et un pistolet à la main.

Astrid faillit s'évanouir de terreur. Avec un grand sourire, Drake leva la main qui tenait le pistolet et visa. Astrid poussa le petit Pete dans la chambre et se précipita à sa suite. Puis elle claqua la porte, mit le verrou et ajouta la chaîne de sécurité.

Un bruit assourdissant déchira le silence du couloir.

Un vide de la taille d'une pièce de monnaie trouait la porte. Une autre explosion retentit et, l'instant d'après, la poignée pendait, à demi arrachée.

Le petit Pete pouvait les sauver, lui. Il en avait le pouvoir. Mais il n'avait pas bronché.

Le balcon. C'était la seule issue.

— Viens, Pete !

— Miam miam, protesta l'enfant.

Drake se jeta contre la porte, qui résista. La serrure endommagée tenait bon. À bout de nerfs, il tira sur la porte à plusieurs reprises. Il devait craindre qu'ils ne se téléportent à nouveau. Elle devait donc le persuader que c'était le cas. Elle entraîna Pete vers le balcon, ouvrit la baie vitrée, jeta un œil en bas. Ils étaient bien trop haut pour sauter ; en revanche, il y avait un balcon juste en dessous du leur.

Astrid enjamba la balustrade, morte de peur. Mais comment s'y prendre pour que le petit Pete accepte de la suivre ? Voilà qu'il faisait une fixation sur son estomac.

— Game Boy, chuchota-t-elle en lui mettant son jouet sous le nez. Allez, Pete, allez, Game Boy.

Elle guida son frère par-dessus le balcon, lui fit poser une main sur la balustrade – une seule, l'autre se cramponnait au jeu vidéo, ce stupide jeu qui l'accaparait entièrement ; il était trop détendu pour utiliser son pouvoir. Trop imprévisible.

Ça ne marcherait jamais. Il lui fallait pourtant y arriver, mais comment persuader son frère de l'imiter ? Il était petit et léger : peut-être qu'en le balançant au bout de son bras... Elle pourrait supporter son poids pendant les quelques secondes que prendrait l'opération.

De sa main gauche, elle agrippa la balustrade tandis que, de la droite, elle saisissait le poignet de son frère. Elle le fit sauter dans le vide, le retint quand il tomba, se cramponna à son poignet du bout des doigts, puis le laissa choir sur une chaise de jardin juste au-dessous d'eux.

La chute fut brutale, et il semblait un peu sonné.

Astrid entendit Drake se jeter de nouveau contre la porte ; un craquement retentit au moment où la serrure céda. Désormais, seule la fragile chaîne de sécurité maintenait la porte, et ce n'était plus qu'une question de secondes avant qu'elle ne cède elle aussi.

Astrid se laissa tomber à son tour et manqua atterrir sur le petit Pete. Sans se préoccuper de sa jambe endolorie ni de ses égratignures, elle prit son frère dans ses bras, le serra contre elle et recula contre la baie vitrée du balcon.

— La fenêtre, la fenêtre, murmura-t-elle, la bouche collée contre l'oreille de l'enfant.

Elle entendit Drake marcher dans la pièce au-dessus puis ouvrir la baie vitrée et s'avancer sur le balcon. À moins de se pencher, il ne pouvait pas les voir. Elle se mit à prier en silence.

Elle entendit Drake jurer dans sa barbe. Ils avaient réussi. Il devait s'imaginer qu'ils avaient disparu. «Merci, mon Dieu», songea Astrid. Et c'est alors que le petit Pete gémit.

Sa console était tombée quand elle avait fait choir l'enfant du balcon. Le boîtier était ouvert; une des piles avait roulé un peu plus loin. Pete essayait en vain de rallumer le jeu.

Astrid réprima un sanglot et Drake se tut. Elle leva les yeux et le vit, penché par-dessus la balustrade, qui souriait de toutes ses dents, le pistolet à la main. Pour les mettre en joue, il dut enjamber la balustrade, s'accroupit comme Astrid quelques instants plus tôt, et les visa en ricanant.

Mais soudain, il poussa un cri de douleur et bascula dans le vide.

Astrid bondit jusqu'à la rambarde : Drake gisait sur le dos dans l'herbe, inconscient. La voix de Sam s'éleva :

— Astrid !

Penché par-dessus le garde-corps, il tenait toujours à la main la lampe dont il s'était servi pour frapper Drake.

— Sam ?

— Tu vas bien ?

— Ça ira mieux quand j'aurai récupéré la pile pour le jeu de Pete, répondit-elle.

Et, s'apercevant de l'absurdité de sa réponse, elle rit.

— Un bateau nous attend sur la plage.

— Pour aller où?

— Je ne sais pas, mais loin d'ici.

25

127 HEURES
42 MINUTES

DEUX JOURS S'ÉTAIENT ÉCOULÉS depuis que Lana avait échappé aux griffes des coyotes parlants. Deux jours depuis qu'elle avait été sauvée par un serpent volant.

Le monde était devenu fou.

Ce matin, elle avait arrosé la pelouse, en gardant un œil sur d'éventuels coyotes et autres reptiles. Elle tendait l'oreille chaque fois que Pat esquissait un mouvement brusque ou poussait un grognement. Il était devenu son système d'alarme à distance. Si par le passé elle considérait son chien comme un animal de compagnie, voire un ami fidèle, désormais elle le voyait comme son équipier dans le jeu de la survie : elle avait besoin de ses sens aiguisés, et lui de son cerveau.

C'était un peu idiot d'arroser cette pelouse alors qu'elle n'était pas sûre d'avoir assez d'eau pour elle. Mais le propriétaire de cette cabane délabrée perdue en plein désert avait chéri ces quelques mètres carrés de verdure. Il avait dû y voir un geste de défi à l'encontre de cette immensité désolée, bien qu'il ait choisi de vivre ici, au milieu de nulle part. Et puis, dans ce monde de folie, elle avait bien le droit de débloquer un peu, non ?

Le propriétaire de la cabane s'appelait Jim Brown : elle avait trouvé des papiers à son nom dans un tiroir de son bureau. Ce bon vieux Jim Brown. La masure ne recensait aucune photo de lui mais quarante-huit ans, c'était un peu jeune, de l'avis de Lana, pour quitter la civilisation et mener une existence d'ermite.

Dans l'abri situé derrière la cabane s'entassaient, du sol au plafond, des rations de survie. Il ne conte-nait pas un seul produit frais mais assez de biscuits salés, de beurre de cacahuètes, de fruits au sirop, de chili en conserve et autres plats tout prêts pour tenir un an, voire davantage.

Il n'y avait ni téléphone, ni télé, ni appareil électrique dans la cabane. Pas d'air conditionné pour adoucir la chaleur écrasante de l'après-midi. Pas d'électricité du tout. Les seules concessions au confort moderne étaient le moulin permettant de pomper l'eau d'une nappe souterraine, et la meule servant à aiguiser pelles, pioches et quantité d'autres outils.

Des empreintes de pneus se détachaient sur le sable, en provenance d'une espèce d'abri pour voiture bâti dans le prolongement de la cabane. Parmi les détritus, Lana trouva des bidons d'essence vides et deux réservoirs en plastique rouge de cent litres chacun qui sentaient fort le gasoil.

Dehors, des traverses de chemin de fer empilées formaient un carré bien net à côté d'un tas de bois de dimensions plus modestes, composé pour l'essentiel de planches vermoulues plantées de clous.

Jim l'Ermite, comme le surnommait désormais Lana, avait dû partir en balade. Peut-être qu'ayant connu le même sort que son grand-père, il ne reviendrait pas, et qu'elle était la seule personne encore en vie sur cette planète.

Elle ne voulait pas être là s'il lui prenait l'envie de revenir. Comment se fier à un homme qui vivait au bout du monde, dans une vallée brûlante coincée entre deux montagnes pelées, et qui entretenait un carré de pelouse aussi moelleux qu'un green de golf?

Après avoir arrosé les quelques mètres carrés de végétation, Lana aspergea Pat avec le tuyau avant de fermer l'arrivée d'eau.

— Ça te dit, un chili, mon vieux?

Elle précéda le chien à l'intérieur de la cabane. Il y faisait chaud comme dans un four, et elle commença à transpirer avant d'en avoir franchi le seuil. Mais elle avait fini de se plaindre pour des broutilles après tout ce qu'elle avait enduré.

Il faisait chaud, et alors ? Elle remerciait le ciel d'avoir de l'eau, de la nourriture et des os intacts.

Le chili se présentait en conserve de trois kilos. Privés de réfrigérateur, ils devaient le consommer rapidement avant qu'il ne se gâte : ils se nourrissaient donc de chili, repas après repas, jusqu'à épuisement de la boîte. Au moins, ils se régalaient de fruits au sirop pour le dessert. Demain, elle ouvrirait peut-être une grosse boîte de crème à la vanille, quitte à en manger pendant deux jours.

La cabane ne comportait ni four ni évier ; elle était équipée d'un réchaud, d'une seule chaise, d'une table et d'un lit de camp dur comme la pierre. Le seul élément de décoration était un tapis persan élimé qui trônait au centre de l'unique pièce. Le meilleur siège de l'endroit était une chauffeuse qui sentait mauvais mais n'en était pas moins confortable. La lecture tenait lieu de seul passe-temps : Jim l'Ermite avait en tout et pour tout trente-huit livres (Lana avait pris la peine de les compter), parmi lesquels des romans relativement récents et quelques ouvrages de philosophie. Sa bibliothèque comprenait aussi des classiques aux titres plus ou moins familiers : *Oliver Twist*, *Le Loup des mers*, *Ivanhoé*[1].

---

1. *Oliver Twist* est un roman de Charles Dickens, *Le Loup des mers* de Jack London et *Ivanhoé* de Walter Scott.

Lana n'avait pas à proprement parler jeté son dévolu sur un livre en particulier, n'ayant aucun *Harry Potter* sous la main. Cependant, le premier jour, elle avait réussi à lire *Orgueil et préjugés*[1] de bout en bout, et elle venait d'entamer *Le Loup des mers*. Ces deux romans n'étaient pas faciles à lire, mais Lana avait du temps à tuer.

— On ne peut pas rester ici éternellement, Pat, lança-t-elle, tandis que son compagnon attaquait son bol de chili. Tôt ou tard il va falloir reprendre la route. Mes amis doivent s'inquiéter, papa et maman aussi. Ils croient sûrement qu'on est morts.

Mais tout en parlant, elle ne pouvait s'empêcher de douter. Il ne restait pas grand-chose à faire une fois qu'elle eut inventorié les provisions, aussi passait-elle le plus clair de son temps à lire ou à surveiller le désert. Elle traînait la chaise jusque sur le seuil, là où elle était sûre de trouver de l'ombre, et regardait la pelouse et les montagnes au-delà. Elle avait pris l'habitude de lire un paragraphe, puis de lever la tête pour balayer les environs du regard, guetter des signes d'inquiétude chez Pat, avant de se replonger dans le paragraphe suivant. Au bout de quelque temps, la vue de cet immense paysage désolé achevait de saper son moral déjà vacillant, et elle retournait à l'intérieur.

---

1. *Orgueil et préjugés* a été écrit par Jane Austen.

Le mur était toujours là. Il se dressait au loin, derrière la cabane ; Lana devait s'éloigner de quelques pas pour l'apercevoir.

Elle s'avançait vers la porte, un verre d'eau à la main, avec l'intention de le boire tout en inspectant la pelouse, quand Pat se précipita vers elle, le poil hérissé, en secouant la tête comme s'il venait de capturer quelque chose dans sa gueule.

— Entre vite ! cria Lana.

Pat déboula dans la cabane, et Lana claqua la porte derrière lui puis tira le verrou. Le chien se prit les pattes dans le tapis et roula sur le dos avant de se redresser. Il tenait quelque chose dans sa gueule. Quelque chose de vivant.

Lana s'avança avec prudence et se pencha pour examiner sa prise.

— Un crapaud cornu ? C'est tout ? Tu m'as fait une peur bleue ! s'écria-t-elle, le cœur battant. Crache-moi ce truc. Bon sang, Pat, moi je compte sur toi, et toi tu te laisses effrayer par un crapaud cornu ?

Pat ne semblait pas disposé à lâcher sa proie. Lana décida de le laisser tranquille. De toute façon, la bestiole était morte maintenant, et Pat avait sans doute le droit de débloquer, lui aussi.

— Emporte-le dehors, tu peux le garder.

Lana se dirigea vers la porte, s'arrêta au passage pour remettre le tapis en place, et c'est alors qu'elle remarqua une cache dans le sol.

Après avoir roulé le tapis contre la chauffeuse, elle hésita, incapable de décider si elle voulait vraiment savoir ce qui se trouvait sous ces planches. Et si Jim l'Ermite était un tueur en série ? Pourtant, n'ayant pas grand-chose d'autre à faire, elle se résolut à tirer sur l'anneau en fer fixé sur l'une des planches.

La cache renfermait de gros lingots empilés les uns sur les autres. Lana reconnut sans l'ombre d'un doute le métal dont ils étaient faits.

— C'est de l'or, Pat.

Elle sortit quelques lingots pour en faire le compte : il y en avait quatorze au total, chacun pesant dans les dix kilos. Lana ne connaissait pas la valeur de l'or en général, mais elle savait combien coûtait une paire de boucles d'oreilles.

— Ça fait beaucoup de boucles d'oreilles, songea-t-elle tout haut.

Pat observa le trou avec perplexité.

— Tu sais ce que ça signifie, Pat, tout cet or, et ces outils dehors ? Jim l'Ermite est un chercheur d'or.

Elle courut jusqu'à l'abri où Jim garait sa camionnette. Pat s'élança derrière elle, croyant qu'il s'agissait d'un jeu. Parfois, elle lui jetait un manche de pioche cassé pour le lui faire rapporter, mais aujourd'hui les attentes de Pat seraient déçues.

Pour la première fois, Lana suivit attentivement les traces de pneus. Bien qu'à demi effacées, elles étaient encore visibles. À une trentaine de mètres de la cabane, elles se séparaient : des traces, apparemment plus anciennes, se perdaient vers le sud-ouest, en direction de Perdido Beach. D'autres, plus fraîches, se dirigeaient vers les montagnes au nord.

D'après ses conjectures, la ville devait se trouver à une trentaine de kilomètres, ce qui représentait une longue marche sous la chaleur. Si la mine se nichait au pied des montagnes, cela n'équivalait même pas à un dixième de cette distance. Si Jim l'Ermite était là-bas, sa camionnette aussi. Dans ce cas, elle y serait peut-être encore.

Lana répugnait à l'idée de s'aventurer de nouveau dans le désert. La dernière fois, elle avait failli y laisser sa peau. Les coyotes étaient peut-être toujours dans les parages. D'un autre côté, elle était tout à fait capable de franchir les quelques kilomètres qui la séparaient de la mine.

Elle remplit une bouteille en plastique à la pompe, se désaltéra et s'assura que Pat en faisait autant. Puis elle fourra des rations de nourriture dans ses poches, en glissa d'autres dans une serviette qu'elle noua en baluchon, et se tartina avec l'écran total qu'elle avait trouvé dans une trousse de premiers secours.

— On part en balade, Pat.

Edilio sourit à Astrid tandis qu'elle prenait place dans le canot.

— Maintenant on a au moins une personne intelligente à bord !

Avec l'aide de Quinn, il poussa le bateau vers l'eau, puis tous deux se hissèrent à bord et ôtèrent le sable qui s'accrochait encore à leurs jambes. Sam manœuvra vers le large, en direction de la paroi. Il espérait que Drake était mort ou, du moins, sérieusement blessé mais, n'étant sûr de rien, il avait hâte de décamper avant que ce psychopathe ne se remette à leur tirer dessus.

Jamais auparavant il n'avait souhaité la mort de quelqu'un. Huit jours s'étaient écoulés depuis l'apparition de la Zone. Huit jours seulement, et il avait son content d'histoires invraisemblables pour une vie entière. Et voilà qu'il se surprenait à espérer la mort d'un garçon de son âge.

Une fois à l'abri des balles, il se sentit mieux. Cette traversée, c'était ce qui se rapprochait le plus d'une séance de surf depuis la catastrophe. Les vagues n'avaient rien d'impressionnant, mais les ballottements du canot remontaient dans ses jambes, faisaient s'entrechoquer ses dents et lui arrachaient un sourire ravi. L'air iodé qui lui fouettait le visage réussissait toujours à chasser ses idées noires.

— Merci, Edilio. Merci à toi aussi, Quinn, lança-t-il.

S'il en voulait encore à son meilleur ami, ils étaient tous dans le même bateau désormais, au sens propre comme au figuré.

— Tu me remercieras moins quand j'aurai vomi partout, répliqua Edilio, dont le teint avait viré au vert.

Sam se rappela qu'il devait rester à distance respectable de l'enceinte, et pourtant il avait envie de s'en rapprocher : il espérait encore qu'il existait une ouverture dans la paroi, grâce à laquelle ils pourraient échapper à ce chaos.

Loin au nord, il distingua les falaises indiquant la proximité de la centrale. Au-delà, telle une vague tache dans la brume, se dessinaient les contours de l'île la plus proche d'un petit archipel privé.

Astrid, qui avait déniché des gilets de sauvetage, était en train de sangler le petit Pete. Edilio accepta lui aussi un gilet, mais Quinn refusa. Astrid avait aussi trouvé une glacière contenant des sodas tièdes, une miche de pain et des restes de sandwiches au beurre de cacahuètes.

— On ne va pas mourir de faim, déclara-t-elle. Du moins pas dans l'immédiat.

L'enceinte se dressait juste à leur gauche, terrible, imposante, infranchissable. Les vagues venaient lécher le pied avec une vigueur fougueuse, comme si l'eau cherchait elle aussi une issue. Sam avait l'impression d'être un poisson enfermé dans un aquarium avec le mur pour paroi, lequel gardait la même apparence mystérieuse, légèrement translucide, que sur la terre ferme.

Il longea la paroi en s'éloignant le plus possible du Clifftop, qui n'était désormais pas plus gros qu'un Lego posé sur une langue de sable. Perdido Beach ressemblait à une peinture à l'huile : de petites touches de couleur suggérant une ville sans le moindre souci du détail.

— Je vais tenter un truc, annonça-t-il.

Il coupa le moteur et laissa le bateau dériver. Le canot paraissait comme attiré par le mur, porté par un courant léger mais bien perceptible.

— On a une ancre ? s'enquit Sam.

Un bruit ignoble lui répondit : Edilio venait de vomir son déjeuner.

— Laissez tomber, je me charge de vérifier, reprit Sam en détournant les yeux.

Astrid, qui était en train de préparer des sandwiches, lui en tendit un. Jusqu'à présent, il ne s'était pas rendu compte qu'il avait faim ; il fourra la moitié du sandwich dans sa bouche.

— Mmm... un délice, lança-t-il, la bouche pleine de beurre de cacahuètes.

— Évite de parler de bouffe, s'il te plaît, grommela Edilio.

Sam fouilla le canot et n'y trouva pas d'ancre mais des flotteurs en plastique qu'il attacha au flanc du bateau, au cas où ce dernier heurterait la paroi. Il avisa aussi une corde en nylon dont il noua solidement une extrémité à un taquet et l'autre autour de sa cheville. Puis il ôta sa chemise et ses chaussures,

ne garda que son short, et se munit d'un long tournevis qu'il avait récupéré dans la cale.

— Qu'est-ce que tu fabriques ? demanda
Quinn.

Sam ignora sa question.

— Edilio, tu vas survivre ?

— J'espère que non, répondit ce dernier entre
ses dents.

— Je vais plonger pour vérifier si on peut passer
sous le mur.

Astrid semblait sceptique et inquiète mais, en
l'observant, Sam s'aperçut qu'elle avait surtout l'esprit ailleurs.

— Je te remonterai si ça tourne au vinaigre, dit
Quinn.

Sam se contenta de hocher la tête. Il ne se sentait
pas prêt à entamer la conversation avec son ami,
et doutait même de pouvoir lui reparler un jour.
Il plongea par-dessus bord.

Bien que glacée, le contact de l'eau lui fut agréable.
Le goût du sel dans sa bouche le fit sourire. Après
avoir pris une grande inspiration, il retint son souffle
et disparut sous la surface. Il nagea vers le fond en
s'aidant de ses pieds et de sa main libre, tandis que,
de l'autre, il brandissait le tournevis devant lui pour
se tenir à distance de la paroi, de peur d'être entraîné
par le courant. Il gardait un souvenir cuisant de son
dernier contact avec le mur.

Il s'enfonça de plus en plus profond. Si seulement, avant de quitter la marina, il avait eu la présence d'esprit de se munir d'un équipement de plongée ou, à la rigueur, d'un masque et de palmes ! Mais il avait eu d'autres chats à fouetter. L'eau était assez claire, néanmoins la proximité de la paroi limitait la visibilité.

Quand il en vint à manquer d'air, il avança son tournevis. Ne rencontrant d'abord que du vide, il éprouva une brève bouffée d'excitation, qui retomba à l'instant où le tournevis heurtait le mur. Il remonta à l'air libre et remplit ses poumons.

La paroi descendait à plus de six mètres de profondeur. Si elle avait une fin, il lui faudrait une bouteille d'oxygène et des palmes pour l'atteindre.

Le courant ballottait le canot contre l'enceinte, à quelques mètres devant lui. Il entendit un bruit sec suivi d'un sifflement : Astrid venait d'ouvrir une canette de Coca pour le petit Pete. Quinn s'assit à l'avant pour tirer sur le cordage tandis qu'Edilio semblait à deux doigts de vomir à nouveau.

Sam nagea jusqu'au bateau en prenant son temps. Il savoura le contact de l'eau sur sa peau, oubliant presque qu'il n'avait pas trouvé le moyen de s'échapper de la Zone.

Le rugissement d'un moteur lui parvint bien avant qu'il ait pu distinguer le moindre bateau. Il tendit la tête hors de l'eau pour scruter l'horizon. Quinn avait entendu, lui aussi.

— Un bateau, cria-t-il. Il fonce droit sur nous.

— Il arrive de quelle direction ?

— De la ville. Et il avance très vite, annonça Quinn.

26

S AM NAGEA de toutes ses forces jusqu'au canot.
Quinn l'aida à se hisser à bord. Il tomba à la
renverse sur le pont, se releva d'un bond et aperçut,
à quelques centaines de mètres, le gros hors-bord
qui fonçait droit sur eux en projetant d'énormes
gerbes d'écume. Si, à cette distance, Sam ne recon-
naissait pas le pilote, il distingua Howard et Orc qui
se cramponnaient au plat-bord comme si leur vie en
dépendait. En revanche, pas de trace de Drake.

— On ne pourra pas les distancer, lança
Quinn.

Apparemment, l'adrénaline avait calmé les nausées d'Edilio.

— Peut-être, mais on n'en saura rien tant qu'on
n'aura pas essayé, dit-il.

— Non, Quinn a raison, intervint Sam. Astrid,
ne lâche pas le petit Pete.

Edilio enroula la corde d'un geste vif pour éviter qu'elle ne traîne dans leur sillage et n'entrave l'hélice, puis Sam mit les gaz et le canot s'élança le long de la paroi. Le hors-bord vira de bord pour le suivre.

Sans cesser de se cramponner à son petit frère, Astrid jeta un coup d'œil derrière eux.

— Ils nous poursuivent mais ne font pas mine de nous intercepter, cria-t-elle.

Il fallut quelques instants à Sam pour comprendre ce qu'elle entendait par là. Le hors-bord aurait pu manœuvrer sans effort pour leur couper la route. Manifestement, le pilote n'y avait pas pensé. Avec un temps de retard, il vira à droite pour s'aligner derrière Sam, mais il allait trop vite et prit son virage un peu maladroitement. Le hors-bord heurta la paroi de biais avec un bruit mat, étonnamment amplifié. Puis, dans un rugissement de moteur, il fit un bond en avant et dépassa le canot.

— Accrochez-vous! prévint Sam.

La vague formée par le hors-bord submergea le canot et le projeta contre le mur. Sam lutta pour ne pas perdre l'équilibre tandis que le bateau penchait dangereusement.

Le canot se redressa, reprit de la vitesse et longea le hors-bord par la droite, si près que Sam aurait pu toucher Howard. Il accéléra vers le large, bondissant de vague en vague, la paroi à sa gauche. Mais le hors-bord était beaucoup plus rapide et, maintenant que son pilote avait repris le dessus, il se lança à la poursuite du canot et se trouva bientôt dans son sillage.

— Arrête-toi, imbécile ! brailla Orc à l'intention de Sam.

Sam ignora son injonction. Les pensées se bousculaient dans sa tête. Comment se sortir de ce traquenard ? Le canot se faisait distancer. Il était plus facile à manœuvrer mais beaucoup moins rapide que le hors-bord, lequel était lourd et imposant : il pouvait balayer leur embarcation en moins de deux.

Orc l'interpella de nouveau :

— Arrête-toi ou on fonce !

— Ne fais pas l'idiot, Sammy, cria Howard par-dessus le rugissement du moteur.

Astrid le rejoignit :

— Sam, tu peux nous tirer de là ?

— Peut-être. J'ai une idée.

D'une voix réduite à un murmure, elle demanda :

— Tu veux parler du...

— Je ne sais pas me servir du pouvoir, Astrid. Et ce n'est pas le moment d'appeler Yoda à l'aide.

Edilio s'avança à son tour :

— Tu as un plan, Sam ?

— Oui, mais il n'est pas terrible.

Sam saisit l'émetteur-récepteur de la radio qui se trouvait à côté de l'accélérateur.

— Ici, Sam. Vous me recevez, les gars ? Terminé.

Jetant un regard dans son dos, il lut de la surprise sur le visage d'Howard. Celui-ci souleva l'émetteur de sa propre radio et l'examina en fronçant les sourcils.

— Presse le bouton et garde-le appuyé, Howard, reprit Sam. Quand tu as fini, dis « terminé » et lâche le bouton. Terminé.

— Arrête-toi, ordonna Howard. Euh… terminé.

— On ne peut pas continuer comme ça. Drake a tiré sur Astrid. Orc et toi, vous avez failli me tuer. Terminé.

Howard prit le temps de réfléchir à un bon mensonge.

— T'inquiète, Sammy, Caine a changé d'avis. Il promet que si vous vous comportez bien, il vous laissera partir sains et saufs. Terminé.

— C'est ça, je te crois.

Sam manœuvra le canot vers le mur. À présent, il était si près qu'il aurait pu le toucher du doigt. Il appuya de nouveau sur le bouton de la radio.

— Si vous nous foncez dessus, vous risquez de percuter le mur. Terminé.

Un silence. Puis une voix inconnue s'éleva, faible mais audible. Elle provenait forcément de la terre ferme.

— Attrapez-les, dit la voix. Ou je ne vous conseille pas de revenir.

Caine. Il devait utiliser la radio dont il se servait pour rester en contact avec Drake, la crèche et la caserne.

— Hé, Caine! lança Howard. Quinn, Astrid et l'attardé sont avec eux.

— Quoi? Répète: Astrid est avec eux?

Ce fut Sam qui lui répondit en prenant le temps de savourer sa victoire, même si elle risquait d'être de courte durée.

— C'est exact, Caine. Ton pitbull a raté son coup.

— Attrapez-les tous, répéta Caine.

— Et s'ils utilisent le pouvoir? gémit Howard.

— S'ils en étaient capables, ils l'auraient déjà fait, objecta Caine d'un ton moqueur. Pas d'excuse valable, reprit-il. Ramenez-les à terre. Terminé.

— Sam, si tu en es capable, fais-le, dit Astrid.

— Faire quoi? s'enquit Edilio. Oh! Le truc?

La radio se remit à grésiller.

— Je te donne dix secondes, Sammy, puis on vous rentre dedans, annonça Howard. Je n'ai pas envie d'en arriver là mais tu ne nous laisses pas le choix. Dix.

— Edilio, toi, Astrid et Pete, allongez-vous sur le pont. Toi aussi, Quinn.

— Neuf.

Edilio poussa Astrid devant lui et ils se jetèrent à plat ventre sur le pont, avec le petit Pete entre eux deux.

— Huit.

— J'espère que ton plan est bon, frangin, lâcha Quinn avant de s'allonger à côté d'Astrid.

— Sept. Six.

La proue du hors-bord se dressa au-dessus de la poupe du canot, tel un énorme couperet qui se rapprochait inéluctablement. La paroi toute proche amplifiait et déformait le rugissement des moteurs.

— Cinq.

Le plan de Sam était suicidaire.

— Quatre.

— Tout le monde est prêt ?

— Prêt pour quoi ?

— Trois.

— Il va nous rentrer dedans !

— C'est ça, ton plan ? cria Quinn.

— Deux.

— Plus ou moins, répondit Sam.

— Un.

Sam entendit gronder les moteurs jumeaux du hors-bord, puis le monstre fit un bond en avant comme si son pilote venait de mettre en marche un réacteur.

Sam abaissa la manette des gaz au minimum et manœuvra de façon que le flanc gauche du canot heurte la paroi. Le bateau s'immobilisa brusquement.

— Accrochez-vous !

Sam s'agenouilla sur le pont humide, donna un coup de volant sur la droite avant de redresser. De sa main libre, il se couvrit la tête et poussa un cri sauvage.

La proue effilée du hors-bord passa par-dessus l'arrière du canot. La fibre de verre vola en éclats dans un crissement assourdissant. L'impact fit tomber Sam à la renverse, et il lâcha le volant. L'arrière du canot plongea en immergeant subitement ses cinq occupants. Sam se débattit pour éviter d'être aspiré par les hélices qui faisaient bouillonner l'eau à quelques millimètres au-dessus de sa tête. Le hors-bord lui masquait le soleil, monstre rouge et blanc qui venait de tailler dans le flanc du canot comme une dague. Les deux gros moteurs hurlaient à ses oreilles. Mais au lieu de réduire en bouillie la petite embarcation, le monstre, qui l'avait percutée de biais, vola dans les airs telle une voiture de cascade lancée sur une rampe, et heurta le mur : une partie de ses plats-bords et son pare-brise éclatèrent. Puis il atterrit lourdement sur le flanc, à quelques mètres du canot, s'enfonça si profondément dans l'eau que Sam crut qu'il ne referait plus jamais surface, puis ré-émergea enfin comme un sous-marin avant de se stabiliser.

Le canot avait subi un sérieux revers. La poupe était en miettes, les plats-bords du flanc gauche n'existaient plus, le moteur pendait de guingois, encore attaché à la coque. Un énorme morceau de fibre de verre avait été arraché à la proue et le pont était noyé sous cinquante centimètres d'eau. Le tableau de bord était enfoncé, le volant tordu. Le moteur avait pris l'eau et s'était tu après quelques crachotements.

En revanche, Sam n'était pas blessé.

— Astrid ! appela-t-il, terrifié de ne pas la voir réapparaître.

Seul dans un coin, le petit Pete ouvrait des yeux ronds, comme si ce qui venait de se produire avait réussi à pénétrer sa conscience. Edilio et Quinn se relevèrent d'un bond et se penchèrent par-dessus bord : ils venaient d'apercevoir la main d'Astrid accrochée au bastingage. Ils la hissèrent sur le pont, à demi noyée. Sur sa jambe, une entaille saignait abondamment.

— Elle va bien ?

Edilio hocha la tête, trop sonné pour parler. Sam tourna la clé du moteur et attendit, le cœur battant. L'engin émit un rugissement. La manette des gaz était coincée mais, en poussant de toutes ses forces, il parviendrait peut-être à la débloquer. Le volant tordu tournait encore.

Le hors-bord gisait non loin de là, immobile. Orc, tombé à l'eau, s'étranglait de rage. Howard s'activait sur le pont dans l'espoir de mettre la main sur un gilet de sauvetage pendant que le pilote essayait de redémarrer les moteurs. Malheureusement, ces derniers ne semblaient pas endommagés.

C'était maintenant ou jamais.

Avec des gestes affolés, Sam défit la corde attachée à sa cheville et en serra l'extrémité entre ses dents. Puis il sauta à l'eau et franchit à la nage les quelques mètres qui séparaient le canot du hors-bord.

— Il nage vers nous. Son bateau est en train de couler, cria le pilote.

Mais Howard était plus malin que lui.

— Il prépare quelque chose.

Sam plongea sous l'eau. C'était maintenant que tout se jouait, avant que le pilote ne redémarre. Si les moteurs étaient lancés, il serait trop tard et Sam risquait d'y laisser un doigt, voire la main entière.

Se démenant pour rester sous la surface, il chercha sous la coque à tâtons, puis noua la corde autour de l'hélice droite en l'entortillant le plus possible. Comme il nageait vers l'hélice gauche en expirant le peu d'air qu'il lui restait, il perçut un clic : un simple geste du pilote, une clé qui tournait dans le contact et...

Le moteur eut un soubresaut. Sam recula, affolé. Les deux hélices se mirent en marche en faisant bouillonner l'eau, puis la droite s'immobilisa et la gauche tourna pendant quelques secondes avant de s'arrêter à son tour.

Rassemblant ses dernières forces, Sam noua la corde autour de l'hélice gauche et refit surface à quelques mètres du bateau pour aspirer une grande bouffée d'air. Il entendit le moteur repartir puis se gripper de nouveau.

Le pilote comprit enfin ce qui se passait, et Howard s'avança à l'arrière du hors-bord en vociférant. Sam nagea de toutes ses forces vers le canot, qui ballottait contre la paroi.

— Sam! cria Astrid. Derrière toi!

Le coup surgit de nulle part. Sam fut pris de vertiges et sa vue se troubla; ses muscles se relâchèrent. Il était déjà passé par là: quand il surfait, il lui arrivait de tomber de sa planche et d'en prendre un coup sur la tête. Il savait comment réagir en pareille circonstance: éviter de paniquer et attendre quelques secondes, le temps de retrouver ses esprits.

Seulement, cette fois, ce n'était pas une histoire de planche. Un deuxième coup s'abattit sur lui, manqua sa tête de peu et l'atteignit à la clavicule. La douleur aiguë le tira de sa torpeur. Il vit Howard brandir une longue gaffe en aluminium pour lui administrer un troisième coup et, cette fois, il parvint sans mal à l'éviter. Comme la gaffe heurtait l'eau, Sam plongea dessus, s'en saisit et tira de toutes ses forces. Howard perdit l'équilibre, lâcha son arme et tomba à plat ventre sur l'un des moteurs.

Sam n'eut pas le temps de rejoindre le canot. Orc s'était déjà jeté sur lui et, tandis que d'une main énorme il tentait de l'attraper par la nuque, de l'autre il lui assena un violent coup de poing sur le nez. Heureusement, l'eau ralentissait ses mouvements, mais le coup n'en fut pas moins douloureux. Sam se roula en boule et projeta ses jambes dans le plexus solaire d'Orc ; le coup fut lui aussi amoindri par l'eau, mais Orc recula et Sam parvint à se dégager.

S'il était meilleur nageur que son assaillant, ce dernier était plus costaud. Alors que Sam essayait de s'enfuir, Orc le retint par l'élastique de son short.

Howard s'était relevé et encourageait son ami avec force cris. La bagarre avait lieu juste sous la proue écrasée du canot. Sam culbuta sur lui-même et, prenant appui sur la coque du bateau, s'enfonça sous l'eau. Il espérait qu'une fois sous la surface, Orc lâcherait prise sous l'effet de la panique. Sa tactique fonctionna à merveille et il parvint à se libérer. Mais, désormais, il était coincé entre la paroi et l'avant du canot.

Le visage d'Orc était déformé par la rage. Il se jeta sur Sam qui, comprenant qu'il n'avait pas d'autre choix, le saisit par la chemise, fit un tour sur lui-même et, profitant de la précipitation de son adversaire, le poussa tête la première contre le mur.

Orc poussa un hurlement et battit l'air de ses bras. Se servant de lui comme d'un tremplin, Sam lui décocha un coup de pied qui le précipita de nouveau contre la paroi, et il se mit à mugir comme un taureau blessé.

Sam nagea jusqu'au plat-bord du canot et s'y cramponna.

— Vas-y, Edilio.

Edilio prit de la vitesse tandis que Sam, aidé d'Astrid et de Quinn, se hissait à bord. Quant à Orc, il vomissait des injures sans suite en luttant pour garder la tête hors de l'eau. Howard se pencha pour lui venir en aide tandis que le pilote restait les bras ballants, abasourdi.

La corde était solidement attachée à un taquet du pont. Ce dernier ne résisterait pas bien longtemps mais, avec une manœuvre un peu brutale, il était possible de mettre au moins l'une des hélices hors d'état de marche.

Edilio éloigna le canot de la paroi et cria :

— Fais gaffe à la corde, Sam.

Il eut juste le temps de le prévenir : la corde se tendit et surgit de l'eau en manquant de peu le bras de Sam. Sous le choc, le canot eut un soubresaut et le taquet céda : les hélices du hors-bord étaient inutilisables, désormais.

— OK, ton plan était complètement dingue, lança Edilio en riant.

— J'imagine que ça t'a fait passer ton mal de mer ?

La radio se mit à grésiller, et ils entendirent Howard gémir d'une voix faible et tremblante :

— C'est Howard. Ils ont réussi à s'échapper.

La voix étouffée venue de la terre ferme lui répondit :

— Ça ne m'étonne même pas.

Puis Howard, de nouveau :

— Notre bateau n'avance plus.

— Sam, dit Caine, si tu m'entends, frérot, sache que je vais te tuer.

— Frérot ? Pourquoi il t'appelle comme ça ? demanda Astrid.

— C'est une longue histoire.

Sam sourit. Il en avait, des histoires à raconter, maintenant. Ils avaient réussi. Ils s'en étaient sortis sains et saufs. Pourtant, c'était une bien maigre victoire qu'ils venaient de remporter. Car, désormais, ils ne pourraient plus rentrer chez eux.

— Bon, reprit Sam. Alors c'est la fuite ou rien.

Il manœuvra le long de la paroi tandis qu'Astrid entreprenait de vider le canot à l'aide d'un fond de bouteille en plastique.

27

Iᴌ ꜰᴀʟʟᴜᴛ à Lᴀɴᴀ plus de temps qu'elle n'aurait cru pour atteindre l'endroit où s'arrêtaient les traces de pneus. La distance qui, à vue d'œil, semblait se limiter à un bon kilomètre équivalait en réalité à plus du triple. Et le poids de ses provisions dans la chaleur écrasante ne lui avait pas facilité la marche.

L'après-midi était bien avancé lorsqu'elle contourna un affleurement au pied des montagnes. De l'autre côté s'élevait une sorte de village minier à l'abandon. Une douzaine de petites constructions s'entassaient dans un renfoncement étroit du relief. Elles étaient quasiment impossibles à distinguer les unes des autres à présent qu'elles étaient réduites à un amas de bois grisâtre.

L'endroit, sinistre et silencieux, donnait la chair de poule, avec sa succession de fenêtres délabrées qui semblaient la fixer comme autant d'yeux tristes.

Derrière la grand-rue en ruine, à l'écart du passage – mais qui pouvait bien s'aventurer dans un endroit aussi hostile et désert? –, se dressait une autre construction plus solide, bâtie avec le même bois que les autres, à la différence que celle-ci tenait encore debout et qu'elle était surmontée d'un toit de tôle. Elle faisait à peu près la taille d'un garage pouvant contenir jusqu'à trois voitures. Les traces de pneus s'arrêtaient devant sa porte.

— Viens, mon chien, dit Lana.

Pat courut devant elle, flaira une touffe d'herbe près de la porte de la bâtisse et revint sur ses pas.

— Il n'y a personne à l'intérieur, murmura Lana pour se rassurer. Ou alors tu aurais aboyé.

Elle ouvrit la porte d'un geste brutal, pour prendre le contre-pied des héroïnes de films d'horreur qui entraient toujours à pas de loup.

À l'intérieur, le soleil filtrait par une multitude de fissures dans le toit et dans le bois des parois. Cependant, il faisait sombre. La camionnette était là. C'était un modèle plus récent, plus spacieux que celui de son grand-père.

— Ohé! cria Lana. (Une pause.) Y a quelqu'un?

Elle fouilla d'abord la camionnette. Le réservoir était à moitié plein. Elle eut beau vérifier chaque centimètre carré du véhicule, elle ne parvint pas à mettre la main sur les clés. Frustrée, elle entreprit d'inspecter le reste du hangar et n'y trouva que de l'outillage, pour l'essentiel. Une machine qui ressemblait à un broyeur de pierres. Une grande cuve posée sur des brûleurs. Un bidon d'essence posé dans un coin.

Lana résuma la situation à un Pat attentif :

— Bon. Soit on trouve ces clés pour démarrer cet engin, quitte à se tuer sur la route, soit on marche pendant des kilomètres sous le cagnard jusqu'à Perdido Beach, quitte à mourir de soif en chemin.

Pat poussa un aboiement sonore.

— Je suis d'accord : on cherche les clés.

Outre les portes battantes par lesquelles Lana était entrée, il y avait une petite porte qui donnait sur l'arrière du hangar. Là, un chemin serpentait entre des tas de pierres, longeait un cimetière de machines rouillées et débouchait sur un trou dans le sol consolidé avec des poutres, qui évoquait une bouche béante, ouverte sur des dents gâtées. Des rails s'enfonçaient dans les ténèbres.

— Aucune envie d'entrer là-dedans, observa Lana.

Pat se rapprochait prudemment de l'ouverture quand, tout à coup, ses poils se hérissèrent et il se mit à grogner. Lana s'aperçut bientôt que ce n'était pas après la mine qu'il en avait. Un bruit de pas feutrés. Et soudain, sur le flanc de la montagne, elle vit descendre, telle une avalanche silencieuse, une meute de coyotes. Ils devaient être au nombre d'une vingtaine, peut-être plus. Ils dévalaient la pente à une vitesse terrifiante.

À mesure qu'ils se rapprochaient, Lana les entendit murmurer d'une voix rauque : « Manger... manger. »

« Non », se dit-elle. Non, son imagination lui jouait forcément des tours. Elle jeta un regard affolé en direction du hangar. Le gros de la meute se précipitait déjà pour lui barrer la route.

— Pat ! cria-t-elle en se ruant vers l'entrée de la mine.

À l'instant où ils eurent franchi le seuil, la température chuta de vingt degrés. C'était comme pénétrer dans une pièce climatisée. Il n'y avait pas d'autre lumière que celle du dehors, et les yeux de Lana n'avaient pas le temps de s'accoutumer à l'obscurité. Une odeur atroce, écœurante et douceâtre, flottait dans l'air.

Le poil hérissé, Pat se retourna pour affronter les coyotes qui s'étaient arrêtés devant l'entrée de la mine. Lana tâtonna dans le noir : trouver quelque chose, n'importe quoi. Ses doigts rencontrèrent des pierres grosses comme le poing, qu'elle se mit à jeter sur les coyotes sans prendre la peine de viser.

— Allez-vous-en ! Ouste ! Sortez d'ici !

Aucun des projectiles de Lana n'atteignit sa cible. Les coyotes évitaient les pierres sans effort, comme s'ils se pliaient à un jeu trop simple pour eux.

La meute forma un rang et se scinda en deux. Un coyote, pas le plus gros mais de loin le plus laid,

s'avança la tête haute. L'une de ses oreilles démesurées était à moitié déchiquetée, la gale avait dévoré
une partie de son museau, et une blessure ancienne
révélant ses crocs étirait sa gueule en un rictus féroce.
La bête se mit à grogner et, d'une main tremblante,
Lana leva une grosse pierre à son intention.

— Recule !

Une voix hésitante et suraiguë s'éleva, pareille à
un bruit de pas sur le gravier humide.

— Humains pas venir ici.

Pendant quelques secondes interminables, Lana
observa le coyote sans bouger. Cette voix ne pouvait
pas être la sienne, et pourtant...

— Quoi ?

— Dehors, dit le coyote.

Cette fois, ça ne faisait aucun doute. Elle avait
vu remuer le museau de la bête, ainsi que sa langue
derrière ses crocs effilés.

— Tu ne peux pas parler, dit-elle. Je suis en train
de rêver.

— Dehors.

— Vous allez me tuer.

— Oui. Dehors, mort rapide. Dedans, mort
lente.

— Tu sais parler, murmura Lana, qui avait l'impression de sombrer dans la folie.

Le coyote ne répondit pas. Lana tenta de gagner
du temps.

— Pourquoi je ne peux pas rester dans la mine ?

— Humains pas venir ici.

— Pourquoi ?

— Dehors.

— Viens, Pat, chuchota Lana d'une voix tremblante.

Pour mettre de la distance entre elle et le chef de la meute, elle s'enfonça à reculons dans les ténèbres. Son pied heurta quelque chose. Elle baissa les yeux et distingua une jambe poissée de sang qui dépassait d'un bleu de travail. Elle avait élucidé l'origine de l'odeur. Jim l'Ermite était mort depuis bien longtemps.

Elle enjamba le corps, qui se trouvait maintenant entre elle et le coyote.

— Vous l'avez tué !

— Oui.

— Pourquoi ?

Lana repéra une grosse torche gisant sur le sol ; elle se baissa promptement pour la ramasser.

— Humains pas venir ici.

Le chef aboya un ordre à l'intention de sa meute et aussitôt les coyotes se ruèrent à l'intérieur. Lana et Pat s'élancèrent dans la direction opposée. Sans cesser de courir, Lana manipula maladroitement la torche dans ses mains pour essayer de l'allumer. Bientôt, l'obscurité fut totale.

Malgré un élancement à la cheville, Lana maintint son allure. Elle parvint enfin à allumer la torche et, soudain, une lumière inquiétante nimba les lieux, ne révélant que de la roche accidentée et des poutres en bois. Les ombres alentour s'étiraient telles des griffes menaçant de se refermer sur elle. Les coyotes, surpris par cette clarté subite, reculèrent d'un pas. Leurs yeux étincelaient dans la pénombre ; leur gueule hérissée de crocs semblait lui sourire.

Tout à coup, le premier coyote se jeta sur elle.

Un étau se referma autour de son mollet, et elle tomba en avant. Les bêtes sauvages s'agglutinèrent autour d'elle. La puanteur qui se dégageait d'elles était infecte.

Au prix d'un effort surhumain, Lana parvint à se redresser sur les coudes mais un autre étau se referma autour de son bras et elle s'effondra avec la certitude qu'elle ne se relèverait pas. Elle entendit les aboiements terrifiés de Pat qui couvraient les jappements surexcités des coyotes.

Puis, d'un même mouvement, ces derniers lâchèrent prise. Avec des glapissements étonnés, ils se mirent à s'agiter en tous sens et à tourner la tête de droite et de gauche. Étendue par terre, dans le halo inquiétant de la torche, Lana baignait dans son sang après avoir été mordue une douzaine de fois.

Le chef de la meute laissa échapper un grognement féroce et les coyotes se calmèrent un peu. Manifestement, quelque chose leur faisait peur. Nerveux, ils continuaient à s'agiter, les yeux fixant les ténèbres épaisses comme s'ils avaient détecté une présence nouvelle.

Lana tendit l'oreille, elle aussi, mais n'entendit que sa respiration affolée entrecoupée de sanglots. Son cœur battait la chamade et elle avait l'impression que ses côtes allaient exploser.

Les coyotes n'en avaient plus après elle. Elle comprit soudain : de proie, elle était devenue prisonnière.

Le chef de la meute s'avança lentement vers elle pour la flairer.

— Avance, humaine.

Elle se pencha pour appliquer sa main sur les morsures les plus profondes : la douleur se calma peu à peu, mais elle saignait encore à divers endroits. Elle s'enfonça dans l'obscurité de la caverne, suivie de près par Pat et la meute de coyotes.

Arrivés au bout des rails, ils pénétrèrent dans une nouvelle section de tunnel. Les poutres qui soutenaient les parois avaient encore un aspect neuf et les clous brillaient dans la pénombre. Les tas de pierres se faisaient plus rares. C'était là que devait creuser Jim l'Ermite, suivant le filon de métal précieux.

À mesure qu'elle progressait, Lana sentait une angoisse inconnue monter en elle. Elle avait expérimenté la panique, la peur de la mort. Cette fois, cependant, c'était différent : cette sensation-là lui paralysait les muscles, lui glaçait le sang et lui nouait l'estomac. Elle était gelée, le froid s'insinuait jusque dans ses os. Elle avait l'impression que ses jambes pesaient une tonne et qu'elles ne pouvaient plus la porter. Une voix dans sa tête la suppliait de fuir, mais elle s'en sentait physiquement incapable. Elle ne pouvait qu'avancer, mue par une volonté qui n'était pas la sienne.

Ne pouvant en supporter davantage, Pat fit demi-tour et s'enfuit en bousculant au passage quelques coyotes qui lui jetèrent un regard dédaigneux. Lana aurait voulu le rappeler : aucun son ne put franchir ses lèvres.

Ils s'enfoncèrent de plus en plus loin dans le froid. L'éclat de la torche s'affaiblit et Lana s'aperçut qu'une lueur verdâtre émanait des parois de la caverne.

Quelle que soit cette chose, elle était tout près, maintenant. Les doigts gourds de Lana lâchèrent la torche. Sa vue se troubla et, tombant à genoux, elle s'écorcha la peau sur la roche dure, indifférente à la douleur.

Agenouillée dans le noir, elle attendit.

Soudain, une voix explosa à l'intérieur de son crâne. Un spasme la secoua et elle se laissa tomber sur le flanc. Une douleur déchirante irradia chaque terminaison nerveuse, chaque cellule de son corps : Lana avait l'impression d'être brûlée vive. Combien de temps dura son martyre, elle n'aurait su le dire.

Les mots exacts qu'elle entendit – si c'étaient bien des mots –, elle ne s'en souvint pas par la suite.

Elle revint à elle beaucoup plus tard. Les coyotes l'avaient traînée hors de la mine dans la nuit noire, entre la vie et la mort, et depuis ils attendaient patiemment leur heure.

28

Sam, Edilio, Quinn, Astrid et le petit Pete voguaient vers le large en suivant le mur. Son tracé tantôt les rapprochait, tantôt les éloignait de la terre ferme. Elle n'offrait pas la moindre issue, pas une seule échappatoire.

Le soleil se couchait quand ils mirent le cap sur une poignée de petites îles privées. Un magnifique yacht blanc s'était échoué sur l'une d'elles. Sam envisagea de faire un détour pour y jeter un coup d'œil, avant de changer d'avis : il était déterminé à passer en revue toute la paroi. S'il était réellement coincé là comme un poisson rouge dans un bocal, il voulait au moins faire le tour du propriétaire.

Le mur coupait en deux le parc national de Stefano Rey après avoir tracé un vaste demi-cercle dans les eaux étrangement paisibles du Pacifique. Le rivage, une forteresse de rochers et de falaises accidentés que le couchant teintait d'or, leur interdisait tout accès.

— Que c'est beau ! s'extasia Astrid.

— Je préférerais que ce soit moins joli et qu'on puisse jeter l'ancre quelque part, maugréa Sam.

La mer était toujours calme, mais les rochers risquaient de déchiqueter la coque déjà sérieusement endommagée du canot.

Ils firent route vers le sud dans l'espoir de trouver un endroit hospitalier avant la tombée de la nuit et l'épuisement de leurs réserves d'essence.

Enfin, ils repérèrent une minuscule langue de sable en forme de V, qui ne mesurait pas plus de quatre mètres de large et moins de la moitié en longueur. Sam estima qu'avec un peu de chance ils parviendraient à échouer là. Cependant, le bateau ne ferait pas long feu et, une fois débarqués, ils se retrouveraient au pied d'une falaise de quelque vingt mètres de haut, sans carte ni moyen de transport.

— On en est où avec l'essence, Edilio ?

Edilio glissa un bout de bois dans le réservoir et le ressortit pour l'examiner.

— Il ne reste pas grand-chose.

— Bon, je crois que la balade est terminée. Attachez vos gilets de sauvetage.

Sam mit les gaz en direction de la minuscule crique. Il devait maintenir la vitesse du bateau, sans quoi le ressac paresseux les entraînerait vers les rochers qui bordaient la plage des deux côtés.

Le bateau heurta le sable ; l'impact surprit Astrid, mais Edilio la rattrapa par la main pour l'empêcher de tomber. Les quatre adolescents sautèrent en hâte sur la terre ferme. Quant au petit Pete, il n'y avait pas moyen de le convaincre de descendre du bateau, ni même d'attirer son attention, aussi Sam décida-t-il de porter le petit garçon sur le rivage, sachant qu'à tout moment il risquait de paniquer et de l'étrangler, voire de le téléporter où bon lui semblerait.

Edilio emporta avec lui la trousse de premiers secours du bateau, qui se réduisait à quelques pansements, une boîte d'allumettes, deux fusées de détresse et une petite boussole.

— Comment on va s'y prendre pour persuader Pete d'escalader cette falaise ? songea Sam tout haut. Ce n'est pas la mer à boire mais…

— C'est dans ses cordes, répondit Astrid. Il grimpe aux arbres, quand ça lui prend.

Sam et Edilio échangèrent un regard dubitatif.

— Si, je vous assure, reprit Astrid. Il faut juste que je retrouve la bonne phrase. C'est à propos d'un chat.

— Ah…

— Un jour, il a suivi un chat jusqu'en haut d'un arbre.

— Je ne sais pas s'il y a encore des marées, observa Quinn, mais si c'est le cas, cette plage sera bientôt sous la flotte.

— Charlie Tuna ! s'exclama Astrid.

Les trois garçons la dévisagèrent, interloqués.

— Le chat, expliqua-t-elle. Il s'appelait Charlie Tuna.

Elle s'accroupit près de son frère.

— Pete. Charlie Tuna? Charlie Tuna? Tu t'en souviens?

— J'hallucine! marmonna Quinn dans sa barbe.

— Bon, déclara Sam. Edilio, tu passes devant, Astrid suit avec le petit Pete. Quinn et moi, on passe en dernier au cas où il glisserait.

Il s'avéra qu'Astrid avait raison: Pete était capable de grimper. En fait, il faillit bien la dépasser au cours de l'ascension. Cependant, quand ils parvinrent au sommet de la falaise, il faisait nuit. Ils se laissèrent enfin tomber sur un lit d'herbes sèches et d'aiguilles de pin sous le couvert des arbres, et ils durent utiliser tous les pansements qu'Edilio avait emportés.

— J'imagine qu'on va devoir passer la nuit ici, dit Sam.

— Il fait bon dehors, observa Astrid.

— Oui, mais il fait noir.

— Et si on allumait un feu?

— Histoire d'éloigner les ours? demanda Edilio, nerveux.

— C'est un mythe, malheureusement, répondit Astrid. Les bêtes sauvages en voient tout le temps, des feux. Ça ne les effraie pas vraiment.

Edilio secoua la tête, l'air dégoûté.

— Des fois, Astrid, ça ne nous aide pas beaucoup, que tu saches tout sur tout.

— Message reçu, lâcha Astrid. Ce que je voulais dire, c'est que les ours, comme tous les animaux sauvages, ont une peur panique du feu.

— Mouais. Trop tard.

Edilio scruta d'un œil inquiet les ténèbres sous les arbres. Astrid et lui surveillèrent le petit Pete pendant que Sam et Quinn cherchaient du bois pour le feu.

Quinn, nerveux à plus d'un titre, lança :

— Je ne voudrais pas avoir l'air d'insister, Sam, mais si tu détiens vraiment un pouvoir, tu devrais apprendre à t'en servir.

— Je sais, marmonna ce dernier. Crois-moi, si je savais comment créer de la lumière, je n'hésiterais pas une seconde.

— Oui. Tu as toujours eu peur du noir.

— Je ne savais pas que tu étais au courant, dit Sam après un silence.

— Ce n'est pas la fin du monde. On a tous nos phobies, observa gentiment Quinn.

— Et toi, qu'est-ce qui te fait peur ?

— Moi ?

Quinn considéra la question en serrant dans ses doigts les quelques brindilles qu'il venait de ramasser.

— Je crois que j'ai peur d'être un rien du tout. Un grand rien du tout.

Ils rassemblèrent assez de bois et d'aiguilles de pin pour faire un grand feu et, bientôt, de hautes flammes accompagnées d'une épaisse fumée crépitèrent dans l'obscurité.

Edilio contempla la flambée d'un air pensif.

— C'est mieux, même si ça ne suffit pas à effrayer les ours. Et puis je ne suis plus sur ce fichu bateau. Je préfère la terre ferme.

Sam trouva un peu de réconfort dans la chaleur du feu. La lueur rougeâtre des flammes se reflétait sur les troncs et les branches des arbres, et la nuit n'en paraissait que plus sombre. Mais tant que ce feu brûlait, ils avaient l'impression d'être en sécurité.

— Quelqu'un a une histoire qui fait peur à raconter? plaisanta Edilio.

— Vous savez de quoi j'ai envie? lança Astrid. De marshmallows. J'ai fait des colos à l'ancienne avec pêche, équitation et chansons débiles au coin du feu. On faisait griller des brochettes de marshmallows. Je n'aimais pas ça, à l'époque, surtout parce qu'on m'envoyait là-bas contre mon gré. Mais maintenant…

Sam la contempla à travers les flammes. Les chemisiers immaculés, d'avant la Zone avaient laissé place à des tee-shirts. En outre, elle ne l'intimidait plus, après tout ce qu'ils avaient traversé ensemble. Pourtant, il la trouvait si jolie qu'il se sentait encore obligé de baisser les yeux. Et parce qu'il l'avait embrassée, chaque fois qu'elle occupait ses pensées désormais un flot de souvenirs, d'odeurs et de sensations le submergeait.

Soudain mal à l'aise, il se mordit la lèvre, cherchant par la douleur à se distraire d'Astrid, de ses chemisiers, de sa chevelure et du grain de sa peau. «Ni l'endroit ni le moment», pensa-t-il.

Le petit Pete, assis en tailleur, gardait les yeux rivés sur les flammes. Sam se demanda ce qui pouvait bien lui passer par la tête, quel pouvoir se cachait derrière ce regard innocent.

— Faim, dit l'enfant. Miam miam.

Astrid le prit dans ses bras.

— Je sais, petit frère. On trouvera de quoi manger demain.

Un par un, ils sentirent leurs paupières s'alourdir, et ils s'allongèrent. Bientôt, tous sombrèrent dans le sommeil. Sam fut le dernier à s'endormir. Le feu s'éteignait peu à peu. L'obscurité gagnait du terrain.

Sam se rassit, jambes croisées, et posa les mains sur ses genoux, paumes vers le ciel.

Comment était-ce arrivé? Comment contrôler ce pouvoir et s'en servir sur commande?

Il ferma les yeux et tenta de se remémorer la panique qu'il avait ressentie chaque fois que la lumière avait jailli de ses mains. S'il n'avait aucun mal à se rappeler cette émotion, il lui était impossible de la ressentir.

Il s'écarta du feu aussi discrètement que possible. Les ténèbres sous les arbres dissimulaient peut-être d'innombrables sources de terreur. Il marcha vers sa peur.

Les aiguilles de pin craquaient sous ses pas. Il s'éloigna jusqu'à deviner plus qu'il ne la voyait la faible lueur des tisons dans son dos, jusqu'à ce que l'odeur de la fumée se soit dissipée. Puis, imitant Caine, il leva les mains, paumes tendues, tel un pasteur bénissant une congrégation.

Il mobilisa ensuite la terreur qu'il avait ressentie après ce cauchemar dans sa chambre, la panique qu'avait suscitée Pete quand il l'étouffait, sa réaction instinctive lorsque la petite fille avait tenté de le tuer.

Rien. Ça ne marcherait jamais. Il ne pouvait pas simuler la peur. C'était peine perdue que d'essayer de s'effrayer avec une forêt obscure.

Il fit volte-face en entendant un bruit dans son dos.

— Ça ne marche pas, hein ? dit Astrid.

— J'ai bien failli y arriver, tu m'as flanqué une sacrée trouille, répondit Sam.

Astrid se rapprocha.

— Il y a une chose terrible dont je veux te parler.

— Une chose terrible ?

— J'ai trahi Pete. Drake, il m'a forcée à dire…

Astrid se tordit les mains. Sam les prit dans les siennes.

— Qu'est-ce qu'il t'a fait?

— Rien. Juste…

— Juste quoi?

— Il m'a donné une ou deux gifles, rien de bien méchant, mais…

— Il t'a frappée?

Sam eut l'impression qu'on venait de lui faire avaler une bouteille d'acide. Astrid hocha la tête; incapable de proférer un son, elle se contenta de montrer sa joue, à l'endroit où Drake l'avait giflée avec tant de force qu'elle avait vu trente-six chandelles. Une fois qu'elle eut retrouvé la voix, elle répondit:

— Pas de quoi en faire un drame. Mais j'ai eu peur, Sam, j'ai eu si peur…

Elle se rapprocha comme si elle espérait qu'il la prenne dans ses bras. Sam recula d'un pas.

— J'espère qu'il est mort, lâcha-t-il. J'espère qu'il est mort et, dans le cas contraire, c'est moi qui le tuerai.

— Sam.

Il serra les poings; il avait l'impression que son cerveau bouillait à l'intérieur de son crâne. Il respirait avec peine.

— Sam, chuchota Astrid. Essaie maintenant.

Sam la dévisagea sans comprendre.

— Maintenant! cria-t-elle.

Sam leva les bras, paumes tendues, en direction d'un arbre. Il poussa un cri de rage et un flot de lumière verte jaillit de ses mains. Puis il baissa les bras, hors d'haleine, hébété par son geste. En un éclair, l'arbre avait entièrement brûlé. Il tomba, lentement d'abord, puis sa chute se précipita et il s'écrasa lourdement sur un buisson de ronces.

Astrid s'avança derrière lui et glissa les bras autour de sa taille. Il sentit ses larmes contre sa nuque, son souffle dans son oreille.

— Pardon, Sam.

— Pourquoi?

— Tu ne peux pas mobiliser la peur quand ça te chante. Mais la colère, c'est de la peur dirigée vers autrui. La colère, c'est facile.

— Tu m'as manipulé?

S'arrachant à l'étreinte d'Astrid, il se tourna vers elle.

— Je t'ai dit la vérité, pour Drake. Je n'avais pas l'intention de t'en parler avant de te voir essayer. Tu prétendais que c'était la peur qui alimentait le pouvoir. Alors j'ai pensé…

— OK.

Sam se sentait étrangement vaincu. Pour la première fois, il avait voulu que la lumière jaillisse de ses mains. Mais au lieu de se réjouir, il en éprouvait de la tristesse.

— Alors ça n'a rien à voir avec la peur. Il faut que je me mette en colère. Il faut que j'aie envie de faire du mal.

— Tu apprendras à le contrôler, objecta Astrid. À force, tu parviendras à ne rien ressentir en l'utilisant.

— En voilà, une bonne nouvelle ! répliqua Sam avec amertume. Je vais pouvoir pulvériser des gens sans éprouver le moindre remords.

— Je suis sincèrement désolée pour toi, Sam. Enfin, désolée que tu doives en arriver là. Tu as raison d'avoir peur du pouvoir. Mais la vérité, c'est qu'on en a besoin.

Ils se faisaient face, immobiles, à un pas l'un de l'autre, pourtant Sam était loin, revivant des souvenirs qui lui semblaient à des années-lumière du présent alors qu'ils ne remontaient qu'à huit jours.

— Désolée, répéta Astrid en l'attirant contre elle.

Le menton dans ses cheveux, il contempla le feu et les ténèbres environnantes, ces ténèbres qui le terrifiaient depuis son plus jeune âge.

— Un coup, c'est toi qui prends la vague. Un autre, c'est elle qui te prend, dit-il enfin.

— C'est la Zone, Sam. Ce n'est pas toi, c'est la Zone.

29

L ANA SE PRIT LE PIED dans une racine et tomba à genoux. Si Pat fit un pas vers elle pour s'assurer qu'elle allait bien, il garda ses distances.

Gniaque, le bourreau attitré de Lana, lui donna un coup de dent.

— Ça va, je me lève, marmonna-t-elle.

Une fois de plus, elle s'était égratigné les mains. Une fois de plus, elle avait les genoux en sang.

La meute courait loin devant, se faufilant entre les buissons, franchissant d'un bond les fossés, s'arrêtant pour flairer un trou de rongeur avant de repartir de plus belle.

Lana avait du mal à suivre. Elle avait beau courir, les coyotes avançaient plus vite qu'elle, et dès qu'elle ralentissait, Gniaque venait lui mordiller les talons, parfois jusqu'au sang.

Gniaque était un coyote sans grade désireux de faire ses preuves auprès du chef de la meute. Mais, contrairement à d'autres, il n'était pas vicieux : alors qu'il aurait pu la mettre en pièces, il se contentait de gronder et de donner de petits coups de dent. Pourtant, quand sa lenteur et sa maladresse d'humaine ralentissaient trop la meute, Chef passait sa colère sur Gniaque, qui se roulait par terre en gémissant.

Pat était, de tous, le plus bas dans la hiérarchie, plus bas même que Lana. C'était un gros chien robuste, mais son pas lourd et sa langue pendante lui valaient le mépris des coyotes, qui rivalisaient d'agilité et d'assurance.

Ces animaux étaient des chasseurs solitaires capables de capturer le plus rapide des lièvres. Pat était livré à lui-même et, à cause de sa lenteur, il commençait à souffrir de la faim.

Lana avait reçu en cadeau une des prises du chef de la meute, un lièvre moribond à moitié dévoré, mais elle n'avait pas faim. Pas encore.

Elle avait presque oublié que toute cette aventure relevait de l'impossible. Comme elle avait vite accepté ce monde redéfini par une enceinte gigantesque ! Si absurde soit-elle, l'idée qu'elle pouvait guérir par le toucher était devenue une évidence. Tout comme le fait qu'un coyote sache parler. De la folie pure et simple.

Ce qui s'était passé au fond de cette mine, là où se terraient ces ténèbres malfaisantes, à l'abri du soleil, avait balayé ses derniers doutes : le monde marchait sur la tête. Et elle aussi avait perdu la raison.

Désormais, sa seule tâche consistait à survivre sans analyser ni comprendre.

Ses chaussures avaient déjà commencé à se décomposer. Ses vêtements n'étaient plus qu'un tas de haillons. Elle était sale à faire peur. Elle avait dû faire ses besoins en pleine nature, comme un chien.

Elle s'était égratigné les bras et les jambes sur les cailloux et les épines, avait essuyé les attaques répétées des moustiques, et s'était même fait mordre par un raton laveur terrorisé. Heureusement, ses blessures guérissaient vite, bien que la souffrance soit toujours au rendez-vous.

Toute la nuit, les coyotes avaient battu le désert en quête du prochain repas. Douze heures à peine s'étaient écoulées et pourtant il lui semblait que c'était une éternité.

«Je suis un être humain, se répétait-elle. Je suis plus intelligente. Je vaux mieux que lui. »

Mais dans l'immensité désertique et dans la nuit noire, elle en venait à douter de ses capacités : en comparaison des coyotes, elle était trop lente, trop maladroite, trop faible.

Pour garder le moral, Lana parlait à Pat ou à sa mère. Oui, ça aussi, c'était dingue.

— Je m'amuse beaucoup ici, maman, disait-elle. J'ai perdu un peu de poids : c'est le régime coyote. Tu ne manges rien et tu passes ta vie à courir.

Lana tomba dans un trou et se cassa la cheville. Si la douleur était intolérable, elle ne durait pas plus d'une minute. La fatigue, en revanche, ne la quittait pas un instant, et le désespoir était bien plus dur à supporter.

Chef la toisa du haut d'un éperon dans la roche.

— Cours plus vite, ordonna-t-il.

— Pourquoi me retenez-vous prisonnière ? Tuez-moi ou laissez-moi partir.

— L'Ombre a dit : qu'elle vive, répondit-il de sa voix inhumaine, suraiguë.

Lana ne lui demanda pas ce qu'il entendait par « l'Ombre ». Elle avait entendu la voix de la chose dans sa tête, là-bas, au fond de la mine d'or de Jim l'Ermite. Elle avait laissé une balafre dans son âme, contre laquelle son don de guérisseuse ne pouvait rien.

— Je ne fais que vous ralentir, gémit-elle. Laissez-moi ici. Pourquoi tenez-vous absolument à m'emmener avec vous ?

— L'Ombre a dit : toi enseigner. Chef apprendre.

— Apprendre quoi ? s'écria Lana. De quoi tu parles ?

Le coyote se jeta sur elle, la fit tomber à la renverse et se campa au-dessus d'elle en montrant les crocs.

— Apprendre à tuer humains. Rassembler toutes les meutes. Chef les commander toutes. Tuer humains.

— Pourquoi?

Un long filet de bave dégoulina le long du museau du coyote.

— Chef déteste humains. Humains tuer coyotes.

— Tenez-vous à l'écart des villes et personne n'ira vous pourchasser, protesta Lana.

— Tout pour coyotes. Tout pour Chef. Plus d'humains.

De sa voix rauque, inarticulée, le coyote pouvait se lancer dans des récriminations sans fin, mais très peu de mots lui venaient pour exprimer sa fureur et sa haine. Lana ignorait à quoi pouvait ressembler le discours d'un coyote sain d'esprit mais, à son avis, il ne faisait aucun doute que celui-là était fou.

Les animaux ne nourrissaient pas de grandes idées sur l'élimination d'une espèce entière. Cette bête n'avait pas trouvé ça toute seule. En temps normal, les préoccupations des animaux portaient sur la nourriture, la survie et la reproduction.

Mais le problème, c'était la caverne. L'Ombre. Le chef coyote était devenu à la fois la victime et l'esclave de cette chose qui lui avait transmis son ambition malfaisante, sans toutefois être capable de lui enseigner le moyen de s'attaquer aux humains. Quand Lana était entrée dans la mine, l'Ombre avait saisi l'opportunité de se servir d'elle.

Il existait des limites aux pouvoirs de cette chose, si terrifiante soit-elle. Elle devait avoir recours à des coyotes – et à Lana – pour imposer sa volonté. Et il existait aussi des limites à ses connaissances.

Lana savait ce qu'il lui restait à faire.

— Vas-y, tue-moi, défia-t-elle le coyote.

Un coup de dent et tout serait terminé. Ensuite, il n'y aurait plus qu'à regarder le sang couler sans intervenir. Plutôt que de se soigner, Lana laisserait sa vie s'échapper sur le sable du désert. À cet instant précis, elle-même n'était pas sûre de bluffer. L'Ombre avait ouvert une porte dans son esprit, et les ténèbres qui se profilaient derrière l'effrayaient autant que la chose elle-même.

— Vas-y, répéta-t-elle, tue-moi.

Le coyote parut hésiter; il laissa échapper un gémissement anxieux. Jamais auparavant il n'avait capturé de proie qui n'ait pas lutté pour survivre.

Le plan de Lana fonctionnait. Repoussant le museau humide du coyote, elle se releva péniblement; sa cheville la faisait encore souffrir.

— Si tu as l'intention de me tuer, fais-le maintenant.

Les yeux jaunes du coyote se braquèrent sur elle mais elle ne flancha pas.

— Je n'ai pas peur de toi.

La bête tressaillit, puis ses yeux se posèrent tour à tour sur Pat et sur Lana : ils brillaient d'une lueur sournoise.

— Tuer chien.

Ce fut au tour de Lana de sursauter, mais elle comprit d'instinct qu'elle ne pouvait pas trahir le moindre signe de faiblesse.

— Vas-y. Tue-le. Et tu n'auras plus aucun moyen de me menacer.

De nouveau, la confusion se lut dans le regard du coyote. Tout ça devenait trop compliqué pour lui : il fallait anticiper comme dans une partie d'échecs, lorsqu'on essaie de devancer les deux ou trois prochains coups de l'adversaire.

Le cœur de Lana bondit dans sa poitrine : oui, ils étaient plus forts et plus rapides qu'elle. Mais son cerveau d'humaine lui donnait l'avantage.

Les coyotes avaient changé : certains étaient désormais doués de parole, et ils étaient plus gros, plus forts et plus intelligents que par le passé. Mais ils étaient encore de simples mammifères poussés par la faim, par le désir de s'accoupler, par le besoin de vivre au sein de la meute. Et l'Ombre ne leur avait pas appris à bluffer ni à mentir.

— L'Ombre a dit : toi enseigner, grogna le coyote dans le but de ramener la conversation sur un terrain familier.

— Très bien, répondit Lana en réfléchissant à la suite que devait prendre la discussion. Laisse mon chien tranquille. Trouve-moi quelque chose de mangeable, pas un lapin à moitié dévoré. Et je t'apprendrai.

— Pas manger pour humains ici.

«Bien vu, espèce de sale bestiole rongée par la vermine», songea Lana tout en préparant son prochain coup sur l'échiquier.

— J'avais remarqué, lâcha-t-elle en s'efforçant de masquer ses émotions. Emmène-moi là où pousse l'herbe. Tu sais de quoi je parle. L'endroit où l'herbe pousse dans le désert. Emmène-moi là-bas ou ramène-moi auprès de l'Ombre et avoue-lui que tu n'es pas capable de me contrôler.

Chef exprima sa frustration par une série de jappements furieux qui semèrent la panique chez les autres coyotes. Il s'éloigna d'un air rageur, incapable de maîtriser ou de cacher ses émotions primitives.

— Tu vois, maman, chuchota Lana en appliquant ses mains sur sa cheville, l'insolence a parfois du bon.

Enfin, sans un mot, le coyote prit la direction du nord-est. La meute lui emboîta le pas mais plus lentement, cette fois, afin que Lana puisse les suivre. Pat régla son allure sur celle de sa maîtresse.

— Ils sont peut-être plus malins que toi, mon vieux, dit Lana à mi-voix. Mais certainement pas plus que moi.

— Réveille-toi, Jack.

Jack le Crack s'était endormi sur son clavier : il passait des nuits entières à l'hôtel de ville où, conformément à sa promesse, il s'acharnait à créer un système élémentaire de communication. Ce n'était pas chose facile, mais il s'amusait bien. Et ça le distrayait du reste.

C'était Diana qui l'avait secoué pour le réveiller.

— Oh, salut.

— Pas terrible, ton look.

Jack porta la main à son visage et rougit : les touches du clavier avaient laissé leur empreinte sur sa joue.

— C'est un grand jour, aujourd'hui, poursuivit Diana en se dirigeant vers le petit réfrigérateur de la pièce.

Elle en sortit un soda, l'ouvrit, souleva un store et but tout en balayant du regard la place.

— Pourquoi ? demanda Jack en rajustant ses lunettes.

— On rentre chez nous.

Il fallut quelques secondes à Jack pour comprendre.

— Tu veux dire au pensionnat ?

— Allez, Jack, dis-moi que ça te fait plaisir.

— Pourquoi il faut qu'on retourne là-bas ?

Diana s'avança vers lui et caressa sa joue.

— Tu as beau être malin, parfois tu es long à la détente. Tu ne regardes jamais la liste que t'a confiée Caine ? Tu te souviens d'Andrew ? Il fête ses quinze ans. Il faut qu'on soit là-bas avant l'heure fatidique.

— Je suis obligé de vous accompagner ? J'ai du pain sur la planche…

— Notre Leader Sans Peur a un plan, et tu en fais partie.

Diana écarta les bras d'un geste théâtral, tel un magicien révélant le clou de son numéro.

— On va filmer ce grand moment.

Jack fut aussi effrayé qu'enthousiasmé par cette idée. Il aimait tout ce qui touchait à la technologie, surtout quand il avait l'occasion d'étaler ses connaissances. Mais, comme tout le monde, il avait entendu parler de ce qui était arrivé aux jumelles, Emma et Anna, et n'avait pas envie de voir quelqu'un disparaître. D'un autre côté… ce serait fascinant.

Il se mit à rêver tout haut, se représentant déjà la scène :

— Plus on aura de caméras, mieux ce sera. Si tout se passe en un quart de seconde, il nous faudra un plan rapproché du moment précis. Et pour ça, rien de tel que le numérique ! Drake va devoir nous dégoter le matériel le plus cher et le plus sophistiqué. Et puis un trépied pour chaque caméra. Et des tonnes de lumière. Ce serait mieux avec un décor minimaliste en arrière-plan, comme un mur blanc. Non, attends… vert, plutôt, histoire que je puisse retoucher l'image. Mais…

Jack s'interrompit, honteux de s'être laissé emporter et de ce qu'il s'apprêtait à dire.

— Mais quoi ?

— Je ne veux pas qu'on fasse de mal à Andrew.

— Mais quoi, Jack? le pressa Diana.

— Et si Andrew refusait de se tenir tranquille? S'il essayait de s'enfuir?

L'expression de Diana était indéchiffrable.

— Tu voudrais qu'on l'attache, Jack?

Jack détourna les yeux. Ce n'était pas ce qu'il avait en tête. Pas exactement. Andrew était plutôt sympa... pour une brute.

— Je n'ai jamais dit que je voulais l'attacher. Mais s'il sort du champ...

— Tu sais, Jack, parfois tu m'inquiètes.

Jack sentit son visage s'empourprer.

— Tout ça, c'est pas ma faute, s'emporta-t-il. Qu'est-ce que tu veux que j'y fasse? Et toi, pour qui tu te prends? Tu obéis aux ordres de Caine, toi aussi!

Jusqu'alors, Jack n'avait jamais osé s'énerver en présence de Diana. Il attendit en tremblant la repartie cinglante de cette dernière. Mais, à son étonnement, elle répondit d'un ton doucereux:

— Je sais bien que je ne suis pas très gentille, Jack.

Elle prit un siège et s'installa à côté de lui, assez près pour le mettre mal à l'aise. Depuis peu, Jack commençait à s'intéresser aux filles, et Diana était jolie.

— Tu sais pourquoi mon père m'a envoyée à Coates? lança-t-elle.

Jack secoua la tête.

— L'année de mes dix ans – j'étais donc plus jeune que toi –, j'ai découvert que mon père avait une maîtresse. Tu sais ce qu'est une maîtresse, Jack ?

Oui, Jack le savait. Ou du moins il pensait le savoir.

— Je l'ai dit à ma mère. J'étais furieuse contre mon père parce qu'il refusait de m'offrir un cheval. Ma mère était folle de rage, elle voulait divorcer. Je te laisse imaginer la scène de ménage qui a suivi.

— Et alors, ils ont divorcé ?

— Non, ils n'en ont pas eu le temps. Le lendemain, ma mère a glissé dans l'escalier. Elle n'en est pas morte mais elle peut à peine bouger. Elle a une infirmière à plein temps et elle passe sa vie dans son lit.

— Désolé.

— C'est ça.

Diana frappa dans ses mains pour signifier que l'heure des confidences était passée.

— En route ! Rassemble ton petit matériel et suis-moi. Notre Leader Sans Peur n'aime pas attendre.

Jack se mit à entasser des objets – outils, clé USB, lecteur MP3 – dans son sac à dos.

— Ce n'est pas parce que ta mère a eu un accident que tu es forcément une mauvaise personne, dit-il.

Diana lui fit un clin d'œil.

— J'ai dit à la police que mon père l'avait poussée. Ils l'ont arrêté, c'était partout dans les journaux. Sa boîte a coulé. Les flics ont fini par comprendre que j'avais menti. Mon père m'a envoyée au pensionnat Coates, fin de l'histoire.

— Je reconnais que c'est pire que ce que j'ai fait pour atterrir là-bas, concéda Jack.

— Et ce n'est pas tout. Ce que j'essaie de dire, c'est que tu n'as pas l'air d'un mauvais garçon, Jack. Et j'ai le sentiment qu'un jour, quand tu prendras conscience de la situation, tu te sentiras coupable.

Jack suspendit son geste, un jeu d'écouteurs à la main.

— Qu'est-ce que tu insinues? Comment ça, quelle situation?

— Allons, Jack. Ta petite liste, celle que tu as dressée pour Caine? Tu sais bien de quoi il s'agit. Tu sais ce qu'il adviendra de tous les dégénérés.

— Je ne fais rien du tout, moi. Je me contente de tenir à jour cette liste pour Caine et toi.

— Mais après, qu'est-ce que tu ressentiras?

— Je ne comprends pas.

— Arrête de jouer les idiots, Jack. Qu'est-ce que tu ressentiras quand Caine s'attaquera à cette liste?

— Ce n'est pas ma faute, gémit Jack.

— Tu as le sommeil lourd, Jack. À l'instant même, pendant que tu dormais, j'ai tenu ta petite main potelée dans la mienne. C'est peut-être le seul contact que tu auras jamais avec une fille. En admettant que ce soit ton truc, les filles.

Jack devinait la suite. Diana perçut sa frayeur et ses lèvres esquissèrent un sourire triomphant.

— Alors, c'est quoi ton pouvoir, Jack?

Il secoua la tête, incapable de répondre.

— Tu n'as même pas ajouté ton propre nom à cette liste. Je me demande pourquoi. Tu sais pourtant que Caine emploie à son service les dégénérés loyaux envers lui. Tant que tu restes loyal, tout ira bien, non?

Diana se pencha si près de lui qu'il sentit son haleine sur son visage.

— Tu as deux barres, Jack. Au début, tu n'avais rien. Ce qui signifie que tes pouvoirs se développent et – ô surprise! – qu'on peut acquérir des dons sur le tard. J'ai vu juste?

Jack hocha la tête.

— Et tu n'as pas pris la peine de nous prévenir. Je me demande ce que ça sous-entend en termes de loyauté.

— Je suis parfaitement loyal, bredouilla Jack. Tu n'as pas à t'inquiéter sur mon compte.

— Alors, qu'est-ce que tu sais faire?

Jack traversa la pièce, les jambes flageolantes. Subitement, la vie avait pris un tour dangereux. Il ouvrit le placard, en sortit une chaise en acier, fonctionnelle, sans fioritures, d'aspect très solide. Sauf qu'une marque de doigts était imprimée sur le dos de cette chaise, comme si elle était faite d'argile et non de métal.

Diana poussa une exclamation de surprise.

— Je me suis cogné le doigt de pied, expliqua-t-il. Je me suis fait très mal. J'ai agrippé la chaise pendant que je sautais dans tous les sens en criant.

Diana suivit de son doigt les contours de l'empreinte.

— Eh bien, tu es plus costaud que tu en as l'air.

— Ne dis rien à Caine, supplia Jack.

— Comment il le prendrait, à ton avis ?

Maintenant, Jack était mort de peur. Cette fille impossible, qui n'obéissait visiblement à aucune logique, le terrifiait. Soudain, une idée lui vint. Il existait un moyen de faire pression sur elle.

— Je sais que tu as réussi à évaluer Sam Temple. Je t'ai vue. Pourtant, tu as dit le contraire à Caine. Sam a quatre barres, pas vrai ? Caine péterait les plombs s'il apprenait que son rival est aussi fort que lui.

— Oui, Sam a quatre barres, répondit Diana sans la moindre hésitation. Et Caine deviendrait fou s'il l'apprenait. Mais, Jack, c'est ta parole contre la mienne. Qui Caine croira-t-il, à ton avis ?

Jack n'avait pas de plan de secours. Il sentit son courage l'abandonner.

— Ne le laisse pas me faire du mal, murmura-t-il.

— Il te mettra sur la liste. À moins que je t'accorde ma protection. Est-ce que tu me demandes de te protéger ?

Jack entrevit une lueur d'espoir dans les ténèbres qui l'environnaient.

— Oui ! Oui !

— Dis-le.

— Je t'en prie, protège-moi.

Diana parut se radoucir.

— D'accord, Jack, dit-elle avec un sourire. Mais dorénavant, tu es à moi. Tu devras obéir à tous mes ordres sans poser de questions. Et tu ne parleras à personne de ton pouvoir ni de notre marché.

Jack hocha la tête.

— C'est moi que tu serviras, Jack. Pas Caine ni Drake. Moi. Si j'ai besoin de toi…

— Quoi que tu demandes, je le ferai.

Diana planta un baiser d'oiseau sur la joue de Jack comme pour sceller leur accord et murmura à son oreille :

— J'en suis sûre, Jack. Allez, en route.

30

Quinn entonna une chanson dont les paroles étaient une sorte d'hommage mélancolique au surf.

— C'est d'un gai ! commenta sèchement Astrid.

— Weezer, ça te dit quelque chose ? Avec Sam, on les a vus en concert à Santa Barbara. Weezer. Jack Johnson. Les Insect Surfers. C'était génial.

— Je n'ai jamais entendu parler d'eux.

— C'est de la musique de surfeurs, expliqua Sam. Enfin, pas Weezer, ils entrent plutôt dans la catégorie ska-punk. Mais Jack Johnson, je crois que tu aimerais.

Ils quittaient le parc national de Stefano Rey et entraient dans une zone plus sèche au pied des montagnes : à mesure qu'ils descendaient, les arbres étaient de plus en plus rares et de plus en plus petits, et se mélangeaient avec des herbes hautes.

Plus tôt dans la matinée, ils étaient tombés sur un campement à l'abandon. Les ours avaient dérobé le plus gros de la nourriture, mais il restait de quoi se préparer un petit déjeuner copieux. Ils avaient repris la route en emportant les sacs à dos, provisions et sacs de couchage. Maintenant, Edilio et Sam possédaient chacun un bon couteau, et Quinn transportait les torches électriques et les piles qu'ils avaient trouvées.

Le petit déjeuner avait un peu remonté le moral du groupe. Le petit Pete avait même failli se fendre d'un sourire.

Ils marchaient, le mur à leur gauche. C'était un drôle de spectacle que ces arbres scindés en deux et ces branches moribondes qui surgissaient de la paroi ou disparaissaient derrière : leurs feuilles étiolées tombaient les unes après les autres, à défaut d'être nourries.

De temps en temps, Sam vérifiait le fond d'une ravine ou jetait un coup d'œil derrière un rocher dans l'espoir de trouver une issue. Mais bientôt, cela lui sembla inutile. Sans faille, l'enceinte s'insinuait dans le moindre fossé, s'enroulait autour des rochers, fendait les buissons. Elle était, comme l'avait souligné Astrid, d'une facture parfaite.

— C'est quoi, ton genre de musique ? lui demanda Sam.

Quinn s'immisça dans la conversation :

— Laisse-moi deviner : musique classique. Et jazz.

Il insista sur le mot «jazz».

— En fait... commença Astrid.

— Un serpent! s'écria Edilio.

Il recula en trébuchant, s'étala de tout son long et se releva d'un bond, l'air penaud.

— Attends que je regarde, dit Astrid en s'avançant prudemment, tandis que Sam et Quinn s'éloignaient de quelques pas.

— Je ne supporte pas les serpents, admit Edilio.

Sam sourit.

— Oui, on l'avait compris à ta façon de réagir.

Il épousseta le dos d'Edilio qui était couvert de terre et de feuilles mortes.

— Vous devriez venir voir ça, lança Astrid d'un ton pressant.

— Vas-y, toi, gémit Edilio. Moi, je l'ai déjà vu. Une fois me suffit.

— Ce n'est pas un serpent, reprit Astrid. Enfin, pas vraiment. Vous ne risquez pas grand-chose, il se terre au fond d'un trou.

Sam s'avança à contrecœur. Il n'avait aucune envie d'examiner ce serpent et, d'un autre côté, il ne voulait pas passer pour un lâche.

— Essaie de ne pas l'effrayer, ajouta Astrid. Il peut voler, on dirait. Du moins sur de courtes distances.

Sam se figea.

— Qu'est-ce que tu racontes?

— Avance sans faire de bruit.

D'abord, Sam ne vit qu'une tête triangulaire émergeant d'un trou peu profond tapissé de feuilles mortes.

— C'est un serpent à sonnette?

— Plus maintenant, répondit Astrid. Regarde. Quelques centimètres sous sa tête.

— Qu'est-ce que c'est que ça?

Des excroissances de peau épaisse et grisâtre, dépourvues d'écailles mais nervurées de veines roses, pendaient le long du corps de l'animal.

— On dirait des ailes atrophiées, observa Astrid.

— Les serpents n'ont pas d'ailes, objecta Sam.

— Maintenant, si, conclut-elle d'un ton lugubre.

Les deux adolescents reculèrent lentement puis rejoignirent Quinn, Edilio et le petit Pete, qui contemplait le ciel comme s'il attendait la venue de quelqu'un.

— Qu'est-ce que c'était? demanda Quinn.

— Un serpent à sonnette ailé, répondit Sam.

— Ah, bonne nouvelle: je me disais bien qu'on n'avait pas assez de soucis comme ça.

— Ça ne me surprend pas, déclara Astrid.

Devant le regard interloqué de ses amis, elle poursuivit:

— Manifestement, des sortes de mutations accélérées sont en cours dans la Zone. En fait, d'après ce qu'on a pu observer chez Pete, Sam et les autres, ces mutations en ont sans doute précédé l'apparition. Mais je la soupçonne d'accélérer le processus. Il y a eu cette mouette. Et puis le chat d'Albert qui se téléportait. Et maintenant, ça.

— Ne restons pas ici, décréta Sam.

Ils reprirent leur marche en redoublant de vigilance, les yeux rivés sur le sol, conscients qu'ils pouvaient à tout moment mettre le pied sur une de ces horreurs.

Ils décidèrent de s'arrêter pour déjeuner quand le petit Pete, à bout de patience, improvisa un sit-in. Sam aida à préparer le repas puis alla s'isoler avec sa boîte de pêches au sirop et sa barre énergétique : il avait besoin de réfléchir. Il sentait qu'aux yeux des autres, c'était à lui de trouver un plan.

Ils surplombaient la vallée, à découvert, sans ombre pour les protéger. Le soleil tapait fort sur la roche. Apparemment, ils n'étaient pas près de dénicher un quelconque abri. Le mur s'étendait devant eux, à l'infini. À cette altitude, on aurait dû en distinguer le sommet. Astrid avait raison : où que l'on soit, il semblait toujours aussi infranchissable. Si en ce moment même sa surface brillait faiblement au soleil, il gardait, jour et nuit, le même aspect d'un gris laiteux. À cause de ses parois légèrement réfléchissantes, on croyait de temps à autre distinguer une ouverture, un bouquet d'arbres qui s'étendait au-delà ou une avancée de terre qui en grignotait les contours, mais, chaque fois, ce n'était que le fruit d'une illusion d'optique, d'un jeu de lumière.

Sam entendit Astrid s'approcher derrière lui.

— C'est une sphère, pas vrai ? dit-il. Un truc qui nous emprisonne de tous côtés.

— Je suis de cet avis, répondit-elle.

— Pourquoi voit-on les étoiles, la nuit ? Pourquoi la lumière du soleil passe-t-elle à travers ?

— Je ne suis pas certaine qu'on voie le soleil : c'est peut-être une illusion, un reflet… Je ne sais pas.

— Tu n'aimes pas ça, ne pas savoir, hein ?

Astrid éclata de rire.

— Tu avais remarqué ?

Sam baissa la tête avec un soupir.

— C'est une perte de temps d'essayer de trouver un moyen de sortir.

— Il n'en existe peut-être pas.

— Est-ce que le monde existe encore de l'autre côté de l'enceinte ?

Astrid s'assit près de Sam en prenant garde à ne pas le toucher.

— J'y ai beaucoup réfléchi. J'aimais bien ton histoire d'œuf. Mais, franchement, Sam, je ne crois pas que l'enceinte se réduise à un mur. Ça n'explique pas les mutations et les disparitions.

— Tu as trouvé une explication ? (Sam leva la main :) Attends. Je n'ai pas envie de t'entendre me répondre que tu ne sais pas.

— Tu te souviens quand Quinn a dit que quelqu'un avait « fait buguer l'univers » ?

— Tu t'inspires des idées de Quinn, maintenant ? Tu régresses, ma parole !

Astrid ignora sa pique.

— L'univers obéit à des lois. Comme le système d'exploitation d'un ordinateur. Rien de ce que nous observons n'est possible avec le « système d'exploitation » qui régit notre univers : Caine et ces objets qu'il déplace par la pensée, toi et cette lumière que tu fais jaillir de tes mains. Ces phénomènes ne sont pas seulement des mutations, ils violent les lois de la nature. Du moins telles que nous les comprenons.

— Oui, et alors ?

Astrid secoua la tête, l'air de douter de son propre raisonnement.

— Alors ça signifie, à mon avis, qu'on a changé d'univers.

Sam lui lança un regard interdit.

— La théorie des univers multiples existe depuis longtemps, reprit-elle. Quelque chose a peut-être altéré les lois de notre ancien univers dans un tout petit secteur, mais les effets de cette altération se sont propagés, et à un moment donné, notre ancien univers s'est retrouvé dans l'impossibilité de contenir cette nouvelle réalité. Un nouvel univers s'est créé. Un univers minuscule.

Astrid poussa un soupir de soulagement, comme si elle venait de se débarrasser d'un grand poids.

— Ce n'est qu'une hypothèse, Sam. Je ne suis pas astrophysicienne.

— En gros, c'est comme si quelqu'un avait implanté un virus dans le système d'exploitation de notre ancien univers.

— Exactement. Ça a commencé avec de petits changements chez certains individus : Pete. Toi. Caine. Des enfants plutôt que des adultes : comme ils ne sont pas complètement formés, il est plus facile d'altérer leur nature. Puis, un beau matin, un événement particulier a bouleversé tout l'équilibre. Ou une suite d'événements.

— Comment passer de l'autre côté du mur, Astrid ?

Astrid posa sa main sur celle de Sam.

— Je ne suis pas sûre qu'il y ait un autre côté. Quand je dis que nous avons changé d'univers, je sous-entends que nous n'avons peut-être pas de points de contact avec l'ancien. Qui sait ? Nous sommes peut-être des bulles de savon à la dérive qui finiront par se rencontrer. Mais il se peut aussi que des milliards de kilomètres nous séparent.

— Alors qu'est-ce qu'il y a de l'autre côté de la paroi ?

— Rien. Il n'y a pas d'autre côté. L'enceinte marque peut-être la fin de toute existence, ici, dans ce nouvel univers.

— Tu me déprimes, dit Sam d'un ton qui se voulait badin mais qui trahissait sa détresse.

Astrid entrelaça ses doigts à ceux de Sam.

— Je peux me tromper.

— Je serai fixé dans… On est quel jour, aujour-d'hui ? Dans moins d'une semaine.

Astrid ne sut que répondre. Assis côte à côte en silence, ils contemplèrent le désert au-dessous d'eux. Un coyote solitaire trottait au loin en flairant le sol ; dans le ciel, deux vautours décrivaient des cercles paresseux.

Au bout d'un moment, Sam se tourna vers Astrid et l'embrassa. Si son geste lui parut facile et naturel, il crut en revanche que son cœur allait exploser. Puis, appuyés l'un contre l'autre, ils se turent pour savourer ce simple contact physique.

— Tu sais quoi ? dit Sam après un long silence. Je ne peux pas vivre les quatre prochains jours dans la peur.

Astrid hocha la tête.

— Il va falloir que tu me donnes du courage.

— J'étais justement en train de penser que je ne voulais plus que tu sois courageux. Je veux que tu restes avec moi et que tu te tiennes à l'écart des problèmes.

— Trop tard, répliqua Sam d'un ton qui se voulait désinvolte. Si je disparais, qu'est-ce que vous deviendrez, ton frère et toi ?

— On peut se débrouiller seuls, répondit Astrid sans conviction.

— Tu es vraiment déroutante, tu sais.

— C'est facile de te dérouter, tu es moins malin que moi.

Sam sourit.

— Écoute, Astrid, je peux passer le temps qui me reste à chercher un moyen de m'échapper, la peur au ventre. Mais je peux aussi décider de relever la tête. Alors, peut-être que ton frère et toi, au moins...

— Et si...

— Non, on ne peut pas se terrer dans les bois avec nos boîtes de conserve. On ne peut pas se cacher indéfiniment.

La bouche d'Astrid se mit à trembler et elle essuya une larme.

— Il faut rentrer. Enfin, moi, il faut que je rentre, dit-il.

Sam se leva et prit la main d'Astrid pour la relever à son tour. Ensemble, ils rejoignirent les autres.

— Edilio, Quinn, j'ai fait beaucoup d'erreurs et peut-être que je vais en commettre une autre, mais j'en ai marre de fuir. J'ai très peur que, par ma faute, vous soyez tous tués. Maintenant, c'est à vous de décider si vous voulez me suivre. En ce qui me concerne, je dois rentrer à Perdido Beach.

— On va se battre contre Caine ? demanda Quinn, affolé.

— Il était temps, déclara Edilio.

— Bienvenue chez McDonald's ! lança Albert. Qu'est-ce que je vous sers ?

— Salut, Albert, dit Mary.

Elle leva les yeux vers le menu, dont un grand nombre d'éléments avaient été recouverts de scotch noir. Les salades avaient très vite disparu du tableau d'affichage, et Albert ne servait plus de milk-shakes depuis que la machine avait rendu l'âme.

Il sourit à la petite fille qu'accompagnait Mary. Voyant son sourire, cette dernière s'exclama :

— Oh, désolée ! Je manque à mes devoirs. Voici Isabella. Isabella, je te présente Albert.

— Bienvenue chez MacDonald's, répéta Albert.

— Isabella vient d'arriver. C'est une équipe de secours qui nous l'a ramenée.

— Mon papa et ma maman ont disparu, expliqua Isabella.

— Je sais. Mes parents aussi, lui dit Albert.

— Un Big Mac et une grande frite pour moi, déclara Mary. Et un Happy Meal pour Isabella.

— Nuggets ou hamburger ?

— Nuggets.

— Et pour le Big Mac, bagel ou gaufre ?

— Quoi ?

Albert haussa les épaules.

— Désolé, Mary, mais on est à court de pain frais. Je suis obligé de trouver des substituts dans le congélateur. Et, bien entendu, je n'ai plus de laitue, mais tu le sais déjà.

— Il te reste de la sauce ?

— Des centaines de litres. Et niveau cornichons, je suis tranquille pour un bout de temps. Je m'occupe de votre commande. Je choisirais le bagel, à ta place.

— Va pour un bagel, alors.

Albert jeta un panier de frites dans l'huile bouillante et une commande de nuggets dans un second panier, puis il mit en marche les deux minuteurs et s'avança tranquillement vers le gril, sur lequel il déposa trois steaks.

Tout en surveillant la cuisson, il observa du coin de l'œil Mary qui s'efforçait de dérider Isabella dans la salle de restaurant. La petite fille, très solennelle, semblait au bord des larmes.

Albert retourna les burgers et secoua le panier de frites pour ôter l'excédent d'huile, les saupoudra de sel et s'occupa des nuggets. Il aimait ces gestes répétitifs qu'il avait appris à perfectionner depuis qu'il avait pris possession des lieux, neuf jours plus tôt. Depuis l'incident avec le chat, que tout le monde avait baptisé le « chat d'Albert », il ne s'éloignait plus du restaurant. Dans l'enceinte du McDonald's, il n'y avait pas de chats capables de se téléporter.

Albert répartit les commandes sur deux plateaux qu'il porta jusqu'à la seule table occupée. Mary le remercia chaleureusement.

— On est à court de figurines, s'excusa-t-il, mais je me suis approvisionné à la supérette, donc il y a un jouet dans le Happy Meal.

Isabella sortit du carton une minuscule poupée en plastique avec des cheveux rose vif. Le visage fermé, elle serra la poupée dans ses doigts.

— Combien de temps tu peux garder cet endroit ouvert? s'enquit Mary.

— J'ai beaucoup de viande en stock. Le premier jour de la Zone, ils attendaient une livraison. Tu as dû voir le camion encastré dans la vieille maison derrière le garage. Bref, quand je suis arrivé là-bas, le moteur tournait toujours, si bien que le système de refroidissement fonctionnait encore. Ma chambre froide est pleine à craquer et j'ai entreposé des steaks dans tous les congélateurs de la ville. (Il hocha la tête d'un air satisfait.) J'ai six mille deux cent quatre-vingts steaks à ma disposition. J'en vends en moyenne deux cent cinquante par jour. Donc, j'ai de quoi tenir environ deux mois. Les frites seront épuisées avant.

— Et ensuite?

Albert parut hésiter puis, trop heureux de pouvoir partager ses inquiétudes avec quelqu'un, finit par répondre:

— On ne pourra pas vivre éternellement sur nos réserves. D'accord, il y a le restaurant, la supérette et toutes les maisons vides, mais…

— Ça fait beaucoup de nourriture. Assieds-toi avec nous, Albert.

Albert parut mal à l'aise.

— Dans le manuel, il est écrit qu'il ne faut pas s'asseoir avec les clients. Mais j'ai droit à une pause, j'imagine, et je peux toujours m'asseoir à la table d'à côté.

Mary sourit.

— Tu as lu ce machin-là?

— Quand tout redeviendra comme avant, je veux que le gérant puisse dire en entrant: «Bon boulot, Albert.»

— Tu fais plus que du bon boulot. Tu donnes de l'espoir, tu t'en rends compte?

— Merci, Mary, c'est gentil de dire ça.

Albert songea que c'était le plus beau compliment qu'on lui ait jamais fait et il rougit de bonheur. Beaucoup d'enfants avaient tendance à pester dès qu'ils entraient dans le restaurant, parce qu'il n'avait pas exactement ce qu'ils voulaient.

— Tu t'inquiètes pour la suite, hein? demanda Mary.

— On a de quoi faire pour l'instant, mais certaines choses commencent à manquer. On ne trouve presque plus de confiseries ni de chips. On sera à court de sodas d'ici peu. Et un jour, on n'aura plus rien à manger.

— Quand exactement?

— Je n'en sais rien. Mais bientôt, on se battra pour la nourriture. On vit sur nos réserves alors qu'il faudrait songer à travailler la terre ou à chercher de nouvelles solutions.

Mary prit une bouchée de son Big Mac.

— Caine est au courant?

— Je lui en ai parlé. Mais il a d'autres chats à fouetter.

— Pourtant, c'est un sérieux problème.

Albert n'aimait pas discuter de choses tristes à table. Mais c'était Mary qui posait les questions et, aux yeux d'Albert, cette fille était une véritable sainte.

— Moi, j'essaie seulement de faire mon boulot ici, dit-il en haussant les épaules.

— Est-ce qu'on pourrait se lancer dans des cultures? songea Mary tout haut.

— Je suppose que c'est à Caine ou à... je ne sais qui d'autre de décider, répondit Albert avec prudence.

Mary hocha la tête.

— Tu sais quoi, Albert? Je me fiche de savoir qui commande, je dois m'occuper des petits.

— Et moi de cet endroit, renchérit Albert.

— Et Dahra de son hôpital. Et Sam de sa caserne. Enfin, avant.

— Oui.

Albert était dans une drôle de situation. Il admirait beaucoup Mary, qu'il considérait comme la plus belle personne qu'il ait rencontrée en dehors de sa mère, et il avait envie de lui faire confiance. Mais il n'était pas certain d'en être capable. Les derniers événements à Perdido Beach le mettaient mal à l'aise. Et Mary, qu'en pensait-elle? Si elle allait raconter à Drake qu'il se plaignait, même sans vouloir lui créer d'ennuis ?

Drake pouvait le forcer à fermer. Que deviendrait-il sans le restaurant ? Le travail lui évitait de ressasser ce qui s'était passé. Et pour la première fois de son existence, il se sentait utile. À l'école, il se noyait dans la masse alors que, désormais, il était Albert Hillsborough, l'homme d'affaires.

Tout bien considéré, Albert souhaitait le départ de Caine et de Drake. Cependant, le seul être susceptible de prendre leur place était traqué comme un animal.

— Il est comment, ce Big Mac ? demanda-t-il.

— Tu sais quoi ?

Mary sourit et lécha ses doigts tachés de ketchup.

— Je trouve que c'est meilleur avec le bagel.

Ils roulaient en direction de Coates à une lenteur exaspérante. Au volant, Panda semblait encore plus nerveux qu'à son habitude. Jack lui trouvait même l'air terrifié. Il faisait noir et il répétait sans cesse qu'il n'avait jamais conduit de nuit. Il avait dû tâtonner pendant cinq minutes avant de trouver les phares.

Assis à l'avant à côté de Panda, Caine se rongeait les ongles en silence, l'air préoccupé. Il avait interrogé Jack à maintes reprises sur la marche à suivre concernant la vidéo de la grande sortie d'Andrew. Par quelque tour de passe-passe, l'idée géniale de Caine était devenue la responsabilité de Jack. Si tout se déroulait comme prévu, Caine en réclamerait la paternité. Dans le cas contraire, Jack devrait sans nul doute en assumer l'échec.

Pour une fois, Diana, qui était assise à la droite de Jack, n'avait rien à dire. Il se demandait si elle appréhendait autant que lui de retourner au pensionnat. Assis à la gauche de Jack, Drake tenait sur ses genoux un pistolet automatique.

Jack n'avait jamais vu d'arme d'aussi près. Et encore moins entre les mains d'un garçon de son âge, qu'il considérait comme dérangé. Drake ne pouvait pas s'empêcher de tripoter le pistolet : il passait son temps à jouer avec le cran de sécurité ou baissait la vitre et visait des panneaux de signalisation, sans faire feu toutefois.

— Tu sais te servir de ce machin ? finit par demander Diana. Ou tu vas te coller une balle dans le pied ?

— Il ne va pas s'en servir, aboya Caine avant que Drake puisse répondre. C'est juste un accessoire pour qu'Andrew se tienne tranquille. Tu sais comment il est. La vue du pistolet le calmera.

— Bien sûr. Personnellement, c'est fou ce que ça me détend, ironisa Diana.

— La ferme, lâcha Drake.

Diana éclata d'un rire désinvolte et se mura de nouveau dans le silence.

Jack transpirait à grosses gouttes malgré les vitres ouvertes et la fraîcheur de la nuit. Il était nauséeux. Il avait envisagé de prétexter un malaise pour pouvoir rester à Perdido Beach, mais il savait que Caine ne voudrait rien entendre. Il s'était senti mal toute la journée tandis qu'il courait d'un endroit à l'autre pour rassembler le matériel nécessaire à leur expédition. Escorté de Drake, il avait fouillé les maisons en quête de caméras et de trépieds, et il avait sa dose de Drake Merwin pour le restant de ses jours.

Ils s'avancèrent vers le portail imposant, avec ses deux battants en fer forgé qui devaient bien mesurer quatre mètres de haut. La devise du pensionnat, *Ad augusta, per angusta*, figurait sur deux grandes plaques dorées au sommet des grilles.

— Klaxonne, ordonna Caine. La sentinelle doit dormir.

Panda obéit. Comme rien ne se passait, il recommença et, cette fois, garda la main appuyée sur le klaxon. Le barrissement monotone de l'avertisseur se perdit entre les arbres.

Sur un geste de Caine, Drake sortit de la voiture, son arme à la main, et s'avança vers la grille. Il l'ouvrit d'un mouvement brusque et entra dans le corps de garde. Il en ressortit quelques secondes plus tard et regagna la voiture.

— Il n'y a personne.

Caine fronça les sourcils dans le rétroviseur.

— Ça ne ressemble pas à Benno. Il obéit aux ordres, d'habitude.

Benno était le gros costaud nommé par Caine pour diriger le pensionnat en son absence. Jack ne l'avait jamais porté dans son cœur – personne ne l'aimait à Coates –, mais Caine avait raison : Benno était du genre à se plier aux directives de plus fort que lui. Il ne prenait pas de décisions tout seul.

Et il n'était pas assez bête pour braver les instructions de Caine.

— Quelque chose ne tourne pas rond, observa Panda.

— Plus rien ne tourne rond, Panda, lâcha Diana.

La voiture franchit la grille. Quelques centaines de mètres les séparaient encore des locaux de l'école. Le trajet se poursuivit dans un silence pesant. Panda s'arrêta à l'extrémité de l'allée, devant le bâtiment principal.

Toutes les fenêtres de l'édifice étaient éclairées. Une vitre du premier étage avait été pulvérisée, si bien qu'on voyait nettement l'intérieur d'une classe.

Les tables avaient été empilées contre un mur. Le tableau noir était craquelé et couvert d'éraflures. Les dessins et affiches qui ornaient jadis les murs de la classe pendaient, à moitié calcinés. Un énorme enchevêtrement de briques et de poutres formait un mur au milieu de la pelouse.

— Ça ne sent pas bon, dit Diana.

— Qui est capable de semer une telle pagaille? demanda Caine avec colère.

— Celui qu'on est venu voir, répondit-elle. Bien que ça fasse beaucoup de dégâts pour un trois barres.

— Benno a dû perdre la main, commenta Drake. Quand je te disais que c'était une mauviette.

— C'est parti, annonça Caine en descendant de voiture, bientôt imité par le reste du groupe. Panda, va ouvrir la porte. Voyons un peu ce qui nous attend.

— Pas question, protesta Panda d'une voix tremblante.

— Lâche, dit Caine.

Il leva les mains, paumes tendues, et soudain Panda vola dans les airs. Il alla s'écraser contre la porte, tomba lourdement sur le sol et tenta vainement de se relever.

— Je ne peux plus bouger la jambe. J'ai trop mal.

À cet instant, la porte s'ouvrit en heurtant Panda de plein fouet. De la lumière se déversa par l'ouverture et Jack vit une douzaine de silhouettes voûtées comme des singes sortir à quatre pattes de l'édifice en poussant des hurlements de terreur. Elles descendirent les marches en titubant. Chacune de ces créatures portait un bloc en béton qu'elle traînait péniblement dans sa course. Mais en y regardant de plus près, Jack s'aperçut que leurs mains étaient prisonnières du ciment.

Jack s'était efforcé de ne pas y penser. Cette solution visant à mater les dégénérés récalcitrants lui paraissait brutale et cruelle. Mais depuis qu'il avait découvert son pouvoir, il ne pouvait plus songer à autre chose.

Ils s'étaient aperçus très vite que les pouvoirs surnaturels passaient par les mains. Non, corrigea amèrement Jack, c'était lui qui l'avait remarqué et qui en avait touché un mot à Caine, lequel avait ordonné à Drake de prendre ces dispositions horribles.

— Souviens-toi qui est ton maître, murmura Diana à l'oreille de Jack.

— Nourrissez-nous ! On crève de faim ! crièrent les pauvres créatures.

Leurs voix faibles, vibrantes de désespoir, trahissaient tant de privations que Jack s'affola. Il ne pouvait pas rester avec ces gens. Il se détourna pour fuir, mais Drake le rattrapa par les épaules et le poussa devant lui.

Les «dégénérés» criaient famine. Une dénommée Taylor s'effondra aux pieds de Jack. Au-dessus du ciment, la chair de ses bras était à vif, elle avait les joues couvertes de crasse, et elle dégageait une odeur répugnante.

— Jack, croassa-t-elle. Ils nous affament. C'était Benno qui était chargé de nous nourrir, et il a disparu. On crève de faim... Pitié, Jack.

Jack, plié en deux, vomit sur le gravier.

— Tu en fais un peu trop, fit remarquer Diana.

Caine monta les marches et Drake se précipita derrière lui. Diana releva Jack et le poussa devant elle sans accorder un regard aux prisonniers. Jack vit la silhouette de Caine s'encadrer dans la porte, et Drake courir pour passer devant, en bon chien de garde. Un énorme boum retentit, pareil à la détonation d'un jet supersonique s'envolant au-dessus de leurs têtes. Drake s'affaissa contre Caine et son pistolet lui échappa des mains. Caine parvint à retrouver son équilibre, mais Drake tomba à genoux en se bouchant les oreilles et se mit à gémir. Caine le repoussa sans même le regarder, puis tendit les bras, paumes ouvertes, doigts écartés.

Le pan de mur se démantela, brique par brique : elles volaient dans les airs comme s'il venait de leur pousser des ailes. La porte se referma brusquement et les projectiles allèrent s'écraser contre le panneau avec la violence d'une rafale de mitrailleuse, en faisant éclater le bois dans un bruit de marteau piqueur. En quelques secondes, la porte ne fut plus qu'un tas de débris.

Caine, hilare, interpella son adversaire :

— C'est toi, Andrew ? C'est toi qui penses pouvoir te mesurer à moi ?

Il s'avança tandis que les briques continuaient à pleuvoir comme une volée de balles au-dessus de sa tête.

— Tu ne te débrouilles pas trop mal, Andrew, cria-t-il en franchissant le seuil envahi de gravats. Mais tu ne pourras pas me battre pour autant.

Diana, baissant la tête pour éviter la tempête de briques, se tourna vers Jack, l'air surexcité :

— Viens, il ne faut pas rater le spectacle.

Ils débouchèrent sur le grand hall que Jack connaissait par cœur. Trois étages les dominaient, ainsi qu'un énorme lustre. Deux escaliers jumeaux menaient au premier.

Les briques avaient déjà réduit en miettes l'un des deux escaliers. Le bruit qui les entourait ressemblait au rugissement d'une tronçonneuse contre du métal.

Andrew, un gentil garçon d'après le souvenir qu'en gardait Jack, se tenait immobile à quelques pas de Caine, figé par l'effroi. Une auréole s'élargissait sur l'entrejambe de son pantalon. La tempête de briques cessa aussi brusquement qu'elle avait commencé. Andrew fit mine de s'élancer vers l'autre escalier.

— Ne m'oblige pas à détruire aussi celui-là, dit Caine. Ce ne serait vraiment pas pratique.

Andrew capitula, les bras ballants ; il avait l'air d'un enfant pris sur le fait, qui cherchait désespérément un moyen de négocier.

— Caine, je ne savais pas que c'était toi. J'ai cru que Frederico nous attaquait, expliqua-t-il d'une voix tremblante en s'efforçant de couvrir de ses mains la tache sur son pantalon.

— Freddie ? Qu'est-ce qu'il a à voir avec tout ça ?

— Benno a disparu, et il fallait bien que quelqu'un prenne la relève, pas vrai ? Frederico a voulu en profiter, et...

Caine l'interrompit :

— Je m'occuperai de Freddie plus tard. Qu'est-ce qui te prend de jouer les chefs, Andrew ?

— Qu'est-ce que tu voulais que je fasse, Caine ? gémit Andrew. Benno a disparu, pouf ! Frederico se prenait pour un dur. Mais moi, je suis de ton côté, pas comme ce traître de Frederico. Tu aurais dû l'entendre : « Caine est bidon, oubliez ce nul, c'est moi qui commande maintenant. »

Sans prêter attention aux propos d'Andrew, Caine jeta un regard furieux à Jack.

— Comment ça se fait qu'on ait raté l'anniversaire de Benno ?

Ne trouvant pas de réponse, Jack se contenta de hausser les épaules et, l'estomac noué, chercha fébrilement son ordinateur de poche dans l'espoir de prouver que l'anniversaire de Benno n'était pas encore passé.

— Et si les fichiers de l'école contenaient des erreurs ? suggéra Diana. Peut-être qu'une secrétaire sénile s'est trompée. Ne rejette pas la faute sur Jack : tu sais qu'il est trop maniaque pour se planter dans les chiffres.

Caine foudroya Jack du regard avant de répondre :

— Oui, comme tu voudras. Et puis il nous reste Andrew. Prêt pour le grand saut ?

Andrew eut un rire forcé.

— Je n'ai pas l'intention de dégager. Cet imbécile de Benno s'est endormi. Et moi, je pense qu'avec des pouvoirs, on ne disparaît pas, enfin pas si on est réveillé et qu'on se tient prêt.

Diana partit d'un ricanement lugubre.

— C'est une théorie intéressante, Andrew, déclara Caine. Il va falloir la vérifier.

— Comment ça?

— On veut juste regarder, répondit Drake.

— Vous n'allez pas me tabasser, quand même? Je suis toujours de ton côté, Caine. Je n'utiliserais jamais mes pouvoirs contre toi. Enfin, si j'avais su que c'était toi…

— Tu les laisses mourir de faim! le coupa Diana. Pas étonnant que tu t'inquiètes pour ta petite personne.

— Hé, on manque de nourriture, gémit Andrew.

— Drake, descends-moi ce minable, décréta Diana.

Drake se contenta de ricaner.

— Je pense qu'on devrait s'installer au réfectoire, dit Caine. Jack, tu as ton matériel?

Jack, surpris d'être sollicité, sursauta.

— Non, i-i-il f-f-faut que j'aille le chercher.

— Drake, emmène J-J-Jack chercher ses affaires. Diana, prends Andrew par la main et conduis-le au réfectoire.

Dans la journée, les jappements étaient à peine perceptibles. Mais une fois la nuit tombée, ils faisaient froid dans le dos.

— Ce n'est qu'un coyote, dit Sam. Ne faites pas attention.

Ils progressaient lentement maintenant qu'il faisait sombre, car ils voyaient à peine où ils mettaient les pieds.

— Peut-être qu'on aurait dû camper dans ce ravin, finalement, lâcha Edilio.

— Dès qu'on aura trouvé un endroit assez plat pour étendre nos sacs de couchage, je suis d'avis qu'on s'arrête.

Quelques heures plus tôt, ils avaient dû franchir un ravin abrupt, étroit, impossible à contourner. Ils avaient eu toutes les peines du monde à grimper. Le petit Pete avait été pris d'une crise de panique pendant qu'on le hissait sur l'autre versant, et ils avaient tous eu très peur de sa réaction.

— Hawaii, avait marmonné Quinn à plusieurs reprises tandis que l'enfant poussait des hurlements.

— Pourquoi tu répètes ça ? avait demandé Edilio.

— Si jamais il décide de nous emmener en balade, je préférerais que ce soit à Hawaii et pas chez Astrid.

Edilio réfléchit quelques instants.

— Ça marche pour moi. Hawaii, Pete, Hawaii.

Mais le petit Pete n'avait téléporté personne ni violé aucune loi de la physique.

Le mur s'étendait toujours à leur gauche, bien visible au clair de lune. Sam était résolu à le longer, non plus dans l'espoir de trouver une issue, mais parce que c'était le seul moyen de retrouver le chemin du retour. Tôt ou tard le mur les mènerait à Perdido Beach.

Soudain, un hurlement déchira le silence.

— Aïe, il est tout près, celui-là, lança Edilio.

Sam hocha la tête.

— Ça venait de cette direction. Ça vous dit, un petit détour ?

— Je croyais qu'on ne risquait rien avec les coyotes, grommela Edilio.

— En temps normal, oui.

— Rassure-moi, tu ne penses pas à des coyotes ailés ?

— Il y a de plus en plus de sable et de moins en moins de caillasse, on dirait, observa Astrid. Le petit Pete n'a pas trébuché depuis un bout de temps.

— Je n'y vois pas assez pour en avoir le cœur net, mais on n'a qu'à s'arrêter d'ici cinq minutes, suggéra Sam. Entre-temps, cherchons du bois pour le feu.

— Si je ne vois pas où je mets les pieds, comment je fais pour trouver du bois ? râla Quinn.

— Hé, regardez ! s'exclama Sam. Il y a quelque chose là-bas. On dirait… une maison.

— J'y vois que dalle, grommela Quinn.

— D'accord, il fait plus noir que d'habitude. C'est parce qu'il n'y a pas d'étoiles.

Ils avancèrent dans la direction montrée par Sam. Ils trouveraient peut-être de l'eau, de la nourriture ou un abri pour la nuit. Soudain, ses pieds rencontrèrent un terrain mou qui lui rappela les aiguilles de pin tapissant le sol de la forêt. Il se baissa et sentit de l'herbe sous ses doigts.

— Attendez, les gars !

En général, Sam préférait utiliser sa torche avec parcimonie ; ils avaient une quantité limitée de piles et toute une nuit à tenir.

— Quinn, éclaire-moi une seconde.

Même dans le faisceau aveuglant de la torche, la couleur verte ne laissait aucun doute. D'un geste prudent, Quinn promena sa lampe autour de lui et éclaira une cabane flanquée d'une sorte de moulin.

Ils s'approchèrent avec mille précautions et, une fois rassemblés sur le seuil, Quinn dirigea le faisceau de sa lampe vers la poignée de la porte. Mais, au moment de l'ouvrir, Sam se figea. Il venait d'entendre un bruit de bousculade dans l'obscurité derrière eux.

— Entrez, bande d'idiots ! cria une voix féminine.

Quinn braqua sa lampe vers le bruit et décela un mouvement. Quelque chose courait dans sa direction. Il entrevit un éclair gris dans les ténèbres, puis sa torche éclaira tour à tour un gros chien et le visage sale et terrifié d'une fille en haillons.

— Courez ! Courez ! cria-t-elle.

Sam tourna la poignée de la porte mais avant qu'il ait pu l'ouvrir, la fille se jeta sur lui et il tomba à plat ventre sur un plancher recouvert d'un tapis. Le chien atterrit sur son dos et, d'un bond, se précipita à l'intérieur.

Quinn poussa un hurlement de douleur et d'effroi. Dans la panique, il avait perdu sa lampe, qui éclairait maintenant le sol. Dans le halo de lumière, Sam entrevit les jambes d'Astrid, puis Edilio qui venait de tomber.

S'ensuivit un chœur de jappements furieux. La fille qui avait bousculé Sam essayait de se relever tandis que le chien grondait et aboyait. Des glapissements féroces lui répondirent.

— La porte ! La porte ! cria la fille.

Une bête enragée, rapide comme l'éclair, se jeta sur elle en rugissant. Sam se releva tant bien que mal et tenta de refermer la porte, mais une chose velue s'interposa. Il entendit un grognement de protestation et, soudain, une mâchoire de fer se referma autour de son genou, lui broyant les os.

Sam s'affaissa contre la porte qui se referma sous son poids, puis glissa et atterrit sur les fesses, le museau de la créature tout près de son visage. Ses crocs claquèrent à un cheveu de ses yeux. Tendant les mains pour repousser son assaillant, il rencontra une fourrure rugueuse et des muscles frémissants. Il ressentit une douleur terrible à l'épaule et comprit que les crocs de l'animal s'étaient plantés dans sa chair et le secouaient en tous sens pour le déchiqueter.

Sam poussa un cri déchirant et se débattit comme un fou. Mais ses efforts pour se défendre étaient vains. La bête enfonça ses canines dans son cou et un jet de sang aspergea son torse. Il leva les bras, paumes tendues, mais il était trop tard. Sa veine jugulaire, tranchée net, n'irriguait plus son cerveau. Ses mains ne lui obéissaient plus. Comme détaché de son corps, il s'enfonça dans les ténèbres.

Soudain, il y eut un bruit mat, suivi d'un autre, et les mâchoires d'acier relâchèrent leur prise.

Avant de s'évanouir, Sam entrevit le visage affolé de la fille en haillons. Elle semblait bouger au ralenti. Des étincelles jaunes dansaient devant les yeux de Sam. Lentement, la fille leva les mains au-dessus de sa tête puis écrasa un objet lourd, rectangulaire et brillant sur le crâne du coyote.

L ANA ALLUMA l'une des lanternes de Jim l'Ermite et regarda autour d'elle. La cabane était telle que dans son souvenir, pour peu qu'elle fasse abstraction des deux cadavres de coyotes, des trois ados terrorisés, du bambin un peu bizarre qui fixait le vide, et du garçon moribond étendu sur le sol.

Du bout du pied, elle tâta le cadavre de Gniaque. Pas de réaction. Il était bel et bien mort, la cervelle réduite en bouillie par un gros lingot d'or. Elle l'avait frappé, encore et encore, jusqu'à en avoir mal au bras. L'autre coyote, elle ne l'avait pas assez côtoyé pour le nommer, mais il avait connu le même sort, trop absorbé par sa proie pour prendre conscience du péril qui le guettait.

Pat s'était réfugié dans un coin, l'air hébété et perdu. L'un des ados, un garçon au look de surfeur, semblait refléter sa confusion.

— Bon chien, dit Lana, et Pat remua faiblement la queue. Qui es-tu ? demanda-t-elle au surfeur.

— Je m'appelle Quinn.

— Et toi ? s'enquit la jolie blonde.

De prime abord, elle déplaisait à Lana : c'était le genre de fille trop parfaite qui lui tapait sur le système. D'un autre côté, elle protégeait ce drôle de petit garçon en le berçant dans ses bras, alors peut-être n'était-elle pas si détestable, après tout.

Un garçon au visage rond et aux cheveux noirs coupés en brosse se pencha au-dessus du blessé.

— Il est salement amoché.

La blonde se précipita pour déchirer la chemise du blessé ; un flot de sang s'écoulait le long de son torse.

— Oh non ! gémit-elle.

Lana l'écarta d'un geste et posa la main sur la plaie béante.

— Il va s'en sortir, dit-elle. Je vais soigner ça.

— Quoi ? fit la blonde d'un ton sévère. Il lui faut des points de suture, un médecin. Regarde comme il saigne.

— Comment tu t'appelles ?

— Qu'est-ce que ça peut te faire ? Il...

Elle s'interrompit et se pencha pour regarder la plaie.

— Il saigne moins, tout à coup.

— Oui, j'ai remarqué, lança sèchement Lana. Détends-toi. Il va s'en tirer. En fait, ajouta-t-elle en observant le blessé de plus près, je parie qu'une fois débarrassé de tout ce sang il ne sera pas mal du tout. C'est ton copain ?

— Ce n'est pas la question, rétorqua Astrid. (Puis, baissant la voix, comme si elle ne voulait pas que les autres l'entendent :) Plus ou moins.

— Eh bien, je sais que ça peut paraître dingue, mais il sera remis d'ici quelques minutes.

Et à ces mots, elle ôta sa main un instant pour prouver ses dires : la blessure s'était déjà refermée.

— Ne me demande pas comment je fais.

— T'inquiète, souffla le garçon coiffé en brosse.

Dehors, la meute de coyotes poussait des jappements furieux en venant heurter la porte. Mais le verrou tenait bon. Lana glissa une chaise sous la poignée et prit le temps de réfléchir.

La porte ne tiendrait pas très longtemps. D'un autre côté, la meute ne saurait que faire tant que le chef ne serait pas rentré de sa chasse.

— Il s'appelle Sam, déclara Astrid. Lui, c'est Edilio, et voici mon petit frère, Pete. Quant à moi, je m'appelle Astrid, et je crois que tu viens de nous sauver la vie.

Lana hocha la tête. Du progrès. Voilà que la blonde lui témoignait du respect.

— Moi, c'est Lana. Et autant vous dire que les coyotes n'en ont pas fini avec nous. Il faut s'assurer que la porte tiendra le coup.

— Je m'en occupe, lança Edilio.

Le blessé s'éveilla en sursaut. Il contempla d'un air hébété les cadavres des coyotes, puis se tâta le cou et inspecta le sang sur sa main.

— Ça va aller, lui dit Lana. Je vais finir de te soigner. Laisse-moi juste appliquer ma main sur tes blessures.

Sam jeta un regard dubitatif à Astrid.

— Elle nous a sauvé la vie, expliqua-t-elle. Et elle vient de refermer une blessure qui saignait encore il y a une minute à peine.

Sam laissa Lana poser la main sur son cou.

— Qui es-tu? demanda-t-il d'une voix enrouée.

— Mon nom est Lana Arwen Lazar, répondit-elle.

— Merci, Lana.

— Pas de quoi. Ne te réjouis pas trop vite : tu n'es pas encore sorti d'affaire.

Sam hocha la tête, écouta le chaos qui régnait au-dehors et tressaillit en entendant l'un des coyotes se jeter contre la porte.

— C'est bien un lingot d'or qu'Edilio utilise comme marteau?

Edilio avait démantelé le lit et en clouait une des planches sur la porte. Lana éclata d'un rire sans joie.

— Oui. On est riches, Pat et moi.

Elle appliqua la main sur l'épaule de Sam.

— Ça marchera mieux si tu enlèves ta chemise.

Sam grimaça de douleur.

— Je ne suis pas sûr d'en être capable.

Lana glissa la main sous le tissu de sa chemise et chercha en tâtonnant d'autres blessures moins sérieuses.

— Ça ira mieux dans quelques minutes.

— Comment tu fais ça?

— Il se passe beaucoup de choses bizarres.

— Oui, on avait remarqué. Merci de m'avoir sauvé la vie.

— De rien, mais comme je te l'ai déjà dit, c'est peut-être temporaire. Ils n'essaient pas vraiment de forcer la porte pour l'instant. Avec le retour de leur chef, ça pourrait changer. Ils sont costauds, tu sais, et intelligents.

— Toi aussi, tu saignes.

— Je vais m'en occuper, répliqua Lana avec indifférence. J'ai l'habitude, à force.

Elle posa sa main couverte de sang sur sa jambe.

— Qui est ce chef dont tu parles? s'enquit Sam.

— C'est le mâle dominant de la meute. J'ai réussi à le convaincre de me mener jusqu'ici. J'espérais trouver un moyen de m'échapper ou, du moins, quelque chose de comestible à me mettre sous la dent. Les coyotes sont malins mais, au final, ce ne sont que des chiens un peu futés. Vous avez faim? Moi oui.

Sam hocha la tête et se leva tant bien que mal, avec des mouvements de vieillard.

— Dès que j'en aurai terminé avec ma jambe, je m'occuperai des tiennes, lui dit Lana. On a de bonnes provisions de nourriture et d'eau, de quoi tenir quelque temps. La question est : quand Chef va-t-il trouver un moyen d'entrer ?

— Tu parles de ce coyote comme si c'était une personne, observa Astrid.

— Et pas des plus fréquentables, ajouta Lana en riant.

— Mais c'est juste un coyote… non ?

Lana regarda pensivement son interlocutrice. À présent, elle voyait des yeux pétillants d'intelligence au-delà de son physique de poupée.

— Qu'est-ce que tu sais à ce sujet ? demanda-t-elle, prudente.

— Je sais que certains animaux mutent. On a vu une mouette avec des serres… et un serpent avec ce qui ressemblait à des ailes atrophiées.

— Oui, j'en ai vu un de tout près, moi aussi. Ils flanquent une peur bleue aux coyotes, crois-moi. Ils ne savent pas vraiment voler mais se servent de leurs ailes pour se propulser sur quelques mètres. Ils m'ont d'ailleurs sauvé la mise, une fois. Et j'en ai vu un tuer un coyote il y a quelques heures à peine. Chef a dit…

— A dit ? répéta Edilio.

— Je vais tout vous raconter mais, d'abord, mangeons un morceau. Je n'ai rien avalé depuis des lustres. On m'a proposé de l'écureuil cru, remarquez.

Moi, ce qui me tente, c'est une crème à la vanille. J'en rêve, même.

Elle prit une boîte de conserve et l'ouvrit avec des gestes fiévreux. Sans même se munir d'une assiette ou d'une cuillère, elle la vida dans sa main qu'elle porta voracement à sa bouche. Puis elle se figea, l'air extasié.

Les yeux remplis de larmes, elle reprit :

— Désolée, j'ai oublié les bonnes manières. Je vais vous donner votre part.

Sam s'avança en clopinant et, suivant l'exemple de Lana, se mit à manger avec les doigts.

— Moi aussi, j'ai passé le stade des politesses, dit-il, même si, Lana s'en rendait compte, il était un peu choqué par ses manières de sauvageonne.

Néanmoins, elle décida que ce garçon lui plaisait bien.

— Bon, écoutez tous, je préfère vous prévenir pour que vous ne soyez pas surpris : Chef sait parler. Comme l'expliquait Miss Cerveau tout à l'heure, c'est une sorte de mutant. Vous devez penser que je suis dingue.

Elle se resservit de la crème avec le gobelet en étain de Jim l'Ermite. De son côté, Astrid ouvrit une boîte de fruits au sirop.

— Qu'est-ce que tu sais de la Zone ? demanda-t-elle.

Lana s'arrêta de manger et lui lança un regard interloqué.

— La quoi?

— C'est comme ça qu'on l'appelle, répondit Astrid avec un haussement d'épaules embarrassé.

— Qu'est-ce que c'est, au juste?

— Tu as vu le mur?

— Oh oui, je l'ai vu. Je l'ai même touché, ce qui n'est pas une bonne idée.

— D'après ce qu'on en sait, la paroi forme un cercle autour de nous, expliqua Sam. Il se pourrait même que ce soit une sphère. Nous pensons qu'elle a pour centre la centrale nucléaire. Elle doit mesurer dans les trente kilomètres de diamètre.

— Soit une circonférence de 94,25 kilomètres et une surface de 706,858 km², ajouta Astrid.

— Virgule 858, répéta Quinn dans son coin. C'est important de le préciser.

— C'est le nombre pi, protesta Astrid. Tu sais, 3,14159265… OK, j'arrête.

Lana avait encore faim. Elle se servit une part de fruits au sirop.

— Sam, tu penses que c'est la centrale nucléaire qui a causé tout ça?

Sam haussa les épaules.

— Comment savoir? Soudain, toutes les personnes de plus de quinze ans se volatilisent, et puis il y a cette enceinte, ces mutations…

Il fallut quelques instants à Lana pour digérer cette nouvelle information.

— Tu veux dire que tous les adultes ont disparu ?

— Pouf, résuma Quinn. Disparus. Volatilisés. Évanouis dans la nature. Il ne reste plus que les gosses.

— J'ai fait tout mon possible pour consolider la porte, annonça Edilio. Mais je n'ai que des clous. Ils finiront par la forcer.

— Peut-être que ce ne sont pas eux qui ont disparu, mais nous, suggéra Lana.

— C'est une possibilité, admit Astrid. Non que ça fasse une différence. Le problème revient au même, dans les faits.

Pas de doute, la blonde en avait dans la caboche. En revanche, Lana s'interrogeait au sujet de son petit frère : il était très silencieux pour un enfant de son âge.

— Mon grand-père a disparu pendant qu'il conduisait la camionnette, expliqua-t-elle. Elle s'est écrasée dans un ravin. J'étais mourante : la chair qui gangrène, les os cassés. Et alors je me suis aperçue que j'avais le pouvoir de guérir. D'abord mon chien, ensuite moi. Je ne sais pas comment c'est possible.

Dehors, un chœur de jappements surexcités s'éleva soudain.

— Chef est ici, reprit Lana.

Elle se dirigea vers l'évier, prit le couteau de cuisine de Jim l'Ermite et se tourna vers Sam avec une expression féroce sur le visage.

— S'il s'approche, je lui transpercerai le cœur.

Edilio et Sam dégainèrent eux aussi leur couteau. À travers la porte, une voix étranglée, suraiguë, leur parvint.

— Humaine. Sors.

— Non ! cria Lana.

— Humaine enseigner Chef. Humaine a promis.

— Leçon numéro un, sale bestiole : ne jamais faire confiance à un humain.

Un long silence lui répondit. Puis le coyote grogna :

— L'Ombre.

Lana sentit son cœur se glacer d'effroi.

— Vas-y. Va le dire à ton maître dans la mine.

Elle aurait bien voulu ajouter qu'elle n'avait pas peur de l'Ombre, mais elle craignait que sa bravade ne sonne faux.

— C'est quoi ce truc dans la mine ? s'enquit Sam.

— Rien.

— Alors de quoi parle ce coyote ?

Lana secoua la tête.

— Je n'en sais rien. Ils m'ont emmenée dans une vieille mine d'or. C'est tout.

— D'accord, tu nous as sauvé la vie, insista Sam, mais ça ne nous empêche pas de vouloir connaître la vérité.

Lana serra le manche du couteau dans sa main pour éviter de trembler.

— J'ignore ce qui se passe, Sam. Il y a quelque chose dans cette mine, c'est tout ce que je sais. Les coyotes l'écoutent, ils en ont peur, et ils lui obéissent.

— Tu l'as vue?

— Je ne sais pas. Je ne m'en souviens pas, et d'ailleurs je n'ai pas très envie de m'en souvenir.

Un coup violent retentit contre la porte qui trembla sur ses gonds.

— Edilio, il va falloir trouver d'autres clous, dit Sam.

Pour Jack, le réfectoire du pensionnat Coates avait toujours été un endroit étrange, inhospitalier. En termes d'aménagement et de décoration, tout avait pourtant été mis en œuvre pour le rendre gai et lumineux : de grandes fenêtres, un haut plafond et des arcades revêtues de céramiques espagnoles aux teintes vives. Les longues tables massives en bois sombre que Jack avait connues lors de sa première année au pensionnat, et qui pouvaient chacune accueillir une soixantaine d'élèves, avaient été récemment remplacées par deux douzaines de tables rondes plus petites et plus accueillantes. À l'autre bout du réfectoire s'élevait une mosaïque formée de carrés en papier coloré représentant une flèche géante qui partait du sol et pointait vers le plafond. Le thème de la mosaïque était : « S'élever ensemble. »

Mais plus la direction s'efforçait d'égayer la salle, moins elle semblait chaleureuse, comme si les touches de couleur et de fantaisie ne parvenaient qu'à accentuer ses dimensions imposantes, ainsi que son ancienneté et son irrémédiable froideur.

Panda, qui souffrait d'une grosse entorse, se laissa tomber sur une chaise, l'air renfrogné. Diana se réfugia dans un coin sans chercher à cacher qu'elle n'avait aucune envie d'assister à la scène qui devait suivre.

— Monte, Andrew, ordonna Caine en désignant l'une des tables proches de la mosaïque.

— Comment ça ? demanda Andrew avec irritation.

Un petit groupe d'enfants passa la tête par l'embrasure de la porte.

— Ouste ! fit Drake, et ils disparurent.

— Andrew, monte sur cette table si tu ne veux pas que je te fasse léviter, menaça Caine.

— Allez, idiot, aboya Drake.

Andrew s'exécuta.

— Je ne vois vraiment pas...

— Attachez-le. Jack, commence à t'installer.

Drake prit une corde dans le sac qu'il avait sorti de la voiture. Il en noua une extrémité à un pied de la table, laissa environ deux mètres de mou et attacha l'autre bout de la corde à la jambe d'Andrew.

— Qu'est-ce que vous manigancez ? demanda ce dernier.

— C'est une expérience, Andrew.

Jack entreprit de régler les lumières et les trépieds des caméras.

— C'est un complot, gémit Andrew. C'est pas juste, Caine.

— Tu peux t'estimer heureux que je te laisse une chance de survivre au grand saut, repartit Caine. Maintenant, arrête de pleurnicher.

Drake ligota l'autre jambe d'Andrew puis sauta sur la table pour lui attacher les mains derrière le dos.

— Il faut que j'aie les mains libres pour me servir de mon pouvoir.

Drake jeta un coup d'œil à Caine, lequel hocha la tête : il défit les liens d'Andrew. Puis, avisant le lustre au-dessus de sa tête, il fit passer la corde par-dessus l'objet en fer forgé et l'enroula autour du torse d'Andrew, puis le hissa de sorte que ses pieds touchaient à peine la table.

— Assure-toi qu'il ne pourra pas tendre les bras dans cette direction, dit Caine. Je n'ai pas envie qu'il fasse tomber les caméras.

Drake suspendit au lustre les poignets d'Andrew qui, avec ses deux mains en l'air, était dans la position d'un fuyard qui essaie de se rendre. Jack jeta un coup d'œil au viseur de l'une des caméras. Andrew pouvait encore sortir du champ en se tortillant d'un côté ou de l'autre. Jack n'avait pas envie d'en faire part à Caine, car il avait de la peine pour Andrew, mais d'un autre côté, si la vidéo était ratée…

— Euh… Il peut encore bouger un peu sur sa gauche ou sa droite.

Drake enroula donc quatre cordes autour du cou d'Andrew qu'il noua au pied de quatre tables voisines. Désormais, Andrew ne pouvait pas faire plus d'un pas dans chaque direction.

— Quelle heure, Jack ? demanda Caine.

Jack consulta son ordinateur de poche.

— Il reste dix minutes.

Il se mit à régler les caméras, dont quatre montées sur trépied, une motorisée, et trois caméscopes. Il avait aussi braqué deux projecteurs sur Andrew, qui était éclairé comme une star de cinéma.

— Je ne veux pas mourir, gémit-il.

— Moi non plus, dit Caine. C'est pourquoi j'espère sincèrement que tu ne vas pas disparaître.

— Ce serait une grande première, hein ? observa Andrew en reniflant, les larmes aux yeux.

— Cinq minutes, lança Jack après avoir réglé le dernier objectif. Autant prendre de l'avance, je vais lancer la vidéo tout de suite.

— Épargne-nous les détails, Jack, maugréa Caine.

— Tu ne pourrais pas m'aider, Caine ? demanda Andrew d'un ton suppliant. Toi, tu as quatre barres. Peut-être qu'en se servant de nos pouvoirs en même temps…

Personne ne prit la peine de lui répondre.

— J'ai peur, admit-il sans chercher à refouler ses larmes. Je ne sais pas ce qui va m'arriver.

— Peut-être que tu te réveilleras de l'autre côté du mur, hasarda Panda, prenant la parole pour la première fois.

— Ou alors en enfer, ajouta Diana. C'est là qu'est ta place.

— Un instant, lança timidement Jack, nerveux à l'idée de devoir lancer la caméra motorisée.

Comment savoir si l'extrait de naissance d'Andrew était exact à la minute près ? Il pouvait disparaître plus tôt que prévu, à l'instar de Benno, qui s'était volatilisé quelques semaines auparavant.

Jack alluma la caméra motorisée.

— Dix secondes.

Une déflagration, provoquée par Andrew, fit trembler les murs de la salle. Sous l'effet des ondes assourdissantes, le plâtre du plafond commença à se craqueler. Jack, les mains plaquées sur les oreilles, observa la scène avec un mélange de fascination et d'horreur.

— Maintenant ! cria-t-il par-dessus le vacarme.

Des bouts de plâtre tombèrent du plafond telle une averse de grêle. Les ampoules du lustre explosèrent à l'unisson en éparpillant une pluie de verre sur le sol.

— Plus dix secondes, cria Jack.

Andrew était toujours là, les mains ligotées au-dessus de sa tête, criant, sanglotant, reprenant espoir, peut-être.

— Plus vingt.

— Accroche-toi, Andrew, cria Caine.

Il s'était levé d'un mouvement brusque et lui aussi commençait à espérer. Les craquelures s'étendaient maintenant à tout le plafond, et Jack se demanda s'il n'allait pas s'effondrer.

Le vacarme cessa brutalement. Andrew était toujours là. À bout de forces, mais toujours là.

— Oh mon Dieu, gémit-il. Oh mer…

Et il disparut. Les cordes retombèrent lourdement sur le sol. Personne ne dit mot.

Jack pressa le bouton *rewind* puis le bouton *play* sur l'un de ses caméscopes et regarda le film sur le petit écran de visualisation.

— Eh bien, lança Diana, tant pis pour la théorie du «on ne disparaît pas quand on a des pouvoirs».

— Il a stoppé le bruit, objecta Caine. Et ensuite, il a disparu.

— Oui, dix secondes après. Un extrait de naissance, ce n'est jamais fiable à cent pour cent. Quand l'infirmière note l'heure, il y a toujours une marge d'erreur de cinq minutes. Voire plus.

— Tu as quelque chose, Jack? demanda Caine.

Il semblait très abattu, tout à coup.

Jack passait en revue la séquence, plan par plan. Il vit Andrew provoquer des explosions soniques, s'interrompre sous le coup de la fatigue, puis esquisser un pâle sourire, ouvrir la bouche, articuler chaque syllabe, et soudain...

— Il faudrait visionner le film sur un moniteur plus grand, répondit-il.

Ils transportèrent les caméras jusqu'à la salle des ordinateurs, en abandonnant sur place les trépieds et les projecteurs. Là, ils trouvèrent un écran à cristaux liquides de vingt-six pouces. Sa lumière bleutée éclaira faiblement les visages de Caine, Drake et Diana, qui s'étaient agglutinés autour de Jack pendant qu'il effectuait les branchements. Panda s'était dirigé vers une chaise en boitant.

— Regardez, dit Jack. Juste là.

Il fit défiler le film au ralenti, séquence après séquence.

— Qu'est-ce que c'est que ça ? demanda Diana.

— Il sourit, vous voyez ? poursuivit Jack. Il regarde quelque chose. Et le plus bizarre, c'est que cette séquence dure, quoi, un trentième de seconde, mais il a le temps de changer d'expression. Regardez comme il bouge la tête. Et juste après, les cordes glissent, il a les mains libres. On avance de trois plans seulement et il a disparu.

— Qu'est-ce que ça signifie, Jack ? demanda Caine d'un ton presque implorant.

— Laisse-moi regarder les autres caméras.

Sur les deux caméscopes restants, un seul avait réussi à capturer le précieux moment. Là aussi, on voyait une image floue d'Andrew passer d'un mouvement à l'autre. Là encore, les cordes se desserraient et il avait les bras tendus.

— On dirait qu'il tend les bras vers quelqu'un, fit remarquer Diana.

La caméra motorisée n'avait sans doute rien de plus à offrir, d'après Jack, mais il procéda aux branchements et passa le film en avance rapide puis pressa le bouton *stop* au moment crucial. Quand l'image s'afficha sur l'écran, il y eut un concert d'exclamations étonnées.

On y voyait distinctement Andrew en train de sourire, l'air heureux, transfiguré, les bras tendus vers une espèce d'éclair lumineux, un vague reflet d'un vert presque fluorescent contrastant avec l'éclat blanc des projecteurs.

— Fais un zoom sur le machin vert, dit Caine.

— C'est sûrement un problème lié à la profondeur de champ, déclara Jack. On va essayer d'améliorer ça.

Il lui fallut quelques secondes pour zoomer sur le nuage vert ainsi que plusieurs ajustements avant de pouvoir distinguer ce qui ressemblait à un trou noir hérissé de dents acérées.

— Qu'est-ce que c'est que ce truc? songea Drake à voix haute.

— On dirait… Je ne sais pas, répondit Jack. Mais ce n'est pas le genre de truc vers lequel on a envie de se précipiter.

— Il a dû voir autre chose, suggéra Diana.

Jack réfléchit tout haut.

— D'une manière ou d'une autre, le temps s'est altéré. Donc, pour Andrew, ce moment a duré beaucoup plus longtemps que pour nous. Pour lui, dix secondes, voire dix minutes ont dû s'écouler alors que, pour nous, tout s'est joué en un battement de cils. C'est seulement la chance qui nous a permis d'enregistrer ça.

Caine se surprit à lui tapoter le dos.

— Ne te sous-estime pas, Jack.

— Il n'a pas simplement disparu, observa Diana. Il tendait les bras vers ce truc vert, qui nous évoque une espèce de monstre, mais lui voyait autre chose.

— Quoi, d'après toi ?

— Il voyait ce qu'il avait envie de voir, ce qu'il souhaitait par-dessus tout. Si vous voulez mon avis, Andrew a vu sa mère.

Drake prit la parole pour la première fois depuis longtemps.

— Alors, ce n'est pas aussi simple que ça en a l'air, cette histoire de disparition.

— Non, il y a un subterfuge là-dessous, répondit Caine. Un mensonge, si tu préfères.

Il semblait hypnotisé par l'image sur l'écran. D'un ton rêveur, il demanda :

— Est-ce que c'est possible d'y échapper ? C'est ça, la question. Peut-on tricher... et survivre ?

— OK, j'ai pigé l'histoire de la mère, intervint Drake d'un ton brusque. Mais j'ai une autre question : c'est quoi, le machin avec les dents ?

33

88 HEURES
24 MINUTES

Toute la nuit, les coyotes tentèrent de forcer la porte, mais Sam, Edilio et Quinn l'avaient consolidée avec tout ce qui leur était tombé sous la main, et elle tiendrait le coup, de l'avis de Sam. Du moins pendant quelque temps.

— Ils sont enfermés dehors.

— Et nous dedans, renchérit Lana.

Astrid se tourna vers Sam :

— Tu t'en sens capable ?

— Je ne sais pas, avoua-t-il. Oui, peut-être. Mais il faut que je sorte pour le savoir. Si ça marche, super. Dans le cas contraire...

— Quelqu'un reveut de la crème à la vanille ? lança Quinn dans l'espoir de détendre l'atmosphère.

— Tu ferais mieux de rester ici, convint Astrid. Ils vont devoir forcer la porte, puis entrer deux par deux. Ce sera plus facile, non ?

— Un vrai jeu d'enfant.

Sam tendit son gobelet.

— Quinn, sers-moi.

Au bout d'un long moment, les coyotes se fatiguèrent. Les enfants prisonniers en profitèrent pour grappiller quelques heures de sommeil, en s'assurant toujours que deux d'entre eux restaient éveillés pour monter la garde.

Le ciel commençait à peine à s'éclaircir. Mais il faisait assez jour à présent pour qu'Edilio risque un œil à travers un trou dans le mur, qui offrait une vue partielle du devant de la cabane.

— Ils sont peut-être une centaine là-dehors, annonça-t-il.

Occupée à raccommoder ses vêtements, Lana s'interrompit pour venir regarder par le trou.

— Ça fait plus d'une meute.

— Comment tu le sais ? demanda Astrid en bâillant et en se frottant les yeux.

— J'en sais un peu plus sur les coyotes, maintenant. Si on en voit autant, ça veut dire qu'il y en a au moins le double dans les parages. Certains ont dû partir chasser. Les coyotes traquent leurs proies jour et nuit.

Elle se rassit et reprit sa couture.

— Ils attendent.

— Ils attendent quoi ?

— Je n'ai pas vu leur chef. Peut-être qu'il est parti. Peut-être qu'ils attendent son retour.

— Tôt ou tard, ils vont se lasser, non ? s'enquit Astrid.

Lana secoua la tête.

— Les coyotes ordinaires, oui. Mais ceux-là sont différents.

Ils patientèrent eux aussi et, toutes les heures environ, Sam ou Edilio allaient constater que les coyotes étaient toujours là.

Soudain, un chœur de jappements surexcités déchira le silence. Pat se leva, le poil hérissé. Sam colla son œil au trou dans le mur tandis que Lana braquait sa torche sur lui.

— Ils vont mettre le feu à la cabane, dit-il.

Lana le poussa pour vérifier par elle-même.

— C'est leur chef, confirma-t-elle. Il tient une branche enflammée dans sa gueule.

— Ce n'est pas une branche, c'est une torche. Il n'a pas trouvé ça par terre. Elle ne brûle qu'à un bout, quelqu'un a dû allumer le feu pour lui. Quelqu'un la lui a donnée.

— L'Ombre, murmura Lana.

— Cette cabane va brûler comme un fétu de paille.

— Non ! Je ne veux pas finir carbonisée ! Il faut qu'on sorte d'ici et qu'on essaie de négocier avec Chef.

— Tu as dit qu'il nous tuerait, objecta Astrid en couvrant les oreilles du petit Pete de ses mains.

— C'est moi qu'ils veulent, et ils doivent me garder en vie pour que je leur apprenne les méthodes des humains. C'est la volonté de l'Ombre. Il ne peut pas me tuer, il a besoin de moi.

— Tente le coup, dit Sam.

— Chef! cria Lana.

— Il ne t'entend pas.

— C'est un coyote, il entend une souris remuer dans son trou dans un rayon de vingt mètres, rétorqua Lana. Chef! Chef! Je ferai ce que tu voudras.

Sam retourna à son poste d'observation.

— Il est là, tout près, chuchota-t-il.

— Chef, arrête! supplia Lana.

— Ils reculent.

— Oh non!

— De la fumée, dit Edilio en tendant le doigt vers une poutre au-dessus de la porte.

Lana s'empara d'un lingot et se mit à frapper sur les planches qu'ils avaient clouées. Edilio la retint par le bras.

— Tu veux être brûlé vif? cracha-t-elle.

Edilio la relâcha.

— On sort, cria Lana sans cesser de marteler les planches.

Mais elles tenaient bon et, déjà, des flammes léchaient le sol sous la porte. Sam recula vivement.

— Je ne veux pas mourir brûlée, gémit Lana.

— C'est la fumée qui te tuera, pas les flammes, murmura Sam en regardant Astrid. Il existe forcément un moyen de sortir.

— Tu le connais, ce moyen, dit Astrid.

Derrière eux, des fumerolles commençaient à s'insinuer par les interstices du mur. Lana se remit à frapper les planches. La fumée s'amoncelait sous le toit. La cabane aurait tôt fait d'être réduite en cendres ; la chaleur était déjà intolérable.

— Au secours ! hurla Lana. Il faut sortir d'ici.

Edilio se précipita pour l'aider à arracher les planches. Sam se pencha par-dessus le petit Pete pour embrasser Astrid sur les lèvres.

— Ne me laisse pas devenir Caine.

— Je garderai un œil sur toi.

— Que tout le monde s'éloigne de la porte, dit-il sans parvenir à couvrir les cris de panique de Lana.

Comme elle allait jeter son lingot sur la porte, il la retint par le bras.

— Qu'est-ce que tu fais ? cria-t-elle.

— Tu m'as sauvé la vie grâce à ton pouvoir, répondit-il. C'est mon tour.

Lana, Edilio et Quinn reculèrent. Sam ferma les yeux et n'eut aucun mal à mobiliser sa fureur. Il y avait tant de raisons de se mettre en colère. Mais, sans qu'il puisse se l'expliquer, il avait beau se concentrer, ce n'était pas l'image du chef coyote

qui s'imprimait dans son esprit, ni même celle de
Caine, mais le visage de sa mère.

C'était stupide de sa part, et injuste, voire cruel.
Pourtant, quand il puisa dans sa colère, c'est sa
mère qu'il vit.

— Ce n'était pas ma faute, murmura-t-il.

Il leva les mains, écarta les doigts et, à cet instant,
la porte à demi consumée explosa. Les flammes
s'engouffrèrent à l'intérieur, et avec elles des torrents
de fumée suffocante. Au milieu de cet enfer surgit
un coyote de la taille d'un dogue allemand. « Voilà
qui me facilite les choses », songea Sam.

Un éclair de lumière verte jaillit de ses mains
tendues et le coyote s'écroula sur le sol, décapité. Un
second éclair, pareil à l'éclat d'un millier de projecteurs, pulvérisa la façade de la cabane. L'explosion
étouffa une partie des flammes, et Sam profita de
ce répit pour entraîner Astrid à sa suite, laquelle
tenait la main du petit Pete. Une fois remis de leur
choc, les autres les suivirent.

Ils franchirent les décombres de la cahute et les
coyotes se précipitèrent sur eux, tous crocs dehors.
Lâchant Astrid, Sam leva les bras et un autre éclair
jaillit de ses mains. Une douzaine de coyotes prirent feu ; certains se roulèrent sur le sol, tandis
que d'autres s'enfuyaient en hurlant dans la nuit,
illuminant le paysage comme des torches.

— Chef, dit Lana d'une voix étouffée par la fumée
qui les cernait.

Elle s'appuyait sur le bras d'Edilio, et tous deux s'étaient réfugiés à l'écart de l'incendie. Soudain, la cabane s'effondra avec un énorme craquement puis se consuma tel un feu de joie. La lueur orangée des flammes révéla la présence d'une centaine de coyotes médusés ; à la lumière du feu, leurs crocs et leurs yeux étincelaient.

Chef se détacha de sa meute pour se dresser devant Sam, le poil hérissé, l'air déterminé. Il aboya un ordre à l'intention des siens et la meute tout entière s'avança comme un seul homme. Sam leva haut les bras : des flammes de lumière blanc et vert jaillirent de ses mains. La première vague de coyotes fut balayée instantanément. Ils se détournèrent, terrifiés, et coururent rejoindre leurs frères, semant la panique parmi eux.

Vaincue, la meute s'enfuit dans la nuit, leur chef sur les talons. Il avait peur, désormais, et détala pour rejoindre son armée défaite. Quelques coyotes transformés en torches vivantes couraient encore en enflammant des herbes sèches sur leur passage.

Sam baissa les bras.

— Eh ben, mon pote ! lança Quinn, stupéfait.

— Je ne pense pas qu'ils reviendront.

— Et maintenant, qu'est-ce qu'on fait ? demanda Edilio.

Sam contempla le désert encore plongé dans la pénombre. Il avait envie de pleurer. Il ignorait qu'il y avait tant de rage en lui, et cette pensée lui donnait la nausée. Sa mère avait fait de son mieux, il ne fallait pas la blâmer.

Comprenant que Sam n'était pas en état de répondre, Astrid prit la parole à sa place :

— On rentre à Perdido Beach et on règle la situation.

— C'est ça, et Caine s'effacera sans demander son reste, ironisa Quinn.

— Je n'ai jamais dit que ce serait simple, tempêta Astrid. Ce sera une mise à l'épreuve pour nous tous.

Edilio secoua la tête.

— Une mise à l'épreuve ? Non. Ce sera la guerre, voilà tout.

— Le soleil va bientôt se lever. On y verra enfin quelque chose, déclara Drake.

— À quoi bon ? gémit Panda. Il n'y a que le désert ici.

— Caine espère qu'il longera le mur pour retrouver son chemin.

— Caine pense que Sam va revenir ? demanda Panda d'une voix qui trahissait la nervosité.

Il boudait toujours à cause de sa cheville foulée et, comme il était devenu un poids mort, Drake avait dû faire appel à deux autres élèves du pensionnat. Le premier, un gros garçon d'origine asiatique surnommé Chunk, était une petite brute sans envergure. Bref, pas le genre d'individu dont Drake aimait s'entourer en temps normal. D'autant que Chunk était très bavard, et qu'il passait son temps à pérorer sur les groupes qu'il avait vus en concert et les stars de cinéma qu'il avait côtoyées : le père de Chunk était agent à Hollywood.

Si Hollywood existait encore.

L'autre élève était une petite Noire rachitique nommée Louise, et elle faisait office de chauffeur à la place de Panda.

Après la disparition d'Andrew, Caine et Diana, accompagnés du petit binoclard, Jack, étaient allés négocier avec Frederico afin de remettre de l'ordre au pensionnat. Caine avait chargé Drake de retrouver Sam.

Drake n'avait aucune envie d'obéir. Il était fatigué et, comme il l'avait déclaré à Caine, il y en avait, des kilomètres à passer au peigne fin, et il faisait nuit noire, alors comment allait-il s'y prendre pour retrouver Sam, même si ce dernier suivait le mur ?

— Tu te souviens de cette route qui mène à Piggy-back Mountain ? avait dit Caine. La sortie scolaire ? Là-bas, la vue s'étend sur des kilomètres.

Alors, malgré l'obscurité, la conduite imprudente de Louise, les pleurnicheries de Panda et le bavardage incessant de Chunk, ils avaient roulé jusqu'à Piggy-back Mountain et trouvé un poste d'observation.

Ils étaient restés longtemps à écouter les hurlements des coyotes en bas dans la vallée. À un moment, Drake avait menacé d'assommer Chunk s'il ne se taisait pas.

Drake fulminait de se retrouver coincé au milieu de nulle part, sans nourriture ni soda, en compagnie d'une bande d'idiots.

— Alors, qu'est-ce qui est arrivé à Andrew? demanda Louise, profitant d'un des rares silences de Chunk.

— Il a disparu, répondit Panda.

— Il me reste encore deux ans, je n'ai que treize ans, annonça Louise, comme si ça pouvait intéresser quelqu'un. D'ici là, on sera venu nous sauver.

— Le plus tôt sera le mieux, dit Drake avec nonchalance. Il me reste un mois.

— Et moi, j'ai jusqu'à juin, lança Chunk. Je suis Cancer.

— Ça, on l'avait compris, marmonna Drake.

— C'est le signe du crabe, ajouta Chunk.

— Je vais faire un tour, lâcha Drake.

Il descendit du 4 x 4 et s'avança au bord du précipice pour uriner. C'est alors qu'il vit la lueur au loin. En pleine nuit, il était impossible d'évaluer la distance.

— Chunk! Attrape-moi les jumelles!

Quelques instants plus tard, Chunk le rejoignit en courant. Drake avait gardé les yeux fixés sur le minuscule point de lumière vacillante qui décrivait des zigzags en contrebas.

— On se croirait sur les collines de Hollywood, observa Chunk. À Mulholland Drive, là où vivent tous les acteurs célèbres. Une fois, je suis allé chez un type, un réalisateur que mon père représente, et...

Drake arracha les jumelles des mains de Chunk et tenta de capter la lueur dans son champ de vision. C'était presque impossible. Il la repérait pour la perdre une seconde plus tard. Même lorsqu'il parvenait à la suivre pendant quelques instants, il ne distinguait rien de particulier : ce n'était qu'une flamme orange se mouvant dans un néant d'obscurité. Dans tous les cas, elle bougeait trop vite pour être transportée par un être humain, si rapide soit-il.

Puis la flamme cessa de se déplacer et, bientôt, Drake s'aperçut que le feu se propageait. Il lui sembla distinguer les contours d'une habitation à la lumière des flammes.

Panda les avait rejoints en clopinant. Drake lui tendit les jumelles.

— Qu'est-ce que c'est, à ton avis ?

Panda colla ses yeux aux jumelles et, à cet instant, il y eut un éclair de lumière. Il poussa un cri et lâcha les jumelles.

Le second éclair leur apparut encore plus nettement et, peu après, des traînées de lumière éclairèrent l'aube grise.

Panda regarda de nouveau.

— Je vois une maison... flanquée d'une espèce de tour. Et puis des... des chiens ou un truc du même genre.

Un troisième éclair aveuglant déchira les ténèbres, suivi d'autres traînées de lumière encore plus nombreuses.

— Je ne sais pas, conclut Panda.

— À mon avis, on vient peut-être de trouver ce qu'on cherche, déclara Drake.

— Tu crois que c'est le gars qu'on essaie d'attraper? demanda Chunk, effrayé. Il a le pouvoir, mec, comme dans ce film...

Drake dégaina son arme.

— Non, Chunk, ça c'est le pouvoir. Et c'est moi qui l'ai.

Cette observation fit taire Chunk quelques secondes.

— Le feu se propage, dit Louise en tendant le doigt. Il ne doit y avoir que des herbes sèches dans ce coin-là.

Drake s'était fait la même réflexion. Il regarda en arrière, dans la direction d'où ils venaient, pour essayer de se repérer.

— Coates est de ce côté. Le mur est par là. Il n'y a pas de vent, donc le feu va s'étendre à la colline. Ce qui signifie qu'ils prendront la direction du pensionnat. Ils vont passer juste en dessous de nous.

— Qu'est-ce que tu comptes faire, leur tirer dessus quand ils passeront ? demanda Chunk, de plus en plus nerveux.

— Ben voyons, on est à trois cents mètres d'altitude et je vais les dégommer avec mon automatique, répondit Drake d'un ton lourd de sarcasme. Idiot.

— Bon, qu'est-ce qu'on fait, alors ? s'enquit Panda. Pas étonnant que Caine ait peur de ce gars-là. Vous avez vu de quoi il est capable ?

— Je parie qu'il a quatre barres, renchérit Chunk. J'ai vu toutes sortes de trucs au pensionnat avec Benno, Andrew et Frederico, et je peux vous dire qu'aucun d'eux ne pouvait en faire autant. Vous croyez que Caine sera à la hauteur ?

Drake fit volte-face et, de sa main libre, lui assena un coup de poing dans la figure. Chunk recula en chancelant, avant de recevoir un coup de pied bien placé.

Le gros garçon tomba à genoux en se tenant l'entrejambe.

— Pourquoi t'as fait ça ? pleurnicha-t-il.

— Parce que j'en ai marre de t'entendre, aboya Drake. Et j'en ai marre de ces conneries de pouvoir. Tu as vu ce qu'on a fait aux dégénérés du pensionnat ? À ton avis, qui s'en est occupé ? Tous ces gamins avec leurs prétendus pouvoirs, qui mettent le feu, déplacent des objets, lisent dans les pensées. N'empêche, qui les a tirés du lit un par un pour leur flanquer la raclée de leur vie ? Quand ils se sont réveillés, ils avaient les mains dans le ciment. Alors, qui?

— C'est toi, Drake, répondit Panda d'un ton qui se voulait apaisant. Tu les as tous eus.

— Exact. Et je n'avais pas de flingue, à ce moment-là. Les pouvoirs n'ont rien à voir là-dedans, bande de demeurés. L'important, c'est d'avoir du cran. Et de faire ce qui doit être fait.

Chunk se releva avec l'aide de Panda.

— Ce n'est pas Sam Temple ni même Caine qui devraient vous inquiéter, pauvres minables. C'est moi. L'autre rayon laser ambulant n'aura même pas le temps de se mesurer à Caine. Je lui réglerai son compte avant.

34

ILS ÉTAIENT SIX, désormais : Sam, Edilio, Quinn, Lana, Astrid et le petit Pete. Pour le moment, ils avaient renoncé à longer le mur pour rentrer chez eux. Le feu qui se propageait au nord, en direction des collines, leur barrait la route. Il ne leur restait plus qu'à marcher vers le sud.

Le jour se leva enfin, une lumière grisâtre qui décolorait tout le paysage, y compris l'incendie, un patchwork de jaunes et d'orangés. S'ils y voyaient mieux à présent, ça ne les empêchait pas de trébucher de temps à autre. La fatigue leur plombait les pieds.

Le petit Pete finit par se laisser tomber sans bruit et resta en arrière jusqu'à ce qu'Astrid s'en aperçoive. Edilio et Sam durent alors le porter à tour de rôle sur leur dos, ce qui ralentissait leur progression.

L'enfant dormit pendant deux heures, peut-être, puis s'éveilla au moment où les deux garçons avaient épuisé leurs dernières forces et décida de marcher tout seul devant. Ils résolurent de le suivre, trop fatigués pour protester tant qu'il allait plus ou moins dans la bonne direction.

— Il va falloir qu'on s'arrête, lança Edilio. Les filles sont crevées.

— Moi, ça va, déclara Lana. J'ai couru avec les coyotes. À côté, marcher avec vous, c'est de la rigolade.

— Eh bien, moi, j'en ai marre ! protesta Sam en s'arrêtant net à côté d'un arbuste.

— Pete ! cria Astrid. Reviens. On fait une pause.

L'enfant s'arrêta mais ne fit pas demi-tour pour autant. Astrid le rejoignit en grimaçant de douleur à chaque pas.

— Sam ! lança-t-elle soudain. Vite !

Sam s'avança vers l'endroit où elle s'était agenouillée à côté de son frère. Là, une fille gisait dans la poussière. Ses vêtements tombaient en lambeaux et ses cheveux noirs étaient collés par la saleté. D'origine asiatique, elle était jolie sans être belle et n'avait plus que la peau sur les os. Mais le premier détail qu'ils remarquèrent, c'étaient ses mains emprisonnées dans un bloc de ciment.

Astrid esquissa un signe de croix et tâta le cou de la fille.

— Lana ! cria-t-elle.

Lana parvint rapidement à un diagnostic.

— Je ne vois aucune blessure. Elle doit être sous-alimentée ou malade, à mon avis.

— Comment a-t-elle atterri ici ? s'étonna Edilio. Oh ! Qu'est-ce qu'on a fait à ses mains ?

— Je ne peux pas soigner la faim, reprit Lana. J'ai essayé sur moi quand j'étais avec la meute, ça n'a pas marché.

Edilio dévissa le bouchon de sa bouteille, s'agenouilla et, avec mille précautions, fit couler un peu d'eau sur la joue de la fille pour que quelques gouttes franchissent ses lèvres.

— Regardez, elle boit.

Puis il cassa un bout minuscule de sa barre énergétique et le glissa dans la bouche de l'inconnue qui, au bout de quelques instants, se mit à mâcher.

— Il y a une route là-bas, dit Sam. Enfin, un chemin de terre, je crois.

— Quelqu'un a dû la laisser ici, ajouta Astrid.

Sam montra des traces dans la poussière.

— Regardez, elle a traîné son bloc de ciment sur plusieurs mètres.

— Il y a vraiment des dingues, je vous jure ! marmonna Edilio. Qui peut faire une chose pareille ?

Le petit Pete gardait les yeux rivés sur la fille inconsciente. Astrid s'en aperçut.

— D'habitude, il ne regarde pas les gens comme ça.

— Je suppose que c'est la première fois qu'il voit un truc aussi malsain, commenta Edilio.

— Non, dit Astrid, l'air songeur. Pete ne s'inté-resse pas aux gens, en temps normal. Ils ne sont pas vraiment réels à ses yeux. Un jour, je me suis entaillé sérieusement la main avec un couteau de cuisine. Je saignais partout et il n'a même pas cillé. Pourtant, je suis la personne la plus proche de son entourage.

— Sam, est-ce que tu peux… tu sais… brûler le ciment qui emprisonne ses mains ? s'enquit Lana.

— Non, je ne peux pas viser avec autant de pré-cision.

— Comment faire ? lança Edilio tout en donnant la becquée à la fille. Si on essaie de fendre le bloc avec un marteau, on risque de lui casser tous les os de la main.

— Qui a pu faire ça ? demanda Lana.

— C'est un uniforme du pensionnat Coates, répondit Astrid. On ne doit pas être loin.

— Chut, fit Lana. J'entends quelque chose.

D'instinct, tous se baissèrent. Dans le silence, ils perçurent distinctement le bruit d'un moteur. Apparemment, le véhicule avançait par à-coups.

— Il faut aller voir qui c'est, dit Sam.

— Comment on va déplacer la fille ? maugréa Edilio. Il vaudrait mieux que je ne tombe pas sur le *pendejo*, l'abruti qui a fait ça. Quel genre d'animal peut agir de la sorte avec un être humain ?

Le véhicule avançant dans leur direction était un 4 x 4 avec un seul occupant à l'intérieur, d'après ce que Sam pouvait en juger.

— Je le connais, dit Astrid en agitant les bras.

Le 4 x 4 fit une embardée et freina près d'eux. Astrid se pencha vers la vitre ouverte du conducteur.

— Jack?

Sam avait déjà croisé l'as des ordinateurs en ville, mais n'avait jamais eu l'occasion de lui parler.

— Salut, lança le garçon. Oh, super! Vous avez retrouvé Taylor. Justement, je la cherchais.

— Comment ça?

— Elle est un peu dérangée. Elle s'est risquée hors de l'école, alors je suis parti à sa recherche et…

À cet instant précis, Sam comprit qu'il s'agissait d'un piège. Hélas, il s'en aperçut une seconde trop tard. Drake surgit de la troisième rangée de sièges, un pistolet pointé sur la tête d'Astrid. Cependant, c'était Sam qu'il regardait.

— N'y pense même pas. Tu te crois peut-être rapide mais moi, je n'ai qu'à presser la détente.

— Je ne bouge pas, dit Sam en levant les bras comme pour se rendre.

— Non, non, petit Sam. Je sais comment ça marche. Garde les mains le long du corps.

— Il va falloir que j'aide à transporter cette fille.

— Personne ne la touche. Elle est fichue.

— On ne va pas la laisser ici, protesta Astrid.

— C'est celui qui tient le flingue qui décide, rétorqua Drake en souriant. Si j'étais toi, Astrid, je ne me chercherais pas trop. Caine vous veut vivants, toi et ton petit frère. Mais si vous tentez de disparaître, je descends Sam.

— Tu es un psychopathe, Drake.

— Waouh, c'est qu'on connaît des mots savants ! C'est pas pour rien qu'on t'appelle le Petit Génie, hein ? En voilà un autre, de mot : attardé.

Astrid tressaillit comme s'il l'avait giflée.

— Mon frère est un attardé, reprit Drake en imitant sa voix. J'aurais dû t'enregistrer. Bon, on va tous monter dans le 4 x 4, un par un. Gentiment et lentement.

— Pas sans la fille, dit Sam avec le plus grand calme.

— Exact, renchérit Edilio.

Drake poussa un soupir théâtral.

— OK, ramassez-la et jetez-la sur le siège avant à côté de Jack.

Transporter la fille jusqu'à la voiture ne fut pas sans difficulté : si elle vivait encore, elle était à demi inconsciente et trop faible pour bouger.

Quinn était paralysé par la peur et l'indécision. Sam percevait le dilemme qui le tourmentait en ce moment même : devait-il soutenir son ami ou essayer de regagner les faveurs de Drake ? Sam se demandait quel serait son choix. Pour l'instant, il fixait le vide, les yeux écarquillés, la bouche tremblante, l'air éperdu.

— Tout ira bien, Quinn, chuchota Sam.

Il ne l'entendit même pas.

Astrid monta dans la voiture et s'assit derrière Jack.

— Je croyais vraiment qu'il restait encore de l'espoir pour toi, Jack.

— Non, répliqua Drake. Jack, c'est l'équivalent d'un tournevis ou d'une paire de tenailles : un simple outil. Il fait ce qu'on lui dit de faire.

Le petit Pete et Lana se partagèrent la banquette du milieu avec Astrid. Edilio et Sam s'assirent derrière. Le pistolet de Drake était braqué sur la nuque d'Edilio.

— C'est avec moi que tu as un compte à régler, Drake, dit Sam.

— Tu pourrais tenter ta chance si c'est ta vie qui était en jeu. Mais tu ne feras pas courir de risques à ton toutou mexicain ni à ta jolie copine.

Le 4 x 4 avançait par secousses et sortait fréquemment de la route. Pourtant, ils n'eurent pas d'accident, au grand désespoir de Sam, et bientôt le véhicule freina devant le pensionnat.

Sam y était déjà venu une fois pour visiter le lieu de travail de sa mère. Le vieux bâtiment lugubre semblait avoir essuyé un bombardement. Une salle entière était visible du dehors. La porte principale avait été soufflée par une explosion.

— On dirait un paysage de guerre, commenta Edilio.

— Mais c'est la guerre, répliqua Drake d'un air sombre.

La vue de l'édifice réveilla chez Sam des souvenirs douloureux. Sa mère s'était employée à montrer son poste sous un jour passionnant, et à dépeindre Coates comme un lieu de travail agréable. Mais même alors, Sam avait compris qu'elle s'était résignée à travailler là parce que son fils avait brisé son mariage. Il éprouva un relent d'amertume envers sa mère. Il eut honte de son attitude puérile et injuste à son égard. En outre, le moment était mal choisi pour penser à tout ça, compte tenu de ce qui les attendait.

Qu'avait dit Edilio? *Cabeza de turco?* Bouc émissaire, c'est ça? Il avait besoin de rejeter la faute sur quelqu'un, et son ressentiment envers sa mère couvait en lui bien avant l'apparition de la Zone.

«Mais si fou que je sois, songea Sam, ce doit être pire pour Caine. Je suis le fils qu'elle a gardé. Il est celui qu'elle a abandonné.»

Panda et deux garçons que Sam ne connaissait pas les attendaient devant le porche, armés de battes de base-ball.

— Je veux voir Caine, déclara-t-il en descendant de voiture.

— T'inquiète, dit Drake. Mais d'abord, on a deux ou trois trucs à régler. Mettez-vous en rang. Contournez le bâtiment en file indienne.

— Dis à Caine que son frère est ici, insista Sam.

— Ce n'est pas Caine qui s'occupe de toi pour l'instant, Sammy, c'est moi. Je peux très bien te descendre, si ça me chante. Pareil pour vous autres. Alors ne m'énervez pas.

Conformément aux ordres de Drake, ils contournèrent le bâtiment principal derrière lequel se trouvaient les dortoirs et un théâtre de plein air qui ressemblait à un belvédère.

Plus d'une vingtaine d'enfants étaient attachés par le cou à la balustrade, au sommet des gradins, comme de vulgaires chevaux. Leur corde avait juste assez de mou pour leur permettre de se déplacer de quelques dizaines de centimètres. Chacun d'eux avait les mains emprisonnées dans un bloc de ciment. Ils avaient les yeux cernés et les joues creuses.

Astrid lâcha un juron que Sam n'aurait jamais cru entendre de sa bouche.

— C'est du propre, commenta Drake avec un sourire narquois. Et devant l'attardé, en plus.

Un plateau de cafétéria avait été déposé devant chacun des prisonniers, sans doute quelques minutes plus tôt car certains d'entre eux étaient encore occupés à le lécher tels des chiens affamés.

— Et voici notre petit cercle de dégénérés, lança fièrement Drake en agitant la main comme un présentateur télé.

Dans une vieille brouette rouillée, trois enfants mélangeaient du ciment à l'aide d'une pelle. Ils ajoutèrent une pelletée de gravier à la mixture qui avait l'aspect d'une sauce épaisse et grumeleuse.

— Oh non, gémit Lana en reculant.

Mais l'un des garçons qui les escortaient lui donna un coup de batte derrière les genoux, et elle s'affaissa.

— Il va falloir s'occuper des resquilleurs, reprit Drake. On ne peut pas les laisser se promener en liberté.

Il avait dû voir Sam remuer, car il colla le canon de son arme sur la tête d'Astrid.

— À toi de voir, Sam. Tu bouges un cil et on saura vraiment à quoi ressemble le cerveau d'un génie.

— Hé, moi, je n'ai pas de pouvoirs, protesta Quinn.

— Tu es fou, Drake, cracha Astrid. Ce n'est même pas la peine d'essayer de te raisonner, tu es un cas désespéré.

— La ferme, aboya Drake. Allez, Sam. Toi d'abord. C'est facile : tu mets tes mains là-dedans, et hop ! plus de pouvoirs.

— Sam est un dégénéré, pas moi, gémit Quinn. Je n'ai pas de pouvoirs, moi, je suis normal.

Sam s'avança vers la brouette, les jambes flageolantes. Les enfants chargés de mélanger le ciment semblaient particulièrement rebutés par leur tâche, mais Sam ne se faisait pas d'illusions : ils feraient ce qu'on leur demandait.

Un trou d'environ trente centimètres de diamètre et profond d'une vingtaine de centimètres était creusé dans la terre. Les préposés au ciment le remplirent au tiers à l'aide de leur pelle.

— Mets tes mains là-dedans, Sam, ordonna Drake. Obéis ou tu peux dire adieu au Petit Génie.

Sam plongea les mains dans le ciment. Un gamin vint ajouter dans le trou une pelletée de la mixture lourde et visqueuse et tassa le tout à l'aide d'une truelle.

Immobile, Sam contempla ses mains prisonnières en s'efforçant désespérément de réfléchir à un plan. S'il faisait mine de bouger, Astrid mourrait. Dans le cas contraire, ils deviendraient des esclaves.

— Bon, Astrid, à ton tour, dit Drake.

Un autre trou dans la terre, le même procédé. Astrid sanglotait en répétant à travers ses larmes :

— Tout ira bien, Pete. Tout ira bien.

L'un des préposés au ciment se mit à creuser un troisième trou avec des gestes rapides, routiniers.

— Tu vois, Sam, ça ne prend que dix minutes, reprit Drake. Si tu veux tenter un exploit, il te reste environ huit minutes.

— C'est comme ça qu'il faut traiter les dégénérés, renchérit Quinn. Tu n'as pas le choix, Drake.

Sam sentit le ciment commencer à durcir : il ne pouvait plus bouger les doigts. Astrid pleurait à chaudes larmes. Sa peur le contaminait.

Plutôt que de lui rendre son regard, elle gardait les yeux rivés sur le petit Pete, comme si elle pleurait pour l'avertir et cherchait à lui communiquer sa terreur. Mais c'était peine perdue : l'enfant, absorbé par son jeu, était dans un autre monde.

— Je crois que c'est cuit pour toi, Sam, ricana Drake. Essaie de lever les mains, pour voir. Tu n'y arrives pas ?

Il se glissa derrière Sam et lui administra un grand coup sur la nuque.

— Allez, Sam. Même Caine a peur de toi, alors c'est que t'es un sacré dur. Vas-y, montre-moi ce que t'as dans le ventre.

Il frappa Sam de nouveau, cette fois avec le canon de son arme. Sam tomba face contre terre et se redressa péniblement. Il avait beau lutter, ses mains restaient prisonnières. Sa chair était à vif. Il refoula un accès de panique. Il était près de hurler, mais ça n'aurait servi qu'à amuser Drake.

— Allez, comporte-toi en homme, reprit ce dernier. Après tout, tu as quatorze ans, pas vrai ? Combien de temps il te reste avant de débarrasser le plancher ? T'inquiète, la Zone, ce n'est qu'un passage.

Les travailleurs dégagèrent le bloc de ciment du trou et, malgré ses efforts pour se tenir debout, Sam ployait sous son terrible fardeau.

— Alors, qui c'est l'homme, ici ? pérorait Drake. Qui vous fait ramper, toi et ta bande de dégénérés ? Moi. Et sans pouvoirs, avec ça.

Sam entendit une porte claquer. Relevant la tête, il vit Caine et Diana s'avancer vers eux. Ce dernier traversa la pelouse d'un pas nonchalant, son sourire s'élargissant à mesure qu'il se rapprochait.

— Tiens, tiens. Sam Temple le rebelle. Viens là que je te serre la main… Oh, désolé, j'oubliais.

Il rit comme pour évacuer sa tension.

— Je l'ai eu, annonça Drake.

— Bon travail, Drake. Très bon travail. Et je vois que les petits amis de Sam sont là, eux aussi.

— Pourquoi tu ne vas pas grattouiller les oreilles de Drake pour le remercier d'être un bon chien-chien, ironisa Diana.

Les travailleurs avaient sorti du trou les mains d'Astrid. Incapable de se tenir debout, elle sanglotait, au bord de l'hystérie. Le petit Pete marcha vers elle comme dans un rêve, les yeux baissés sur sa Game Boy. Astrid poussa son bloc de ciment vers lui et, soudain, Sam comprit ce qu'elle avait en tête. De son côté, il devait imaginer une diversion.

— Ne lui faites pas de mal, dit-il en montrant Lana d'un signe de tête. C'est une guérisseuse.

Caine leva les sourcils.

— Une quoi ? Une guérisseuse ?

— Elle peut soigner n'importe quelle blessure.

Astrid, qui pouvait à peine soulever son bloc de ciment, s'était mise à le balancer lentement d'avant en arrière en direction du petit Pete.

— Elle m'a soigné alors que je venais d'être mordu par un coyote, poursuivit Sam. Vous voulez voir ?

— J'ai une meilleure idée, dit Caine. Drake, donne-lui quelque chose à guérir.

Drake éclata d'un rire joyeux et posa le canon de son pistolet sur le genou de Sam.

— Non ! cria Diana.

La détonation fut assourdissante. Tout d'abord, Sam ne ressentit aucune douleur, mais bientôt il tomba, droit comme un arbre, tandis que sa jambe, ou ce qu'il en restait, se disloquait sous lui. Drake exultait.

S'arrachant à son hébétude, Astrid se jeta contre son frère avec tant de violence qu'il recula d'un pas et fit tomber son jeu. Diana fronça les sourcils : pour la première fois depuis leur arrivée, elle venait de remarquer la présence de l'enfant.

À travers un brouillard, Sam la vit montrer du doigt le petit Pete, les yeux écarquillés.

— Drake, espèce d'idiot ! Le gamin ! Le gamin !

Astrid tomba à genoux, brandit son bloc de ciment au-dessus de la console de jeux et, sans crier gare, le bloc disparut, ainsi que celui de Sam et des autres enfants.

À genoux sur le sol, Astrid pressa ses phalanges meurtries contre la terre molle. Les blocs de ciment s'étaient volatilisés comme s'ils n'avaient jamais existé. Seules les mains des prisonniers, masses de chair inerte, pâle et pelée, attestaient leur réalité.

Sans demander son reste, Caine tourna les talons et courut vers le bâtiment pour se mettre à l'abri. Après un moment d'hésitation, Diana l'imita.

Le petit Pete ramassa son jeu. Le bloc avait disparu une fraction de seconde avant de le réduire en miettes : des fragments de terre et des brins d'herbe étaient collés au plastique, mais il fonctionnait encore.

Drake s'était figé sur place. Il tenait à la main l'arme encore fumante avec laquelle il avait tiré dans le genou de Sam. Il leva son arme et visa le petit Pete, mais n'eut pas le temps d'atteindre sa cible car des torrents de lumière verte, aveuglante, jaillirent des mains de Sam. Le bras de Drake qui tenait le pistolet s'enflamma comme une torche. Il poussa un hurlement et ses doigts disloqués par la chaleur laissèrent tomber l'arme à ses pieds. De sa chair noircie s'éleva une fumée noire et nauséabonde. Sans cesser de crier, il regarda, glacé d'horreur, le feu consumer son bras puis il s'enfuit en courant.

— Joli coup, Sam, lança Edilio.

— C'est sa tête que je visais, répondit Sam avec une grimace de douleur.

Lana s'agenouilla auprès de lui et appliqua les mains sur son genou, qui n'était plus qu'une bouillie sanglante.

— Allez-vous-en d'ici, parvint-il à articuler. Laissez-moi, fuyez. Rentrez à... Caine va...

Mais, à bout de forces, il se sentit aspiré dans un trou noir et perdit connaissance.

35

— OÙ ON EST?
Sam s'éveilla en sursaut et s'aperçut, à sa grande gêne, qu'Edilio le traînait à moitié sur une route, aidé d'un garçon qu'il ne connaissait pas.

Edilio s'arrêta.

— Tu peux te tenir debout?

Sam fit un essai. Une fois de plus, Lana avait accompli un miracle: sa jambe était complètement guérie.

— Oui, ça va.

Se retournant, il vit qu'ils marchaient en tête d'une procession d'enfants hirsutes et dépenaillés. Astrid cheminait au côté du petit Pete, Lana leur emboîtait le pas en tirant un garçon par la main, tandis que son chien s'élançait vers les arbres sur les traces d'un écureuil. Quinn avançait seul au bord de la route, l'air fuyant et honteux. Venaient ensuite deux douzaines d'enfants: c'étaient les dégénérés du pensionnat Coates qui goûtaient leur liberté retrouvée.

Edilio surprit son regard.

— Tu t'es dégoté une foule de partisans, Sam.

— Caine ne s'est pas lancé à notre poursuite ?

— Non. Pas encore.

Les enfants avançaient en un cortège anarchique, par petits groupes éparpillés. Sam tressaillit en voyant leurs mains blanches, inertes, desséchées par le ciment, qui, avec leurs lambeaux de peau, évoquaient les bandages déchiquetés d'une momie. Ils avaient les poignets rouges et irrités. Ils étaient sales à faire peur.

— T'as vu, c'est beau, hein ? dit Edilio en suivant son regard. Lana va de l'un à l'autre pour les soigner. Elle est formidable.

Sam crut déceler une intonation particulière dans la voix de son ami.

— Et puis elle est mignonne, hein ?

Les joues d'Edilio s'empourprèrent.

— C'est juste qu'elle est... Tu sais...

Sam lui donna une tape sur l'épaule.

— Bonne chance, mon pote.

— Tu crois qu'elle... Enfin, tu me connais, je suis... bégaya Edilio, incapable de poursuivre.

— D'abord, on essaie de se sortir de ce mauvais pas. Ensuite, tu pourras lui demander de sortir avec toi.

Sam examina les alentours. Ils avaient franchi les grilles du pensionnat, mais ils se trouvaient encore à des kilomètres de Perdido Beach.

S'apercevant qu'il était revenu à lui, Astrid pressa le pas pour le rejoindre.

— Il était temps que tu te réveilles.

— D'habitude, répliqua-t-il du même ton badin, après avoir reçu une balle dans la jambe et cramé un ou deux bras, je m'accorde une petite sieste.

Croisant le regard de Lana, il la remercia de loin. Elle se contenta de hausser les épaules.

— Caine ne va pas en rester là, déclara Astrid, redevenue sérieuse.

— Il va essayer de nous rattraper, mais pas avant d'avoir trouvé un plan. Il ne peut plus compter sur Drake. Et il doit s'inquiéter à l'idée que tous ces dégénérés qui le détestent soient passés de notre côté.

— Qu'est-ce qui te fait croire qu'il attendra?

— Pense à la première fois où il a débarqué à Perdido Beach. Il avait un plan : sa bande était bien préparée, ils avaient tout répété.

— Alors on retourne à Perdido Beach?

— Orc est toujours là-bas. On risque d'avoir des problèmes avec lui et quelques autres.

— Il faut trouver de quoi nourrir les blessés, dit Edilio. Ça, c'est la priorité.

— On est à cinq ou six kilomètres de la ville. Tu crois qu'ils y arriveront?

— Il faudra bien. Le problème, c'est qu'ils ont peur. Il y en a qui sont sérieusement secoués. C'est normal, après ce qu'ils viennent de traverser.

— On a tous peur, on n'y peut pas grand-chose, observa Sam.

En y réfléchissant, c'était trop facile de se laisser abattre. Certes, ils étaient terrifiés ; pourtant il fallait réagir.

Sam s'arrêta au milieu de la route et attendit que tout le monde l'ait rejoint.

— Écoutez-moi, dit-il en levant les bras pour attirer l'attention des enfants.

Son geste se voulait apaisant, mais ils avaient tous pu se faire une idée de ses pouvoirs. Ils tressaillirent, prêts à foncer à l'abri des arbres. Sam baissa aussitôt les bras.

— Bon, on recommence. Je peux avoir votre attention, s'il vous plaît ? reprit-il d'une voix douce en gardant les mains le long du corps.

Il s'assura d'abord que tout le monde l'écoutait. Quinn était resté en arrière, comme à son habitude.

— On a traversé de dures épreuves, dit-il enfin. On est tous épuisés. Comme vous, je ne comprends rien à ce qui se passe. Le monde est devenu fou. Nos corps et nos esprits ont changé, et ce n'est pas qu'une histoire de puberté.

Cette remarque lui valut quelques sourires et un gloussement étouffé.

— Oui, je sais qu'on est tous bouleversés et morts de peur. Moi oui, en tout cas, admit-il avec un sourire piteux. Pas la peine de faire semblant. Mais parfois, le pire, c'est la peur, justement.

Il balaya du regard les visages de son auditoire et se rappela qu'ils avaient un sujet de préoccupation plus grave en tête.

— Bien que la faim, ce ne soit pas drôle non plus. On est à quelques kilomètres d'une supérette. Une fois arrivés, vous mangerez tous suffisamment. Je sais que certains d'entre vous ont connu l'enfer depuis l'apparition de la Zone. J'aimerais vous promettre que c'est bel et bien fini, mais je vous mentirais.

Les visages se rembrunirent. Sam lança un coup d'œil à Astrid, qui affichait le même air solennel que les autres ; elle l'encouragea d'un signe de tête, comme pour le pousser à continuer.

— D'accord, d'accord, dit-il à voix basse.

Quelques-uns se rapprochèrent pour mieux l'entendre.

— Bon, on ne va pas se rendre. On va se battre.

— Bien dit ! cria une voix.

— D'abord, que ce soit clair : on ne fait pas de différence entre les normaux et les dégénérés, ici. Que vous déteniez un pouvoir ou pas, on aura besoin de vous.

Dans l'assistance, certains hochèrent la tête ou échangèrent des regards.

— Qu'on soit de Coates ou de Perdido Beach, on est tous dans la même galère, maintenant. Vous avez peut-être mal agi pour sauver votre peau. Vous n'avez peut-être pas été toujours courageux. Vous avez peut-être perdu espoir.

Soudain, une fille éclata en sanglots.

— Eh bien, tout ça, c'est terminé, poursuivit Sam avec douceur. On repart de zéro. Peu importe qu'on ne connaisse pas nos prénoms respectifs, à partir de maintenant, on est frères et sœurs et on va s'en sortir ensemble.

Un long silence salua son discours.

— Bref, je m'appelle Sam et vous pouvez compter sur moi. Jusqu'au bout.

Il se tourna vers Astrid.

— Moi, c'est Astrid, dit-elle. Et moi aussi, je suis des vôtres.

— Moi, c'est Edilio. Même chose. On est frères et sœurs. *Hermanos*.

— Thuan Vong! lança un garçon maigre aux mains écorchées. Moi aussi, je marche.

Une fille robuste, aux cheveux tressés avec un piercing dans le nez, se redressa à son tour.

— Dekka! lança-t-elle. Pareil, je marche. Et j'ai quelques talents à offrir.

— Moi aussi, renchérit une fillette.

Elle était si maigre que ses yeux en paraissaient immenses.

— Je m'appelle Brianna et… et je peux courir très vite.

Un par un, les enfants affichèrent leur détermination. Au début, ils se montrèrent timides mais, bientôt, ils s'enhardirent, chacun parlant d'une voix plus forte et plus affirmée que son voisin.

Seul Quinn demeura silencieux. Il baissa la tête et de grosses larmes roulèrent sur ses joues.

— Quinn ! appela Sam.

Quinn ne répondit pas et garda les yeux fixés sur ses chaussures.

— Quinn, répéta Sam. On repart de zéro. Ce qui s'est passé avant ne compte pas. Frères, mon pote ?

Quinn se racla la gorge avant de répondre d'une voix étouffée :

— Oui, on est frères.

Les enfants se remirent en marche, cette fois en rangs serrés, la tête haute. Soudain, un rire fusa. Sam en eut chaud au cœur.

— La seule chose qu'on ait à craindre, c'est la peur elle-même, lui rappela Astrid à voix basse.

— Mon discours n'était pas aussi bien tourné, objecta Sam.

Edilio lui donna une grande claque dans le dos.

— Il était assez bien tourné pour moi.

— Sam est de retour.

— Quoi ?

— Sam. Il est de retour. Il arrive par l'auto-route.

La poitrine d'Howard se serra. Il s'était arrêté net sur les marches de l'hôtel de ville, en allant manger une des gaufres-burgers d'Albert au McDonald's.

C'était Elwood, le petit ami de Dahra Baidoo, qui lui avait transmis la nouvelle. Il paraissait soulagé, à l'évidence, voire heureux. Howard nota qu'Elwood était un traître avant de s'apercevoir qu'il avait des sujets de préoccupation plus graves que la loyauté d'Elwood.

— Si Sam revient, c'est au bout d'une laisse tirée par Drake Melwin, fanfaronna-t-il.

Mais Elwood, qui s'éloignait déjà pour porter la bonne nouvelle à Dahra, ne l'écoutait plus.

Un peu perdu, Howard jeta un regard autour de lui, hésitant sur la décision à prendre. Il aperçut Mary Terrafino qui traversait la place en poussant un caddie chargé de cartons de jus de fruits, de lingettes pour bébé et de pommes abîmées. Howard dévala les dernières marches et courut pour la rattraper.

— Quoi de neuf, Mary ?

— Sam est de retour, répondit-elle. Ton heure a sonné, Howard.

— Ça, c'est ce que tu crois. Tu l'as vu, toi ?

— J'ai croisé trois personnes différentes qui m'ont toutes dit la même chose : il arrive par l'autoroute. Tu ferais mieux de te dépêcher de l'arrêter, Howard, claironna-t-elle.

— Il est tout seul, on va lui flanquer une dérouillée.

— Bonne chance !

Howard regrettait qu'Orc ne soit pas dans les parages. Avec son ami à ses côtés, il aurait fait ravaler son insolence à cette petite pimbêche. Mais seul… c'était une autre paire de manches.

— Tu veux que je répète à Caine que tu es du côté de Sam ? lança-t-il avec colère.

— Je n'ai jamais dit que je prenais parti pour quiconque. Moi, je suis du côté des tout-petits. Mais ce qui crève les yeux, Howard, c'est qu'il te suffit d'entendre le nom de Sam pour mouiller ton pantalon. Tu sais quoi ? C'est peut-être toi, le traître. Après tout, si Caine est si fort que ça, pourquoi avoir peur de Sam ?

Et sur ces mots, elle s'éloigna en poussant son caddie.

Howard s'efforça de se rassurer. « Pas de quoi s'affoler, se dit-il. On a Caine, Drake et Orc de notre côté. Tout va bien. Tout va bien. » Il parvint à s'en persuader pendant une bonne vingtaine de secondes avant de courir chercher Orc. Il le trouva dans la maison où ils avaient établi leurs quartiers, laquelle était située juste en face de celle de Drake, dans une petite rue tout près de l'hôtel de ville. Les enfants de Perdido Beach avaient rebaptisé l'endroit l'« allée des Gros Bras ».

Orc somnolait sur le canapé devant un film de kung-fu poussé à plein volume. Il avait pris l'habitude de veiller la nuit et de dormir la journée. La maison était déprimante, du point de vue d'Howard, avec sa décoration de mauvais goût et ses perpétuels relents d'ail, mais Orc s'en moquait. Il voulait rester près de l'action, en plein centre-ville. Et pas trop loin de Drake, qui habitait juste en face, pour garder un œil sur lui.

Howard chercha la télécommande et réduisit la télé au silence. Des canettes de bière vides traînaient sur la table basse en verre, ainsi qu'un cendrier rempli de mégots. Orc buvait tous les jours depuis la mort de Betty. Howard se faisait du souci. Non qu'il aimât beaucoup le gros garçon, mais son destin était étroitement lié au sien, et la perspective de devoir composer sans lui ne lui plaisait guère.

— Orc! Lève-toi, mon pote!

Pas de réponse.

— Debout, Orc! On a des problèmes, reprit-il en le secouant par l'épaule.

Orc ouvrit un œil.

— Pourquoi tu me déranges?

— Sam Temple est de retour.

Il fallut un long moment à Orc pour enregistrer l'information. Puis, d'un mouvement brusque, il se redressa en portant la main à son front.

— Le mal de crâne que je me tape!

— Ça s'appelle une gueule de bois, rétorqua Howard.

Comme Orc lui décochait un regard assassin, il ajouta d'une voix radoucie :

— J'ai du paracétamol dans la cuisine.

Il alla chercher un verre d'eau et deux comprimés, puis rapporta le tout à Orc.

— C'est quoi, le problème ? demanda ce dernier.

Il n'avait jamais eu l'esprit vif mais en ce moment même, son manque de jugeote tapait sur les nerfs d'Howard.

— Sam est de retour. Le voilà, le problème.

— Et alors ?

— Réfléchis, Orc. Tu penses vraiment que Sam se promènerait en ville s'il n'avait pas une idée derrière la tête ? Caine n'est pas là, il est sur la colline. Pareil pour Drake. Ce qui signifie que, toi et moi, on est responsables.

Orc se pencha pour prendre une canette, la secoua et poussa un soupir de contentement en entendant clapoter un fond de bière. Il le vida d'une gorgée.

— Alors on va devoir flanquer une trempe à Sam ?

Howard n'avait pas poussé sa réflexion aussi loin. Le retour de Sam n'était pas bon signe. Quoi, il était rentré et pas Caine ? Howard avait du mal à comprendre ce que ça voulait dire.

— On l'espionne, mec. On voit ce qu'il mijote.

Orc se mit à loucher.

— Si je le croise, je lui rentre dedans.

— Avant, il faudrait découvrir ce qu'il manigance. On rassemble tout le monde dans l'hôtel de ville. Maillet, peut-être. Et puis Chaz. Tous ceux qu'on peut trouver.

Orc se leva, rota bruyamment et lança :

— Faut que j'aille pisser. Ensuite on prend le 4 x 4 et on leur botte les fesses.

Howard secoua la tête.

— Orc, écoute-moi. Je sais que tu n'as pas envie de l'entendre, mais rester du côté de Caine, c'est peut-être pas la meilleure solution.

Orc lui jeta un regard hébété. Howard précisa :

— Et si Sam l'emporte sur Caine ? Qu'est-ce qu'on devient, nous ?

Orc demeura longtemps silencieux, à tel point qu'Howard se demanda s'il l'avait entendu. Puis il poussa un soupir à fendre l'âme, qui ressemblait presque à un sanglot, et prit Howard par le bras – un geste dont il n'était pas coutumier.

— Howard, j'ai tué Betty.

— Tu l'as pas fait exprès, Orc.

— C'est toi le cerveau de la bande, observa Orc avec tristesse. Mais des fois, tu es encore plus bête que moi, tu sais.

— D'accord, tu as raison.

— J'ai tué quelqu'un qui m'avait rien fait. Astrid voudra même plus m'accorder un regard. Je suis sûr qu'elle me déteste.

— Mais non. Sam va avoir besoin d'aide. Il va lui falloir des durs comme nous. Et si on allait le trouver maintenant? On n'aura qu'à ramper devant lui.

— Les assassins, ils brûlent en enfer. C'est ma mère qui me l'a dit. Un jour où mon père me battait dans le garage, j'ai pris un marteau.

Orc mima la scène, s'empara d'un marteau imaginaire, le brandit devant ses yeux puis baissa le bras.

Ma mère a crié : «Tue ton père et tu brûleras en enfer.»

— Qu'est-ce qui s'est passé ensuite?

Orc leva la main gauche. Elle portait une cicatrice qui formait un cercle presque parfait d'un demi-centimètre de diamètre.

— C'est quoi?

— Un trou de perceuse, répondit Orc avec un sourire triste. J'ai de la chance, il aurait pu se servir de la scie électrique.

— C'est dingue, observa Howard.

Il avait toujours su qu'Orc venait d'une famille violente. Mais cette histoire de perceuse dépassait l'imagination. Lui-même avait connu une enfance normale. Ses parents n'étaient pas alcooliques et ils ne l'avaient jamais battu. Howard faisait ce qu'il fallait pour survivre, lui qui n'était ni grand, ni fort, ni populaire. Il aimait commander et inspirer la crainte : en cela, son amitié avec Orc lui avait été fort utile.

Pourtant, Howard commençait à s'apercevoir que si Orc était stupide, il n'avait pas tort pour autant: il ne parviendrait jamais à s'entendre avec Sam du Bus, le grand héros. Et, désormais, Howard était piégé au même titre que lui.

— OK, décréta-t-il, alors on va voir Caine.

— Il nous en veut à mort, objecta Orc.

— Peut-être, mais il a encore besoin de nous.

36

— TENEZ-LE ! cria Diana.

Drake Merwin entendait sa voix comme venue de très loin, à travers un épais brouillard rouge. Sa tête résonnait de ses propres cris et il avait l'impression que des millions de bouches se joignaient à lui, s'égosillant jusqu'à en perdre le souffle.

— Je m'en charge, décréta Caine. Reculez à trois. Un… deux…

Drake se débattit comme un forcené, incapable de se tenir tranquille malgré la douleur qui s'intensifiait à chaque mouvement. La douleur… Il n'avait jamais rien éprouvé de pareil ni imaginé qu'une telle torture puisse exister.

Une force invisible le cloua au sol, comme si des milliers de mains le retenaient fermement. Il entendit Diana demander :

— Tu as la scie ?

Dans sa voix, d'ordinaire pleine d'arrogance, il perçut de la nervosité et du dégoût.

Il lutta contre l'étau invisible, mais Caine avait recours à son pouvoir de télékinésie : c'était tout juste s'il pouvait crier, car même les muscles de son visage ne lui obéissaient plus.

— Hors de question que je lui scie le bras, sanglota Panda.

Ces mots semèrent la panique dans l'esprit de Drake. Son bras ?

— Il va me tuer, gémit Panda.

Un chœur de voix s'éleva :

— Moi non plus, je ne veux pas le faire. Pas question.

— Je m'en occupe, bande de mauviettes, décréta Diana, exaspérée. Donnez-moi cette scie.

— Non, non, non ! hurla Drake.

— C'est le seul moyen de stopper la douleur, le raisonna Caine d'une voix qui exprimait presque la compassion. Ton bras est fichu, Drake.

— La fille… La dégénérée, souffla Drake. Elle saurait me guérir.

— Elle s'est enfuie avec Sam et les autres.

— Ne m'amputez pas ! cria Drake. Laissez-moi mourir ! Tirez-moi une balle dans la tête !

— Désolé mais j'ai encore besoin de toi, Drake, même avec un bras en moins.

Drake entendit quelqu'un débouler dans la pièce. Puis la voix de Jack s'éleva :

— Je n'ai trouvé que du paracétamol et de l'aspirine.

— Finissons-en, aboya Diana.

Cette garce avait hâte de l'estropier. Elle s'en faisait une joie.

— Il te tuera, la prévint Panda.

— Oh, Drake en avait déjà l'intention bien avant. Resserrez le garrot.

— Il va perdre tout son sang, dit Jack. Il doit y avoir de grosses artères dans son bras.

— Il a raison, renchérit Caine. Il faudrait cautériser son moignon.

— C'est déjà fait, trancha Diana. Il faut juste couper sous la brûlure.

Caine dut se ranger à son avis.

— Je ne peux pas franchir ton champ de force, reprit Diana. Tu peux te contenter de paralyser le côté gauche pendant que Panda et sa soi-disant bande de durs maintiennent son moignon ?

— Laisse-moi au moins trouver une serviette, je ne veux pas toucher ce truc, gémit Panda, l'air révulsé.

— Personne ne me coupera le bras, rugit Drake. Le premier qui me touche, je le tue.

— Lâche-le, Caine, cria Diana.

Drake, libéré du poids monstrueux qui l'écrasait, put de nouveau bouger. Le visage de Diana était tout près du sien, à présent, ses cheveux bruns caressaient ses joues inondées de larmes.

— Écoute-moi bien, espèce de grosse brute sans cervelle, dit-elle. On coupe : c'est le seul moyen de calmer la douleur. Tant que tu garderas ce moignon calciné, tu continueras à crier, à pleurer et à faire dans ton froc. Eh oui, Drake, tu t'es pissé dessus.

Bizarrement, cette révélation réduisit Drake au silence.

— Le seul espoir qu'il te reste, c'est qu'on arrive à couper la chair morte de ton bras sans que tu perdes trop de sang.

— Le premier qui me touche signe son arrêt de mort, dit Drake.

Diana sortit de son champ de vision.

— Allez, Panda, Chunk. Tenez-lui le bras.

De nouveau, Caine immobilisa Drake : il ne sentit pas le contact de la serviette dont on lui enveloppait le bras, ni même les mains qui l'empoignaient. À cet endroit, l'os était à nu, la chair s'était consumée, et les nerfs calcinés ne répondaient plus. C'était plus haut qu'il souffrait, là où les terminaisons nerveuses avaient survécu, submergeant son cerveau fiévreux de vagues de douleur intolérables.

— Ce n'est pas ma faute ni celle de Diana, reprit Caine. C'est Sam qui t'a fait ça, Drake. Tu veux qu'il s'en tire tranquillement ? Ou tu veux vivre assez longtemps pour le lui faire payer ?

Drake entendit un bruit métallique. La scie était trop grande pour que Diana la manie avec facilité : la lame tremblait un peu quand elle se mit à l'ouvrage.

— OK, tenez-le bien. Je vais essayer de faire vite.

Drake perdit conscience. Ses absences, cependant, étaient aussi pénibles que ses moments de lucidité. Il émergeait pour replonger quelques instants plus tard, alternant hurlements et sanglots. Du fond de son brouillard, il perçut un bruit mat quand son bras calciné tomba par terre, puis des allées et venues, des cris, des ordres, le chaos, l'image de Diana tenant une aiguille entre ses doigts ensanglantés, des mains s'activant autour de lui, comprimant ses poumons pour en extraire de l'air. Dans sa fièvre, Drake vit des visages affolés penchés sur lui, des yeux de déments, des visages monstrueux, couverts de sang.

— Je pense qu'il survivra, dit une voix.

— Que Dieu ait pitié de nous s'il survit, gémit une autre.

— Non, que Dieu ait pitié de Sam Temple.

Puis plus rien.

— Astrid, dit Sam, il faudrait que tu leur parles pour en apprendre davantage sur leurs pouvoirs et leur capacité à les contrôler. N'importe quelle personne capable de se battre fera l'affaire.

Astrid parut mal à l'aise.

— Moi ? Et pourquoi pas Edilio ?

— J'ai d'autres projets pour lui.

Sam, Edilio, Astrid et le petit Pete se reposaient, assis sur les marches de l'hôtel de ville. Nul ne savait où se cachait Quinn. Les enfants libérés – «les dégénérés du pensionnat», comme ils s'étaient fièrement rebaptisés – avaient commencé par manger à la supérette puis auprès d'Albert, qui déambulait parmi eux en proposant des hamburgers. Quelques-uns, ayant trop absorbé d'un coup, avaient vomi tout leur repas, mais la plupart avaient encore de la place pour un hamburger, même à base de gaufre au chocolat.

Lana avait à peine terminé de soigner tous les blessés. Elle titubait de fatigue et finit par se laisser tomber dans l'herbe sous les yeux de Sam. Avant qu'il ait pu se lever pour la secourir, quelques enfants du pensionnat s'étaient précipités pour l'allonger avec des gestes doux, presque révérencieux. Ils roulèrent en boule une veste en guise d'oreiller et empruntèrent une couverture pour l'étendre sur elle.

— D'accord, je vais leur parler, dit Astrid à contrecœur. Seulement, je ne saurai pas les évaluer comme Diana.

— C'est ce qui t'inquiète? Tu n'es pas Diana. Et, Dieu merci, je ne suis pas Caine.

— Je crois qu'au fond de moi j'espérais qu'on pourrait oublier tout ça. Enfin, jusqu'à nouvel ordre.

— Ce moment viendra. En attendant, il faut qu'on se tienne prêts pour le retour de Caine.

— Tu as raison, déclara Astrid avec un sourire triste. Et puis, ce n'est pas comme si je rêvais d'un bon repas, d'une douche chaude et d'une longue nuit de sommeil !

— Il ne faudrait pas que tu prennes des goûts de luxe ! (Une autre pensée vint à Sam :) Hé ! Occupe-toi bien du petit Pete, hein ? Je n'ai pas envie que tu disparaisses sans crier gare.

— Ce serait dommage de rater la fête, répliqua Astrid. Je devrais peut-être essayer la méthode Quinn : Hawaii, Pete, Hawaii.

Astrid releva son frère et, après s'être assurée qu'il allait bien, se dirigea vers la foule d'enfants. Sam fit signe à Edilio de s'approcher.

— Edilio, j'ai une tâche à te confier.

— Ce que tu voudras.

— Il va falloir conduire. Et garder le secret.

— Garder un secret ? Aucun problème. Mais conduire… répondit Edilio avec une grimace.

— J'aimerais que tu prennes une camionnette pour aller à la centrale.

Il exposa sa requête, et à chaque mot le regard d'Edilio s'assombrissait un peu plus. Quand il eut fini, il demanda :

— Tu crois que tu peux t'en occuper ? Il te faudra quelqu'un pour t'accompagner.

— C'est dans mes cordes, répondit Edilio. Cette idée ne m'amuse pas beaucoup mais ça, tu le sais déjà.

— Qui veux-tu emmener avec toi ?

— Elwood devrait faire l'affaire, si Dahra me le laisse.

— Bien. Prends une heure ou deux pour apprendre à conduire.

— Un jour ou deux, tu veux dire ? ironisa Edilio.

Puis, mimant le salut militaire, il ajouta :

— Pas de problème, général.

Sam se retrouva seul, la tête bourdonnante, sans doute par manque de sommeil. Il subissait aussi le contrecoup de la souffrance et de la peur. Il avait besoin de réfléchir. Caine, lui, fignolerait son plan.

Caine. Son frère. Combien de temps lui restait-il ? Trois jours. Dans trois jours, il aurait disparu. Et Caine aussi. Peut-être qu'il mourrait, ou qu'il serait simplement renvoyé dans l'ancien monde avec des tas d'histoires incroyables à raconter.

Dans les deux cas, il devrait renoncer à Astrid.

Si Caine avait été un être normal, équilibré, il aurait probablement occupé ses derniers jours à se conditionner en vue de ce qui l'attendait : mort, disparition, évasion. Mais Caine voulait triompher de Sam. Ce désir était plus fort que la nécessité de se préparer pour le dénouement.

— J'ai toujours détesté les anniversaires, grommela Sam.

Albert Hillsborough avait fini de distribuer ses hamburgers aux enfants du pensionnat. Il rejoignit Sam en haut des marches.

— Content que tu sois rentré, Sam.

Sans s'expliquer pourquoi, Sam se sentit obligé de proposer son aide à Albert. Ce dernier refusa d'un air solennel.

— C'est bien d'avoir continué à faire fonctionner le McDo.

— Je dois dire que j'ai pris pas mal de libertés par rapport au manuel de fonctionnement standard, répondit Albert, l'air un peu contrarié.

— Oui, j'ai vu les gaufres-burgers.

Quoique Sam n'eût pas de temps ni d'énergie à lui consacrer, Albert était devenu un élément important de leur petite société, quelqu'un qu'on ne pouvait pas négliger. Or, il voyait bien qu'une idée lui trottait dans la tête.

— Qu'est-ce qu'il y a, Albert?

— Eh bien, j'ai fait l'inventaire de la supérette, et je crois qu'avec beaucoup d'aide, je pourrais organiser un dîner de Thanksgiving décent.

Sam le dévisagea sans comprendre.

— Quoi?

— Thanksgiving: c'est la semaine prochaine.

— Ah oui?

— Il y a de grandes rôtissoires dans le magasin, et personne n'a pris les dindes surgelées. Il faut compter deux cent cinquante personnes si tout le monde vient. Une dinde nourrissant environ huit personnes, il nous faudra trente et une ou trente-deux dindes, ce qui n'est pas un problème, vu que j'en ai recensé quarante-six au magasin.

— Trente et une dindes ?

— La sauce ne devrait pas manquer et la farce non plus – il en reste encore –, sauf que je vais devoir mélanger jusqu'à sept marques différentes. Il va falloir goûter pour voir ce que ça donne.

— Oui, la farce, répéta Sam d'un ton grave.

— Restent les pommes de terre au four. Sans parler du problème majeur, la crème fouettée et la glace pour les tartes.

Sam avait envie de rire mais, d'un autre côté, il trouvait touchant et rassurant qu'Albert se soit penché sur la question avec tant de zèle.

— J'imagine qu'il n'y a plus beaucoup de glace, dit-il.

— Oui, on sera bientôt à court. Et ils ont pris les bombes de crème chantilly, aussi.

— Mais les tartes ?

— Il y en a des surgelées. Et puis aussi de la pâte toute prête pour les préparer nous-mêmes.

— Oui, ce serait sympa.

— Il va falloir que je m'y mette trois jours avant. J'aurai besoin de dix personnes au moins pour m'aider. Je peux réquisitionner les tables entreposées dans le sous-sol de l'église pour les installer sur la place. Je pense que je devrais m'en sortir.

— J'en suis sûr, Albert, dit Sam avec conviction.

— Mary peut charger les petits de fabriquer les décorations de table.

— Écoute, Albert...

Albert interrompit Sam d'un geste.

— Oui, je sais. Je sais qu'on risque d'avoir une grande bataille à mener avant. Et j'ai entendu dire que tes quinze ans étaient pour bientôt. Il peut s'en passer, des choses, d'ici là. Mais, Sam...

Cette fois, ce fut au tour de Sam de l'interrompre.

— Tu sais quoi, Albert? Lance les préparatifs en vue du grand repas.

— C'est vrai?

— Oui, ça leur donnera de quoi espérer.

Albert s'éloigna et Sam réprima un bâillement. Il aperçut Astrid, en grande conversation avec trois élèves de Coates. Bien qu'ayant traversé toutes sortes d'épreuves horribles, et malgré ses cheveux et ses vêtements sales, elle était toujours aussi jolie.

En levant la tête, il distinguait, au-delà de la place et des constructions, l'océan trop paisible.

Un anniversaire. Une fête de Thanksgiving. Une disparition. Et un face-à-face avec Caine. Sans oublier les aléas de la vie quotidienne, si par miracle ils s'en sortaient vivants. Sans compter qu'il leur faudrait chercher un moyen de s'échapper ou de mettre un terme à la Zone. Alors qu'il ne rêvait que de prendre

Astrid par la main pour l'emmener à la plage, étendre une couverture sur le sable chaud, s'allonger à côté d'elle et dormir pendant un mois environ.

« Après le dîner de Thanksgiving, se promit-il. Après une bonne part de tarte. »

37

COOKIE ROULA SUR LE CÔTÉ et se leva. Ses jambes étaient toujours faibles et flageolantes. Il devait prendre appui sur la table pour se tenir debout. En revanche, il était capable de s'appuyer sur son bras cassé. Dahra Baidoo était là avec Elwood, et tous deux l'observaient comme s'ils venaient d'assister à un miracle.

« C'en est un, je suppose », songea Lana.

— Je n'ai plus mal ! s'extasia Cookie.

Il éclata de rire, plia et déplia le bras, serra le poing.

— Je n'ai plus mal.

— Jamais je n'aurais cru assister à une chose pareille un jour, dit Elwood en secouant la tête.

Les yeux injectés de sang du convalescent se remplirent de larmes tandis qu'il murmurait comme pour lui-même :

— Je n'ai plus mal, je n'ai plus mal du tout.

Il essaya de faire un pas, puis un autre. Il avait perdu beaucoup de poids, et son teint était pâle, presque verdâtre. Il vacillait sur ses jambes tel un ours perché sur ses pattes arrière, à deux doigts de tomber à la renverse. Il avait la tête de quelqu'un qui revenait de l'enfer.

— Merci, murmura-t-il à l'intention de Lana. Merci.

— Je n'y suis pour rien, répondit-elle. C'est... Je ne sais pas ce que c'est.

Elle était fatiguée : soigner Cookie avait pris beaucoup de temps. Elle était arrivée à l'hôpital vers huit heures du matin, alertée par les cris atroces du blessé.

Ses fractures à lui étaient encore pires que les siennes. Il lui avait fallu plus de six heures pour en venir à bout, et tout le bénéfice qu'elle avait retiré de sa longue sieste dans le parc était gâché : elle était à bout de forces, une fois de plus. Elle était sûre que le soleil brillait dehors, mais n'aspirait qu'à trouver un lit.

— C'est juste un truc qui m'est venu comme ça, reprit-elle en réprimant un bâillement.

Elle s'étira pour décontracter son dos.

Cookie hocha la tête puis, à la surprise générale, s'agenouilla devant une Dahra médusée.

— Tu as pris soin de moi.

Dahra haussa les épaules, l'air très mal à l'aise.

— Ce n'est rien, Cookie.

— Non, ce n'est pas rien.

D'un geste maladroit, Cookie prit sa main et y appuya son front.

— Tout ce que tu voudras. N'importe quoi. N'importe quand. Jusqu'à la fin de mes jours, dit-il, la voix étranglée par les sanglots.

Dahra releva le garçon, qui pouvait rivaliser avec Orc en taille et en corpulence, et qui la dépassait d'une tête.

— Il faut que tu manges, dit-elle.

— D'accord. Et ensuite ?

L'air un peu agacé, Dahra répondit :

— Je n'en sais rien, Cookie.

Une idée vint à Lana.

— Va voir Sam. Il risque d'y avoir de la bagarre d'ici peu.

— La bagarre, ça me connaît. Dès que j'aurai avalé un truc et repris des forces, je fonce.

— Le McDonald's est ouvert, suggéra Dahra. Essaie le gaufre-burger : c'est meilleur que ça en a l'air.

Après le départ de Cookie, Dahra déclara :

— Lana, je sais que c'est Cookie le premier concerné, mais j'ai l'impression que tu m'as aussi sauvé la vie, en quelque sorte. Je devenais folle à force de m'occuper de lui.

Les marques de gratitude, même les plus anodines, mettaient Lana mal à l'aise. Il allait donc sans dire qu'être remerciée pour ses prétendus miracles lui semblait absurde.

— Tu connais un endroit où je pourrais dormir un peu? Un lit, par exemple?

Elwood les conduisit, elle et Pat, jusque chez lui. Sa maison se trouvait à quelque huit cents mètres de la place, et Lana dormait debout lorsqu'ils arrivèrent.

— Entre, dit Elwood. Tu as faim?

Lana secoua la tête.

— Non, un endroit pour dormir me suffira... Comme ce canapé.

— Tu peux aussi t'installer dans une des chambres à l'étage.

Lana s'était déjà affalée à plat ventre sur le canapé. Un instant plus tard, elle dormait à poings fermés.

Il faisait nuit quand elle s'éveilla. Il lui fallut un moment pour se rappeler où elle était. Elwood avait pensé à nourrir Pat: pour preuve, l'assiette bien nettoyée qui traînait sur le carrelage de la cuisine. Le chien était roulé en boule près de la cheminée, bien qu'il n'y ait pas de feu dans l'âtre.

Lana mourait de faim. Elle passa en revue la cuisine, avec l'impression d'être une voleuse. Le réfrigérateur avait été vidé; ne restaient que du jus de citron, de la sauce de soja, un carton de lait périmé et de la laitue flétrie.

Le congélateur, mieux pourvu, contenait des beignets de poulet surgelés, un Tupperware rempli d'une substance inconnue et une pizza à réchauffer au micro-ondes.

— Oh oui, carrément ! s'exclama Lana.

Elle glissa la pizza dans le four et la regarda tourner, fascinée. Elle en salivait d'avance et eut toutes les peines du monde à attendre que le micro-ondes sonne. Elle déchira la pizza avec les doigts, engouffrant d'énormes parts dégoulinantes de fromage et récupérant ce qui tombait sur le plan de travail.

— Oh, tu en veux aussi ? demanda-t-elle quand Pat s'avança en remuant la queue, l'œil vif.

Elle lui jeta un bout de pizza qu'il attrapa au vol.

— Eh bien, on s'en est sortis, hein, mon vieux ?

Lana trouva la salle de bains à l'étage et passa une demi-heure sous le jet bouillant de la douche. De l'eau noirâtre mêlée de sang s'écoulait par la bonde. Puis elle shampouina Pat, le rinça et le fit sortir de la cabine. Le chien s'ébroua énergiquement en éclaboussant toute la pièce. Lana s'enveloppa dans une serviette et alla explorer le reste de la maison en quête de vêtements de rechange. Elwood n'avait pas de sœur, apparemment, mais sa mère était menue, et Lana parvint à trouver une tenue acceptable.

Elle ramassa ses vieux habits et manqua défaillir tant ils empestaient.

— Bon sang, Pat, c'était ça, mon odeur, ces derniers jours ? Il faut que je brûle ces horreurs.

Elle se contenta de glisser dans un sac-poubelle ses vêtements déchirés, imprégnés de sueur, tachés de sang et de terre. Malheureusement, elle avait dû garder ses vieilles chaussures : la mère d'Elwood faisait deux tailles de plus qu'elle.

Tout en descendant l'escalier, elle se sentit bien pour la première fois depuis longtemps. Avisant le téléphone, elle ne put s'empêcher de décrocher le combiné. Appeler sa mère. Lui raconter. Elle avait eu vent de ce qu'on disait au sujet de la Zone, et pourtant...

— Il n'y a pas de tonalité, Pat.

Pat ne manifesta pas le moindre intérêt.

— Tu sais quoi ? Je vais m'asseoir pour pleurer un peu.

Mais ses yeux restèrent secs. Avec un soupir, elle alla s'installer sous le porche, une canette de Pepsi tiède à la main.

C'était le milieu de la nuit. La rue était déserte. Lana retrouvait la ville où elle avait grandi, qu'elle avait quittée voilà des années. Elle avait croisé des enfants qu'elle fréquentait dans le temps, mais la plupart ne l'avaient pas reconnue sous sa couche de crasse. Maintenant qu'elle était propre, peut-être qu'on se souviendrait d'elle.

— J'ai envie d'aller faire un tour, Pat. Mais je ne sais pas où aller.

Une voiture apparut au coin de la rue. Elle roulait à faible allure : manifestement, le conducteur n'était pas sûr de lui. Lana se raidit, hésita à se précipiter à l'intérieur pour s'enfermer à double tour. Elle agita faiblement la main sans parvenir à distinguer les occupants de la voiture, qui ne semblaient pas disposés à s'arrêter pour bavarder. Le véhicule poursuivit sa route jusqu'au bas de la rue et disparut à l'intersection.

— Ce doit être un genre de patrouille, dit-elle à Pat.

Après s'être attardée quelques minutes sous le porche, elle rentra à l'intérieur et reconnut immédiatement le garçon qui se tenait dans la cuisine. Pat hérissa le poil et se mit à grogner.

— Salut, dégénérée, lança Drake.

Lana recula mais n'eut pas le temps de fuir. Drake avait déjà braqué son pistolet sur elle.

— Je suis droitier. Enfin, j'étais. Mais je peux encore viser à cette distance.

— Qu'est-ce que tu me veux ?

Drake désigna d'un geste son bras droit : il était sectionné juste au-dessus du coude.

— À ton avis ?

La seule fois où son chemin avait croisé celui de Drake Merwin, il lui avait rappelé le chef coyote : comme lui, il paraissait fort, alerte, dangereux.

Sa silhouette, qu'on aurait pu qualifier d'élancée, était désormais cadavérique. Son sourire carnassier avait laissé place à un rictus figé, et ses yeux injectés de sang, où brillait jadis une lueur menaçante, la fixaient avec une intensité folle. Il avait le regard des torturés qui ont vécu des souffrances insurmontables.

— Je veux bien essayer, dit Lana.

— Tu vas faire mieux que ça, rétorqua-t-il, le visage soudain déformé par la douleur.

Un gémissement rauque, sinistre, s'échappa de ses lèvres.

— Je ne sais pas si je suis capable de faire repousser un bras. Laisse-moi regarder.

— Pas ici, siffla-t-il.

De son arme, il désigna la porte de derrière.

— Si tu me tues, je ne te serai d'aucune utilité, objecta Lana.

— Tu sais soigner les chiens ? Et si je lui fais sauter la cervelle ? Tu pourrais le remettre sur pied, dégénérée ?

La voiture qu'avait vue passer Lana les attendait dans la ruelle derrière la maison, le moteur en marche. Le dénommé Panda était au volant.

— Ne fais pas ça, gémit Lana. Je t'aiderai quoi qu'il arrive.

Mais elle eut beau supplier, rien n'y fit. Si Drake avait jamais été doté d'une conscience, elle était morte avec son bras. La voiture traversa la ville endormie et s'enfonça dans la nuit.

Howard avait vu de ses propres yeux la petite armée constituée par Sam. Il avait poussé jusqu'à la supérette, qui n'était plus gardée, ce qui sous-entendait que les autres shérifs avaient décidé de se faire oublier quelque temps.

— Ils sont trop nombreux, avait-il conclu.

Aussi, Orc et lui avaient-ils volé une voiture et roulé jusqu'au pensionnat Coates. Mais, à la tombée de la nuit, ils avaient pris une mauvaise direction et échoué sur un chemin de terre qui se perdait dans le désert. Sans succès, ils avaient tourné en rond pour essayer de retrouver la grande route. Et ils avaient fini par tomber en panne d'essence.

— C'était ton idée, marmonna Orc.

— T'avais mieux à proposer? Rester en ville avec Sam? Il a une vingtaine de gamins à sa solde.

— Je pourrais encore lui faire sa fête.

— Orc, sois pas débile, rétorqua Howard avec colère. Si ni Caine ni Drake ne sont venus, et si Sammy revient en ville en héros, qu'est-ce que ça signifie, à ton avis? Allez, Orc, réfléchis.

Les yeux porcins d'Orc s'étrécirent.

— Me traite pas de débile. S'il le faut, je te casse les dents.

Howard passa vingt minutes à calmer Orc, mais ils n'en furent guère plus avancés: au final, ils étaient toujours coincés dans une voiture en panne au milieu de nulle part.

Soudain, Orc s'écria :

— Je vois une lueur !

Howard descendit de voiture et se mit à courir dans la direction de la lumière. Orc traîna sa grosse carcasse derrière lui. Howard distingua les phares d'une voiture dans le lointain. S'ils ralentissaient, les occupants du véhicule passeraient sans les voir.

— Dépêche-toi ! cria Howard.

— Rattrape-les, rétorqua Orc, qui avait renoncé à courir.

À cet instant, Howard trébucha et s'affala dans la poussière. Il allait se relever quand quelque chose l'attrapa par la cheville. Il poussa un cri de douleur et se figea.

— Qu'est-ce… ?

Là, dans les ténèbres, il y avait une bête qui dégageait une odeur pestilentielle et haletait comme un chien. Ce n'était pas Orc, à l'évidence. Howard parvint à se relever et détala telle une flèche.

— Je suis poursuivi ! hurla-t-il.

Les phares de la voiture se rapprochaient. Il pouvait y arriver, à condition de ne pas tomber. À condition que la chose ne le rattrape pas.

Ses pieds rencontrèrent le béton et, soudain, une lumière éblouissante l'aveugla. La voiture freina brusquement. Le monstre avait disparu, semblait-il.

— Howard ?

Howard reconnut instantanément la voix de Panda qui s'était penché par la vitre.

— Panda ? Oh, ce que je suis content de te voir ! On est…

Une ombre bondit, rapide comme l'éclair, et se jeta sur le bras de Panda. Il laissa échapper un hurlement de terreur. À l'intérieur de la voiture, un chien se mit à pousser des aboiements frénétiques. Puis quelque chose se rua sur Howard et il tomba à genoux sur le bitume. La voiture démarra dans un soubresaut puis s'immobilisa, le pare-chocs à quelques centimètres de sa tête. Un cri déchira l'obscurité. C'était la voix d'Orc, perdu quelque part dans les ténèbres.

Des chiens déboulaient de partout et se dirigeaient droit sur Howard. « Non, pas des chiens, pensa-t-il. Des loups. Des coyotes. » La portière de la voiture s'ouvrit. Panda en tomba, à moitié écrasé sous un coyote. Une détonation retentit et un éclair orange illumina la nuit, mais les coyotes ne battirent pas en retraite pour autant. Il y eut un autre coup de feu, suivi d'un glapissement sonore. La silhouette de Drake se dessina tel un épouvantail dans le halo des phares. Les coyotes reculèrent sans faire mine de fuir. Howard se releva péniblement et Drake pointa son arme sur lui.

— C'est toi qui as lâché ces chiens sur moi ?

— Ils m'ont mordu aussi, protesta Howard puis, se tournant vers l'obscurité, il cria : Orc ! Orc !

Une voix rauque, aux intonations étrangement suraiguës, lui répondit :

— Donnez-nous fille.

Howard scruta les ténèbres avec étonnement. Ce n'était pas Orc qui venait de parler. Où était-il passé ?

— Quelle fille ? demanda Drake. Qui es-tu ?

Tout autour de la voiture, le désert sembla prendre vie. Des ombres se rapprochèrent lentement. Howard recula mais Drake ne bougea pas d'un pouce.

— Qui est là ?

Un coyote galeux au museau balafré s'avança dans le halo de lumière. Howard faillit tomber à la renverse en comprenant que c'était cet animal qui avait parlé quelques instants plus tôt.

— Donnez-nous fille.

— Non, répondit Drake après un bref moment de surprise. Elle est à moi. J'ai besoin d'elle pour guérir. Elle détient le pouvoir, et moi, je veux récupérer mon bras.

— Tu n'es rien, rugit le coyote.

— Peut-être, mais je suis armé.

Le garçon et l'animal qui, aux yeux d'Howard, semblaient appartenir à la même espèce, se défièrent du regard.

— Qu'est-ce que tu lui veux ? demanda Drake.

— L'Ombre a dit : ramener fille.

— L'Ombre ? De quoi tu parles ?

— Donnez-nous fille, répéta le coyote. Ou vous mourrez tous.

— Avant, j'aurai eu le temps d'en tuer plein comme toi.

— Vous mourrez, s'obstina le coyote.

Howard comprit que c'était son tour de parler.

— Les gars, les gars, on est dans une impasse, là. Il y a peut-être moyen de trouver un arrangement, non?

— Qu'est-ce que tu racontes?

— Drake, tu veux que la fille te soigne?

— Elle détient le pouvoir. Je veux récupérer mon bras.

— Et… euh… Monsieur Coyote, vous devez l'emmener voir votre copain Lombre?

Chef examina Howard comme s'il réfléchissait à la façon dont il le dégusterait.

— Bon, reprit Howard d'une voix tremblante. Je pense qu'on peut se mettre d'accord.

— JE SUIS DÉSOLÉ pour ta maison, Astrid, dit Edilio.

Astrid serra la main d'Edilio dans la sienne.

— Oui, je dois admettre que ça m'a fait mal au cœur de la voir dans cet état.

— Vous pouvez rester à la caserne avec Sam, Quinn et moi.

— Ça ira. On logera quelque temps chez Mary et John. Ils sont rarement chez eux. Et puis, c'est bon d'avoir un peu de compagnie.

Astrid, Edilio et le petit Pete se trouvaient dans le bureau qu'avait naguère occupé le maire de Perdido Beach et, plus récemment, Caine Soren. Sam avait d'abord refusé de s'y installer à son tour, craignant qu'on ne l'accuse de se donner l'air important, mais Astrid prétendait que les symboles comptaient beaucoup, et que les enfants avaient besoin d'un chef.

Astrid installa son frère sur une chaise et lui tendit un paquet de céréales : il les préférait nature, sans lait.

— Où est passé Sam ? demanda-t-elle. Et pourquoi nous avoir fait venir ici ?

Edilio parut mal à l'aise.

— On a quelque chose à te montrer.

Sam entra dans la pièce, le visage fermé. Il les salua, non sans avoir jeté un coup d'œil circonspect au petit Pete.

— Astrid, il faut que tu voies ça. En revanche, ce serait une bonne idée que Pete ne regarde pas.

— Je ne comprends pas.

Sam se laissa tomber dans le fauteuil auparavant occupé par Caine. Pour la première fois, Astrid fut frappée par la ressemblance physique entre les garçons. Et par la différence de réaction que lui inspiraient leurs traits respectifs. Alors que Caine cachait son arrogance et sa cruauté sous des manières mielleuses et maîtrisées, Sam laissait ses émotions transparaître sur son visage. En ce moment même, il semblait triste et inquiet.

— Je suggère que Pete aille s'asseoir avec Edilio dans l'autre pièce.

— Tu m'inquiètes, là, dit Astrid.

L'expression de Sam ne la rassura pas. Elle réussit non sans mal à faire bouger son petit frère, et Edilio alla lui tenir compagnie. Sam tenait un DVD à la main.

— Hier, j'ai envoyé Edilio récupérer deux choses à la centrale. La première, les armes automatiques du poste de garde.

— Des mitraillettes ?

— Oui. Ce n'est pas tant pour les utiliser que pour s'assurer que les autres ne mettront pas la main dessus.

— Voilà qu'on se lance dans une course à l'armement.

Le ton d'Astrid irrita Sam.

— Tu préfères que je les laisse à Caine ?

— Je ne critique pas, mais… Des gamins de quatorze ans avec des mitraillettes, ça n'est pas une très bonne idée.

Sam se radoucit.

— Tu as raison.

— Pas étonnant que tu aies l'air aussi déprimé.

À peine avait-elle fini sa phrase qu'elle comprit son erreur : Sam avait autre chose de plus grave à lui annoncer. Le DVD.

— Comme toi, je me demandais pourquoi la centrale nucléaire se trouvait au centre de la Zone. Alors Edilio est allé là-bas fouiller dans les enregistrements de vidéosurveillance.

Astrid se leva brusquement.

— Je ne devrais pas laisser Pete tout seul.

— Tu sais ce qu'il y a sur ce DVD, pas vrai ? Tu l'avais deviné dès le premier soir. Je m'en souviens, on était en train de regarder la carte. Tu as passé ton bras autour des épaules de ton frère et tu m'as lancé un regard bizarre. À ce moment-là, je n'ai pas su interpréter ce regard.

— Je ne te connaissais pas, alors. Je ne savais pas si je pouvais te faire confiance.

Sam glissa le DVD dans le lecteur et alluma la télé.

— Le son est assez mauvais.

Astrid vit la salle de contrôle de la centrale apparaître sur l'écran. La caméra, fixée en hauteur, offrait une vue plongeante de la salle tout entière. Cinq adultes, deux femmes et trois hommes. L'un d'eux était le père d'Astrid. Tout en se balançant sur sa chaise, il plaisantait avec la femme installée à l'autre poste et se penchait de temps à autre pour remplir de la paperasse. Astrid sentit sa gorge se nouer.

Et là, assis sur une chaise contre le mur opposé, le visage éclairé par la lueur de son incontournable Game Boy, le petit Pete.

Le seul bruit qu'ils percevaient était celui de la conversation, trop lointain pour qu'ils en saisissent le moindre mot.

— C'est là que ça se gâte, dit Sam.

Soudain, un bruit de klaxon retentit, strident et déformé sur la bande audio. Toutes les personnes présentes dans la pièce sursautèrent et se ruèrent vers les écrans de contrôle. Le père d'Astrid jeta un regard inquiet à son fils avant de s'absorber dans l'examen de son moniteur. D'autres gens déboulèrent dans la pièce et se dirigèrent avec la même efficacité vers les écrans laissés sans surveillance. Des ordres affolés fusèrent. Une seconde alarme se déclencha, plus perçante encore que la première. Un voyant lumineux se mit à clignoter. La peur se lisait sur tous les visages. Quant au petit Pete, il s'était mis à se balancer frénétiquement, les mains plaquées sur les oreilles. Ses traits innocents étaient déformés par une grimace de douleur.

Les dix adultes désormais présents dans la pièce offraient un spectacle terrifiant de panique qu'ils s'efforçaient de maîtriser. Ils martelaient des claviers, poussaient des interrupteurs. Le père d'Astrid saisit un manuel épais et se mit à le feuilleter fébrilement tandis que les cris de ses collègues se mêlaient au hurlement des alarmes, et que le petit Pete s'époumonait, les mains sur les oreilles.

— Je ne veux pas voir ça, dit Astrid sans pouvoir détourner les yeux pour autant.

L'enfant se leva d'un bond. Il courut vers son père mais, dans l'affolement, ce dernier le repoussa. Pete buta contre une chaise et s'affala près de la grande table, les yeux fixés sur un moniteur qui affichait un message clignotant en grosses lettres rouges.

Le nombre quinze.

— C'est le code un-cinq, expliqua Astrid d'une voix blanche. J'ai entendu mon père en parler une fois. C'est le code pour «fusion du cœur». Il plaisantait souvent à ce sujet. Le code un-un désigne un accident mineur ; code un-deux, tu commences à t'inquiéter ; code un-trois et code un-quatre, tu appelles le gouverneur ; code un-cinq, tu pries. L'étape suivante, le code un-six, c'est… l'annihilation.

Sur la bande vidéo, le petit Pete ôta les mains de ses oreilles. L'alarme n'en finissait pas de hurler. Un éclair de lumière aveuglante fit disparaître l'image pendant quelques secondes. Quand elle réapparut, l'alarme s'était tue et l'enfant était seul dans la pièce.

— Astrid, tu remarqueras l'heure sur la bande : 10 novembre, 10 h 18. C'est à cet instant précis que toutes les personnes de plus de quinze ans ont disparu.

Sur l'image, le petit Pete avait cessé de crier. Sans jeter un regard autour de lui, il se dirigea vers la chaise sur laquelle il était assis quelques minutes plus tôt, ramassa sa console et se remit à jouer.

— C'est le petit Pete qui a causé la Zone, reprit Sam d'un ton dépourvu d'émotion.

Astrid enfouit son visage dans ses mains, surprise par les larmes qu'elle sentait monter et par la violence de son chagrin. Elle réprima un sanglot, et quelques instants s'écoulèrent avant qu'elle puisse prendre la parole.

— Il ne sait pas ce qu'il fait, dit-elle d'une voix tremblante, à peine audible. Il ne raisonne pas comme nous, avec des « si je fais ceci, il se produira cela ».

— Je sais.

— Il ne faut pas lui en vouloir.

Astrid leva la tête, une lueur de défi dans le regard. Sam alla s'asseoir à côté d'elle sur le canapé, assez près pour que leurs genoux se touchent.

— Lui en vouloir ? Astrid, je n'aurais jamais pensé dire ça un jour, mais tu as raté le coche.

Astrid tourna vers Sam son visage inondé de larmes, l'air perdu.

— Astrid, ils étaient en train d'essuyer une catastrophe nucléaire. Et apparemment, ils ne contrôlaient plus rien. Ils avaient tous l'air terrifié.

Astrid eut un hoquet de surprise. Sam avait raison, elle n'avait pas tout compris.

— Il a stoppé une fusion du cœur qui aurait pu tuer tout le monde à Perdido Beach, souffla-t-elle.

— Oui. Je ne suis pas emballé par la manière dont il s'y est pris, mais il nous a peut-être sauvé la vie.

— Il a stoppé la fusion, répéta Astrid comme pour s'en convaincre.

Sam sourit puis fut gagné par le fou rire.

— Qu'est-ce qu'il y a de drôle ?

— J'ai compris quelque chose avant Astrid le Petit Génie. Je savoure ce moment. Je crois que je vais jubiler encore quelques minutes.

— Profite, ça n'arrivera peut-être plus.

— Oh, crois-moi, j'en suis conscient.

Sam prit la main d'Astrid et elle s'abandonna à ce contact rassurant.

— Il nous a sauvés. Mais il a aussi créé tout ça.

— Pas tout, non, protesta Astrid en secouant la tête. Les mutations ont préfiguré l'apparition de la Zone. Elles sont la condition *sine qua non* de sa création, l'élément sans lequel elle n'aurait jamais existé.

Sam refusa de se laisser impressionner.

— Tu peux me balancer autant de «préfigurer» et de «*sine qua non*» que tu veux, je jubile encore.

Astrid porta la main de Sam à ses lèvres et déposa un baiser sur ses doigts. Puis elle se leva, fit les cent pas dans la pièce et s'arrêta:

— Diana. Elle évalue le pouvoir en nombre de barres. Deux barres, trois barres. Caine a quatre barres. Toi aussi, je dirais. Quant à Pete... il doit en avoir six ou sept.

— Voire dix, renchérit Sam.

— D'après Diana, c'est comme le signal de réception d'un téléphone portable. Certains captent mieux que d'autres. Si elle dit vrai, nous ne générons pas le pouvoir, nous nous contentons de le canaliser.

— Et alors?

— Alors la question, c'est: d'où vient-il? Ou, pour filer la métaphore: où est l'antenne relais? Qu'est-ce qui génère le pouvoir?

Sam soupira.

— Une chose est sûre: ça ne sortira pas d'ici. On est trois à être au courant: Edilio, toi et moi. Personne d'autre ne doit savoir.

Astrid hocha la tête.

— On le détesterait. Ou on chercherait à l'utiliser.

— J'aimerais…

— Non, murmura Astrid avec un haussement d'épaules désemparé. Il ne peut pas défaire ce qu'il a fait.

— C'est dommage, dit Sam avec un sourire désabusé. Parce que l'heure tourne.

Lana tituba dans l'obscurité. Elle était retombée dans les griffes des coyotes. Le cauchemar recommençait. Et, pour ajouter à son malheur, voilà que Drake et Howard avaient décidé de lui tenir compagnie. Drake et son arme. Drake qui maudissait sa souffrance. Et Howard qui appelait «Orc! Orc» dans la nuit. Pire encore que tout cela, il y avait la peur de ce qui les attendait au fond de la mine. Lana avait désobéi à l'Ombre : quel destin le monstre furieux lui réservait-il ?

— Arrêtons-nous le temps que j'essaie de soigner le bras de Drake, d'accord ? suggéra-t-elle d'un ton suppliant.

— Non, grogna Chef.

— Laisse-moi au moins tenter le coup.

Le coyote l'ignora et reprit sa course. Ils le suivirent en trébuchant. Il n'y avait aucun moyen de s'échapper. À moins que…

Lana se rapprocha de Drake.

— Et s'il ne me laissait pas te soigner ?

— N'essaie pas de m'avoir, répondit-il avec brusquerie. De toute façon, je veux voir ce truc qui te fait si peur.

— Tu ne sais pas de quoi tu parles.

— Qu'est-ce que c'est? demanda Howard, nerveux.

Lana ne connaissait pas la réponse à cette question.

Chaque pas lui coûtait davantage que le précédent et, à plusieurs reprises, Chef lui donna un coup de dent pour la faire avancer plus vite. Quand ce n'était pas lui, c'était Drake qui la menaçait de son arme ou du regard. La lune et les étoiles disparaissaient quand ils arrivèrent aux abords de la mine abandonnée, juste avant la promesse de l'aube.

Lana n'avait jamais ressenti une telle peur. Il lui semblait que son sang s'était figé dans ses veines. Elle avait les membres engourdis et son cœur battait à tout rompre. Elle aurait aimé câliner Pat, trouver un peu de réconfort auprès de lui, mais elle ne se sentait capable d'aucun geste ni d'aucun son. Elle se tenait droite comme un i, les lèvres scellées.

«Je vais mourir ici», pensait-elle.

— Lumière, grogna Chef.

Il montra une torche électrique gisant entre deux rochers. Howard s'en saisit et l'alluma. Sa main tremblait tellement que le faisceau de la torche dansait sur les parois de la caverne en projetant des ombres fantomatiques.

À présent, même Drake paraissait sur ses gardes. Une peur inexplicable s'était emparée de lui. Les questions se bousculaient dans sa tête à mesure qu'ils s'enfonçaient dans la mine glaciale : « Et si quelqu'un m'expliquait ce qu'on va voir ? » « J'aimerais bien savoir ce qui nous attend. » « Peut-être qu'on devrait renégocier notre marché. » « On est encore loin ? »

Mais ils poursuivaient leur descente interminable vers le cœur de la mine. Lana avait le souffle court et devait presque s'obliger à respirer. Pat avait disparu : il les avait abandonnés à l'entrée du souterrain.

— Je… je ne peux pas continuer, bafouilla Howard, hors d'haleine. Il faut… Il faut…

— La ferme, rugit Drake, content de pouvoir passer ses nerfs sur quelqu'un.

Tout à coup, Howard fit volte-face et courut vers la sortie, emportant la torche avec lui. Chef aboya un ordre et, aussitôt, deux coyotes se lancèrent à sa poursuite. Une fois dans le noir, Lana distingua la lueur verte qui émanait des parois de la caverne. L'Ombre était derrière elle, devant elle.

— Laissez-le partir, dit Drake. Il ne compte pas. Moi si, ajouta-t-il d'une petite voix.

Lana ferma les yeux mais, apparemment, la lueur verte pouvait transpercer ses paupières, sa chair, les os de son crâne. Incapable d'avancer, elle tomba à genoux.

La chose était tout près, juste devant, après le dernier tournant, une énorme masse mouvante de roche phosphorescente.

Une voix lui martelait l'intérieur de la tête. L'Ombre enfonçait ses doigts de glace invisibles dans son cerveau, et Lana comprit que c'était la voix du monstre qui parlait par sa bouche. Ou plutôt, une parodie de sa propre voix, avec des intonations folles, torturées.

— La guérisseuse ! s'écria-t-elle.

Les yeux toujours fermés, elle sentit Drake s'agenouiller à côté d'elle.

— Qu'est-ce que tu me veux ? gémit-elle.

Elle n'était plus qu'une marionnette entre les mains de l'Ombre.

— Le coyote... balbutia Drake.

— Chef, mon fidèle serviteur, dit l'Ombre à travers Lana. Bien qu'il soit docile, il ne peut se mesurer à un humain.

«Ouvre les yeux, s'enjoignit Lana. Sois courageuse. Bats-toi.» Mais l'Ombre avait forcé son crâne et s'immisçait dans ses secrets, se riait de ses efforts pathétiques.

Enfin, elle ouvrit les yeux. Sa nature rebelle lui en donna la force. Cependant, elle les garda fixés sur le sol, trop effrayée pour regarder la chose en face. La roche à ses pieds brillait faiblement.

Chef se tapit sur le sol à côté de Lana et commença à ramper. Soudain, un choc électrique d'une force terrifiante traversa le corps de la jeune fille : son dos se voûta et, renversant la tête en arrière, elle écarta les bras. Une douleur aiguë lui vrilla les yeux et la tête. Elle voulut crier, mais aucun son ne passa ses lèvres. Puis la douleur se calma et elle tomba sur le dos en suffoquant tel un poisson hors de l'eau.

— Rebelle, croassa-t-elle d'une voix méconnaissable.

— Elle est censée guérir mon bras, intervint Drake. Si vous la tuez, elle ne pourra pas m'aider.

— Qui es-tu pour donner des ordres, insolent ? dit l'Ombre par la bouche de Lana.

— Je… je veux récupérer mon bras, cria Drake, à bout de nerfs.

Lana s'aperçut qu'elle pouvait de nouveau respirer. Elle prit une grande bouffée d'air et tenta de se relever pour fuir. Drake poussa un cri de martyr et Lana le vit se convulser, le corps agité de soubresauts comme un pantin désarticulé. Puis, sans crier gare, l'Ombre le relâcha.

— Ah, fit la chose, et les lèvres de Lana esquissèrent un sourire mauvais. Je t'ai trouvé un professeur bien plus qualifié, Chef.

Le coyote s'était levé, la tête et la queue basses en signe de soumission. Il posa les yeux sur Drake. Plié en deux, ce dernier se tenait le bras en grimaçant de douleur.

— Cet humain-là t'apprendra à tuer les autres humains, dit l'Ombre-Lana.

Au prix d'un effort désespéré, Drake répondit :

— Oui, mais… mon bras.

— Donne-le-moi, ordonna Lana et, mue par une volonté étrangère, elle rampa jusqu'à Drake.

Drake se releva, chancelant mais déterminé. Il tendit vers Lana son moignon calciné.

— Je vais te donner un bras tel qu'aucun humain n'en a jamais eu, dit l'Ombre. Tu n'as pas de pouvoirs, humain, mais la fille servira d'intermédiaire.

Avec une rapidité surprenante, Drake pivota sur ses talons et saisit Lana par les cheveux.

— Prends mon bras, siffla-t-il.

Lana posa une main tremblante sur la chair décomposée, tâta l'os et eut un haut-le-cœur. La lumière verte s'intensifia, inonda son corps entier : elle était froide comme de la glace. Lana sentit la chair de Drake se mouvoir sous ses doigts et se reconstituer. Sauf que ce n'était pas de la chair humaine.

— Non, chuchota-t-elle.

— Si, souffla Drake. Si.

« AND SOMETIMES *when you lie to me*
Sometimes I'll lie to you
And there isn't a thing you could possibly do
All these half-destroyed lives
Aren't bad as they seem
But now I see blood and I hear people scream
Then I wake up
And it's just another bad dream[1] »…

Sam fredonnait, son iPod sur les oreilles, avec l'impression que le morceau maintes fois écouté, qui

---

1. «Parfois, quand tu me mens/Je m'y mets, moi aussi/C'est comme ça, on n'y peut rien/Toutes ces vies à moitié gâchées/Ne sont pas aussi vaines qu'on le croit/Soudain je vois le sang couler et j'entends des hurlements/C'est alors que je me réveille/Ce n'est qu'un autre mauvais rêve… » (Agent Orange.)

jusqu'alors se réduisait à une énième chanson aux paroles genti-ment dérangeantes, n'était pas loin de décrire sa propre réalité.

Il expédiait un déjeuner en solitaire à la caserne. Quinn était parti, Dieu sait où. À vrai dire, il ignorait tout de ses allées et venues, désormais. Son ami – ce mot était-il encore d'actualité? – n'était qu'une ombre qui entrait et sortait, en se laissant parfois aller à une plaisanterie comme au bon vieux temps, le plus souvent prostré devant des films qu'il avait déjà vus et revus.

Dans tous les cas, il n'était pas venu déjeuner à la caserne, bien que Sam ait préparé de la soupe pour tout un régiment.

Edilio entra, le pas lourd. Il semblait découragé. Sam s'aperçut qu'il avait chanté tout haut et ôta ses écouteurs, embarrassé.

— Des nouvelles, Edilio?

— Si elle est toujours à Perdido Beach, elle s'est bien cachée, Sam. On a cherché partout, interrogé la terre entière: Lana a disparu. Son chien aussi. Elle est allée se reposer chez Elwood et depuis, plus rien.

Sam posa son iPod sur la table.

— J'ai fait de la soupe. Tu en veux?

Edilio se laissa tomber sur une chaise.

— C'est quoi, ta chanson?

— Hein? Oh, elle s'intitule *A Cry For Help In A World Gone Mad*[1].

Tous deux partirent d'un rire amer.

— La prochaine fois, je me passerai cette vieille chanson... Comment elle s'appelle, déjà? dit Sam en fouillant dans sa mémoire. Ah oui, *It's the End of the World as We Know It*[2] de REM.

— Bien vu, commenta Edilio. Quand je ne recherche pas une fille qui guérit les gens comme par magie, je prends le temps d'apprendre à me servir d'une mitraillette.

— Ça avance, au fait?

— J'en ai dégoté quatre qui se débrouillent plus ou moins, y compris Quinn. Mais on ne s'est pas transformés en soldats pour autant. Il y en a un, Tom, qui a failli me descendre.

— Je ne sais pas ce qu'attend Caine. Ça fait deux jours... Qu'est-ce qui le retient?

— Y a pas le feu! Plus on aura de temps, mieux on sera préparés.

— Demain soir, je ne serai plus là.

— N'en sois pas si sûr, objecta Edilio, mal à l'aise.

— Si seulement je savais ce qu'ils fabriquent au pensionnat!

---

1. «Un cri de détresse dans un monde devenu fou.»
2. «C'est la fin du monde tel qu'on se l'imagine.»

— Tu envisages d'aller les espionner?

Sam repoussa son bol de soupe.

— Je ne sais plus. Je suis à deux doigts de penser qu'on devrait prendre les devants et y aller.

— On a des armes et des gens qui savent conduire. Plus, toi inclus, cinq mutants avec des pouvoirs utiles. Je ne compte pas la fille qui ne peut disparaître que lorsqu'elle est embarrassée.

Sam sourit malgré lui.

— Tu plaisantes?

— Non! Elle est très timide. Il suffit de la complimenter sur ses cheveux pour qu'elle devienne invisible. Tu peux la toucher mais pas la voir.

— Ce n'est pas ça qui va arrêter Caine.

— Taylor s'entraîne à se téléporter. Maintenant, elle est capable de se déplacer de quelques centaines de mètres. (Edilio haussa les épaules.) Dans le genre utile, on a aussi un gamin de neuf ans qui, comme toi, sait faire jaillir de la lumière de ses mains, sauf qu'il est moins puissant.

— Neuf ans? On ne va pas lui demander de s'en servir contre quelqu'un!

— Et qu'est-ce que tu dis d'une fille de onze ans qui peut se déplacer si vite qu'on la voit à peine bouger?

— Qui ça, Brianna?

— Elle se fait appeler la Brise, maintenant.

— La Brise? Elle se prend pour une super héroïne ou quoi? commenta Sam. (Il secoua la tête avec tristesse.) Génial, il ne nous manquait plus que ça.

C'était une des phrases préférées de sa mère : « Il ne nous manquait plus que ça. » Sam eut un bref pincement au cœur.

— Et qu'est-ce qu'on peut faire d'elle ?

— Lui donner un flingue, peut-être, répondit Edilio après une hésitation.

— On va donner une arme à une fille de onze ans et lui demander de tirer sur des gens ? C'est horrible.

Edilio ne sut que répondre.

— Désolé, Edilio, reprit Sam. Tu n'es pas responsable de tout ça. Seulement… C'est une histoire de dingues. C'est déjà assez tragique pour des enfants de notre âge, alors pour des gosses de dix ans !

Un bruit de pas résonna dans l'escalier. Sam et Edilio se levèrent d'un même mouvement, s'attendant au pire.

Dekka, l'une des réfugiées du pensionnat, fit irruption dans la pièce et manqua s'étaler sur le plancher ciré. Elle avait refusé que Lana soigne la large blessure qui lui barrait le front.

— Ça, c'est un coup de pied de Drake, avait-elle expliqué. Soigne mes mains et laisse mon front tel quel. Je veux me souvenir de ce qui s'est passé.

Aux yeux de Sam, ce n'était pas la particularité la plus intéressante de Dekka, mais plutôt sa capacité à suspendre la force de gravité dans un espace restreint.

— Qu'y a-t-il, Dekka?

— Orc vient d'arriver en ville, et il est dans un sale état.

— Tout seul? Sans Howard?

Dekka haussa les épaules.

— Je n'ai vu personne d'autre. Il vient de débarquer, et ton copain Quinn m'a demandé de te prévenir. Il m'a dit qu'il allait suivre Orc jusque chez lui.

La maison qu'il partageait avec Howard n'était pas très loin de la caserne.

— On devrait peut-être s'armer, suggéra Edilio sans enthousiasme.

— Je crois que je peux gérer la situation, décréta Sam.

Cette certitude l'étonna. Jamais auparavant il ne se serait cru capable de maîtriser cette brute.

Quinn l'attendait devant chez Orc. Sam le remercia avec solennité.

— J'apprécie que tu m'aies envoyé Dekka et que tu gardes un œil sur ce qui se passe.

— Je fais ce que je peux, répondit Quinn, avec plus d'amertume qu'il ne l'avait sans doute souhaité.

Edilio et Sam patientèrent pendant que Quinn allait frapper à la porte. La voix tristement familière d'Orc leur parvint:

— Entrez, bande de débiles.

Ils trouvèrent Orc en train de décapsuler une canette de bière.

— Laissez-moi d'abord boire un coup, marmonna-t-il. Ensuite vous pourrez me régler mon compte.

Orc revenait de loin : il était égratigné, couvert de bleus et de bosses, et il avait un œil au beurre noir. Son pantalon était sale et déchiré, de même que sa chemise, dont il ne restait que des lambeaux qu'il avait grossièrement noués entre eux. S'il avait toujours une allure imposante, il paraissait moins menaçant que par le passé.

— Où est Howard ? demanda Sam.

— Il est avec eux, répondit Orc.

— Avec qui ?

— Drake. Et cette fille… Comment elle s'appelle, déjà ? Lana. Et un chien qui cause.

Orc eut un sourire désabusé avant d'ajouter :

— C'est ça, je suis fou. Un chien parlant. C'est eux qui m'ont fait ça. Ils m'ont fait un trou dans le bide. Ils m'ont bouffé la cuisse.

— De quoi tu parles, Orc ?

Orc prit une grosse gorgée de bière et soupira.

— Ça fait du bien.

— Ce que tu dis n'a aucun sens, Orc ! s'emporta Sam.

Orc rota bruyamment, se leva avec lenteur, reposa sa canette et, d'un geste brusque, il écarta les haillons de sa chemise.

Edilio poussa une exclamation de surprise. Quinn détourna la tête. Sam regarda Orc, bouche bée.

Le torse et le ventre du garçon étaient couverts par endroits d'une espèce de gravier verdâtre, de la couleur de l'eau boueuse. Les petits cailloux se soulevaient chaque fois qu'il respirait.

— Ça s'étend, dit-il, comme fasciné. C'est chaud sous les doigts.

Il posa une main sur son estomac.

— Orc… Comment c'est arrivé ? demanda Sam.

— Je te l'ai dit. Les chiens m'ont bouffé la jambe, les intestins et une autre partie du corps que je ne citerai pas. Puis ce machin s'est incrusté dedans.

Il haussa les épaules, et Sam perçut un léger bruit semblable à un crissement de pas sur du gravier mouillé.

— Ça fait pas mal, reprit Orc. Enfin, plus maintenant. Ça gratte un peu, c'est tout.

— Mon Dieu, murmura Edilio.

— Bref, je sais que vous me détestez tous. Alors tuez-moi ou sortez. Je meurs de faim et de soif.

Les trois garçons le laissèrent seul. Une fois dehors, Quinn s'éloigna à toute vitesse, s'arrêta brusquement et vomit dans un buisson. Edilio et Sam le rejoignirent. Sam posa la main sur son épaule.

— Désolé, dit Quinn. Je dois être moins solide que vous.

— Le pire est à venir, déclara Sam d'un ton lugubre. En fin de compte, c'est pas si terrible de disparaître, hein?

— Drake s'est volatilisé depuis deux jours, dit Diana. Il ne reviendra peut-être pas. Tu as pensé à la suite si on doit se passer de lui?

— Je suis occupé, aboya Caine.

Ils se faisaient face sur la pelouse devant le pensionnat. Caine supervisait les travaux de réparation du bâtiment. Il téléportait des briques, à raison de quelques-unes à la fois, tandis que Chaz et Maillet tentaient de les fixer avec du ciment. Le mur s'était déjà écroulé deux fois. C'était une chose de combler un trou avec du ciment; c'en était une autre d'y faire tenir des briques.

— Il faut qu'on passe un accord avec… avec ceux de la ville, dit Diana d'un ton hésitant.

— «Ceux de la ville?» C'est pour éviter de dire «Sam» ou «ton frère»?

— OK, tu m'as vue venir. Il faut qu'on passe un accord avec ton frère Sam. Il leur reste de quoi manger; nous, on commence à manquer de tout.

Caine feignit de s'absorber dans sa tâche tout en faisant léviter une nouvelle pile de briques jusqu'au premier étage du bâtiment principal, où se trouvaient Chaz et Maillet; tous deux s'écartèrent pour laisser de la place au chargement.

— Je m'améliore à ce truc-là, dit-il. Je gagne en précision.

— On est contents pour toi.

Les épaules de Caine s'affaissèrent.

— Tu pourrais manifester ton soutien, de temps en temps. Tu sais ce que je ressens pour toi, pourtant tu n'arrêtes pas de me casser.

— Qu'est-ce que tu veux que je fasse ? Te demander en mariage ?

Caine rougit et Diana éclata d'un rire tonitruant, ce qui ne lui ressemblait guère.

— Tu te rends compte qu'on a quatorze ans ? Je sais bien que tu te prends pour le Napoléon de la Zone, mais on est encore des gosses.

— L'âge, c'est relatif. Je suis l'un des deux plus anciens de la Zone. En plus d'être le plus fort.

Diana se mordit la langue pour ne pas répliquer, estimant qu'elle avait assez malmené Caine pour la journée. Elle avait d'autres sujets d'inquiétude que l'amour immature qu'il lui portait. Car ce n'était rien d'autre : Caine était incapable d'éprouver des sentiments authentiques et profonds, de ceux qui s'épanouissaient avec le temps…

— … Moi non plus, c'est vrai, marmonna-t-elle.

— Quoi ?

— Rien.

Elle observa Caine pendant qu'il travaillait. C'était la personne la plus charismatique qu'il lui ait été donné de rencontrer. Il aurait pu être une rock star. À l'évidence, il se croyait amoureux d'elle : c'était la raison pour laquelle il tolérait ses impertinences.

Elle l'aimait bien, sans doute. Dès le début, ils s'étaient sentis attirés l'un vers l'autre. Ils étaient devenus amis... Non, le terme était mal choisi. Complices. Oui, ce mot convenait mieux. Ils étaient devenus complices quand Caine avait découvert l'existence de ses pouvoirs.

Elle avait été la première à qui il en avait fait la démonstration : il avait téléporté un livre à travers la pièce. C'était elle qui l'avait encouragé à développer ses dons, à s'entraîner en secret. Chaque fois qu'il franchissait une nouvelle étape, il allait lui montrer. Et la moindre gentillesse qu'elle lui manifestait – un mot pour le féliciter, un hochement de tête admiratif – suffisait à le gonfler d'orgueil ; dans ces moments-là, il irradiait de l'intérieur.

Comme il était facile de le manipuler ! Inutile de faire preuve d'une affection sincère, quelques insinuations suffisaient.

Diana chargeait Caine d'utiliser son pouvoir pour humilier une snobinarde qu'elle n'aimait pas ou se venger d'un professeur qui s'en était pris à elle. Quand elle avait raconté à Caine que le prof de sciences l'avait séquestrée dans un labo désert pour la peloter, il l'avait envoyé à l'hôpital après une chute malencontreuse dans l'escalier.

C'était une époque bénie pour Diana. Elle s'était trouvé un protecteur qui accomplissait ses quatre volontés sans rien exiger en retour. Caine, malgré son ego surdimensionné, sa séduction et son charme, était terriblement maladroit avec les filles. Il n'avait même pas essayé de l'embrasser !

Un jour, il avait attiré l'attention de Drake Merwin, qui était déjà considéré comme la brute la plus dangereuse d'un établissement qui en comptait beaucoup. Dès lors, Caine les avait montés l'un contre l'autre en répondant tour à tour aux requêtes de Diana et à celles de Drake. À mesure que ses pouvoirs augmentaient, ses relations avec les deux rivaux avaient évolué.

Puis l'infirmière de l'école, la mère de Sam – et celle de Caine, bien qu'aucun d'eux ne l'ait su à l'époque – commença à remarquer des détails très étranges chez ce fils qu'elle avait abandonné à la naissance.

Soudain, le mur s'effondra à nouveau et les briques s'écrasèrent sur la pelouse en contrebas, tandis que Chaz et Maillet lâchaient une avalanche de jurons.

Caine ne parut pas s'en apercevoir :

— À ton avis, qu'est-ce qui s'est passé, Diana ? demanda-t-il, comme s'il venait de lire dans ses pensées.

— À tous les coups, ils ne les ont pas bien fixées, répondit-elle, tout en sachant fort bien que la question de Caine ne portait pas sur ce sujet.

— Non, pas ça. L'infirmière Temple. (Il répéta le nom comme pour s'en imprégner :) Connie Temple.

Diana poussa un soupir. Elle n'avait aucune envie de poursuivre cette conversation.

— Je n'ai pas vraiment connu cette femme.

— Elle a eu deux fils. Un qu'elle a gardé. L'autre qu'elle a fait adopter. J'étais encore un bébé.

— Je ne suis pas psy, protesta Diana.

— J'ai toujours soupçonné que ce n'était pas ma vraie famille. Ils ne m'ont jamais dit que j'avais été adopté, mais ma mère… Enfin, la femme que je prenais pour ma mère… Je ne sais plus comment l'appeler, maintenant. Bref, elle ne m'a jamais parlé de ma naissance. Tu sais, les mères te racontent toujours leur accouchement, ce genre de trucs. Pas elle.

— Dommage que Dr Phil[1] ne soit pas dans les parages. Tu aurais pu te confier à lui.

— Je pense qu'elle devait être assez insensible, l'infirmière Temple. Ma soi-disant mère.

Il avait relevé la tête et dévisageait Diana en fronçant les sourcils, l'air sceptique.

— Un peu comme toi, Diana.

---

1. Psychologue et animateur de télévision très populaire aux États-Unis.

— Ne joue pas les psys, Caine. Elle n'était peut-être qu'une adolescente paumée, à l'époque. Elle craignait peut-être de ne pas assumer deux enfants à la fois. Ou alors elle a essayé de vous faire adopter tous les deux, et personne n'a voulu de Sam.

Caine parut décontenancé.

— Tu joues les lèche-bottes ou quoi?

— J'essaie seulement de te faire penser à autre chose. On s'en fiche, de tes états d'âme. Il reste de quoi tenir deux ou trois semaines. Ensuite, on est bons pour crever de faim.

— Tu vois? Je parie qu'elle était comme toi, Diana: insensible et égoïste.

Diana était sur le point de répliquer quand elle entendit un bruit de bousculade derrière elle. Se retournant, elle vit des dizaines de bêtes à la fourrure jaunâtre et pelée accourir dans leur direction. Les coyotes semblaient déferler de toutes parts, tels des envahisseurs disciplinés et résolus qui menaçaient de les anéantir.

Caine leva les mains, paumes tendues, prêt à riposter.

— Non! cria quelqu'un. Ne leur fais pas de mal, ils sont de notre côté.

Howard s'avança vers eux en agitant les bras. Derrière lui venait Lana, la guérisseuse, qui semblait en état de choc. Et un peu en retrait, Drake.

Diana jura intérieurement: il était toujours en vie.

C'est alors qu'elle remarqua son bras. Le moignon calciné qu'elle avait elle-même scié sous les menaces, les hurlements et les sanglots de Drake avait changé de forme. Il était désormais prolongé par une espèce de long tentacule, d'un rouge sombre tirant sur le brun, enroulé autour de son torse.

«Non. Impossible.»

— Vous avez vu Orc? Il est venu ici? demanda Howard.

Ni Caine ni Diana ne lui répondirent. Ils avaient les yeux fixés sur Drake, qui les rejoignit d'un pas nonchalant. Il avait retrouvé son arrogance coutumière: l'épouvantail vaincu qui avait pleuré en voyant les restes calcinés de son bras n'était plus qu'un souvenir.

— Drake, fit Caine. On te croyait mort.

— Je suis de retour, répondit Drake. Et en meilleure forme que jamais.

Le tentacule se détacha de sa taille tel un python relâchant sa proie.

— Ça te plaît, Diana?

Le serpent rougeâtre s'enroula et se contorsionna au-dessus de sa tête puis, rapide comme l'éclair, claqua comme un fouet. Diana poussa un cri de douleur. Frappée de stupeur, elle contempla son corsage déchiré et le mince filet de sang qui s'écoulait le long de son épaule.

— Désolé, lança Drake avec négligence. J'ai encore besoin d'entraînement.

— Drake, bégaya Caine, et malgré le sang qui perlait sur l'épaule de Diana, son visage s'éclaira d'un sourire. Sois le bienvenu.

— J'ai amené des renforts.

Drake tendit la main gauche, que Caine serra d'un geste maladroit.

— Alors, quand est-ce qu'on s'occupe de Sam Temple ?

— Ils seront là demain soir, dit Sam. Caine a besoin de remporter sa victoire sur moi. C'est une question d'ego.

Ils avaient organisé un ultime conseil de guerre dans l'église. Cette même église où Caine avait tranquillement pris le pouvoir. La croix avait été reclouée sur le mur. Ce n'était pas tout à fait son emplacement d'origine, mais au moins elle ne traînait plus par terre.

Parmi les enfants de Perdido Beach figuraient Sam, Astrid, le petit Pete, Edilio, Dahra, Elwood et Mary. Albert avait été invité à se présenter, mais il était tout à son projet de Thanksgiving et à ses expérimentations autour du tortilla-burger. Trois filles représentaient les réfugiés du pensionnat Coates : Dekka, la petite Brianna, alias la Brise, et Taylor.

— Caine est le genre de type qui a besoin de vaincre avant de disparaître. Il ne nous pardonnera jamais d'avoir libéré les enfants du pensionnat et pris les choses en main à Perdido Beach. Alors il faut qu'on soit prêts à l'accueillir. Il faudra aussi se préparer à un autre événement : demain, c'est mon anniversaire.

Avec un sourire désabusé, Sam ajouta :

— On ne peut pas dire que cette perspective me remplisse de joie. Mais bon, il va falloir nommer quelqu'un pour me remplacer si... quand... j'aurai disparu.

Plusieurs enfants manifestèrent leur sympathie ou leurs encouragements : peut-être que Sam n'allait pas se volatiliser ou encore que ce serait un mal pour un bien, un moyen de s'échapper de la Zone... Sam les fit taire d'un geste.

— L'avantage, c'est que Caine va disparaître en même temps que moi. L'inconvénient, c'est qu'il restera Drake, Diana et quelques autres. Quant à Orc... Eh bien, on ne sait pas trop ce qui lui arrive, mais Howard n'est plus dans les parages. Et... on ignore aussi ce qu'il est advenu de Lana.

La perte de Lana était un sérieux revers. Tous les réfugiés du pensionnat l'idolâtraient depuis qu'elle avait soigné leurs mains. Et c'était rassurant de pouvoir compter sur ses pouvoirs de guérisseuse.

— Moi, je vote pour Edilio si... tu sais, lança Astrid. Il nous faut aussi un numéro deux, un vice-président ou je ne sais quoi.

Edilio, qui venait de comprendre que c'était de lui qu'il s'agissait, dévisagea Astrid avec stupéfaction.

— Pas question. C'est toi la plus qualifiée, ici.

— Je dois m'occuper de mon frère. Mary doit prendre soin des tout-petits. Dahra est responsable des malades et des blessés. Elwood la seconde à l'hôpital, et il ne s'est jamais frotté à Caine ni à sa bande. Edilio, lui, s'est battu contre Orc et Howard, et il s'est toujours montré courageux, ingénieux et responsable.

Avisant la gêne d'Edilio, Astrid lui fit un clin d'œil.

— Bien, trancha Sam, à moins que quelqu'un y voie une objection, si je suis blessé ou que je disparais, Edilio prendra les commandes.

— Je respecte Edilio, protesta Dekka, mais il n'a pas de pouvoirs.

— Il a le pouvoir d'inspirer la confiance et de prendre les bonnes décisions quand il le faut, déclara Astrid.

Il n'y eut pas d'autre objection.

— Bon, reprit Sam. Nous avons nos équipes en place. Edilio leur donnera le signal. Taylor, je sais que ça ne t'enchante pas beaucoup et que c'est risqué. Emmène un ami avec toi, vous veillerez à tour de rôle. Assurez-vous seulement qu'il y en ait toujours un de vous deux qui soit éveillé. Et continue à t'entraîner. Brise, ton rôle est essentiel : tu seras notre moyen de communiquer. Dekka ? Dès que Taylor aura donné l'alerte, toi et moi, on y va.

— Cool, fit Dekka.

— On va gagner cette bataille, conclut Sam.

Tous se levèrent pour sortir, mais Astrid resta en arrière. Sam retint Edilio par l'épaule.

— Si tu peux trouver une occupation utile pour Quinn...

— Je m'en charge. Ce n'est pas un mauvais tireur. Je pourrais le poster sur le toit de la garderie avec une des mitraillettes.

Sam hocha la tête, donna une tape dans le dos d'Edilio et le regarda s'éloigner.

— Quinn avec une mitraillette, songea-t-il tout haut. Je vais demander à mon ami de tirer sur des gens...

— Tu vas lui demander de se défendre et de protéger les petits, le corrigea Astrid.

— Oui, ça change tout, ironisa Sam.

— Et moi, qu'est-ce que je dois faire ? Tu ne m'as pas donné de mission.

— Je veux que tu trouves un endroit sûr et que tu t'y caches jusqu'à ce que tout soit fini.

— Mais...

— Mais demain après-midi, j'aurai besoin de toi là-haut.

Sam montra le plafond du doigt.

— Là-haut ? Tu veux dire au paradis ? demanda Astrid en souriant.

— Suis-moi.

Il conduisit Astrid et son petit frère tout en haut du clocher. Les lumières de Perdido Beach brillant au-dessous d'eux semblaient d'une banalité inquiétante. De nombreuses habitations étaient encore éclairées. Quelques réverbères étaient allumés. L'enseigne jaune du McDonald's se détachait dans le noir. Une légère brise leur apportait des relents de friture mêlés aux odeurs d'aiguilles de pin, d'iode et d'algues.

Deux sacs de couchage avaient été étendus dans l'espace confiné. Une paire de jumelles et un talkie-walkie étaient posés près d'un sac en papier.

— Dans ce sac, je t'ai mis des réserves de nourriture et des piles pour le jeu de ton frère. Je ne suis pas sûr que le talkie-walkie fonctionne très bien ; c'est moi qui ai l'autre. D'ici, tu pourras presque tout voir.

Pete s'installa immédiatement dans un coin poussiéreux. Astrid et Sam se tenaient tout près l'un de l'autre, à l'étroit sous la cloche.

— Tu m'as laissé une arme ?

— Non.

— Tu distribues des corvées terribles à tout le monde, et moi, tu me demandes de rester les bras croisés ?

— Il y a une différence.

— Ah bon ? Laquelle ?

— Eh bien… J'ai besoin que tu fasses marcher ta cervelle. Il me faut un observateur.

— C'est nul, comme argument.

Sam hocha la tête.

— Bon. Tu n'as pas reçu d'entraînement au tir. Tu finirais sans doute par te tirer une balle dans le pied.

— Ah, fit Astrid sans conviction.

— Écoute, je sais que c'est dingue, mais tu devrais peut-être envisager, comme l'a suggéré Quinn, de te débrouiller pour que le petit Pete te téléporte à Hawaii. Si les choses tournaient mal…

— Je n'ai pas envie qu'il me téléporte loin d'ici, protesta Astrid. D'abord, je ne crois pas que ça marcherait. Ensuite…

— Oui?

— Ensuite, je ne veux pas te laisser.

Sam effleura la joue d'Astrid, qui ferma les yeux et s'appuya contre lui.

— Astrid, c'est moi qui vais te laisser, tu le sais bien.

— Non, ce n'est pas certain. J'ai prié pour toi. J'ai demandé à Marie d'intercéder en ta faveur.

— Qui ça? Mary Terrafino?

— Mais non, idiot, répliqua Astrid en riant. Quel païen tu fais! La Vierge Marie.

— Oh, elle. J'accepterais volontiers son aide.

— Et moi j'accepterais volontiers une arme.

Sam secoua la tête.

— J'ai blessé mon beau-père. J'ai failli tuer Drake. J'ignore ce qui va arriver, mais je sais que lorsque je blesse quelqu'un, j'en garde des cicatrices, en quelque sorte. Comme...

Sam chercha ses mots et Astrid noua ses bras autour de son cou.

— Tu te souviens, quand Drake m'a tiré dessus? Je vais mieux grâce à Lana. Je n'en garde aucune séquelle. Mais le fait d'avoir brûlé Drake... C'est en moi, dans ma tête, et Lana ne peut pas guérir ça.

— Si on doit se battre, d'autres vivront le même dilemme.

— Oui, mais toi, ce n'est pas pareil.

— Pourquoi?

— Parce que toi, je t'aime.

Astrid resta longtemps silencieuse. Sam crut qu'il l'avait contrariée. Pourtant, elle ne desserrait pas son étreinte et gardait le visage enfoui contre son cou. Il sentit ses larmes rouler sur sa peau.

— Moi aussi, je t'aime, dit-elle enfin.

Sam poussa un soupir de soulagement.

— Bon, voilà une bonne chose de réglée.

Mais Astrid ne se joignit pas à son rire nerveux.

— J'ai quelque chose à t'avouer, Sam.

— Un secret?

— Comme je n'en étais pas sûre, je n'ai rien dit. C'est difficile à différencier de l'activité cérébrale ordinaire. D'habitude, l'intuition, c'est juste le nom qu'on donne à une perception des choses, normale bien qu'aiguisée, qui se joue un niveau en dessous de la conscience.

— Mmm mmm, fit Sam, un peu perdu.

— Pendant longtemps, j'ai pensé que ce n'était rien d'autre que de l'intuition.

— Le pouvoir. Je me suis demandé si tu étais au courant. Diana prétendait que tu avais deux barres. Je n'avais pas très envie de te confronter à cette réalité-là.

— Je m'en doutais. C'est bizarre : parfois, je touche la main de quelqu'un et je vois comme une traînée de flammes zébrer le ciel.

Sam éloigna Astrid de lui comme pour mieux la regarder.

— Une traînée de flammes ?

— Étrange, non ? dit-elle avec un haussement d'épaules. Elle brûle avec plus ou moins d'intensité, et elle est plus ou moins longue selon les cas. Je ne sais pas ce que ces visions signifient, je n'ai aucun contrôle sur elles, et je n'ai pas vraiment essayé de me pencher sur la question pour le moment. Mais j'ai l'impression qu'elles ont une signification. C'est comme si j'entrevoyais l'âme d'une personne ou son destin, peut-être, mais sous une forme extrêmement métaphorique.

— Métaphorique ? répéta Sam. Alors tu détiens le pouvoir de la métaphore ?

Cette réflexion lui valut un sourire.

— Très drôle, commenta Astrid en faisant mine de le repousser. J'ai su dès le début que, d'une manière ou d'une autre, tu allais jouer un rôle essentiel. Tu es une étoile filante qui traverse le ciel, avec dans son sillage une traînée d'étincelles.

— Est-ce que je vais finir ma course dans un mur de briques demain?

— Ça, je n'en sais rien, admit Astrid. Ce que je sais, en revanche, c'est que tu es l'étoile la plus brillante du firmament.

Jack s'éveilla en sentant la caresse d'une main sur sa bouche. Il faisait sombre dehors, mais la pièce baignait dans la lumière bleutée de son écran d'ordinateur. Il distingua le profil de Diana, ses cheveux noirs. Ses yeux étincelaient dans l'obscurité.

— Chut, fit-elle en posant un doigt sur ses lèvres.

Le cœur de Jack bondit dans sa poitrine. Pas de doute, quelque chose ne tournait pas rond.

— Lève-toi, Jack.

— Qu'est-ce qu'il y a?

— Tu te souviens de notre marché et de ta promesse?

Jack répugnait à répondre. Il savait d'avance que, quelle que soit la requête de Diana, elle le mettrait en danger. Et il était plus terrifié que jamais. Drake était revenu sous la forme d'un monstre.

Diana effleura sa joue du bout des doigts. Il sentit un frisson lui parcourir le dos. Puis, sans crier gare, elle lui administra une petite gifle.

— Je t'ai demandé si tu te souvenais de ta promesse.

Jack se contenta de hocher la tête. Il était si troublé qu'il avait perdu l'usage de la parole, et il avait peur de ce que cette fille allait exiger de lui.

— Habille-toi.

— Quelle heure il est?

— L'heure de prendre la bonne décision.

Les douces lèvres de Diana esquissèrent un sourire désabusé.

— Même si c'est pour de mauvaises raisons.

Jack s'extirpa du lit, soulagé d'avoir pu trouver un pantalon de pyjama. Après avoir obtenu de Diana qu'elle se retourne, il s'habilla en hâte.

— Où est-ce qu'on va?

— Je t'offre une balade en voiture.

— Je n'ai conduit qu'une fois et j'ai failli finir dans un fossé.

— Tu es un garçon intelligent, Jack. Tu vas te débrouiller.

Ils sortirent à tâtons dans le couloir et descendirent l'escalier sur la pointe des pieds. Diana entrouvrit la porte du bâtiment et jeta un coup d'œil dans la cour. Jack se demanda si elle avait inventé un prétexte au cas où on les surprendrait.

Dans la nuit brumeuse, le crissement de ses baskets sur le gravier de l'allée lui parut assourdissant. Il avait l'impression que chacun de ses pas résonnait comme un tambour.

Diana l'escorta jusqu'au 4 x 4 garé à la va-vite sur la pelouse.

— Les clés sont sur le contact. Monte.

— Où est-ce qu'on va ?

— Tu vas à Perdido Beach. Tout seul comme un grand.

Jack s'affola.

— Moi ? Tout seul ? Non, non, non ! Si je pars, Caine va croire que c'était mon idée. Il va lancer Drake à mes trousses.

— Jack, si tu n'obéis pas, je hurle. Je leur dirai que tu essayais de t'échapper.

Jack sentit ses dernières résistances s'effondrer. Le mensonge de Diana était trop plausible. Elle était bien capable de mettre sa menace à exécution. Et alors… Drake. Il frissonna.

— Pourquoi ? demanda-t-il d'un ton suppliant.

— Va voir Sam Temple. Dis-lui que tu t'es échappé.

Jack hocha la tête.

— Mais avant, trouve Astrid, le Petit Génie. Elle est prête à tout pour sauver Sam.

— OK, OK, je ferais mieux d'y aller, dit Jack en rassemblant son courage.

Diana le rattrapa par le bras.

— Parle-leur d'Andrew.

Jack se figea, la main sur la portière.

— C'est vraiment ce que tu veux?

— Si Sam disparaît, Drake s'en prendra à moi, et Caine ne pourra pas l'en empêcher. Drake est plus fort qu'avant. J'ai besoin que Sam reste en vie. J'ai besoin de quelqu'un qui excite la haine de Drake. Alors préviens Sam au sujet de la tentation. Dis-lui qu'il sera tenté de se rendre juste avant le grand saut et que s'il dit non, peut-être...

Diana poussa un soupir à fendre l'âme.

— Maintenant, va.

Elle tourna les talons et se dirigea vers l'école. Jack la suivit des yeux jusqu'à ce qu'elle ait franchi la porte. C'était sa chance de s'échapper, à elle aussi : elle pouvait dire adieu à Caine, à Drake et à tout ce qu'ils représentaient. Et pourtant, elle restait.

Était-il possible que Diana ait vraiment des sentiments pour Caine?

Avec un soupir, Jack enclencha la clé de contact. Le moteur rugit; il avait appuyé trop fort sur la pédale. Il risquait de les réveiller.

Il passa une vitesse et accéléra; rien ne se produisit. Il allait céder à la panique quand il se souvint qu'il n'avait pas ôté le frein à main. Il remédia à son oubli et tenta d'accélérer de nouveau. Le 4 x 4 se mit lentement en branle en crissant des pneus sur le gravier.

— Hé! Qu'est-ce que tu fous?

Howard. Que faisait-il là au beau milieu de la nuit ? Évidemment : il cherchait encore son ami Orc. Il passait son temps à chercher Orc.

Sur le visage d'Howard, l'étonnement laissa bientôt place à l'inquiétude.

— Hé ! Arrête-toi !

Jack passa près de lui en accélérant. Dans le rétroviseur, il le vit courir vers l'école. Maintenant, il était obligé de rouler à tombeau ouvert. Seulement voilà, il avait peur de conduire : trop de décisions à prendre en même temps, trop d'attention exigée, trop de danger.

Il s'arrêta devant la grille fermée. Il descendit de voiture et l'ouvrit avec précipitation, puis il s'immobilisa quelques instants et tendit l'oreille. Les bruits de la forêt lui parvenaient dans le silence de la nuit : le souffle imperceptible de la brise et le bruissement des feuilles au passage de petits animaux. Soudain, le moteur d'une voiture rugit au loin.

Jack remonta dans le 4 x 4 et redémarra aussitôt. Ils étaient déjà lancés à ses trousses. À tous les coups, c'était Panda qui conduisait : il avait beaucoup plus d'expérience que lui au volant. Drake devait l'accompagner. Drake et son bras monstrueux.

Jack sentit la panique le submerger. Il se cramponna au volant et un morceau de plastique lui resta dans les mains. Il le jeta sur le siège à côté de lui avec un cri d'effroi, puis s'efforça de contrôler ses gestes et de se concentrer sur la route qui serpentait à travers la montagne. Alentour, les bois se clairsemaient à mesure qu'on descendait dans la vallée.

Des phares illuminèrent le rétroviseur.

«Oh mon Dieu, oh mon Dieu.» Il était cuit. Ils n'hésiteraient pas à le tuer. Drake le lacérerait de son fouet.

— Réfléchis, Jack, cria-t-il avec une violence soudaine qui le surprit lui-même. Réfléchis.

Il n'était plus question de programmes ni de logiciels. Il se retrouvait confronté à des forces primitives, la violence, la peur et la haine.

Ses poursuivants arrivaient à vive allure. Jack jeta un coup d'œil sur le bas-côté ; un fossé profond s'étendait à sa droite et une paroi rocheuse à sa gauche. Dans le rétroviseur, la voiture se rapprochait toujours. Elle était à moins d'une centaine de mètres, à présent.

Soudain, là, sur sa droite, un chemin de terre, qui ne menait peut-être nulle part, mais Jack n'avait pas le choix : il donna un coup de volant et, malgré la vitesse relative à laquelle il roulait, il crut que le 4 x 4 allait basculer dans le fossé. Mais le véhicule se redressa et s'engagea en cahotant sur le chemin. Ses phares illuminèrent une étendue de terre nue hérissée de maigres buissons. Il n'y voyait pas grand-chose dans cette nuit sans lune… Comment savoir… Il continua d'avancer au petit bonheur, en priant pour que la piste ne s'achève pas au bord d'une falaise.

Le 4 x 4 bringuebalait tellement que Jack devait s'agripper au volant. «Pas trop fort, pas trop fort», ne cessait-il de se répéter. Sinon, ses mains surpuissantes risquaient de l'arracher, et c'en serait vraiment fini de lui.

Derrière, les phares de la voiture dansaient de haut en bas et de bas en haut. Le véhicule n'était manifestement pas équipé pour la conduite sur piste. Même le 4 x 4 avait des difficultés à progresser.

Peu à peu, Jack parvint pourtant à regagner de la distance, jusqu'à ce que les phares s'évanouissent dans le rétroviseur. Jack comprit alors que la voiture s'était arrêtée, et il ralentit sa course afin de manœuvrer plus facilement.

Il avait réussi à semer ses poursuivants, mais comment retrouver la route de Perdido Beach? Où le mènerait ce chemin de terre? Sa seule certitude, en ce moment même, c'était qu'il ne pouvait plus faire demi-tour.

41

L A JOURNÉE S'ÉCOULA tranquillement.
Sam savait que l'issue était proche. D'ici quelques heures, tout serait fini.

S'il avait demandé à ses sentinelles de rester postées aux abords de la ville, il leur avait aussi conseillé jusqu'à nouvel ordre de manger, dormir, bref, d'essayer de se détendre. Caine ne viendrait pas avant la tombée de la nuit, Sam en avait la certitude.

Il avait tenté de suivre son propre conseil, mais il n'avait pas pu fermer l'œil. Il était en train de se changer en songeant qu'il devrait avaler quelque chose malgré son estomac noué, quand Taylor se matérialisa dans la pièce. Sam était en sous-vêtements.

— Ils arrivent, annonça-t-elle sans préambule. Hé, jolis abdos !

— Raconte.

575

— Six voitures sur l'autoroute. Elles progressent lentement. Elles auront atteint la supérette dans une minute.

— Tu as vu leurs visages ?

— Non.

Sam entra dans le dortoir, secoua Edilio, donna un coup de pied dans le lit de Quinn, et cria :

— Debout, les gars !

— Quoi ? fit Quinn d'une voix ensommeillée. Je croyais qu'on était censés se reposer.

— Fin de la sieste. Taylor dit qu'ils approchent.

— Je me lève.

Edilio sortit du lit tout habillé et prit sa mitraillette suspendue à côté de lui. Sam enfila un jean et chercha ses chaussures.

— Qu'est-ce que je dois faire, maintenant ? s'enquit Taylor.

— Retourne là-bas et vois s'ils entrent dans la supérette ou s'ils se séparent en petits groupes, répondit Sam. Ensuite, rejoins-moi sur la place. Je pars tout de suite.

Taylor fila.

— Prêt ? demanda Sam à Edilio.

— Non. Et toi ?

Sam secoua la tête.

— Mais on ne peut pas se permettre d'échouer.

Quinn se leva à son tour.

— C'est l'heure ?

— Oui. Le soir tombe. Exactement ce qu'on avait prévu. Tu sais où tu vas, hein ?

— Oui, tout droit en enfer, marmonna Quinn.

Edilio et Sam se laissèrent glisser le long de la rampe jusqu'au garage. Soudain, le talkie-walkie de Sam se mit à grésiller. La voix tendue d'Astrid lui parvint faiblement par-dessus les parasites.

— Sam, je les vois.

Sam pressa le bouton émetteur.

— Taylor vient de me prévenir. Tout va bien avec le petit Pete ?

— Oui. Je vois six voitures. Elles viennent de passer devant la supérette. J'ai l'impression qu'elles se dirigent vers l'école.

— Pourquoi l'école ?

— Je n'en sais rien.

Sam se mordit la lèvre, l'air songeur.

— Garde la tête baissée, Astrid.

— Sam…

— Je sais. Moi aussi.

Sam pressa le pas mais s'interdit de courir. Courir, c'était céder à la panique.

— J'avais prévu qu'ils emprunteraient le même trajet que la dernière fois, dit-il à Edilio. C'est le moyen le plus simple d'accéder au centre-ville.

— Et moi je pensais qu'ils se planqueraient dans la supérette en attendant qu'on vienne les chercher.

— Je n'y comprends rien, admit Sam.

Une fois sur la place, Edilio se rua vers l'hôtel de ville pour passer en revue ses troupes. Taylor apparut à quelques mètres devant Sam, le cherchant des yeux.

— Taylor! Ici!

— Oh! Ils se dirigent vers l'école. Une chose est sûre, Caine est avec eux. Diana aussi. Par contre, je n'ai pas vu Drake.

— J'espère bien qu'il est mort, cette espèce de...

— Ils t'ont vue?

— Non. De toute façon, ils ne peuvent pas m'avoir. Je deviens beaucoup trop forte à ce jeu-là. Je pourrais me matérialiser à l'intérieur de l'école pour voir ce qu'ils mijotent.

— Pas d'imprudence. Je n'ai pas envie de te perdre. Vas-y, mais garde tes distances.

Taylor lui adressa un clin d'œil et disparut.

— Ils descendent de voiture, dit la voix d'Astrid dans le talkie-walkie. Ils entrent dans l'école.

Sam leva les yeux vers le clocher, puis il aperçut Quinn qui traversait la place en courant, sa mitraillette sur l'épaule.

— Bonne chance, frangin.

Quinn s'arrêta net.

— Merci. Écoute, Sam... Je...

— On n'a pas le temps pour ça dans l'immédiat, l'interrompit Sam avec douceur.

Une fois seul sur la place, près de la fontaine, Sam prit le temps d'étudier la situation. Pourquoi l'école ? Et pourquoi ne pas avoir attendu la tombée de la nuit ?

Albert sortit du McDonald's d'un pas tranquille et tendit à Sam un sac en papier.

— Tiens, des nuggets. Au cas où tu aurais un petit creux.

— Merci, mon pote.

— On a confiance en toi, Sam, lança Albert en s'éloignant.

Tout en mordant dans un nugget, Sam s'efforça d'y voir plus clair. Il n'avait pas du tout prévu que leurs assaillants se cacheraient dans l'école. Peut-être était-ce une occasion à saisir. Caine, loin de sa voiture, enfermé dans un bâtiment que Sam connaissait beaucoup mieux que lui…

Il appuya sur le bouton émetteur de son talkie-walkie.

— Est-ce qu'ils font mine de quitter l'école ?

— Non, ils ont posté quelqu'un devant l'entrée pour monter la garde. Je crois que c'est Panda. Toujours aucune trace de Drake.

Il pouvait sans doute mettre un terme à cette guerre dès maintenant en affrontant Caine seul à seul. Ainsi, personne d'autre ne serait impliqué. Personne n'aurait à presser la détente.

Dekka vint vers lui en courant.

— Désolée, Sam. J'ai eu du mal à te trouver.

Et s'il enrôlait Dekka, histoire de doubler ses chances ? Il tenait peut-être la bonne solution : un enfant de Perdido Beach et un autre du pensionnat Coates, luttant côte à côte.

— Caine est entré dans l'école. C'est peut-être à nous de prendre les devants, dit-il.

— Drake est là-bas, lui aussi ? s'enquit Dekka.

— Personne ne l'a vu. Peut-être qu'il ne viendra pas.

— Bonne nouvelle, commenta Dekka d'un ton tranchant.

— On n'a pas le temps de faire connaissance, déclara Sam. Pour moi, en tout cas, le temps est compté. Où tu en es avec tes pouvoirs ?

Dekka parut hésiter ; elle contempla ses mains comme si elles détenaient la réponse.

— Ça vient petit à petit. Je peux faire trembler les murs et envoyer valser quelqu'un, mais pas à plus de quelques mètres.

Taylor se matérialisa juste à côté d'eux.

— Ils sont tous entrés dans l'école. Il n'y a qu'un seul garde, à ce que j'ai vu. Et toujours pas de Drake.

— Bon, dit Sam, voilà ce qu'on va faire. Dekka et moi, on va tenter une attaque. Taylor, je voudrais que tu préviennes Edilio, puis que tu grimpes tout en haut du clocher : c'est là qu'est postée Astrid. Si Dekka et moi on a des ennuis, il faudra peut-être faire diversion.

— Moi, je ne grimpe pas, je me matérialise.

Et, à ces mots, Taylor disparut.

— Un jour, je finirai par m'y habituer, marmonna Sam.

Il prit une profonde inspiration : c'était sa première grande décision tactique. Il espérait qu'il ne commettait pas une erreur.

Jack avait garé le 4 x 4 à l'abri derrière un bouquet d'arbres. Il était resté caché là toute la journée. Il avait dormi par intermittence, pelotonné sur le siège du conducteur, les portières verrouillées, trop effrayé pour s'étendre plus confortablement à l'arrière.

Jack se moquait bien que Diana soit pressée. Il n'avait pas l'intention de mourir pour elle. Au coucher du soleil, il se décida à sortir de sa cachette.

Il roula à faible allure sur des chemins de terre sans le moindre panneau de signalisation, tous phares éteints, bifurquant à l'aveuglette à gauche, puis à droite. Il y avait une boussole dans le 4 x 4, mais les directions qu'elle fournissait ne semblaient avoir aucun sens. Elle indiquait le sud puis l'est l'instant d'après, alors qu'il n'avait même pas tourné le volant.

Il n'avait aucun moyen de savoir où il allait. Il aurait pu allumer les phares pour distinguer la route, mais craignait d'être repéré. Aussi continua-t-il à rouler lentement dans le noir. Même à cette vitesse,

Jack était secoué par les cahots, comme s'il subissait un passage à tabac.

La nécessité de rejoindre Sam lui semblait plus vitale que jamais. Caine ne lui pardonnerait jamais sa trahison. Sam était son seul salut, du moins s'il parvenait à éviter le grand saut. Si Sam disparaissait, Caine aurait gagné. Et alors, la Zone ne serait pas assez grande pour échapper à Drake.

Jack vérifia l'horloge sur le tableau de bord. Il se souvenait de l'heure exacte à laquelle Sam était censé se volatiliser. Il restait à peine plus de deux heures.

La lune se leva et, la route étant plus régulière, il se décida à accélérer, pressé d'arriver à bon port. Soudain, un lapin surgit devant lui. Il donna un coup de volant et réussit à éviter l'animal, mais le véhicule se déporta pour aller rouler dans un champ. Il braqua en sens inverse et parvint à regagner la route au moment où un pick-up arrivait à fond de train de la direction opposée.

Jack poussa un juron et se retourna pour le suivre des yeux. Au bout de quelques mètres, le pick-up pila dans un crissement de pneus. Jack enfonça la pédale d'accélération et le 4 x 4 fit un bond en avant tandis que l'autre véhicule effectuait un demi-tour pour se lancer à sa poursuite.

Il faisait trop sombre pour distinguer le conducteur du pick-up mais, dans l'esprit de Jack, son identité ne laissait aucun doute : c'était Drake.

Jack accéléra, les larmes aux yeux. La jauge indiquait que le réservoir d'essence était presque vide, et la camionnette progressait toujours.

La seule échappatoire aurait été de rouler à travers champs, là où il ne pourrait pas être suivi. Il ralentit un peu et s'engagea sur une parcelle en jachère. La terre récemment labourée était molle sous ses pneus, et le 4 x 4 cahotait en tous sens parmi les sillons. La camionnette, de son côté, ne se laissait pas distancer.

Dans le champ, face à lui, des phares s'allumèrent. Un énorme tracteur s'avança à une vitesse surprenante pour lui barrer la route. Derrière le tracteur, Jack distingua un bâtiment de ferme délabré bâti en retrait de la route.

Une vague de nausée le submergea. Il était fichu. Sans avoir rien vu venir, il s'était laissé prendre au piège. Il n'eut pas le temps d'éviter le ruisseau asséché devant lui. Le 4 x 4 vola dans les airs – Jack se sentit soudain léger comme une plume – et s'écrasa sur l'autre berge avant de s'arrêter net. Il y eut un bruit assourdissant, l'airbag se déclencha, et Jack se retrouva étendu sur le dos dans la terre, indemne mais trop sonné pour réagir.

Les phares du 4 x 4 éclairaient le champ devant lui. Les silhouettes de deux enfants, un garçon et une fille, se détachèrent sur la clarté aveuglante. Pas de Drake Merwin à l'horizon. Jack se détendit un peu sans oser se relever pour autant.

— On t'a vu rouler tous phares éteints, lança la fille d'un ton accusateur.

Jack se demanda comment elle avait réussi à le repérer : il faisait nuit noire. Il se garda de poser la question et elle ne tarda pas à lui fournir une réponse.

— Même sans tes phares, tes feux de stop t'ont trahi. Je parie que tu n'y avais pas pensé.

— Je ne suis pas un conducteur très expérimenté, expliqua Jack.

— T'es qui ? demanda le garçon, qui devait avoir à peu près son âge.

— Moi ? Je m'appelle... Jack. On me surnomme Jack le Crack.

La fille tenait un fusil de chasse à la main ; elle braqua son arme sur Jack.

— Ne tire pas !

— Tu es sur notre terre, et on est là pour la protéger des intrus, rétorqua la fille. Donne-moi une bonne raison de ne pas te tuer.

— Je dois... Si je ne... Écoutez, si je ne rejoins pas Perdido Beach à temps, il va y avoir une catastrophe.

La fille avait des couettes qui contrastaient bizarrement avec l'expression sévère de son visage, accentuée par la lumière crue des phares. L'argument de Jack ne parut guère l'impressionner. Elle devait avoir onze ou douze ans, et Jack déduisit de leur ressemblance frappante que le garçon n'était autre que son frère.

— Il n'a pas l'air bien dangereux, dit ce dernier. (Puis, s'adressant à Jack :) Pourquoi on te surnomme Jack le Crack ?

— Parce que j'en connais un rayon sur les ordinateurs.

Le garçon réfléchit un instant avant de demander :

— Tu sais réparer les Wii ?

Jack hocha énergiquement la tête.

— Je peux essayer… Mais il faut absolument que j'aille à Perdido Beach. C'est très important.

— Moi, ce qui m'intéresse, c'est ma Wii. Si tu réussis à la réparer, je demanderai à Emily de ne pas te tuer. C'est plus urgent que Perdido Beach, non ?

— Salut, Mary, lança Quinn, debout sur le seuil de la garderie. Je monte.

Mary ferma précipitamment la porte derrière elle.

— Je ne veux pas que les petits voient les armes, dit-elle, les yeux fixés sur la mitraillette de Quinn.

— Tu sais, Mary, je n'ai pas très envie de les voir non plus.

— Tu as peur ?

— Je suis mort de trouille.

— Moi aussi.

Mary toucha le bras de Quinn, sans un mot.

Quinn avait envie de rester pour bavarder. Il était prêt à tout pour éviter de monter sur ce toit avec une mitraillette, mais Mary avait ses obligations, et il avait les siennes. À sa grande honte, il s'apercevait qu'il aurait donné n'importe quoi pour se cacher dans la garderie avec Mary et les enfants.

Il gagna la ruelle derrière le bâtiment et, sa mitraillette en bandoulière, grimpa à l'échelle menant au toit.

La crèche et la quincaillerie partageaient le même toit gravillonné, plat et vide à l'exception de quelques tuyaux et de deux appareils de climatisation hors d'usage. Il était encerclé d'un parapet d'un mètre de haut, surmonté de céramiques fêlées.

Quinn s'avança au bord du toit, face à l'église et à l'hôtel de ville. Il regarda Sam et Dekka s'éloigner.

— Aujourd'hui, faut pas que tu foires, s'exhorta-t-il.

L'échelle cliqueta. Quinn fit volte-face, prêt à tirer, et aperçut Brianna.

— Tu m'as fait une peur bleue ! s'écria-t-il.

Brianna sourit.

— On ne m'appelle pas la Brise pour rien.

— Tu prends tout ça trop au sérieux, grommela Quinn. T'as quel âge, dix ans ?

— Onze. Je vais en avoir douze dans un mois.

Brianna sortit un pied-de-biche de sa ceinture.

— Caine et Drake m'ont affamée pendant des jours entiers, les mains emprisonnées dans un bloc de ciment. Je n'étais pas trop jeune à leurs yeux.

Quinn aurait bien voulu qu'elle le laisse tranquille, mais elle était chargée de jouer les messagers entre Sam, Edilio, lui et tous les autres.

— Bon. À quelle vitesse tu peux te déplacer, Brianna ?

— J'en sais rien. Assez vite pour que personne ne me voie.

— Ça ne te fatigue pas trop ?

— Non, pas vraiment. Par contre, ça abîme mes chaussures.

Elle leva un pied pour lui montrer la semelle de sa basket : il n'en restait pas grand-chose.

— Et je suis obligée de m'attacher les cheveux pour éviter qu'ils me fouettent le visage.

Elle rejeta sa tresse en arrière.

— Ça doit être bizarre d'avoir des pouvoirs.

— Tu n'en as pas, toi ?

— Non.

— Tu connais bien Sam, pas vrai ?

Quinn hocha la tête : c'était une question qui revenait beaucoup chez les enfants du pensionnat.

— Tu crois qu'il va gagner ?

— On a intérêt à croiser les doigts, en tout cas.

Brianna regarda ses mains, ces mêmes mains qui avaient été emprisonnées dans le ciment.

— C'est pour ça qu'on s'en fiche, que je n'aie que onze ans : il faut qu'on gagne.

Tout en marchant vers l'école avec Dekka, Sam tentait d'étouffer ses craintes. Il n'avait pas peur d'être blessé ; après tout, il s'attendait à disparaître d'ici quelques heures et ensuite… Ensuite, c'était le mystère.

Ce qu'il redoutait, c'était l'échec. Peu importait ce qu'il adviendrait de lui, c'était à Astrid qu'il pensait. Sans oublier le petit Pete : Astrid serait désespérée si quelque chose arrivait à son frère. Sans compter le fait que l'enfant était peut-être le seul à pouvoir mettre fin à la Zone.

Il devait triompher de Caine pour elle. Pour tous les enfants. Et cette idée l'accablait.

Pourtant, plus il approchait de l'école, plus il doutait de sa décision. Il avait dévié du plan, si bien que les autres ne savaient plus au juste quel rôle ils devaient tenir. En s'enfermant dans l'école, Caine avait tout fichu par terre.

Ils firent halte à quelques dizaines de mètres de la grille et Sam pressa le bouton de son talkie-walkie.

— Du nouveau ?

— Non, répondit Astrid. Les voitures sont toutes garées. Panda fait le guet devant la porte principale. Comme le soir tombe vite, je ne suis pas tout à fait sûre… Sam ?

— Oui ?

— Je crois qu'il est armé. Sois prudent.

Sam éteignit son talkie-walkie. Il aurait voulu lui dire encore une fois qu'il l'aimait, mais ça revenait presque à tenter le sort... Il pensait déjà trop à Astrid et pas assez à Caine.

— Bon, Dekka, pas moyen de finasser : Panda va forcément me voir avant que je puisse l'atteindre.

Dekka hocha la tête, les dents serrées, le souffle court. Elle avait peur, visiblement.

— À trois, on court. Dès que possible, j'essaie de viser Panda. Tu prends le relais quand on aura atteint la porte. Prête ?

Dekka ne répondit pas tout de suite. Pendant une minute interminable, elle garda les yeux fixés dans le vague. Puis, d'une voix rauque, elle marmonna :

— Prête.

— Un... Deux... Trois !

Ils s'élancèrent hors de leur cachette et coururent à perdre haleine. Ils avaient atteint la pelouse quand Panda les aperçut et donna l'alerte.

— Arrête, Panda, cria Sam sans cesser de courir.

Panda hésita, leva son arme mais ne fit pas mine de tirer.

— Je ne veux pas te faire de mal, reprit Sam.

Vingt mètres. Panda visa, ouvrit le feu et regarda son arme d'un air ébahi comme s'il la voyait pour la première fois.

— Non ! cria Sam.

Quinze mètres.

Panda leva de nouveau son pistolet, les traits figés par la peur et l'indécision. Sam se jeta à terre, roula sur lui-même et se redressa, accroupi, au moment où Panda faisait feu de nouveau. Il leva les bras, écarta les doigts ; la lumière verte manqua Panda d'un cheveu et transperça le mur en brique derrière lui.

Panda jeta son arme, tourna les talons et s'enfuit.

Cinq mètres.

— Dekka, la porte !

Dekka leva les mains et le mur dans lequel se découpait la porte trembla comme s'il venait d'être percuté par un camion. Les battants s'ouvrirent à la volée. Des fragments de terre et de mortier jaillirent dans les airs.

Dekka baissa les bras ; la terre retomba en pluie sur le sol, les briques se craquelèrent, et le chambranle vola en éclats.

Sam visa les ténèbres au-delà de l'ouverture et des flammes vertes jaillirent de ses doigts. Suivi de Dekka, il s'élança à l'intérieur. Hors d'haleine, ils se collèrent contre le mur du couloir et attendirent. Des pancartes et des affiches décolorées achevaient de se consumer. Un silence de mort régnait sur les lieux.

Sam regarda Dekka du coin de l'œil. Elle semblait aussi effrayée que lui. Ils avancèrent dans le couloir, les nerfs à vif, aux aguets.

Les bureaux de la direction se trouvaient à leur droite, derrière une épaisse paroi de verre. Sam s'approcha et risqua un coup d'œil à l'intérieur. Rien. Les lumières étaient encore allumées depuis le premier jour d'existence de la Zone. Que faire ? Continuer leur chemin sans fouiller les bureaux ? Si l'un des complices de Caine se trouvait à l'intérieur, ils risquaient d'être pris au piège. Sam fit signe à Dekka d'entrer. Cette dernière secoua la tête avec vigueur.

— OK, dit-il. J'y vais.

Il traversa rapidement le couloir et ouvrit la porte. Un objet lourd vola dans sa direction ; il eut le réflexe de se baisser, mais trop tard, et la violence du coup le fit tourner sur lui-même.

Un garçon aux cheveux noirs était accroupi sur le bureau de la secrétaire. Il tenait à la main une grosse massue en bois. Il sourit et bondit de nouveau avec la rapidité d'un fauve.

Pris au dépourvu, Sam s'étala de tout son long ; sa tête heurta le sol et il vit trente-six chandelles. Il roula sur le côté, mais ses gestes étaient trop lents, et son assaillant, qui s'était déjà replié à l'abri, se préparait à un nouvel assaut.

Tout à coup, l'inconnu, le bureau et les papiers qui l'encombraient s'élevèrent du sol et s'écrasèrent contre le plafond.

Le garçon eut à peine le temps de revenir de sa surprise que Dekka avait rétabli la gravité, et il retomba comme une pierre. Sam se jeta sur lui avant qu'il puisse réagir et, le clouant au sol, un genou appuyé contre son torse, lui saisit la tête à deux mains.

— Bouge un cil et je te réduis en cendres.

Le garçon se figea.

— Sage décision. Dekka, confisque sa massue et trouve-moi du scotch.

Puis, se tournant vers le garçon, Sam demanda:

— Qui es-tu? Et où est Caine?

— Je m'appelle Frederico. Ne me fais pas de mal.

— Où est Caine?

— Il n'est pas là. Ils sont tous sortis par la porte de derrière dès qu'on est entrés. Ils nous ont laissés ici, Panda et moi.

Le sang de Sam ne fit qu'un tour.

— Ils sont partis?

Frederico lut de la peur dans les yeux de Sam.

— Tu ne peux pas battre Caine. Drake et lui, ils ont tout manigancé.

— J'ai trouvé du scotch, lança Dekka. Tu veux que je l'attache?

— C'était juste une diversion, dit Sam, consterné.

Il donna un coup de poing sur le nez de Frederico, qui poussa un cri de douleur.

— Maintenant, tu peux l'attacher. Dépêche-toi.

Il pressa le bouton de son talkie-walkie.

— Astrid ?

La voix d'Astrid était à peine audible.

— Sam…

— Qu'est-ce qu'il y a ?

Sa réponse fut noyée sous les grésillements de la transmission, mais il perçut de la terreur dans sa voix.

— J'ai merdé, annonça-t-il. Tout ça, ce n'était qu'un piège.

42

2 HEURES
23 MINUTES

— QUINN ! QUINN !
— Qui m'appelle ? demanda Quinn.

Brianna pointa le clocher du doigt. Plissant les yeux, Quinn distingua la silhouette d'Astrid qui agitait frénétiquement les bras, gesticulait, criait, montrait quelque chose.

— Je vais aller voir ce qu'elle veut, décida Brianna.

Elle s'éloigna en trombe et, parvenue devant l'échelle, se figea brusquement.

— Regarde !

Venues de toutes les directions, des hordes de chiens au poil jaunâtre et miteux se faufilaient entre les voitures à l'arrêt, sautaient par-dessus les bouches d'incendie, s'arrêtaient pour flairer les poubelles mais, dans l'ensemble, se déplaçaient à une vitesse effrayante. Elles se dirigeaient droit sur la garderie.

Brianna commença à tirer l'échelle et Quinn se précipita pour l'aider. Ils finirent de la hisser sur le toit au moment où les premiers coyotes passaient au-dessous d'eux.

— Qu'est-ce que je fais ? cria Quinn.

— Descends-les, répondit Brianna.

— Quoi ! Tirer sur des coyotes ?

— Ils ne sont pas là par hasard !

Un coyote leva la tête en les entendant.

— Chut, siffla Quinn.

Il s'accroupit derrière le parapet en serrant la mitraillette contre lui.

— Quinn, ils en ont après les petits.

— Je ne sais pas ce que je dois faire.

— Si, tu sais.

Quinn secoua la tête avec véhémence.

— Non ! Personne ne m'a demandé de tirer sur des coyotes !

Brianna risqua un œil par-dessus le parapet et se rassit précipitamment.

— C'est lui. C'est Drake... Il a quelque chose de bizarre.

Quinn ne voulait pas regarder mais, en voyant le visage blême de Brianna, il jugea que jeter un coup d'œil était encore l'option la moins terrifiante. Il se redressa le temps d'embrasser la ruelle du regard.

Derrière les coyotes, marchant d'un pas assuré, venait Drake Merwin. Il tenait à la main un long fouet rougeâtre. Sauf qu'en y regardant de plus près, Quinn s'aperçut que le fouet et son bras ne faisaient qu'un.

— Tire, le pressa Brianna. Tue-le.

Quinn appuya le canon de sa mitraillette sur le parapet et visa. Drake marchait d'un pas tranquille au beau milieu de la ruelle, à découvert.

— Je ne l'ai pas dans mon viseur.

— Menteur ! cracha Brianna.

Quinn passa la langue sur ses lèvres et visa de nouveau, puis enroula son doigt autour de la détente.

Il était impossible de le rater, à cette distance. Il se trouvait à dix mètres à peine. Quinn s'était maintes fois entraîné sur un tronc d'arbre. Il avait vu l'impact des balles sur le bois. Il lui suffisait de presser la détente, et Drake serait réduit en bouillie.

Presser la détente, c'est tout.

Drake passa juste en dessous de lui.

— Il est parti, murmura Quinn. Je n'ai pas pu…

De la crèche leur parvinrent les cris terrifiés des enfants.

Mary Terrafino avait eu une sale journée. Dans la matinée, elle avait été prise d'une énorme fringale et s'était livrée à un « marathon des calories », comme elle l'appelait. Elle avait trouvé un carton rempli de mini-paquets de chips. Elle en avait englouti vingt-quatre au total avant de se faire vomir. Pourtant, elle avait jugé que ça ne suffisait pas à la purger de cette nourriture dégradante et, en prime, elle avait avalé un laxatif très puissant qui l'avait obligée toute la journée à des allées et venues fréquentes entre les toilettes et la salle de garderie.

À présent, elle se sentait nauséeuse, épuisée, furieuse contre elle-même. D'ordinaire, elle prenait ses comprimés : un antidépresseur et des vitamines, le matin. Or, à mesure que les heures s'écoulaient, la fatigue l'accablait tant qu'elle avait aussi avalé un anxiolytique déniché dans l'armoire à pharmacie de sa mère. Le calmant avait doucement englué son cerveau comme de la mélasse. Sous l'effet de la drogue, tout semblait plus pénible, plus lent, plus flou. Afin d'en contrer les effets, elle s'était versé une tasse de café additionnée de sucre avant de retourner dans la salle de garderie.

C'était à ce moment-là que Quinn était entré avec une mitraillette à la main. Elle avait fait de son mieux pour le soustraire à la vue des enfants, mais cette apparition l'avait choquée. Elle n'était pas dans une série télé ni dans un jeu vidéo.

Assise en tailleur avec une douzaine d'enfants plus ou moins attentifs, elle lisait une histoire. Elle avait déjà relu tous les albums tant de fois qu'elle les connaissait presque par cœur.

Les autres enfants, disséminés un peu partout dans la pièce, peignaient, jouaient à se déguiser ou empilaient des cubes. Son frère John était chargé de vérifier les couches des plus petits. L'une des aides de Mary, une dénommée Manuela, faisait sauter un petit garçon sur ses genoux en s'efforçant d'effacer une tache de marqueur sur son chemisier, le tout sans cesser de marmonner.

Isabella, qui était devenue l'ombre de Mary depuis son arrivée à la crèche, était assise en tailleur à côté d'elle et gardait les yeux fixés sur le livre. Mary suivait les mots du doigt au fur et à mesure dans l'espoir qu'elle parviendrait à enseigner à Isabella quelques rudiments de lecture ; jusqu'ici, elle se félicitait de ses résultats.

Elle entendit la porte de derrière s'ouvrir : c'était sans doute Quinn qui revenait. Un hurlement retentit et, en se retournant, Mary vit déferler dans la pièce une horde de bêtes au pelage jaunâtre et sale. Un concert de cris s'éleva tandis que les coyotes bousculaient les enfants, renversaient les chaises et les chevalets. Tout autour d'elle, des petits visages terrorisés ouvraient de grands yeux suppliants.

Isabella se leva d'un bond, paniquée. En un éclair, un coyote la jeta à terre et se dressa au-dessus d'elle en montrant les crocs. Son museau dégoulinant de bave était à quelques centimètres de sa gorge.

Avec un cri de rage, Mary bondit à son tour et se mit à marteler le dos du coyote de ses poings.

— Écarte-toi ! rugit-elle. Va-t'en, sale bestiole !

John se précipita pour lui venir en aide et laissa échapper un gémissement étranglé. Un coyote le retenait par la capuche de son sweat-shirt, qu'il secoua dans sa gueule tel un chien survolté agitant son jouet. Manuela, transie de peur, porta ses mains à sa bouche.

Les coyotes surexcités jappaient, sautaient en tous sens et donnaient des coups de dent. Un petit garçon cria à l'intention de l'un d'eux :

— Vilain chien !

La bête grogna et mordit l'enfant à la cheville, et il s'écroula avec un cri de douleur. Soudain, un vieux coyote galeux s'avança dans la pièce en grondant, et ses congénères se calmèrent un peu. En revanche, tous les bambins étaient en larmes, John tremblait comme une feuille et Manuela serrait contre elle deux tout-petits en s'efforçant de rassembler son courage.

C'est alors que Drake entra.

— Dehors ! rugit Mary. Tu fais peur aux enfants !

Le bras de Drake se déroula tel un serpent et laissa une balafre sanglante sur la joue de Mary.

— Boucle-la, toi.

Le claquement du fouet avait fait taire quelques enfants. Ils regardèrent, médusés, celle qu'ils considéraient désormais comme leur protectrice porter la main à sa joue.

— Caine ne va pas aimer ça, protesta Mary. Il m'avait promis de protéger les plus petits.

— Vous ne risquez rien tant que vous la fermez et que vous m'obéissez, rétorqua Drake.

— Fais sortir ces animaux, c'est bientôt l'heure du coucher.

L'heure du coucher ! Comme si cela signifiait quelque chose pour ces monstres !

Cette fois, le fouet vint s'enrouler autour de la gorge de Mary. Elle sentit le sang battre à ses tempes et chercha vainement son souffle, tout en plantant ses ongles dans la chair du monstrueux appendice sans parvenir pour autant à desserrer son étreinte.

— Je t'ai dit de la fermer, répliqua Drake en l'attirant vers lui. Tu as changé de couleur, Mary.

Mary se débattit en pure perte. Le fouet vivant avait la force d'un python.

— Il faut que tu te fourres ça dans le crâne une bonne fois pour toutes, Mary : pour ces bestioles, tes petits protégés ne sont que des hamburgers. Ils n'en feront qu'une bouchée.

Soudain, Drake relâcha Mary. Elle s'effondra en suffoquant.

— Qu'est-ce que tu veux ? demanda-t-elle d'une voix éraillée quand elle eut repris son souffle. Fais sortir ces bêtes, tu pourras me garder comme otage. Les enfants ne comprennent pas ce qui se passe et ils ont peur.

Drake éclata d'un rire cruel.

— Hé, Chef ! Vous n'allez pas manger les petits, pas vrai ?

À la stupéfaction de Mary, le gros coyote galeux répondit :

— Chef d'accord. Pas tuer. Pas manger.

— Sauf si...

— Sauf si Fouet demande.

Un large sourire s'épanouit sur le visage de Drake.

— Fouet. C'est le petit surnom affectueux qu'ils m'ont trouvé.

Isabella, qui s'était réfugiée dans un coin, s'avança vers le chef de la meute, la main tendue comme pour le caresser.

— Il sait parler, dit-elle.

— Recule, siffla Mary.

Ignorant sa mise en garde, Isabella posa la main sur le cou du coyote, qui hérissa le poil et laissa échapper un grondement sourd mais se retint de la mordre.

Isabella caressa son pelage rêche.

— Gentil chien-chien.

— Ne t'approche pas trop, observa froidement Drake. Le gentil chien-chien a peut-être un petit creux.

— Il a mordu à l'hameçon, annonça Panda. Il y a une fille avec lui. Elle a des pouvoirs incroyables, elle... elle... Je ne sais pas comment on appelle ça. Elle sait faire voler les objets.

— Ce doit être Dekka, déclara Diana. On avait prévu qu'elle et Brianna poseraient problème. Taylor aussi, si elle a fait des progrès.

Ils s'étaient retranchés dans une maison à une centaine de mètres de l'école. Ils avaient laissé les volets fermés et les lumières allumées comme à leur arrivée. D'après la consigne, personne ne devait entrer ou sortir dans l'immédiat.

— En ce moment même, mon frère est en route pour la crèche, lança Caine, qui avait du mal à contenir sa joie. Il est tombé dans le panneau. Je savais qu'il essaierait de jouer les héros.

— Oui, tu es un vrai génie, commenta sèchement Diana. Tu règnes sur le monde.

— Même toi, tu ne pourras pas gâcher ma bonne humeur. C'est dire ! lâcha Caine avec un sourire narquois.

— Où est passé Jack ? demanda Diana.

Devant la mine renfrognée de Caine, elle ajouta :

— Tu vois ? J'arrive encore à t'exaspérer.

Diana savait que Jack avait quitté l'autoroute pour s'enfoncer dans le désert. Elle l'avait appris de la bouche de Drake et de Panda. En revanche, elle ignorait ce qu'il était advenu de lui ensuite. Si Caine parvenait à mettre la main sur ce petit crétin, il n'hésiterait pas à moucharder, Diana n'avait aucun doute à ce sujet. Que ferait Caine, alors ?

Entre-temps, Diana devait feindre de s'offusquer de la trahison de Jack afin de détourner les soupçons. Il ne restait plus qu'à prier pour qu'ils ne le retrouvent pas.

Diana refoula un accès de panique et, pour se donner une contenance, se servit un verre d'eau au robinet de la cuisine.

Outre Diana et Caine, la maison abritait Howard, Chunk, Maillet et Panda. Ce dernier avait du mal à se remettre de sa rencontre avec Sam et Dekka. De temps à autre, il marmonnait quelque chose comme : « … un trou dans le mur, ç'aurait pu être ma tête. » Chunk avait essayé de les distraire avec ses histoires d'Hollywood qu'ils avaient déjà entendues des milliers de fois, et Caine l'avait menacé de le livrer à Drake s'il ne se taisait pas.

Howard était tout aussi exaspérant : il ruminait dans son coin en se plaignant de temps à autre qu'on n'avait toujours pas retrouvé Orc.

— Orc est un vrai soldat. S'il ne s'est pas perdu, il a dû retourner au pensionnat. Ce n'est pas très loin. Je devrais aller vérifier. Il pourrait nous être utile.

— Orc est mort dans le désert, répliqua durement Panda. Tu sais bien que les coyotes l'ont eu.

— La ferme, Panda ! cria Howard.

La dernière occupante de la maison était Lana. Depuis qu'elle avait fait la démonstration de ses pouvoirs de guérison, Caine avait insisté pour la garder près de lui. Cette fille était un véritable mystère pour Diana. Ses yeux semblaient toujours perdus dans le vague. Elle décourageait toute tentative d'engager la conversation, sans toutefois manifester la moindre agressivité. On aurait dit qu'elle vivait dans un monde parallèle. Absorbée dans ses pensées, elle semblait avoir une vision tout autre de la situation. Une ombre planait au-dessus d'elle et il y avait comme un vide dans son regard.

Caine faisait les cent pas entre la cuisine et le salon. Il avait renoué avec sa manie de se ronger les ongles. Soudain, il s'arrêta pour demander à Diana :

— Où est-il ? Où est passé Bug ?

Bug faisait partie des quelques dégénérés qui s'étaient rangés du côté de Caine dès le début – longtemps avant l'apparition de la Zone, à l'époque où Caine en était encore à découvrir ses pouvoirs, à essayer de les maîtriser et de reconnaître ses semblables. En ce temps-là, l'essentiel était de dominer ses camarades : Coates n'avait jamais été un endroit accueillant. La moitié des élèves étaient des durs à cuire. Caine était déterminé à les mater, et à devenir lui-même bourreau pour ne jamais être victime.

Aux yeux de Diana, Bug avait toujours été un minable sans envergure. N'arrivant pas à s'élever au rang des véritables brutes, il se rapprochait davantage d'un Howard, d'un lécheur de bottes, d'un flagorneur. Il avait à peine dix ans : un morveux, en somme. Pourtant, son pouvoir s'était manifesté un beau jour, alors que Frederico le menaçait de lui botter les fesses. Bug, terrifié, avait disparu.

En fait, ce n'était pas tant qu'il disparaissait mais plutôt qu'il se fondait dans le paysage, comme un caméléon. On pouvait encore le distinguer pour peu qu'on sache qu'il était là. Sa peau et ses vêtements prenaient la couleur de son environnement, telle une surface réfléchissante. Le résultat faisait froid dans le dos : devant un cactus, Bug prenait une teinte verte et se couvrait d'aiguilles.

— Tu connais Bug, répondit Diana. Il finira par venir réclamer son os. À moins que Sam ou un de sa bande ne l'ait repéré.

À cet instant, la porte s'ouvrit. Une chose indéfinissable s'avança dans leur direction en formant des vagues sur le papier peint.

— Tiens, le voilà, annonça Diana.

Caine se jeta sur le nouvel arrivant.

— Qu'est-ce que tu as vu ?

Abandonnant son camouflage, Bug se détacha nettement sur le mur : il était brun, petit, avec un nez constellé de taches de rousseur.

— Beaucoup de choses : Sam est en ville. Il s'est posté juste en face de la crèche et, depuis, il ne fait rien de spécial.

— Comment ça, rien de spécial ?

— Enfin si, il mange des frites.

Caine lui lança un regard ahuri.

— Hein ?

— Ben oui, des frites. Il doit avoir faim.

— Est-ce qu'il sait que Drake et le chef coyote retiennent les enfants en otages ?

Bug haussa les épaules.

— Je suppose que oui.

— Et tu dis qu'il ne fait rien ?

— Que veux-tu qu'il fasse ? rétorqua Diana. Il sait qu'on détient les mômes. Il attend nos conditions.

Caine se mit à ronger avidement l'ongle de son pouce.

— Il prépare quelque chose. Il a sans doute deviné qu'on avait trouvé un moyen de l'espionner. Alors il fait en sorte d'être vu. Je suis sûr qu'il a un plan.

— Quel plan ? Drake et les coyotes sont là-bas avec les enfants. Il n'a pas le choix. Il doit se plier à tes volontés.

Caine ne parut pas convaincu.

— Il prépare quelque chose, je te dis.

Lana s'arracha à son immobilité et regarda Caine comme si elle le voyait pour la première fois.

— Quoi ? fit Diana.

— Rien, répondit Lana en caressant son chien toujours à son côté. Rien du tout.

— Il faut que j'aille lui régler son compte tout de suite, déclara Caine.

— On avait prévu d'attendre l'heure de votre anniversaire. Comme ça, il perdra, quoi qu'il arrive.

— Tu crois qu'il peut me battre, pas vrai ?

— Il a eu deux jours pour s'organiser, répondit Diana. Ils sont plus nombreux que nous. Et certains de sa bande, en particulier les dégénérés du pensionnat, n'ont qu'une envie : te voir mort.

Elle approcha son visage du sien.

— Chaque fois, Caine, tu m'écoutes et ensuite tu prends le contre-pied de mes recommandations. Je t'avais dit de laisser partir les dégénérés qui ne voulaient pas jouer ton jeu. Mais non, il a fallu que tu suives les conseils paranoïaques de Drake. Je t'avais dit avant de partir pour Perdido Beach qu'il fallait vite trouver un arrangement au sujet de la nourriture. Mais tu as préféré imposer ta loi. Là, tu recommences à faire ce qui te chante, et tu finiras sans doute par tout bousiller.

— Ta confiance en moi est touchante, repartit Caine.

— Tu es intelligent. Tu es charmant. Tu as des pouvoirs fabuleux. Mais ton ego est incontrôlable.

Caine aurait pu laisser libre cours à sa colère ; il se contenta d'écarter les bras dans un geste d'impuissance.

— Qu'est-ce que tu veux que je fasse ? Rester au pensionnat ? C'est tout ? Tu ne vois donc pas l'opportunité qui s'offre à nous ? On vit dans un monde tout neuf. Et dans ce monde-là, c'est moi le plus fort. Pas d'adultes. Pas de parents, pas de profs, pas de flics. Le monde rêvé pour moi. Tout ce qu'il me reste à faire, c'est m'occuper de Sam et de quelques autres, et ensuite j'aurai le pouvoir absolu.

Et pour conclure, il serra les poings.

— Tu n'auras jamais le pouvoir absolu, Caine. Notre univers est en perpétuelle mutation. Les animaux. Les humains. Qui sait ce qu'il arrivera ensuite ? Ce n'est pas nous qui avons créé ce monde, on est juste les pauvres idiots qui vivons dedans.

— Tu as tort. Moi, je ne suis pas une victime. Ce monde sera le mien ! s'exclama Caine en se frappant le torse. C'est moi qui vais imposer ma loi à la Zone, et pas l'inverse.

— Il n'est pas trop tard pour reculer.

Caine grimaça un sourire.

— T'as tout faux. Il est temps de se battre et d'envoyer Bug auprès de Sam pour négocier selon mes propres termes.

— Moi, j'irai, déclara Diana, avant de s'apercevoir aussitôt qu'elle venait de commettre une erreur.

Elle connaissait déjà la réponse de Caine. Une lueur de suspicion s'alluma dans le regard du jeune garçon.

— Bug. Tu connais ton texte. Vas-y, ordonna-t-il en le poussant vers la porte.

Et le garçon caméléon se fondit peu à peu dans le décor. La porte se referma sur lui.

Caine prit la main de Diana, qui n'osa pas se dégager.

— Tout le monde dehors ! lança-t-il.

Howard se leva avec indolence, imité par Lana. Une fois seuls, Caine attira Diana contre lui et la prit maladroitement dans ses bras.

— Qu'est-ce que tu fais ? demanda-t-elle d'un ton sec.

— Je vais peut-être mourir ce soir.

— C'est un peu mélodramatique, tu ne trouves pas ? Un coup tu te crois invincible, et puis…

Il l'interrompit d'un baiser avide. Elle le laissa faire quelques secondes avant de le repousser, sans toutefois y mettre assez de force pour se libérer de son étreinte.

— Qu'est-ce qui te prend ?

— Tu me dois bien ça, répondit Caine d'une petite voix d'enfant capricieux.

— Moi, je te dois quelque chose ?

— Oui. Et puis je croyais… Tu sais.

Son arrogance avait laissé place à de l'exaspération, qui se muait peu à peu en embarras.

— Tu n'es pas très doué pour ce genre de truc, hein ? lança Diana d'un ton moqueur.

— Qu'est-ce que tu veux que je te dise ? Tu me plais, voilà tout !

Diana renversa la tête en arrière et éclata de rire.

— Je te plais ? C'est tout ce que tu trouves à dire ? Tu te prends pour le maître du monde et, d'un coup, tu te comportes comme un petit garçon pathétique qui réclame son premier baiser.

Le visage de Caine s'assombrit et Diana comprit sur-le-champ qu'elle était allée trop loin. Il posa la main sur son visage, doigts écartés, et elle attendit, pétrifiée, qu'il lâche ses foudres sur elle. Pendant longtemps, ils restèrent ainsi, immobiles. Diana peinait à respirer.

— Tu as peur de moi, en fin de compte, Diana, murmura Caine. Tous tes grands airs, c'est du flan. En fait, tu as peur. Je le vois dans tes yeux.

Diana ne répondit pas. Caine n'avait pas cessé d'être dangereux. À cette distance, il pouvait la tuer d'un seul geste.

— Et là, je suis toujours un petit garçon pathétique ? Si tu te contentais de m'obéir, à partir de maintenant ?

— C'est une menace ?

Caine hocha la tête.

— Pour reprendre tes mots, Diana, ce n'est pas nous qui avons créé la Zone, on vit dedans. Et ici, tout est question de pouvoir. Or, j'ai des pouvoirs, et tu n'en as pas.

— On verra bien si tu es aussi fort que tu le prétends, Caine, répliqua Diana avec prudence sans pour autant se soumettre. On verra bien.

43

LA GARDERIE N'AVAIT PAS de fenêtre donnant sur la place. Sam avait dû passer par la ruelle pour jeter un coup d'œil par une des baies vitrées. Il avait vu les coyotes puis reculé d'horreur en apercevant Drake.

Les coyotes avaient instantanément senti sa présence ; il était presque impossible de les surprendre. Drake l'avait fixé droit dans les yeux en déroulant son fouet puis, d'un geste tranquille, il avait baissé le store.

Les enfants blottis les uns contre les autres regardaient distraitement *La Petite Sirène* sur l'écran de télé, l'air terrifié.

Sam retourna vers la place. Ni Drake ni les coyotes ne pouvaient le voir de là-bas, pourtant il sentait un regard peser sur lui. Il ne remarqua pas tout de suite le garçon posté à côté de lui.

— Qui es-tu ? Et comment tu as fait pour venir jusqu'à moi sans que je te voie ?

— On me surnomme Bug. Je suis doué pour passer inaperçu.

— J'avais remarqué.

— J'ai un message pour toi.

— Ah oui ? Et que veut mon frère ?

— Caine dit que c'est lui ou toi.

— J'avais compris.

— Il dit que si tu refuses d'obéir, il lâchera Drake et les coyotes sur les petits.

Sam réprima une envie de frapper ce petit monstre pour ses façons arrogantes de délivrer son affreuse menace.

— D'accord.

— Bon. Vous devrez tous, sans exception, sortir sur la place, qu'on puisse bien vous voir. S'il y en a un qui reste planqué, tu sais ce qui se passera.

— Quoi d'autre ?

— Vous devrez déposer vos armes sur les marches de l'hôtel de ville. Tous les dégénérés se rassembleront à l'intérieur de l'église.

— Il nous demande de nous rendre avant même qu'on ait pu livrer bataille, résuma Sam.

— Si tu résistes, Drake lâchera les coyotes sur les gosses, un par un. Une fois que tu auras rempli ses conditions, ça se jouera *mano a mano*. Si tu gagnes, pas de problème, Drake relâchera les petits. Vous serez tous libres et Caine rentrera au pensionnat.

— Et tu es d'accord, Bug ? Tu trouves ça juste de menacer des innocents ?

Bug haussa les épaules.

— Je n'ai pas envie de me les mettre à dos.

Sam hocha la tête, l'air absent : il réfléchissait déjà au moyen de se tirer de ce guêpier.

— Dis à Caine que je lui répondrai dans une heure.

Bug sourit.

— Il avait prévu le coup. Tu vois, il est malin. Il m'a chargé de revenir avec ta réponse : oui ou non, sans condition.

Sam leva les yeux vers le clocher. Il regrettait qu'Astrid ne soit pas à ses côtés. Elle aurait peut-être su quoi répondre.

Les termes du marché étaient impossibles à tenir. Il ne faisait aucun doute que, même s'il triomphait de Caine, même si par miracle ce dernier admettait sa défaite, Drake, lui, ne plierait pas.

D'une façon ou d'une autre, il fallait vaincre à la fois Drake et Caine.

Une foule de pensées se bousculaient dans sa tête pendant que Bug l'observait, impatient de s'acquitter de sa mission. Il n'avait pas le temps de démêler la situation ni d'échafauder un plan, et c'était exactement ce qu'avait prévu Caine.

Ses épaules s'affaissèrent.

— Dis à Caine que j'accepte son marché.

— D'accord, répondit Bug, pas plus concerné que si on lui avait annoncé le menu du dîner.

Le caméléon se fondit peu à peu dans le décor. Sam le regarda s'éloigner tel un mirage. Bientôt, il devint impossible de le distinguer.

Il appuya sur le bouton émetteur de son talkie-walkie.

— Astrid. Descends.

Edilio, qui avait épié la scène de son poste d'observation à l'intérieur de la quincaillerie, le rejoignit en hâte. Sam s'efforça de masquer ses émotions : trop de regards étaient braqués sur lui ; trop d'enfants avaient mis leur sort entre ses mains.

Une fois rejoint par Edilio et Astrid, Sam exposa brièvement les conditions de Caine.

— On n'a pas beaucoup de temps. Caine renverra son caméléon pour nous espionner. Il doit agir vite s'il ne veut pas qu'on organise une riposte.

— Tu as un plan ? demanda Astrid.

— Plus ou moins. Un bout de plan, disons. Il faut gagner du temps. D'ici à ce que Bug revienne, on a au moins cinq minutes. Il faudra lui montrer qu'on suit les ordres à la lettre. Il verra nos amis du pensionnat se diriger vers l'église pendant que les autres enfants sortiront à découvert. Puis il rentrera faire son rapport à Caine, qui lui demandera sans doute de retourner s'assurer que le compte y est.

— Ce qui nous laisse encore du temps, observa Astrid. Pas de précipitation. En fait, il nous faudra peut-être contraindre certains enfants à sortir, ils risquent de protester. Tu as raison, Caine ne se montrera pas avant d'être certain qu'on lui a obéi.

— Avec un peu de chance, on a une demi-heure devant nous, dit Edilio en jetant un coup d'œil à sa montre.

— Bon. Jusqu'à maintenant, j'ai tout foiré. Bref, si mon plan ne tient pas debout, dites-le.

— Tu es notre homme, Sam, le rassura Edilio.

Astrid serra la main de Sam dans la sienne.

— Bon, voilà ce qu'on va faire, dit-il.

Mary lut des histoires, chanta des comptines, fit à peu près tout sauf des claquettes. Mais il n'y avait pas moyen de distraire les enfants de l'horreur qu'ils étaient en train de vivre. L'air sérieux, ils surveillaient le moindre geste de Drake, les yeux rivés sur son bras monstrueux.

Certains coyotes s'étaient endormis. D'autres couvaient les enfants d'un œil affamé. Mary aurait bien aimé prendre un autre calmant, voire dix. Ses mains tremblaient. Elle avait le ventre noué et besoin d'aller aux toilettes, mais il fallait bien rester auprès des enfants.

Son frère, John, était occupé à changer une couche, comme d'habitude, sauf qu'un tic nerveux déformait sa bouche. Tout en lisant, Mary retournait sans cesse la même question dans sa tête : qu'est-ce que je dois faire ? Qu'est-ce que je dois faire si…

Un petit garçon leva la main :

— Mary ? Le chien pue.

Mary continua sa lecture.

L'enfant disait vrai, les coyotes empestaient. Leur puanteur – une odeur de musc et de charogne – était suffocante. Ils urinaient librement contre les pieds de table et les berceaux et avaient choisi le coin des déguisements pour le reste.

Cependant, les coyotes n'étaient pas à leur aise, loin de là. Ils sursautaient au moindre bruit, peu accoutumés aux espaces confinés et à la présence humaine. Chef maintenait l'ordre en grognant de temps à autre, mais lui-même était inquiet.

Seul Drake semblait dans son élément. Il s'était installé dans le fauteuil à bascule où Mary berçait les bébés pour les endormir et leur donnait le biberon. Son bras-fouet exerçait une fascination inépuisable sur lui : il passait son temps à l'examiner, à l'enrouler et à le dérouler d'un air ravi.

Sauver les enfants ? Sauver John ? Était-elle capable de sauver quelqu'un ? Que faire quand le massacre commencerait ?

Soudain, Taylor se matérialisa au milieu de la pièce.

— Salut, j'ai apporté à manger, annonça-t-elle en s'avançant avec un plateau chargé de steaks hachés crus.

Tous les coyotes tournèrent la tête d'un même mouvement. Pris au dépourvu, Drake fut trop long à réagir. Taylor lança le plateau contre le mur commun à la crèche et à la quincaillerie. La viande sanguinolente glissa sur les parpaings colorés. Le fouet de Drake claqua – trop tard, Taylor avait déjà disparu.

Les coyotes n'hésitèrent qu'une seconde avant de se jeter sur la viande. Un instant plus tard, ils se bousculaient en grondant et en aboyant. Drake se leva d'un bond et cria :

— Chef, rappelle tes troupes !

Mais ce dernier avait rejoint la mêlée pour prélever sa part de ce butin inespéré.

Soudain, le mur trembla, puis se craquela, et les coyotes qui se trouvaient à proximité furent soulevés de terre : ils restèrent suspendus à quelques mètres du sol en griffant l'air de leurs pattes.

— Dekka ! rugit Drake.

Une lumière verte aveuglante illumina la pièce et, telle la flamme d'un bec Bunsen dévorant un mouchoir en papier, ouvrit une brèche dans le mur. Le rayon lumineux passa bien au-dessus de la tête des enfants mais atteignit l'un des coyotes en apesanteur et le coupa en deux. Des deux tronçons de la bête, toujours suspendus dans les airs, jaillirent des milliers de bulles écarlates.

Les enfants poussèrent un hurlement et Drake recula dans un coin pour éviter la zone d'apesanteur. La tête d'Edilio s'encadra dans le trou.

— Mary ! Tout le monde à terre !

— Tout le monde à terre ! cria Mary, et John se jeta sur un bambin qui prenait ses jambes à son cou.

— Vas-y, Sam ! lança Edilio.

Un autre pan de mur se désintégra, et cette fois des rayons de lumière traversèrent la pièce de part en part, pulvérisant les parois couvertes de dessins colorés et les bêtes qui flottaient tels des ballons de baudruche.

— C'est bon, Dekka ! cria Edilio.

Les coyotes retombèrent brutalement sur le sol. Ceux qui étaient toujours vivants ne songeaient plus qu'à fuir. La porte s'ouvrit à toute volée, comme poussée par une main invisible, et les animaux se précipitèrent au-dehors.

— Chef ! rugit Drake. Espèce de lâche !

Lorsque le rayon vert le frôla, il se jeta à terre en jurant et rampa vers la sortie.

Quinn avait entendu – et senti – trembler le mur séparant la crèche de la quincaillerie. Quelques instants plus tard, il avait vu une horde de coyotes affolés débouler dans la ruelle et fuir dans toutes les directions.

Puis Drake apparut à son tour.

Quinn se recroquevilla derrière le parapet. Brianna s'avança imprudemment pour jeter un coup d'œil.

— C'est Drake. La voilà, ta chance.

— Baisse-toi, idiote, siffla Quinn.

Brianna se tourna vers lui, les yeux étincelant de colère.

— Donne-moi ton arme, mauviette.

— Tu ne sais même pas t'en servir, gémit Quinn. Et puis il a sans doute déjà pris ses jambes à son cou.

Brianna jeta un nouveau coup d'œil sur la ruelle.

— Il s'est caché derrière la benne.

Quinn risqua un regard à son tour. Brianna avait dit vrai : Drake attendait, dissimulé derrière la benne.

La porte de la quincaillerie s'ouvrit et Sam en sortit seul. Il tourna la tête à droite et à gauche sans pour autant repérer Drake.

— Sam, derrière la benne ! cria Brianna.

Sam fit volte-face mais Drake fut plus rapide que lui. Son fouet cingla le bras de Sam, qui tomba à la renverse et roula pour se relever. Trop tard ! Avec une rapidité inhumaine, le fouet fendit l'air et lacéra le tissu de sa chemise. Il poussa un cri de douleur.

Brianna se précipita pour réinstaller l'échelle au bord du toit, mais son pouvoir la trahit : l'échelle lui glissa des mains et s'écrasa bruyamment sur le sol de la ruelle.

Drake avait enroulé son fouet autour de la gorge de Sam et serrait pour l'étouffer. Quinn vit le visage de son ami s'empourprer. Il leva son arme et tira à l'aveuglette.

Les rayons lumineux frôlaient le visage de Drake sans parvenir à l'arrêter. Il projeta Sam contre un mur : Quinn entendit les os de son crâne craquer contre la brique et le vit s'effondrer, assommé.

— Oublie Caine, fanfaronna Drake, c'est moi qui vais te régler ton compte.

Il leva son bras-fouet, prêt à l'abattre avec assez de force pour découper Sam en deux.

À cet instant, Quinn fit feu. Le recul de l'arme dans ses mains le prit au dépourvu. Il tira d'instinct. Une volée de balles cribla le mur.

Drake fit volte-face et Quinn se releva, les jambes flageolantes.

— Toi ! rugit Drake.

— Ne m'oblige pas à te tuer, balbutia Quinn d'une voix faible.

— Tu me le paieras.

Quinn avait une boule dans la gorge mais, cette fois, il prit le temps de viser. Drake comprit qu'il risquait gros. Avec un grognement furieux, il prit ses jambes à son cou.

Sam se releva lentement. Il leva les yeux vers son ami et lui adressa un salut militaire.

— Je te dois une fière chandelle, Quinn.

— J'aurais pu l'avoir, répondit ce dernier.

Sam secoua la tête.

— C'est normal, de ne pas avoir envie de tuer.

Puis, apercevant Brianna, il parut reprendre quelques forces.

— Brise ? Viens avec moi. Quinn, si jamais quelqu'un fait mine d'entrer dans la garderie, tu n'es pas obligé de le descendre, OK ? Contente-toi de tirer en l'air pour nous avertir.

— Ça, c'est dans mes cordes, lança Quinn.

Sam courut vers la place sans douter que Brianna aurait tôt fait de le rattraper, ce qu'elle fit en quelques secondes.

— Alors ? demanda-t-elle.

— Tout le monde a ostensiblement suivi les ordres de Caine. J'espère que Bug ira lui raconter avant que Drake le rejoigne.

— Tu veux que j'essaie de le rattraper ?

— Trouve-le si tu peux mais ne l'affronte pas seule. Viens me chercher.

Elle disparut. Il n'eut pas le temps d'ajouter : « Sois prudente. »

Les enfants « normaux », au nombre d'une centaine, qui pouvaient être réunis dans de brefs délais, convergeaient vers l'autre côté de la place. Sam avait l'espoir que Caine ne connaissait pas exactement le nombre d'enfants réfugiés à Perdido Beach, qu'ils soient venus en ville ou qu'ils se terrent chez eux. Il fallait que ce rassemblement soit convaincant, tout en laissant la possibilité à quelques-uns de rester cachés avec Edilio.

Astrid, le petit Pete, Dekka, Taylor et le reste des dégénérés du pensionnat entrèrent dans l'église en protestant bruyamment. Sam alla se percher sur le rebord de la fontaine.

— Écoute, Bug, je sais que tu nous espionnes. Préviens Caine qu'on a fait ce qu'il nous demandait. Dis-lui que je l'attends. Si ce n'est pas un lâche, qu'il vienne m'affronter comme un homme.

Il sauta de son perchoir sans jeter un regard à la centaine d'enfants apeurés qui le dévisageaient, blottis les uns contre les autres sur la place.

Bug avait-il vu ce qui s'était passé dans la crèche? Il avait sans doute entendu les coups de feu. Avec un peu de chance, il s'imaginerait que c'était Drake qui s'entraînait au tir.

Quant à Drake, aurait-il le temps d'alerter Caine? Sam ne tarderait pas à le savoir. Quelle que soit l'issue, il doutait que Caine résisterait à la perspective d'un face-à-face. Son ego l'exigeait.

Le talkie-walkie de Sam se mit à crachoter. Il avait baissé le volume et dut coller l'appareil à son oreille pour entendre Astrid.

— Sam?

— Comment ça se passe dans l'église, Astrid?

— Tout le monde va bien. Et du côté de la crèche?

— Ils sont hors de danger.

— Dieu merci.

— Que tout le monde se mette à l'abri sous les bancs.

— Je me sens inutile, ici.

— Assure-toi que le petit Pete ne s'énerve pas. Ce gamin est un véritable bâton de dynamite. On ne peut pas prévoir ses réactions.

— Je pense qu'une fiole de nitroglycérine serait une analogie plus appropriée. La dynamite est un élément assez stable, en fait.

Sam sourit.

— Tu sais que tu m'affoles quand tu parles d'analogie ?

— C'est fait exprès.

Sam s'imagina Astrid, souriant d'un air las, morte de peur mais s'efforçant de faire bonne figure. Savoir qu'elle était tout près, à quelques mètres de lui, le remplit d'inquiétude et de désir, et lui fit presque monter les larmes aux yeux.

Si Sam regrettait que Quinn n'ait pas pu éliminer Drake, il le comprenait. Certaines personnes étaient capables d'ôter la vie, d'autres non. La seconde catégorie était sans doute la plus enviable.

— Viens, Caine, murmura Sam pour lui-même. Viens, qu'on en finisse.

Brianna se matérialisa à côté de lui.

— Drake est rentré chez lui. Enfin, là où il s'est installé.

— Caine est là-bas ?

— Je ne crois pas.

— Bon travail, Brise. Maintenant, va te réfugier dans l'église. Marche lentement, histoire que Bug te voie s'il nous espionne.

— Je veux me rendre utile.

— C'est le meilleur moyen de m'aider, Brianna.

Elle s'éloigna en s'appliquant à traîner les pieds, et Sam se retrouva seul. Les «dégénérés» attendaient dans l'église.

Désormais, tout allait se régler entre Caine et lui. Viendrait-il? Auquel cas, serait-il seul?

Sam jeta un coup d'œil à sa montre: dans une bonne heure, tout ça n'aurait plus d'importance.

À quelque distance – pas assez loin, hélas – s'éleva le hurlement d'un coyote.

44

1 HEURE
6 MINUTES

—Ils obéissent, cria Bug en enfonçant la porte.

— Parfait, répondit Caine. C'est l'heure d'entrer en scène. Tout le monde en voiture.

Il y eut un branle-bas de combat : Chaz, Chunk, Maillet et un Frederico égaré, qui avait finalement réussi à se libérer, se précipitèrent vers le break stationné dans le garage. Diana, qui bouillait de rage, leur emboîta le pas. Panda prit Lana par le bras et la poussa vers la porte.

Caine s'aperçut alors qu'il manquait quelqu'un.

— Où est passé Howard ?

— Je… je ne sais pas, admit Panda. Je ne l'ai pas vu partir.

— Il ne nous sert à rien, cracha Caine. Sans Orc, c'est un poids mort. Ne nous occupons pas de lui.

Le second véhicule du garage était une Audi décapotable. Panda se glissa derrière le volant et Diana s'installa à côté de lui. Il actionna une télécommande et la porte automatique du garage s'ouvrit ; les deux voitures se mirent en branle. Quelques instants plus tard, le break Subaru heurtait le flanc de l'Audi.

Chaz, qui conduisait le break, ouvrit sa vitre.

— Désolé.

— Ça commence bien, maugréa Diana.

— Avance, ordonna Caine d'une voix tendue.

Panda accéléra, sans toutefois dépasser une vitesse prudente de quarante kilomètres/heure. Le break roulait derrière en maintenant une distance de quelques dizaines de mètres. Comme Diana se mettait à fredonner, Caine la fit taire d'une remarque cinglante. Ils avaient dépassé deux pâtés de maisons quand Panda freina brusquement. Une douzaine de coyotes traversèrent la rue à toute allure. Caine sortit la tête par le toit ouvrant et cria :

— Qu'est-ce que vous fabriquez ? Où allez-vous ?

Chef s'arrêta et le fixa de ses yeux jaunes.

— Fouet parti, gronda-t-il.

— Quoi ? Qu'est-ce qui s'est passé à la crèche ?

— Fouet parti. Chef s'en va, répondit le coyote.

— Pas question ! (Se tournant vers Diana, Caine lança :) Ils ont repris la crèche. Qu'est-ce que je fais ?

— C'est à moi que tu demandes, Leader Sans Peur ?

Caine frappa du poing le toit de la voiture.

— Chef, à moins d'être un lâche, tu dois me suivre.

— Chef obéit à l'Ombre. Autres coyotes suivre Chef. Chef a faim. Chef manger.

— Je sais où tu pourrais te remplir la panse. Que dirais-tu d'une place remplie d'enfants?

Chef parut hésiter.

— C'est facile, reprit Caine. Si tu viens avec moi, tu auras autant d'enfants que tu le souhaites. Emmène tous tes coyotes. Le buffet est ouvert.

Chef aboya un ordre à l'intention de sa meute. Les coyotes rebroussèrent chemin.

— Suivez-nous! cria Caine, les yeux brillants d'excitation. Il y a plein d'enfants sur la place, servez-vous. C'est simple, non?

— Mains de Feu là-bas?

Caine fronça les sourcils.

— Qui? Oh, Sam. Oui, il sera là-bas mais je me charge de lui.

Chef parut hésiter.

— Si Chef a peur, peut-être qu'un autre coyote devrait mener la meute.

— Chef pas peur.

— Alors allons-y, décréta Caine.

— Nom de Dieu, gémit Howard. Qu'est-ce qui t'est arrivé, Orc?

Howard s'était glissé hors de la planque de Caine pour rejoindre Orc dans la maison qu'ils occupaient tous les deux. Il trouva son protecteur effondré sur le canapé qui avait cédé sous son poids. Des bouteilles de bière vides étaient disséminées partout dans la pièce.

Orc lui tendit la manette de jeu qu'il tenait à la main.

— Mes doigts sont trop gros pour ce truc.

— Orc, mon pote… Comment c'est arrivé ?

Le visage d'Orc était encore reconnaissable. Son œil gauche, son oreille, une partie de ses cheveux et sa bouche n'avaient pas changé. En revanche, le reste de son apparence évoquait une statue de gravier à demi affaissée. Il mesurait au moins une tête de plus que par le passé. Ses jambes et ses bras avaient l'épaisseur d'un tronc d'arbre. Il ne rentrait plus dans ses vêtements qui pendaient sur sa carcasse et couvraient le minimum de son anatomie. Quand il remuait sur le canapé, on croyait entendre un bruit de pas sur des cailloux mouillés.

— C'est ma punition, répondit Orc d'un ton égal. Pour avoir frappé Betty.

Howard réprima l'envie de prendre ses jambes à son cou. Il voulut fixer l'œil sain de son ami mais ne put s'empêcher de lorgner l'autre, qui ressemblait à une huître jaunâtre enfoncée dans son orbite de pierre.

— Tu peux bouger ?

Orc poussa un grognement et se leva avec plus d'aisance qu'Howard ne l'aurait soupçonné.

— Ouais. Il faut bien que j'aille aux W.-C.

— Qu'est-ce qui se passera quand ce truc se sera étendu à ta bouche?

— Je crois que ma transformation s'est terminée il y a quelques heures.

— Ça fait mal?

— Non, ça démange quand ça se propage, c'est tout.

Comme pour illustrer son propos, avec l'un de ses doigts gros comme des saucisses, il gratta la démarcation entre son nez grisâtre et sa joue encore humaine.

— Vu ce que tu pèses, tu dois être sacrément costaud pour arriver à te lever.

Orc plongea la main dans la glacière posée à ses pieds et en sortit une canette de bière. Il renversa la tête en arrière, ouvrit la bouche, écrasa le dessus de la canette dans ses doigts en faisant jaillir de la bière et de l'écume. Il avala ce qu'il put et le reste dégoulina le long de son menton sur son torse.

— C'est le seul moyen que j'aie trouvé pour les ouvrir. Je n'arrive plus à les décapsuler.

— Et tu restes assis là à boire des bières toute la journée?

— Qu'est-ce que tu veux que je fasse d'autre? gémit Orc en haussant ses monstrueuses épaules. Le problème, c'est que je serai bientôt à court de bière.

— Tu dois te ressaisir, mon pote. Une guerre se prépare. Il faut que tu t'impliques, que tu fasses entendre ta voix !

— Moi, je veux juste de la bière.

— Bon, d'accord. On va t'en trouver.

Le ciel était constellé d'étoiles. La lune luisait au-dessus du clocher. Un coyote poussa un hurlement sauvage à glacer le sang. Sam s'imagina les mutants rassemblés dans l'église. Il vit Edilio dissimulé avec une poignée de gamins dans les ruines de l'appartement calciné. Il se représenta Quinn tapi sur le toit de l'immeuble, serrant dans sa main sa mitraillette sans savoir s'il parviendrait à l'utiliser. Il vit les enfants tourner en rond sur la place, l'air effrayé et perdu. Mary et les petits toujours retranchés à l'intérieur de la crèche. Et Dahra, au sous-sol de l'église, attendant les premiers blessés.

Pour le moment, Drake avait battu en retraite. Mais que manigançait Orc ? Et Caine, où était-il passé ?

Qu'adviendrait-il, dans une heure, quand l'horloge marquerait la date exacte de sa naissance, quinze ans plus tôt, suivie de près par celle d'un frère dont il avait longtemps ignoré l'existence ?

Pouvait-il vaincre Caine ? Il le faudrait bien. D'une façon ou d'une autre, il devait aussi éliminer Drake. Si… Une fois qu'il aurait fait le grand saut, il ne voulait pas laisser Astrid à la merci de ce monstre.

Si le processus mystérieux qui mettrait simplement fin à son existence dans la Zone l'effrayait, il ne s'inquiétait pas tant pour son propre sort que pour celui d'Astrid. Moins de deux semaines plus tôt, elle n'était encore qu'une abstraction, un idéal, une fille qu'on pouvait mater du coin de l'œil sans jamais oser manifester son intérêt. Et maintenant elle occupait toutes ses pensées, alors que son propre sablier égrenait les minutes qui le séparaient d'une disparition brutale et sans doute inéluctable.

Comment Caine prévoyait-il leur ultime confrontation ? C'était l'autre question qui taraudait Sam. Débarqueraient-ils en ville, seuls et à pied, tels deux bandits dans un western ? Devraient-ils se poster à quelques mètres l'un de l'autre et dégainer ? Qui aurait le dessus ? Le jumeau qui détenait le pouvoir de la lumière ou celui qui était capable de déplacer la matière ?

Il faisait nuit. Sam détestait l'obscurité. Il l'avait toujours su : quand sonnerait son heure, il serait seul dans le noir.

Où était passé Caine ? Bug était-il en train de l'espionner en ce moment même ? Edilio réussirait-il là où Quinn avait échoué ? Quel nouveau tour Caine cachait-il dans sa manche ?

Taylor se matérialisa à quelques pas de lui. On aurait dit qu'elle venait de voir le diable. Son visage était blême, son regard comme fou.

— Ils arrivent.

Sam hocha la tête et s'efforça de calmer les battements frénétiques de son cœur.

— Bien, dit-il.

— Non, pas lui. Les coyotes.

— Quoi? Où?

Taylor pointa le doigt par-dessus l'épaule de Sam. Il se retourna brusquement et les vit débouler de deux directions à la fois. Ils fonçaient droit sur le groupe d'enfants sans défense. Sam eut l'impression de voir une horde de lions charger sur un troupeau d'antilopes dans un documentaire animalier. Seulement, cette fois, les proies étaient des humains. Et ces humains-là n'avaient aucune chance de s'en tirer.

Les enfants cédèrent à la panique. Sam se mit à courir, leva sa main valide, chercha une cible, s'époumona. Soudain, un moteur rugit au loin. Sam se figea, fit volte-face. Les phares d'un 4 x 4 poussiéreux balayèrent le mur de l'église. Il percuta le trottoir longeant la place et s'arrêta en projetant des mottes de terre humide autour de lui.

Derrière le 4 x 4, d'autres voitures s'avancèrent. Des hurlements retentirent lorsque les coyotes se jetèrent sur le troupeau humain. Sam leva la main et fit feu en direction de la horde de coyotes qui arrivait à sa gauche. Cependant, il ne put s'attaquer à l'autre meute, bloqué par des enfants qui couraient vers lui, éperdus.

— Baissez-vous! Baissez-vous! cria-t-il. À terre!

Mais dans l'affolement, plus personne ne l'écoutait. Jack descendit du 4 x 4 en titubant.

— Sauve-moi! pleurnicha-t-il.

Une Audi freina devant l'église dans un crissement de pneus. Une tête émergea du toit ouvrant. Un cri de terreur s'éleva. Un enfant tombé à terre tentait de repousser les assauts d'un coyote deux fois plus gros que lui.

— Edilio! Maintenant! rugit Sam.

— On passe une mauvaise nuit, frérot? lança Caine, l'air triomphant. Ce n'est pas près de s'arranger.

Caine leva les mains, mais au lieu de viser Sam, il dirigea son énergie vers l'église. Soudain, il sembla qu'un géant invisible s'était adossé aux vieux murs chaulés du bâtiment. La pierre se craquela et les vitraux explosèrent. La porte de l'église, son point faible, fut soufflée de l'intérieur.

— Astrid! cria Sam.

Sur la place, les cris affolés des enfants se mêlaient aux jappements surexcités des coyotes qui fondaient sur eux.

Soudain, des tirs de mitraillette claquèrent. Les coups de feu provenaient du toit de la crèche. Edilio sortit en courant de l'immeuble incendié, suivi de trois autres, et chargea les coyotes. Caine leva de nouveau les mains et, cette fois, le monstre invisible s'appuya de toutes ses forces à la façade de l'église. Les fenêtres latérales, tous les vitraux restants explosèrent en une pluie de débris scintillants. Le clocher vacilla.

— Comment tu comptes les sauver, Sam ? cria Caine. Encore une secousse et l'église s'écroule.

Jack s'était jeté aux pieds de Sam et s'agrippait à lui avec une force étonnante. Il finit par le faire trébucher et, en tombant, Sam fit feu à l'aveuglette.

— Moi, je peux te sauver ! suppliait Jack. Mais toi, sauve-moi ! La disparition ! Je peux te sauver !

Sam repoussa les mains de Jack, parvint à se dégager et se releva à temps pour voir la façade de l'église s'affaisser lentement. Le toit trembla avant de s'effondrer à son tour. Le clocher tangua mais tint bon. En revanche, des tonnes de gravats et d'énormes poutres en bois s'écrasèrent sur le sol dans un fracas digne de la fin du monde.

— Astrid ! hurla Sam, au désespoir.

Il s'élança vers Caine sans tenir compte du massacre qui se déroulait derrière lui, cris, grognements voraces, tirs saccadés de mitraillette.

Le rayon vert frappa l'avant de l'Audi. Le capot explosa et Caine s'extirpa maladroitement par le toit ouvrant tandis que les autres passagers, que Sam ne prit pas la peine d'identifier, sortaient précipitamment par les portières.

Sam frappa de nouveau mais Caine réussit à esquiver son attaque. Une décharge d'énergie heurta Sam de plein fouet et l'arrêta net comme s'il venait de foncer dans un mur. Il parcourut les alentours d'un regard fiévreux. Où était passé Caine ? Où ?

Des clameurs étouffées en provenance de l'église se mêlèrent au vacarme derrière lui, des cris suraigus, désespérés, suppliants d'enfants appelant leur mère à l'aide.

Sam vit quelque chose bouger et fit jaillir un torrent de flammes de ses mains. Caine riposta aussitôt, et la statue de la fontaine, se détachant de son piédestal, tomba dans l'eau avec un grand plouf.

Sam se mit à courir. Il devait absolument rattraper Caine et le tuer, le tuer de ses propres mains.

D'autres tirs de mitraillette et la voix d'Edilio qui criait :

— Non, non ! Cessez le feu, vous tirez sur les enfants !

Sam contourna l'Audi en flammes. Caine, qui courait devant lui, fit voler dans les airs une bouche d'incendie. Sam déchaîna de nouveau son pouvoir et le sol sous les pieds de Caine s'enflamma en dégageant une fumée grasse et noirâtre. Le trottoir avait pris feu. Caine tomba, roula sur lui-même, se rétablit sur un genou et, cette fois, Sam essuya un coup terrible qui le fit tomber à la renverse. Il resta étendu sur le dos pendant quelques minutes, trop sonné pour se relever, les membres gourds, tandis que du sang s'écoulait de sa bouche et de ses oreilles, incapable de… incapable…

Un hurlement terrible déforma les traits de Caine.

Sam sentit sa haine le brûler de l'intérieur et jaillir de ses mains. Caine s'écarta avec un temps de retard, et le rayon de lumière meurtrier l'atteignit à la hanche. La chemise en feu, il poussa un cri et tenta d'étouffer les flammes.

Sam voulut se redresser mais la tête lui tournait.

Caine s'engouffra dans l'immeuble incendié, par cette porte que lui-même avait franchie le jour où il avait essayé de sauver la fillette. Sam le suivit en titubant, gravit l'escalier et s'avança dans le couloir ravagé qui sentait encore le brûlé. Le dernier étage n'était qu'un amoncellement de poutres noircies, de tuiles et de fragments de mur d'où dépassait un tuyau çà et là.

Une explosion déchira le silence et Sam vit un pan de mur onduler sous l'impact.

— Finissons-en, Caine !

— Viens me chercher, mon frère ! cria ce dernier d'une voix altérée par la douleur. Cet endroit sera notre tombeau.

Guidé par l'appel de Caine, Sam traversa le couloir en faisant jaillir la lumière mortelle de ses mains.

Caine restait introuvable.

Une porte qui tenait encore sur ses gonds émit un grincement sonore. Sam l'ouvrit d'un coup de pied et déversa des torrents de flammes dans la pièce.

Une poutre embrasée vola dans les airs. Il se baissa pour l'éviter mais eut moins de chance avec la suivante, qui heurta son bras gauche, brisant les os de son coude. Puis un déluge de gravats s'abattit sur lui. Il recula en soutenant son coude blessé de sa main droite et, soudain, il vit Caine à deux mètres de lui, bras levés, doigts écartés, paumes ouvertes.

— La partie est terminée, Sam.

Une ombre surgit dans le dos de Caine et il chancela en se tenant la tête à deux mains. Derrière lui, Brianna brandissait encore son marteau.

— Cours, Brise ! cria Sam.

Trop tard. Caine atteignit sa cible à bout portant : Brianna fut projetée contre un mur et passa au travers. Caine s'engouffra dans l'ouverture. Sam riposta et, par la brèche qu'il venait d'ouvrir, vit Caine abattre d'un seul geste une autre paroi.

Soudain, la terre se mit à trembler : l'immeuble était en train de s'écrouler. Il se détourna et courut à toutes jambes, mais le sol céda brusquement sous ses pieds. Pendant une fraction de seconde, il poursuivit sa course dans les airs puis chuta telle une pierre tandis que le bâtiment se désagrégeait de toutes parts.

Il tomba dans le vide, et il lui sembla que l'univers entier s'effondrait sur lui.

FIGÉ D'HORREUR, QUINN vit les coyotes se jeter sur les enfants. Il vit Sam faire feu et manquer sa cible, puis assister, au comble du désespoir, à la destruction de l'église.

— Non ! cria-t-il en levant sa mitraillette. Pas ça, pas les gosses !

Le corps secoué de sanglots, il pressa la détente. Les coyotes, bien plus nombreux désormais, ne prêtaient aucune attention à lui. L'un d'eux tomba comme une mouche et ne se releva pas.

Bientôt, il fut contraint de cesser le feu : les coyotes étaient trop près des enfants. Il se rua vers l'échelle, dégringola les barreaux quatre à quatre, glissa et tomba lourdement dans la ruelle. « Fuis, criait une voix dans sa tête, fuis ! » Affolé, il fit quelques pas en direction de la plage et s'arrêta net comme si une force invisible le retenait par les épaules.

« Tu ne peux pas fuir, Quinn, se dit-il. Pas cette fois. »

Et, tout en répétant ces mots à voix haute, il rebroussa chemin, entra dans la garderie, bouscula Mary qui serrait une fillette dans ses bras, sortit sur la place en brandissant sa mitraillette comme une massue et, avec un cri de dément, écrasa la crosse de son arme sur le crâne d'un coyote dans un craquement répugnant.

Edilio l'avait rejoint. Autour de lui, d'autres enfants tiraient à l'aveuglette, et Edilio criait : « Non, non, non ! » Quinn avait du sang dans les yeux, dans la tête, le sang était partout autour de lui et il se mit à hurler comme un fou et à frapper, frapper sans cesse jusqu'à en perdre la raison.

Mary serra Isabella contre elle. Elle s'était blottie dans un coin avec John et les autres enfants qui pleuraient à chaudes larmes. Du dehors leur parvenait la rumeur folle de la bataille : les cris, les aboiements des coyotes et les coups de feu.

Drake entendit les hurlements des coyotes dans la nuit et comprit, au fond de son cœur sec, ce que cela signifiait.

Il avait fini de panser ses blessures. L'heure était venue de prendre part à la bataille.

— Il est temps de leur montrer qui est le maître, dit-il.

Il ouvrit la porte de sa maison d'un coup de pied et se dirigea au pas de charge vers la place en poussant des cris de rage, faute de pouvoir hurler à la lune comme les coyotes. En entendant les coups de feu, il dégaina son pistolet et fit claquer son fouet pour le simple plaisir que lui procurait ce bruit.

Devant lui, deux silhouettes marchaient aussi vers la clameur de la bataille : l'une d'elles paraissait étonnamment petite. Non, en réalité, c'était l'autre qui était énorme : de la taille d'un sumo, elle progressait avec difficulté, entravée par ses membres imposants.

Le duo mal assorti s'avança sous le halo d'un réverbère, et Drake reconnut le plus petit des deux.

— Howard ! Espèce de traître ! cria-t-il.

Howard s'arrêta tandis que la créature à son côté poursuivait sa route.

— Ne t'amuse pas à ça, Drake, répondit-il d'un ton menaçant.

Drake lui lacéra la poitrine de son fouet. Sous la lumière crue du réverbère, la traînée de sang sur son torse prit une teinte noirâtre.

— Allez, dépêche-toi, Sam t'attend ! lança Drake.

La grosse créature s'arrêta net, se retourna lentement et revint sur ses pas.

— Qu'est-ce que c'est que ça ? demanda Drake d'un ton sec.

— Toi ! marmonna la créature.

— Orc ? fit Drake mi-fasciné, mi-terrifié.

— C'est ta faute si j'en suis là, cracha Orc, amer.

— Écarte-toi de mon chemin. C'est la guerre. Viens me prêter main-forte ou prépare-toi à mourir.

Howard s'interposa : malgré la douleur qui le pliait en deux, il essayait encore de jouer au plus malin.

— Il veut juste sa bière, Drake.

— Le châtiment de Dieu s'est abattu sur moi, bredouilla Orc d'une voix pâteuse.

— Gros lourdaud ! répliqua Drake en abattant son fouet de toutes ses forces sur l'épaule d'Orc.

Ce dernier poussa un rugissement de douleur.

— Avance, crétin !

Orc obéit, mais plutôt que de se diriger vers la place, il fonça droit sur Drake.

— Tu veux goûter de mon fouet, dégénéré ? reprit ce dernier. Je vais te tailler en pièces.

Astrid sentit un poids peser sur ses jambes. Elle gisait, face contre terre, sur le corps inerte du petit Pete. Elle prit une grande inspiration et, les oreilles bourdonnantes, appela à voix basse :

— Pete ?

L'enfant ne bougea pas. Elle essaya vainement de dégager ses jambes : elles ne répondaient plus.

— Pete ! Pete ! cria-t-elle.

Elle essuya ses yeux pleins de poussière et de sueur pour examiner son frère. Elle avait fait de son mieux pour le protéger quand le mur s'était écroulé, mais un énorme morceau de plâtre avait heurté sa tête.

Réprimant un sanglot, elle toucha son cou et sentit son pouls battre sous ses doigts. Il respirait faiblement, sa poitrine se soulevait au rythme de son souffle.

— À l'aide ! gémit-elle, incapable d'entendre le son de sa propre voix tant ses oreilles sifflaient. Sauvez mon frère !

Bientôt, ses supplications se muèrent en prière.

— Sauvez-le. Sauvez Sam. Sauvez-nous tous.

En sanglotant, elle commença à ânonner une prière qu'elle avait entendue des années auparavant.

Comme pour railler ses implorations, une pluie de débris de verre et de plâtre s'abattit sur elle.

Le petit Pete poussa un gémissement, puis il bougea la tête et Astrid s'aperçut qu'il avait une entaille profonde au sommet du crâne.

Quelqu'un apparut au milieu des décombres. En tendant le cou, Astrid distingua un visage à la peau noire éclairé par un éclair de lumière verte.

— Merci, mon Dieu.

— Je ne suis pas vraiment Dieu, lança Dekka d'une voix qu'Astrid percevait à peine, mais je peux te tirer de là.

Caine émergea d'un bond des gravats de l'immeuble. Il avait réussi. Sam était enterré sous des tonnes de décombres. Il avait réussi à triompher de lui.

Pourtant, Caine avait du mal à savourer sa victoire. La douleur que lui causait sa brûlure était intolérable. Le rayon mortel avait fondu le tissu de sa chemise avec sa chair, et la souffrance dépassait tout ce qu'il avait connu jusque-là.

Il se dirigea d'un pas chancelant vers l'église en ruine en s'efforçant de réfléchir malgré le chaos qui l'entourait. Les tirs avaient cessé mais on entendait encore, outre les cris des enfants et les rugissements des coyotes, une série de petites détonations, le claquement d'un fouet et ce qui ressemblait aux battements irréguliers d'un tambour.

Oubliant momentanément ses souffrances, Caine s'arrêta. Sur les marches de l'hôtel de ville, un combat de titans opposait Drake à une créature indéfinie. Drake se servait à la fois de son fouet et de son pistolet contre le monstre, qui sans cesse se jetait sur lui en fendant maladroitement l'air de ses poings. Il ratait chaque fois son coup, et Drake tournait autour de lui en faisant claquer son fouet, sans toutefois parvenir à écarter son adversaire.

La créature chargea et manqua Drake d'un cheveu. Son énorme poing s'abattit sur l'un des piliers soutenant le porche de l'hôtel de ville, qui se craquela et manqua s'effondrer.

Une voix hésitante, rocailleuse et suraiguë arracha Caine à ce spectacle.

— Fille a dit nous arrêter, s'indigna le chef coyote.

— Quoi ? fit Caine, interdit, jusqu'à ce qu'il voie Diana s'avancer vers lui, hirsute, les yeux étincelant de rage.

— J'ai ordonné à cette sale bestiole d'arrêter, expliqua-t-elle d'une voix qu'elle avait peine à contrôler.

— Arrêter quoi ?

— Ils s'en prennent encore aux enfants. On a gagné. Sam est mort. Rappelle-les, Caine.

Caine reporta son attention sur le duel entre Drake et la créature.

— Ce sont des coyotes, répliqua-t-il froidement.

Diana se jeta sur lui.

— Tu as perdu la tête, Caine ? Tu as gagné, bon sang ! Le massacre doit cesser.

— Sinon quoi, Diana ? Va chercher Lana. Je suis blessé. Chef, fais ce qui te chante.

— Voilà pourquoi ta mère t'a abandonné, rétorqua Diana d'un ton féroce. Elle s'est peut-être rendu compte que non seulement tu es pourri jusqu'à la moelle, mais qu'en plus tu es complètement dingue !

Emporté par une rage soudaine, Caine, oubliant ses pouvoirs, gifla Diana à toute volée. Elle trébucha et se laissa choir lourdement sur une des marches.

Un rayon de lumière verte, aveuglante, illumina soudain son visage. Cela ne pouvait signifier qu'une chose. Transperçant le ciel telle une flèche, la colonne de lumière provenait des ruines de l'immeuble incendié.

— Non, murmura Caine.

À présent, des torrents de flammes embrasaient les décombres du bâtiment.

— Non, répéta Caine, et soudain la lumière mourut.

Derrière lui, Orc et Drake s'affrontaient toujours, mais il ne voyait plus que la silhouette couverte de suie qui venait d'émerger des gravats et se dirigeait vers lui en le fixant de ses yeux perçants.

Caine tendit les bras vers la façade effondrée de l'église et fit pleuvoir sur Sam des tonnes de gravats. Ce dernier leva les mains à son tour : des flammes vertes jaillirent de ses doigts et firent voler en éclats les briques et les énormes poutres qui s'abattaient sur lui, les réduisant en cendres avant qu'elles aient pu l'atteindre.

Dekka fit léviter les décombres qui écrasaient Astrid et le petit Pete. Or, en suspendant la gravité, elle faisait aussi léviter les deux enfants, qui flottaient dans les airs au milieu d'une constellation de débris.

Dekka tendit la main vers Astrid et la poussa hors de la zone de suspension. Elle et le petit Pete retombèrent sur la terre ferme. Puis Dekka baissa les bras et les gravats s'écrasèrent au sol avec un bruit assourdissant.

— Merci, souffla Astrid.

— Il y en a encore beaucoup là-dessous, répondit Dekka et, sans perdre de temps, elle s'éloigna pour aider les autres victimes.

Astrid tenta de soulever son frère dans ses bras. Il s'affaissa contre elle telle une poupée de chiffon. Elle le serra sur son cœur comme un bébé trop grand pour elle et, tout en le traînant à moitié, sortit de l'église en trébuchant sur les décombres.

Lana aurait pu le guérir, mais elle avait disparu. Il ne lui restait plus qu'à l'emmener au sous-sol auprès de Dahra. Quand bien même Dahra ne pourrait pas grand-chose pour lui. Et puis, pouvait-on encore accéder à l'hôpital de fortune ? L'entrée avait peut-être été bloquée par l'éboulement.

Pour la première fois, Astrid s'aperçut que la façade de l'église avait été tout simplement soufflée. Elle vit le ciel nocturne constellé d'étoiles, illuminé par un terrible éclair verdâtre.

Elle avait recouvré l'ouïe mais les bourdonnements persistaient. Elle percevait des grognements d'animaux, le claquement d'un fouet et les voix, trop nombreuses, d'enfants en pleurs.

Soudain, les gravats autour d'elle s'envolèrent. Elle se jeta au sol en protégeant de son corps le petit Pete, et ne bougea plus. Des débris de toutes sortes, fragments de murs et de panneaux en bois, jointures en acier, s'élevèrent pour former un tourbillon devant la façade effondrée de l'église. Un éclair vert zébra de nouveau le ciel, une série d'explosions retentit, puis le tourbillon cessa brusquement.

Astrid se releva en soutenant le corps inerte de son frère. Quelqu'un courut au-devant d'elle, s'arrêta, hors d'haleine, et balaya les alentours d'un regard terrifié, tel un animal traqué.

— Caine ! cracha Astrid.

Ce dernier ne répondit pas. Astrid constata qu'il était blessé. Son visage était maculé de crasse et de sueur. Il la considéra d'un air hébété, comme s'il venait d'apercevoir un fantôme et, soudain, une lueur menaçante s'alluma dans ses yeux voilés.

— Parfait, murmura-t-il.

Astrid sentit ses pieds décoller du sol. Elle s'agrippa désespérément au petit Pete, mais il lui glissa des mains et s'affaissa par terre.

— Viens t'amuser, mon frère ! cria Caine. Je nous ai trouvé une camarade de jeu.

Astrid flottait dans les airs, impuissante, tandis que Caine, marchant derrière elle, se servait de son corps comme d'un bouclier. Ensemble ils s'avancèrent vers les marches de l'église, vers la bataille qui faisait rage.

Sam les attendait au pied de l'escalier. Il était couvert de bleus et de sang. Un de ses bras pendait le long de son corps, inerte.

— Allez, Sam ! vociféra Caine. Viens me montrer ce que t'as dans le ventre !

— On se cache derrière une fille, maintenant ? persifla Sam.

— Tu crois m'avoir avec des arguments pareils ? Tout ce qui compte, c'est la victoire.

— Je vais te tuer, Caine.

— Non, à moins de tuer ta copine par la même occasion.

— On va tous les deux disparaître d'ici quelques minutes, Caine. C'est terminé.

— Pour toi peut-être, Sam. Moi, j'ai trouvé le moyen de rester, répondit Caine.

Il partit d'un ricanement triomphant.

— Vas-y, Sam, tu n'as pas le choix, gémit Astrid. Débarrasse-toi de lui.

Diana monta quatre à quatre les marches menant à l'église.

— C'est ça, mon frère, tue-moi, railla Caine. Vas-y, fais un joli trou dans ta copine.

— Caine, lâche-la, intervint Diana. Sois un homme, pour une fois.

— Lâche-la, Caine, renchérit Sam. C'est fini. Quinze ans, pouf. Je ne sais pas ce qui nous attend, mais si c'est la mort, tu as déjà assez de sang sur les mains, non ?

Caine éclata d'un rire sans joie.

— Tu ne sais rien de moi. Toi, tu n'as pas grandi sans savoir qui tu étais. Tu n'as pas dû te construire avec pour seule aide ton imagination et ta volonté.

— J'ai grandi sans père, objecta Sam. Et sans explication, tout comme toi.

Caine jeta un œil à sa montre.

— Je crois que le moment est venu pour toi, Sam. Tu pars le premier, tu t'en souviens ? Avant de disparaître, sache que je vais survivre. Je vais rester ici avec ta jolie copine Astrid et je régnerai sur la Zone entière.

— Sam, le seul moyen de vaincre... cria Diana.

Caine fit volte-face, leva la main et, au beau milieu de sa phrase, Diana fut projetée dans les airs ; elle atterrit de l'autre côté de la rue, sur l'herbe de la place. En concentrant ses efforts sur elle, Caine avait lâché Astrid.

Sam tendit la main vers lui, paume ouverte.

D'UN SEUL GESTE, d'une seule pensée, il pouvait tuer Caine.

Mais tout à coup, le monde autour de lui devint flou. Astrid, étendue sur un tas de gravats, semblait soudain terne, incolore, presque translucide. Caine lui-même ressemblait à un fantôme.

Le silence retomba sur la place. Les cris des enfants cessèrent. Le duel opposant Drake à Orc, les assauts répétés des coyotes, tout semblait se dérouler au ralenti.

Le corps de Sam était engourdi ; il avait l'impression d'être mort, à cette différence près : son cerveau fonctionnait toujours.

— C'est l'heure, dit une voix.

Le son de cette voix, qu'il connaissait par cœur, lui transperça les entrailles comme une lame.

Sa mère s'avança vers lui. Elle était aussi belle que dans son souvenir. Une brise imperceptible balayait ses cheveux. Le bleu de ses yeux était la seule couleur qui subsistait autour de lui.

— Bon anniversaire, dit-elle.

— Non, murmura-t-il, malgré ses lèvres scellées.

— Tu es un homme, maintenant, déclara-t-elle avec un sourire las. Mon petit homme à moi.

— Non.

Elle tendit la main vers lui.

— Viens.

— Je ne peux pas.

— Sam, je suis ta mère. Je t'aime. Viens avec moi.

— Maman…

— Rejoins-moi. Je peux t'emmener loin d'ici.

Sam secoua la tête au ralenti, comme s'il se noyait dans de la glu. Le temps semblait s'être arrêté. Astrid ne respirait plus. Le monde entier s'était figé.

— Ce sera comme avant, reprit sa mère.

— Ça n'a jamais… commença-t-il. Tu m'as menti.

— Je t'ai toujours dit la vérité, protesta-t-elle en fronçant les sourcils, l'air déçu.

— Tu ne m'as jamais avoué que j'avais un frère. Tu ne m'as…

— Viens avec moi, répéta-t-elle, à bout de patience, sur le même ton qu'autrefois, lorsqu'il refusait de prendre sa main pour traverser la rue. Là où je t'emmène, tu seras en sécurité.

Redevenant petit garçon, Sam réagit d'instinct à la voix pressante de sa mère, et tendit la main vers elle. Puis il se ravisa.

— Je ne peux pas venir. Quelqu'un a besoin de moi ici.

Une lueur de colère, d'un vert irréel, s'alluma un bref instant dans les yeux de sa mère.

Soudain, s'arrachant au monde figé, incolore autour d'eux, Caine s'avança dans la lumière inquiétante. Connie Temple lui sourit et il la dévisagea avec étonnement.

— Infirmière Temple?

— Maman, le corrigea-t-elle. Il est temps pour mes deux garçons de me rejoindre pour que je les emmène loin d'ici.

Caine, frappé de stupeur, n'arrivait pas à détacher son regard du visage doux et souriant, des yeux bleus perçants.

— Pourquoi? demanda-t-il d'une voix de petit enfant.

Connie Temple ne répondit pas. Une fois encore, pendant une fraction de seconde, une étincelle d'un vert vénéneux s'alluma dans ses yeux.

— Pourquoi lui et pas moi? reprit Caine.

— Il est temps de venir avec moi, répéta-t-elle. On formera une vraie famille, loin d'ici.

— Toi d'abord, Sam, lança Caine. Va rejoindre ta mère.

— Non, répondit Sam.

Caine devint blême de rage.

— Vas-y, Sam, vas-y ! Pars avec elle.

Il semblait à deux doigts d'agripper Sam par le col pour le pousser vers cette mère qu'ils n'avaient jamais partagée, mais ses mouvements étaient étranges et saccadés comme ceux d'une marionnette dans un rêve. Il finit par baisser les bras.

— Jack t'a prévenu, maugréa-t-il.

— Personne ne m'a rien dit. Il me reste des choses à faire ici.

L'air exaspéré, leur mère tendit les bras vers eux.

— Rejoignez-moi.

Caine secoua lentement la tête.

— Non.

— Toi, Sam, tu es l'homme de la maison, maintenant, dit-elle d'une voix câline. Mon petit homme à moi.

— Je n'appartiens à personne, rétorqua Sam.

— Et moi je n'ai jamais été ton fils, renchérit Caine avec un sourire méprisant. C'est trop tard maintenant, mère.

Le visage de Connie Temple vacilla. La chair tendre de ses joues se désintégra comme les pièces d'un puzzle. Son sourire doux et suppliant s'évanouit. Elle ouvrit une bouche monstrueuse, hérissée de dents acérées. Des flammes vertes s'allumèrent dans ses yeux.

— Je finirai par vous posséder, rugit le monstre avec une violence soudaine.

Caine le dévisagea, horrifié.

— Qui es-tu?

— Moi? fit le monstre d'un ton moqueur. Je suis votre avenir. Tu viendras de toi-même me trouver dans la caverne, Caine. Tu viendras de ton plein gré.

— Non, protesta Caine.

Le monstre éclata d'un rire cruel et s'évanouit. Bientôt, la couleur revint autour d'eux. Le duel entre Orc et Drake avait repris une vitesse normale. L'air sentait de nouveau la poudre. Astrid respirait.

Sam et Caine se faisaient face.

Bon gré mal gré, ce monde était le leur, désormais. La Zone. Diana les observait, immobile. Astrid laissa échapper un hoquet de surprise et ouvrit les yeux.

D'un geste vif, Caine leva les bras mais, cette fois, Sam parvint à le devancer. Il se jeta sur lui, et de sa main valide il l'agrippa par les cheveux, la paume collée sur sa tempe.

— Ne m'oblige pas à faire ça, Caine.

Ce dernier n'essaya pas de se dégager. Ses yeux semblaient mettre Sam au défi de poursuivre.

— Vas-y, Sam, murmura-t-il.

Sam secoua la tête.

— Tu as pitié de moi?

— Il faut que tu partes, Caine, répondit Sam avec douceur. Je n'ai pas envie de te tuer. Mais tu ne peux pas rester ici.

Brianna se matérialisa à leur côté et braqua un pistolet sur Caine.

— Si Sam te rate, c'est moi qui t'aurai. Tu n'iras jamais plus vite que Brise.

Caine l'ignora d'un air dédaigneux, conscient cependant qu'il n'avait aucune chance de l'emporter sur Sam, désormais. Brianna était trop rapide pour qu'il se frotte à elle.

— C'est une erreur de me laisser vivre, Sam, dit-il d'un ton menaçant. Tu sais que je reviendrai.

— Non, ne reviens pas. La prochaine fois…

— La prochaine fois, l'un de nous deux tuera l'autre.

— Va-t'en et tiens-toi à l'écart.

— Jamais, déclara Caine, retrouvant son naturel sûr de lui. Diana ?

— Elle peut rester, intervint Astrid.

— C'est ce que tu veux, Diana ?

— Astrid le Petit Génie, rétorqua Diana avec son mordant habituel. Tu te crois plus maligne, mais tu n'as rien compris.

Diana s'avança vers Sam, lui caressa la joue et planta un baiser au coin de sa bouche.

— Désolée, Sam. La méchante part avec le méchant. Ainsi va le monde. Et c'est d'autant plus vrai dans ce monde-là.

Diana rejoignit Caine et, sans prendre la main qu'il lui tendait ni même le regarder, descendit les marches de l'église à son côté.

Éreintés, Orc et Drake durent déclarer forfait. Drake fit mine de lever son fouet une dernière fois pour l'abattre sur les épaules massives de son adversaire, mais ses gestes étaient lents et plombés par la fatigue.

— Laisse tomber, Drake, lança Diana. Tu ne sais jamais t'arrêter ?

— Non, jamais, répondit Drake, hors d'haleine.

Caine leva la main et, d'un geste presque désinvolte, traîna Drake derrière lui malgré les protestations de ce dernier. Ceux des coyotes qui avaient survécu quittèrent la ville dans leur sillage. Edilio leva son arme, échangea un regard avec Brianna, et tous mirent en joue les fuyards, prêts à ouvrir le feu sur un signal.

— Non, dit Sam. La guerre est finie.

Edilio céda à contrecœur.

— Toi aussi, Brise. Laisse-les partir.

Brianna obtempéra, l'air soulagée.

Quinn rejoignit Edilio en haut des marches. Il était couvert de sang. Il jeta son arme à ses pieds et posa sur Sam un regard morne, infiniment triste. Pat s'avança vers eux en faisant des bonds surexcités, suivi de près par Lana.

— Sam, laisse-moi voir ton bras, dit-elle.

— Non, ça va aller. Va t'occuper des autres. Sauve-les, Lana. Moi, je n'ai pas pu. Toi, peut-être… Commence par le petit Pete. Il… il est très important.

Astrid était retournée dans l'église pour retrouver son frère. Elle réapparut en traînant le corps de l'enfant.

— À l'aide, gémit-elle, et Lana courut au-devant d'elle.

Sam avait envie de rester auprès d'Astrid ; il avait besoin de sa présence. Mais il était si fatigué qu'il n'eut pas la force de la rejoindre. De sa main valide, il s'appuya contre l'épaule solide d'Edilio.

— Je crois qu'on a gagné, dit-il.

— Oui, répondit Edilio. Je vais chercher la pelleteuse. Il y en a, des trous à creuser.

Épilogue

LES TABLES CROULAIENT sous la nourriture : dindes rôties, farce, sauce, ainsi que le plus vaste assortiment de tartes que Sam ait jamais vu.

Les tables avaient d'abord été installées au sud de la place, puis Albert s'aperçut que les enfants voulaient rester près des tombes. Les morts devaient être inclus dans cette fête de Thanksgiving.

Ils mangèrent dans des assiettes en carton avec des couverts en plastique, assis sur la pelouse ou sur les rares chaises qu'ils purent trouver.

Il y eut des rires, mais aussi des larmes à l'évocation des fêtes de Thanksgiving passées.

Il y eut de la musique : Jack le Crack avait réussi à bricoler une chaîne stéréo.

Lana avait œuvré sans répit pendant des jours entiers pour guérir tous ceux qui pouvaient être soignés. Dahra restait à son côté pour organiser les secours, donner la priorité aux cas les plus critiques, distribuer réconfort et calmants à ceux qui devaient attendre. Si Cookie avait manqué la bataille, il était devenu l'infirmier zélé de Dahra, et il mettait sa corpulence à contribution pour soulever les blessés.

Mary emmena les petits au festin. John et elle préparaient leurs assiettes, les nourrissaient à la cuillère pour certains, et changeaient les couches sur des couvertures étalées dans l'herbe.

Orc s'était retranché dans un coin avec Howard. Son duel avec Drake s'était soldé par un match nul. Mais personne, et surtout pas lui, n'avait oublié Betty.

La place était en ruine. L'immeuble calciné n'était plus qu'un tas de décombres. L'église n'avait plus que trois murs debout, et le clocher finirait sans doute par dégringoler au premier orage.

Ils avaient brûlé les cadavres des coyotes. Leurs cendres et leurs ossements remplissaient plusieurs bennes à ordures.

Sam, un peu en retrait, observait l'étendue du désastre, une assiette chargée de nourriture en équilibre sur les genoux.

— Astrid, dis-moi si c'est tordu : s'il y a des restes, je pensais les envoyer au pensionnat en gage de paix.

— Non, pas du tout, répondit-elle en l'enlaçant.

— Tu sais, j'ai une idée qui me trotte dans la tête depuis longtemps.

— Laquelle ?

— Toi et moi, assis sur la plage.

— C'est tout?

— Eh bien...

— Je sens à tes manières elliptiques qu'il y a plein de sous-entendus là-dessous.

Sam sourit.

— Y a pas plus elliptique que moi.

— Tu comptes me raconter ce qui s'est passé au moment du grand saut?

— Oui, c'est promis. Mais peut-être pas aujourd'hui.

D'un signe de tête, Sam désigna le petit Pete qui, penché sur son assiette, se balançait d'avant en arrière.

— Je suis content qu'il aille bien.

— Oui, répondit Astrid, laconique.

Puis, après un silence, elle ajouta:

— J'ai l'impression que le coup qu'il a reçu sur la tête... Aucune importance. Ne parlons pas de lui, pour une fois. Fais ton discours et ensuite on ira vérifier si tu sais ce qu'«elliptique» veut dire.

— Mon discours?

— Tout le monde t'attend.

Sam dut se rendre à l'évidence: des regards anxieux se tournaient vers lui, et une impression d'inachevé flottait dans l'air.

— Tu n'aurais pas quelques citations à me refiler?

Astrid réfléchit quelques secondes.

— Bon, en voilà une : « Sans haine contre personne ; avec de la charité envers tous ; avec une ferme confiance dans la justice, dans la mesure où Dieu nous permet de la reconnaître, laissons-nous finir le travail que nous avons commencé ; panser les blessures de la nation… » Abraham Lincoln.

— Ben voyons, mon discours à moi sera de la même veine.

— Ils n'ont pas cessé d'avoir peur, objecta Astrid, avant de se reprendre : Je veux dire « nous ».

— Ce n'est pas fini. Tu le sais bien.

— C'est fini pour aujourd'hui.

— Oui. Tant qu'il nous reste de la tarte !

Puis, avec un soupir, il se percha sur le rebord de la fontaine.

— Euh… hé, vous autres !

Il n'eut aucun mal à obtenir l'attention des enfants. Ils se rassemblèrent autour de lui. Même les rires des plus petits s'apaisèrent.

— Tout d'abord, merci à Albert et à ses aides pour ce bon repas. Hourra pour notre Mac Daddy à nous, le seul et l'unique !

Des applaudissements enthousiastes s'élevèrent, ainsi que quelques rires, et Albert agita timidement la main.

— N'oublions pas Lana et Dahra sans qui nous serions beaucoup moins nombreux ce soir.

Les applaudissements redoublèrent.

— C'est notre premier Thanksgiving dans la Zone, reprit Sam quand les acclamations se calmèrent.

— J'espère bien que c'est le dernier, cria quelqu'un.

— Bien envoyé, approuva Sam. Mais on est coincés ici, qu'on le veuille ou non. Et on a peur. Je ne vais pas vous mentir, ce ne sera pas plus facile à l'avenir. Au contraire. Et on n'a pas fini d'avoir peur, à mon avis. Il s'est passé des choses terribles. Des choses terribles...

Pendant quelques instants, il perdit le fil, puis se ressaisit.

— Quoi qu'il en soit, remercions le destin d'être encore debout.

— Merci à toi, Sam, cria quelqu'un.

— Non, non, protesta Sam. Non. Remercions les dix-neuf enfants qui sont enterrés là-bas.

Il montra du doigt les rangées de tombes. Sur des planches peintes à la main figuraient les noms de Betty et de tous les autres, trop nombreux, qui reposaient sous terre.

— Remercions aussi les héros qui sont en train de manger de la dinde. Ils sont trop nombreux pour qu'on les mentionne tous, et on ne voudrait pas les mettre mal à l'aise, mais on sait qui ils sont.

Une longue salve d'applaudissements accueillit ces paroles, et les têtes se tournèrent tour à tour vers Edilio et Dekka, Taylor et Brianna, ou encore Quinn.

— Nous espérons tous que le cauchemar prendra fin et qu'on retournera bientôt dans notre monde, auprès de ceux que nous aimons. Mais pour l'instant, nous sommes prisonniers de la Zone. Nous allons donc devoir travailler ensemble et nous entraider.

Des hochements de tête et des pouces levés lui répondirent.

— La plupart d'entre nous viennent de Perdido Beach. Mais il y a aussi des élèves de Coates. Certains d'entre nous sont… un peu bizarres.

Quelques gloussements saluèrent sa remarque.

— D'autres moins. Mais nous sommes tous dans le même bateau, désormais. Nous allons survivre. S'il faut tabler sur ce monde-là… Enfin, je veux dire… Il faut tabler sur ce monde-là. C'est le nôtre. Alors efforçons-nous de le rendre meilleur.

Le silence retomba sur l'assemblée tandis que Sam descendait de son perchoir.

Puis, dans la foule, un enfant se mit à frapper des mains en rythme et à scander : « Sam ! Sam ! Sam ! » D'autres se joignirent à lui et, bientôt, toutes les personnes présentes sur la place, y compris les plus petits, répétèrent son nom en chœur. Quinn, Edilio et Lana faisaient partie des crieurs.

Sam se pencha vers Quinn.

— Tu peux me rendre un service et garder un œil sur le petit Pete ?

— Pas de problème, frangin.

— Où allez-vous? demanda Edilio.

— À la plage, répondit Sam en entraînant Astrid par la main.

— Ça vous dit, un peu de compagnie?

Lana prit Edilio par les épaules.

— Non, Edilio. Ils ont envie d'être seuls.

Le garçon marchait, un peu raide, en s'efforçant de ménager sa brûlure à moitié cicatrisée. Devant lui, le coyote montrait le chemin. À l'ouest, les rayons du couchant étiraient les ombres des buissons et des rochers, et donnaient à la montagne une teinte orangée un peu sinistre.

— C'est encore loin? demanda Caine.

— Bientôt, répondit Chef. L'Ombre est proche.

Tome 2

GONE

La Faim

MICHAEL GRANT

GONE
LA FAIM

QUI N'A JAMAIS RÊVÉ D'UN MONDE SANS ADULTES ?